比较法律哲学

中国近代法学译丛

何勤华　主编

比较法律哲学

【意】密拉格利亚　著

吴泽炎　吴鹏飞
朱敏章　徐百齐　译

李秀清　勘校

中国政法大学出版社

漢譯世界名著

Luigi Miraglia 著

朱敏章
吳澤炎
徐百齊
吳鵬飛 譯

比較法律哲學

上冊

商務印書館發行

总　　序

民国时期，是中国近代法学的奠基时期。该时期，不仅出版了一批有分量的专著，如王世杰、钱端升著《比较宪法》、胡长清著《中国民法总论》、黄右昌著《罗马法与现代》、杨鸿烈著《中国法律发达史》、程树德著《九朝律考》、瞿同祖著《中国法律与中国社会》等，也推出了约四百余种外国法学译著，如穗积陈重的《法律进化论》、孟罗·斯密的《欧陆法律发达史》等，它们是中国近代法学遗产的重要组成部分。

令人担忧的是，由于出版年代久远，这批译著日渐散失，即使少量保存下来，也因当时印刷水平低下、纸张质量粗劣等原因，破烂枯脆，很难为人所查阅。同时，这些作品一般也都作为馆藏书，只保存于全国少数几个大的图书馆，一般读者查阅出借也很困难。

鉴于上述现状，中国政法大学出版社高瞻远瞩，关爱学术，策划并决定对民国时期（包括少量清末时期）

的译著进行整理、筛选，以"中国近代法律文库（译著类）"的形式重新点校、勘校出版，以拯救民国时期法学遗产，满足学术界以及法律院校广大师生学习和研究的需要。

参与本文库点校、勘校的有中国政法大学出版社、华东政法学院法律史教研室、北京大学法学院、中国政法大学图书馆等部门的编辑、教师、博士生和硕士生。由于我们学识粗浅，点校、勘校中可能会存在这样或那样的问题，恳请广大读者批评指正。

何勤华

二〇〇二年八月一日

于上海·华东政法学院

凡　例

一、本文库（译著类）主要整理点校、勘校出版民国（包括少量清末）时期国人翻译出版的外国经典法律名著。在点校、勘校过程中，对原作不作任何有损原意的改动，仅作适当的技术性加工。

二、原书为竖排版者，一律改为横排。原文"如左"、"如右"之类用语，相应改为"如下"、"如上"等。

三、原书所用繁体字、异体字，现全部改为简体字、正体字。个别若作改动会有损原意者，则予以保留，另加注说明。

四、原书无标点符号或标点符号使用不规范者，现一律代之以现在规范通行之标点符号。

五、原书无段落划分者，点校、勘校时作适当之段落划分。

六、原书所用译名，现有新译者，全部改为新译。如"法郎西"改为"法国"，"意大里"改为"意大利"，"澳地利"改为"奥地利"等。但外国人译名均未改，原因在于原书涉及的外国人名一般均未附外语原文，无法重译。在这种情况下，与其误译，不如保留原貌为好。但对有些附有外语原文者，或点校、勘校者手中有外文原著（如《万国公法》等）者，点校、勘校时对原译名加注说明。

七、为保留原著面貌，对原书所引用之事实、数字、书目、名称及其他材料确有错误者，也不作任何改动，但加注说明。

八、原书排字确有错误，当时未能校出者，酌加改正，并加注说明。

九、民国时期出版的法学译著，有些是篇幅很小的小册子，只有几十页、一百余页。考虑到现代读者的阅读习惯，以及文库每册书稿的大体平衡，我们将这些小册子做了适当处理，有的以二三册合并一起出版，有的以"某某法学文选"的形式出版。

勘校前言

《比较法律哲学》的原著者为意大利学者、上议院议员密拉格利亚（Luigi Miraglia，1846－1903）。原著为意大利文，初版于一八七三年，一八九三年再版，一九〇三年增订三版，书名也从原版的《各系法律哲学的基本原理及黑格尔伦理法律的学说》改为《法律哲学》。莱尔（John Lisle）将此译为英文，纳入美国"近代法律哲学丛书"出版。本勘校本是依据商务印书馆组织朱敏章等人据莱尔的此英译本移译，作为"汉译世界名著"之一种，于一九四〇年出版的《比较法律哲学》。

全书除绪论外，正文分为第一、第二两编。绪论所占篇幅不大，但却以西方哲学史为线，以各时期主要哲学家的学说为纲，对自古希腊至十九世纪末西方哲学史上重要的诸家学说作提纲挈领式的阐述。对于阅读者而言，绪论无疑提供了一幅简洁却清晰的西方哲学思想和学说的演进脉络图，对于理解和把握正文中法律哲学基本观念和制度自然具有铺垫和导引的作用。

正文两编均未设标题，但细读各编，还是可以看出它们各自包含的中心内容。第一编分为十章，主要阐述的是关于法律哲学的基本问题，具体包括法律哲学的观念、法律的观念、法律推理方法、法律定义、法律道德与社会科学、法律与社会、法律与政治经济、理性法与成文法等方面。第二编篇幅最大，约占全书的四分之三，共二十二章，主要集中阐述民法哲学的各方面内容，具体包括民事主体、民事权利、各类财产权及其取得、债权债务基本理论、各种契约、结婚离婚、夫妻关系、亲子关系、继承的历史及继承方式等。从各章次序的编排上看，此编隐含着总则、物权、债权、婚姻家庭及继承的五编制民法体例。

无论绪论，还是正文两编，都内细分为前后具有层层深入关系的若干小点，各小点集中说明一个问题，当所有这些小点论述完毕之后，此章的中心议题也即已基本阐述清楚。比如，第一编第一章"法律哲学之观念"，内分为二十个小点，各点名称依次为：哲学与科学；科学之统一性；哲学系任何科学之一部分；哲学有赖于科学；玄学与必需；法律之哲学；现代哲学之性质及维科之预示；维科哲学系历史的非抽象的；维科哲学系实用的；维科说明合理法及现行法基础之不同；合理法与现行法之异同；法律哲学不能基于先天的原理；维科之理论为现代哲学家所推重；维科之理论即实证主义之理论；维科之论计及经济之影响；法律须计及社会的关系；维科信现象为基于理智；樊尼之法律科学；实证主义者不应否认特殊之哲学；法律哲学及立法学之别。各章体例的如此安排，既体现出逻辑严密的文风，同时也颇具引人入胜之可读性。

本译著在内容上注重比较不同时期、不同民族、不同国度的法律观念和民法制度，及不同学者的法律思想和观点，但论证过程中非仅就法律论法律，而是同时广泛涉足除法律领域外的其他学科，比如政治学、经济学、伦理学、人类学、社会学、统计学、生物学等。这种论证的结果具有不可否认的优点，那就是资料丰富，论述新颖、有据。这与著者本身所具备的开阔的视野和渊博的知识、丰富的阅历密不可分。密拉格利亚不仅曾任大学法学教授，还曾任农科学校的政治经济教授及政治伦理学院的秘书等职。其著述涉及面广，除发表法学著作外，还有关于捕获权、教育科学等领域的论著问世。

本译著内容上的另一特色是，在许多议题上，作者并非人云亦云，对于他人观点和若干传统主流性的观点虽持宽容理解的态度，但又指出它们的不足，同时提出自己的观点。比如，关于法律定义，他对于霍布斯、斯宾挪莎、卢梭、边沁、穆勒、斯宾塞、康德、斐希德、赫尔巴特等人所提出和主张的法律定义均作了批判性的分析，认为它们皆包含部分的真理，但均有缺陷；就公司组织的法律主体地位问题，对于佐吉的理论提出批评；就土地制度问题，对于亨利·佐治和罗利阿的学说提出批评，等等。在评述他人观点时，既有客观的介绍，也有尖锐的批评，在此过程中则又同时表明自己的倾向性或独创性的观点。姑且不论密拉格利亚在介绍他人观点时是否真的客观，在批评时是否真的合理和公允，但其中所显现的学术批评的公开和率直的态度则令人欣赏，这无疑也是使此论著颇具可读性的又一重要原因。

同时，本译著内容还具一个极有价值的特点，那就是身为意大利学者的著者在论述过程中，虽然并不排斥评介英、法、德等国学者观点，但更侧重对于意大利学者的观点的引用。尤其是他在许多问题的探讨上都不忘提到意大利著名的哲学家、法理学家、历史学家维科所持的观点。据粗略统计，全书提及维科的多达一百多处。尽管他提及维科的各种观点时并非全将它们视为正确之说而引用，对于维科的学说也并非顶礼膜拜，但对于维科的推崇则是显而易见。尽管他对于维科学说的推崇和对于其他许多意大利学者的观点的引用不免带有一定的民族情绪，但随此书的向外传播，无疑也会将意大利法学者及其学术观点介绍到外国，这不止有益于意大利法学，而且也有助于改变并丰富当时欧洲乃至世界法学的格局。就我国而言，清末以降，近代法学随西学东渐而传入，但初期以日本为重，后渐受关注的也主要集中在德、法、英等国的著述，有关意大利法律学说的论著相对匮乏。即使在学术研究和交流较以前明显深入和兴盛的当今，国内一般学者除借助于具有学习意大利法背景的少数几位学者对于意大利法律著作的译介而知道屈指可数的几位意大利法学者外，对于意大利法学研究的现状详情又知晓多少？即使对于意大利法律领域的强势学科，也即刑事法学，除能列数出近现代享有盛名的贝卡利亚、龙勃罗梭及费里外，对于其他学者及其学术观点也所知寥寥，更别提是对包括法哲学在内的其他法学领域的学者及其学术观点的了解了。即使对于本书著者密拉格利亚本人，假如不是

"译序"所述，想查找到他的具体生平及所发表的论著恐怕也非易事。本论著对于意大利学者观点的侧重介绍和引用，使我们能够接触到意大利众多法学者对于法律哲学诸多问题的各种观点，从此意义上说，称此为它的一大亮点应不为过。

因本书是作为法律学院法律哲学课程的教本而著，故不免存在论述宽泛、若干探讨浅尝辄止之弊端，引证的不规范也为其明显的弱项。而对于个别学说的批评几乎达至超越纯学术评价以致阅读者需以足够的政治判别力才能领会的程度，尽管我们并非一定认同、接受它们，但为了保证著作的完整性，勘校时未予删除，基于著者的教育背景和成书的历史时期，相信读者诸君对此能够予以理解，在阅读时也定会予以甄别、鉴察。

尽管有上述之瑕疵，但我们仍应承认，密拉格利亚的这一著作不失为一部极具学术价值的论著，莱尔（John Lisle）将其译为英文并纳入美国"近代法律哲学丛书"出版即为一个例证。而商务印书馆组织翻译并将它列入"汉译世界名著丛书"出版也为独具慧眼。

"汉译世界名著丛书"是二十世纪前半叶中国最有影响的西方学术著作丛书，它包括哲学、政治学、史学、心理学、教育、宗教、社会学、法学直至人物传记。除当世作家的重要著作外，还有经典作家的作品。据在上海图书馆查阅后估计，此丛书共含四百余种，属于法学类的不多，可能不到二十种。除密拉格利亚的这一著作外，其他的依出版年份先后为龙勃罗梭的《犯罪学》

（一九二九年，刘麟生译）、梅因的《古代法》（一九三〇年，方孝岳、钟建闳译）、戴雪的《英宪精义》（一九三〇年，雷宾南译）、孟德斯鸠的《法意》（一九三一年，严复译）、狄骥的《公法的变迁》（一九三三年，徐砥平译）、奥本海的《国际法》（一九三四年，岑德彰译）、卢梭的《社约论》（一九三六年，徐百齐、丘瑾璋译）、费里的《实证派犯罪学》（一九三六年，许桂庭译）、约翰·列维斯·齐林的《犯罪学及刑罚学》（一九三六年，查良鉴译）、格老修斯的《国际法典》（一九三七年，岑德彰译）、爱德华兹的《罕穆剌俾法典》（一九三八年，沈大銈译）、狄骥的《公法要义》（一九四〇年，杨肇熜译）、美浓部达吉的《公法与私法》（一九四一年，黄冯明译）等。引进西学、开启民智是当时商务印书馆的出版宗旨，它在遴选翻译外文著作时以严谨著称。包括密拉格利亚此著作在内的这些法学著作的翻译引入，对当时的中国法学界来说，确属盛事和益事。

虽然"译序"中称"时间匆促，不容许我们把译文互相校阅，以求文笔一致"，但总体感觉本译著文字流畅、舒爽，除极少几处文字谬误外，几乎不存在让人阅后感到不知所云的段落或前后矛盾的译文，这要归功于语言功底扎实、研究有素的朱敏章、徐百齐、吴泽炎、吴鹏飞四位译者。除本书外，他们均各另著（译）有其他一些著作。

朱敏章为霍布斯的《利维坦》（商务印书馆，一九三四年）的独立译者、英国博士 Paul Einzig 所著的《法西斯主义之经济基础》（李冠儒译述，新中国建设学会，一九三四年）的校阅者，并与谢家荣合著《外人在华矿业之投资》（中国太平洋国际学会，一九三二年）。

徐百齐的译作除前文提及的卢梭的《社约论》外，还有Raymond Leslie Buell 的《国际问题概观》（商务印书馆，一九三三年）、《托尔斯泰自白》（与丘瑾璋合译，商务印书馆，一九三五年）。此外，他还是《民法继承》（商务印书馆，一九三五年）的编著者和《法律专册》（商务印书馆，一九三七年）的编者。

吴泽炎的译作包括 Geoffrey Gorer 的《美国民族性》（商务印书馆，一九三九年）、C. J. Hambro 的《和平的胜利》、卡内基国际和平基金委员会编辑的《国际公法的将来》（商务印书馆，一九四五年）及丘吉尔的《第二次大战回忆录》（与沈大铚、万良炯合译，共四册，商务印书馆，一九四八年）等。一九七六年，由国家统一规划进行《辞源》的修订工作时，吴泽炎还出任三个编纂之一（另两位为黄秋耘、刘叶秋），为修订工作的负责人。

吴鹏飞的译作有 W. H. Mllory 的《饥荒的中国》（民智书局，一九二九年）及 H. C. Bywater 的《太平洋大战》（与郎醒石合译，民智书局，一九三二年）等。

鉴于上述，倘若现在筛选民国时期译著、点（勘）校编辑出版"中国近代法学译丛"时不将其纳入其中，将会留下遗憾。

本书勘校按照本丛书之"凡例"。需要说明的是，为利于阅读，勘校时将文中重复出现的人名或地名的译名括号内的原文删除，并在没有标明原文的人名或地名首次出现时在括号内将其补上。在形式上，于保持原书体例基本不变的前提下，将原书上、中、下三册合并为一册，此外，原书最后本来有一按照汉字笔画排列的"专名索引"，虑及文中汉字已由繁变简，故现改制成依英文字母排列的"部分译名对照表"作为附录，同时删去原索引中的诸如"中国 China"、"社会学原理 Principles of Sociology"等专名。

还记得两年前初秋时节一个周日的下午，因想将自己的博士论文题目定于比较法领域，而在本校图书馆红楼查阅时看到了这本《比较法律哲学》。尽管对此书早有所闻，但此前并未翻阅过。那日经初步阅览后，当即决心勘校此书。当时的设想是，在收集资料、撰写比较法论文的过程中勘校此书，以达到既能以勘校减轻长时间苦思冥想撰写论文之困顿，又能藉阅读此书增进自己对于比较法的感觉的双方面目的。此外，当时初看到此书时，它薄薄的三册、字迹标点清晰、拿在手上轻轻的所给予我的勘校它定不会太费时间和脑力的感觉，也是激起我要勘校它的欲望的重要因素，因在此之前刚点校过不仅厚、且无标点的《清国行政法》所带给我的心力交瘁、苦不堪言的感觉还记忆犹新。后来，因故博士论文改题，但勘校此书的初衷未改，不过，只因必须准时完成的学位论文与此几乎毫无关系，我不敢分心于勘校，故将此耽搁了一段时日。今年四月，待博士论文初稿一完成，加上此时学校将成立法律史研究中心，我受命担当其下设的比较法研究所工作，因此在论文事宜暂可得以搁置脱手时即开始勘校。数月时间的勘校，虽然已使我意识到当初的勘校此书不会太费时间和脑力的感觉实属错觉，但我仍乐此不疲怠，或许是因把它深藏于书柜、冷落它太久自己已有负疚感，或许是因为在此过程中自己确实增进了对于比较法的感觉和兴趣。

勘校时自感兢兢业业，以达至无疏漏、无遗憾、不愧疚于原书著者和译者为宗旨，但能力有限，此宗旨定只是我的不自量力的愿望而已。为了将来再版时少一些疏漏和遗憾，真诚渴望得到有兴趣翻阅此书的有智有识之同道的指正。

李　秀　清

二〇〇四年七月七日

于华东政法学院比较法研究所

译　序

本书原是商务印书馆托朱敏章先生移译的。朱先生译成了绪论及第一编第一节至第五十四节，因事未能续译。该馆把续译的工作，交给我担任。这是去年[1]十一月初的事，因为白天我还要处理别的事，晚间也不一定都能从事译作，而且这书是加入万有文库第二集出版的，至迟须在今年[2]二月中交稿，恐怕我一个人不能完成这件工作，故把第五十五节至第一百三十五节托吴泽炎先生移译，把第一百三十六节至第三百二十节托吴鹏飞先生移译，第三百二十一节至第五百一十七节，则由我移译。时间匆促，不容许我们把译文互相校阅，以求文笔一致。译文错误之处，尚祈读者鉴谅指正。

本书原著者密拉格利亚（Luigi Miraglia）一八四六年在喀拉布里亚（Calabria）的累佐（Reggio）地方出生。一八六六年在那不勒斯大学（University of Naples）取得学位。于是开始教学生涯，最初几年担任次要的职位，旋即受命为该大学法律哲学教

_____

〔1〕　即一九三六年。——勘校者注
〔2〕　即一九三七年。——勘校者注

授。同时在波尔提契（Portici）的农科学校（Agricultural Scientific School）担任政治经济教授。在其后所就的别的职务中，较为重要的是政治伦理学院（Academy of Political & Moral Science）的秘书，及那不勒斯改进协会（Society for the Advancement of Naples）的会长。最后由国王指派为上议院议员，这是意大利对于在法学上或文学上有卓越成就者所授予的显职。一九〇三年九月逝世。生平著述甚多，其中最有价值者如下：《各系法律哲学的基本原理及黑格尔[1]伦理法律的学说》（The Fundamental Principles of the Various Systems of Legal Philosophy and Hegel's Ethico – Juridical Doctrines），一八七三年出版；《近代法律哲学与工业法的关系》（The Modern Philosophy of Law in its Relation to Industrial Law），一八七四年出版；《古代家庭与自然法》（The Primitive Family and Natural Law），一八七七年出版；《战时捕获权的历史及学说》（History and Theory of the Right of Prize – Capture in War）一八七一年出版；《教育科学的研究》（Studies in the Science of Education），一八七一年出版。上述第一种著作，一八九三年再版，一九〇三年增订三版，改名《法律哲学》，这就是莱尔（John Lisle）据以译成英文的。

依照原著者的序文，这书是供作法律学院法律哲学一课的教本的。法律学院中的法律哲学，与文学院或哲学院中的法律哲

----

[1] 原书译为"黑智尔"，即 G. W. F. Hegel (1770 – 1831)。——勘校者注

学，课目虽同，性质及范围却不能一致。但法律哲学毕竟是哲学的一部门，故不能与法学通论等量齐观。作为法律学院教本的法律哲学，必须参照条理而将法律制度的体系，作概要的说明，并须将哲学与法学、社会学及政治学的种种密切关系，一一顾到。这书第二编的目的，只是以哲学思想阐论各项法律关系。

原书用意大利文写成，莱尔译成英文加入美国"近代法律哲学丛书"（The Modern Legal Philosophy Series）出版。本书是根据这英译本译成的。

替英译本作序的科库累克（Albert Kocourek）说：著者有他自己的观点，但并不强求读者容纳，把别人的观点抹杀。他着重意大利的学者，但对于德、英、法诸国的材料，也以宽大的同情的理智，及显著的公正的态度，加以讨论。他的哲学的见地，可用一句话来表明，即他是近代化了的维科（Vico）[1] 历史与形而上学调和，归纳法与演绎法合用。他的形而上学，既不是黑格尔的或新黑格尔派的（Hegel or Neo‑Hegelian School），也不是休谟[2]的或康德的（Hume or Kant）。他倾向于科学的形而上学，但重点仍在历史的成分上面。像他那样的形成上学，一面既不过分奥妙，一面却又能鼓励我们求知的欲望，不致使人吓得不敢与法律哲学接近。

二十六年（即一九三七年）二月 上海徐百齐

---

[1]　原书译为"韦科"，即 Vico（1668－1744）。——勘校者注
[2]　原书译为"休姆"。即 David Hume（1711－1776）。——勘校者注

目 录

第一编

第二编

绪　论

一、希腊人之揣测与罗马人之论断

据希腊人之揣测，一切事物与知识之基础原理，必须于心外之物求之。所谓心外之物者，在爱奥尼亚派[1]则以为系水也，空气也；在彼塔哥拉派则以为系数目也；在挨利亚派则以为系纯粹的，抽象的，不动的，无始无终，不可分，不能移，而永远为一个完整之物也。论及物之原始则赫拉颉利图斯（Heraclitus）氏认为系生也，或不息之流也；挨姆培多克利斯（Empedocle）氏则以为系水、气、火、土四种原不同质之物之交错，因其离合之不同而百物以生以灭焉；至德谟颉利图（Democritus）氏则以为系同性质而无定量之原子，特组成之形式各有不同耳。

亚拿萨哥拉（Anaxagoras）氏之释宇宙也，以为系不同性之原质，名曰"种子"者所组成，而各赋有其"知识"，以定其次序焉。诡辩派则谓吾人之固有知识不足以明真理，盖物之真理与吾人之知识绝异，故所谓"思想"者，不过"信念"而已，人生当以快乐与享受为的。苏格拉底氏发现理想的目标，其说以为真正之知识乃建于对物之概念，以演绎分别之，而以定义规定之。柏拉图就苏氏之概念进以为观念，而以论辩法评定其次序。伯氏之意以为信念与可感觉之现象相连，观念则与真正不变之纯

---

[1]　一译为"伊奥尼亚派"。——勘校者注

质相当。至亚里士多德氏则以柏氏之观念，进而认为真实之形式，盖谓无现象则无纯质也。

柏氏、亚氏之后，有注重对象之哲学家兴焉；彼等以为物之原理尚未得而知，故不如注重实际，而令精神归于睡眠。如克己主义（Stoicism）、乐天主义（Epicureanism）及怀疑主义（Scepticism）皆有同一之趋向，即放弃人身之精神的满足是也。克己派及乐天派，皆认知识为实际生活之工具。生活之目的，乃系由情欲下解放理智以求快乐。其解放之途径，则前者以为应凭借德行，后者则以为应由合度的感觉与快乐。至怀疑派，则认精神之满足不易藉知识而取得，盖物本不可知，不必知，而因人之不同，且不免赋予物以绝异之解释。物既不必知矣，则任令何事发生，吾人之精神固无须为之震动。怀疑派与诡辩派不同之点，则前者谓真理不能由理解而得，后者则谓真理不能由感觉而达，故苏格拉底氏反驳诡辩派之说，谓真理既不能藉感觉及信念而知，则必系由知识或概念而得矣。

新柏拉图派之论曰，吾人既不能由理智以得真理，则真理必系在理智以上，而必须认为卓越的、超理解的、不可形容的原则，只可为信仰、修炼及神会之目的物。质言之，新柏拉图派之认为超理解者，实即古希腊之所谓理智，彼其本自无所有，故每需求外物之原则，亦即求客观的能觉得之真理也。

希腊哲学中之所谓"伊索思"（Etios，人群之特殊精神），因是不能不为客观的，而必由一自然机体之形式以为表现，其任何部分，皆永为中介的而非终极的。故在希腊社会，终缺少真正私人的权利。彼塔哥拉氏在正义之中见有数目焉，苏格拉底氏则依人之通性而得物物之标准，盖皆志在快乐，而由概念之实现以得之。柏拉图以伊索思归入快乐之观念，谓快乐有实质，其在灵界，犹之太阳之在世，光被一切而殊不赖夫被照者之见与不见也。此项观念，得为美丽的、完整的化身，犹如密纳发神，[1]全身武装，由朱彼忒神[2]之顶上以飞出也。总之，柏拉图之国，系理想的、模范的，乃代表抽象之人，而将各个不同之潜赋性联之于本体，犹之生命内在之力贯充于人体之各器官焉。

据亚里士多德之解释，伊索斯须于自然之现实及其目的中求之。故其说曰，凡不合于自然之制度胥为不善，而柏氏政论所用之比较法、例推法，因而得其价值焉。柏氏以为国家——而非其任何分子——乃因人类之需要以生，人类非兽非神，而自觉有团结发展之必要。由于人类自然之需要，因团结以成国家，于是得有美满及快乐，故国家有造就良善的、公正的国民之责任。亚里士多德批评柏氏，以为不应于国家认为有一种特性，而于其构成之分子则否认之。柏拉图亦批评其师，谓不应以国家仅视为一空洞的协合，盖合调必须得于多音，而不仅由一音也。然柏氏乃亦将奴隶、农人及工匠排出于国家的伦理系统之外，抑又何欤？

概言之，希腊人所想像之国，非为高级的，盖仅为一自然的机构，而非人类的伦理的组织也，此其为物，谓之有古典的美丽可矣，而终缺乏如基督教信仰所蕴含之高尚的成分，克己主义者，重智慧而鄙国家，故遁世不见，归于无为；乐天主义者，以为痛苦即系罪恶，而智者则致力于永久之和平；怀疑主义者，因不能分辨现象，乃不加判断而以消极为得计。至新柏拉图派之智士，则希冀以修炼及神会之工夫而入于不可知之宇宙原理之中。

罗马人之世界，系志意的世界，即法律与政治的世界也。故志意一方面在国家的管辖与刚健的秩序而随时表现，一方面则渐发展而为个人的权利。志意的原则既为主观的发展，则国家渐不

---

〔1〕　即 Minerva，一译为"米娜娃"。——勘校者注
〔2〕　即 Jupiter，一译为"朱庇特"。——勘校者注

能保持其自然机构之轮廓，在罗马，私法上之始也，系严格的、硬壳的、拘束的，其后乃引申而变为流利的、普通的、柔软的而衡平的。盖衡平（equity）之道，可以维护权利于法律保障之所不及也。衡平之道又终成为人道（human）之法，而奴隶制度因系人为的而非天然的，乃被认为不能束缚人之灵魂，于是人类自由平等之原则于以确立焉。

罗马之大哲西塞罗[1]未有科学的知识，未知主观的权利系抽象的志意作用，故西氏未足以代表罗马之现实主义（realism）[2]。西氏未有自创之哲学，而仅折衷于希腊之各作家。彼公然表示其疑问，不信人心能绝对了然，意谓其仅得一或然而已足矣。彼于其伦理著作中，则排除怀疑态度，盖以怀疑之危险为虑，而注重直接的意识，谓德行之元素即在此中。又注重使人类崇信真诚而为之辞。西氏有取于克己派之伦理原则而予以变通，其释法律也，不根据《十二表法》，或谕令（Edicts），而根据于人性。彼重述亚里士多德之政治理论，而予以混合之形式，以期合于罗马之政治组织焉。

二、中世纪之哲学

新柏拉图派，将空洞之主体认为客体，降及中世纪，遂成为具体的基督之道（the word），即纯正之心是也。自此以后，哲学乃成为主观的原理。其说曰，人者，神之影也，道之体也，于是古代所重之国家乃失其重要，而其活动大受限制。人民之内

---

〔1〕 原书译为"西塞禄"，即 Marcus Tullius Cicero（公元前 106 – 前 43），罗马共和国末期著名的政治家、哲学家、雄辩家、文学家和法学家。——勘校者注

〔2〕 原书将"realism"译为"实现主义"，似有不妥，故改之。——勘校者注

心，不复受政权之节制，而以新的信条为依归。基督之使徒（a-postle），首倡肉欲与灵感对立之说。拉克坦喜阿斯（Lactantius）主张真正之公道在于敬拜惟一之上帝，即异邦人（gentiles）所不知之上帝。奥古斯丁[1]发为天都地都之说。前者为真理及公道之原，后者则为盗贼罪恶之薮；然如地都而能为教会（the church）致力，则亦可取得德行之价值焉。盖斯时之教会犹未具统治者之性质与其世间之利益焉。

教义与世权之争，其后大见消灭，盖由于宗教的幻想之力。天都中遂居有一有历史之主人，而世间亦因与教会接触而成为圣洁，教会亦变为世间的团体而非灵界的团体。此种妥协源于一种新的概念，而首由托马斯？阿奎那发之。昔亚里士多德之说，谓各个宇宙系第二物质，系品性而已，亚氏之说，经由实现主义之推演，而各宇宙单独显现。唯名主义（nominalism）之说则异是，而主各人为基本实质之说。然唯名主义因未与任何教义相连，不久遂为众吐弃。至实现主义因其后与阿拉伯[2]批评家之超然论相混，亦不为人所宗。及阿奎那氏继阿尔柏塔斯？马格那斯氏（Albertus Magnus）之后，乃试为折衷之论，谓各个宇宙乃造物以前之模型，其实际的存在，即吾人概念之实质也。

阿奎那之说，谓上帝为惟一永在之法律。更有自然之法律，系永在的法律之部分，乃智慧之光，而为伦理的法制的模型。又有人道即现世之法律，乃系自然律之影，犹之自然律为永在律之影然。但阿氏之折衷论未能成功，因超自然之律止于神智而不下逮，而遵奉亚里士多德学说之君王，其行动范围又与遵奉《圣经》之教士相对立也。是以吾人于圣托马斯之作，发现矛盾之

---

[1]　即圣奥古斯丁（St. Augustine, 354－430）。——勘校者注
[2]　原书译为“阿剌伯”。——勘校者注

词：彼既以国家系由人之社会性而生，以快乐为目标，以公议为基础，而同时又以此为天国之实现于世间焉。斯说既破，其中之亚里士多德教义成分，遂集中于巴丢阿（Padua）的马西略（Marsilius）氏之政治论，而别一部，则化为安德罗（Andlo）的彼得（Peter）氏之朝代传袭之说。至柯伦那（Egidio Colonna）氏则一方面张大宗教之原则，描写一"隐君子"之型式，不自信其权力，亦不乐夫荣华，教人以信上帝而求快乐，一方面则又重述亚里士多德之观念论而见称于时焉。

丹第（Dante）以法律为人与人间之亲切的、实际的关系，以示其不同于道德。盖道德系以行为之本质定其善恶，无待其影响于他人之权利而知也。渠以敏锐之方法辨别合法的自由与无度的任性，前者盖足以使人自以其判断而知其行为之正当与否，且不被扰于人，后者则全出于欲念所驱使。社会之目的系为增进文明，文明即系内心最高度之发展。法律者，助其发展之势者也，不然，则不足以当其称。人生过渡的目的，国家负有使其完成之责；至于教会，则惟注意于非过渡之目标，故不能行使世间之权。丹氏于政治组织主设自由独立之市政府，各自有其土地；联各市而设一王，依据基本法律以为治，兼为各市之代理人。如王者有不当之野心，则各市亦有权力以拒之。丹氏之心中，随处表现一统之见，盖因其推之神位而有然，推之帝国之制而有然，推之教会之组织亦有然，且其意在避免各民族之争端也。

巴托拉斯（Bartolus）氏收集罗马法学家之判例，而推广法学之范围。渠当为裁判官解除无数困难，且救济多数被控者得免于法官之贪污。然渠注重于实际之法而弗措意于法律哲学之历史。又一般注疏家，亦不注意及此，然极热心于寻觅公道之原则，又善以阿拉伯哲学之问答法应用之于各项问题焉。托马斯派及斯科特派[1]虽于一切问题均主张不同，而皆承认有理想的与实际的二元之并存。俄卡姆（Occam）否定一切认识之中间者，而承认主体与客体之直接交通。在实际问题上，则渠确定国家与教会之应分离。俄氏又区别神学与哲学，并讨论及教义与理智的冲突。以渠观之，理智不足恃，而惟一得救之途径，仍为信仰。神学既分离于哲学，其本身安矣，而哲学亦得自由焉。

长老学派（patristicism）之后，进而有经院学派（scholasticism），既而经院学派亦归漠落焉。长老学派之说系就先哲之教义以思考、推延、引伸之。经院学派则就若干条教义予以组织，以证明其联结的关系。两派均以教义为基本，而经院学派则施用理解的方法，分别信服（belief）与信仰（faith）焉。信仰之与理智，其初本相协和，惟理智有赖于信仰。其后二者不见协调而相离立，而经院学派亦遂崩溃矣。然经院学派自始即有两歧之方向，如邓司各脱斯云，权力由理智而来，而阿俄斯塔（Aosta）之安瑟伦（Anselm）则谓信服无需乎理解，而欲理解则必须先以信服焉。

在经院学派盛行之时，他派亦有兴者，虽一时未能得众，然为后此哲学理论之伏线，故亦关重要也。此其各派亦以超然主义（uranscendentalism）之假定为基本，虽逻辑上未克与之协调焉。罗哲尔·培根（Roger Bacon）劝人学习语文以明学理之原，又甚注重数学与自然科学，谓无经验则一无可知，惟经验为一切推论之主焉。惟是培氏以内心经验与神秘（mysticism）混淆，而以神学加于哲学织上，谓无神以为的，则一切智慧皆无益也。雷门·律利（Raymong Lully）谓证验（demonstration）更重于信仰，在其著作中希冀组成一科学与信仰之系统，用逻辑与数学的

---

[1] 即 Scotists，一译为"司格特派"。——勘校者注

方法，釉统一概念而解决科学问题。叩乍（Cusa）之尼古拉（Nicholas）承认人心能自升至于无极，其际多数矛盾均可以符合，但其符合也不能以科学明之，故成为一种学成的茫味。渠意上帝乃绝对的伟大，一切物皆受其范围；宇宙乃系具体的伟大，宇宙之明显包含者，即上帝之所包含但不显而明者也。

三、文艺复兴时期

经院学派之哲学，去真理于人心，而亦不道及自然；继起之哲学，对经院学派为全部之批评，乃系怀疑的，盖真理既认为在智力之上，则真理不可达也；又系倾向于自然主义（naturalism）的，盖文艺复兴（Renaissance）时期之思想家，以为惟有在自然中可寻求真理之迹而卒得其实质焉。

当时之人，因教会失政而多财，知上帝必不在是，又因十字军之失败，而知上帝又不能求之于圣墓（Holy Sepulchre），穷无所之，而遂感觉世间与人类亦自有其神圣的价值焉。因此古典之文化复兴，人类复注意于物之现象，复重视工作，更感觉改革之必需，而促成政治的封建制度之结束。此新时代之特点甚多，例如商业之复兴（继十字军之后），新地新洲之发现，政权脱教权而独立，与专制的王国之构成，封建之力既毁，而民族主义、基督新教皆于此而植其基。又继之而有天主教之复振，惟教皇（pope）之权为之削减焉。印刷术之发明，更使平民思想得有统一之途径，故中世纪之人，遂一变而有千百不同之职业：各执其事，锲而不舍，公会聚议，以论世务，不复从事于圣墓之求援，不复苀观武士之角技，更且于教皇王侯授受传袭之说乃竟从而窃笑之矣。

　　在意大利，新时代之代表人物厥为马基雅维里。[1] 马氏鼓吹社会之改造，而绝不求助于心理学与神学，此二者盖马氏所极度轻蔑者也。渠欲求物之真理，不以得其影像为已足。马氏之目的系欲变意大利全土为一国，此在当时固不能以道德之方法得之，且鉴于萨佛那罗拉（Savonarola）之失败，乃勇往发难而全不计及其手段是否合乎道德。渠设想之国家，系属一明显的组织，大体系人间的，自有其强大之力量，且自有其存在之理由。马氏对于政治方式，未脱波利比阿（Polybius）之范围，且亦犹波氏颇有取于混合之方式〔后此，巴鲁塔（Paruta）氏则当确指此方式之困难〕。

　　基督新教（即抗议派）即此新时代之产物。此派兴于诚挚之原则，故路得（Luther）未当变乱之，且亦非仅系机会所造成，如修道派（Jesuits）与福耳特耳（Voltaire）所云也。新教派摧毁教会之传袭观念，乃欲以个人之灵，自由独立的以解释神训，个人良心之独立性，乃得以简捷而确言之。惟在意大利路得之运动未尝成功，盖意大利之文学、哲学超越乎新教之观念至多也。意大利为多数教派与改革计划之发祥地，自希腊文化之复兴，已群起研习亚里士多德之原著，至在日耳曼地方，则当日犹仅诵习《旧约》之译本耳。意大利人思想之解放，全凭其学问之合理方法，至在日耳曼则抗议教殆成为民族的口号，破坏帝国之系统，而为民众所欢迎。但新教之初，已将人与神间密接之关系过分张大其说，致使得救之途，几认为全由信仰而不凭借善行，惟重神之恩惠，而全排斥人类之志意的自由，伦理之不见重，职此之故矣。

---

〔1〕　原书译为"马基雅弗利"，即 Niccolo Machiavelli（ 1469 – 1527）。——勘校者注

文艺复兴期最盛之际，柏拉图与亚里士多德之弟子盖最兴扬焉，此皆语言学之创始者或修正者，胥有多少怀疑之倾向，而以自然与经验为重者也。彼等所最崇奉者，如庞邦纳西，亚氏派学者也；如维未斯氏，新语言学家也；如梅兰吞（Melanchthon），改革家也。庞氏以为智识仅系心之影迹，人本无质，未能自知其性，而感觉实较理智为有力。但同时庞氏又证明人不能以其心达完美之境，顾可以其行达之；无躯体，则理论的与实际的智解皆不可能也。维未斯氏谓人的学识系有限的，只能达到相对的真理。吾人应重实际的因素，而以推想为轻。维氏谓在人生事务之中有两元素焉：一为绝对的真理，一即仅系一种可能性。其可能者，应以绝对者为目标，建于人之自由志意，以达公众之便利。此种分别，早见于柏拉图之书，维氏论及真理与信心，认自然律高出于神律，后者应以前者为依归。渠又分别哲学家与法学家，故承认有一种万民的法律，以别于因时、因地、因需要而生之法律。梅兰吞曾著书讲道德哲学，渠以为人不能知绝对之真理，应以经验为范围，亦不惟应修德，亦应享受生命与生命之乐，如婚姻，如社交，及一切合理之娱乐而为神之所不禁者也。

在文艺复兴第一期中，希腊之思想，因原文之直接研究而重得解释，同时又附以中世纪基督教之因素。费栖诺（Marcello Ficino）及佛罗朗（Florentine）学院代表柏拉图之复兴，庞邦纳西代表亚里士多德之复振。至于亚氏学之拉丁文注疏，乃无人顾及，而阿弗罗厄斯（Averroes）之阿拉伯文及亚历山大之希腊文注释，乃为人所习用。前者倾向于理性之超卓，示理性可离躯壳而独立，后者则注意思想之内在性。

希腊哲学经此重新之后，而推想之精神乃得一新生命。此新时代之第一人为德里西（Telesius）氏。渠不遵循神学的或亚里士多德的原则，而自定原则以论断事物之性，谓一切智识胥来自感觉，而感觉与动作相关。自然界之一切，皆可析之为质与力。日之热与地之冷，皆力也，然热与动乃混而不分。

斯后第二期中，最伟大之哲学家厥为布鲁诺（Bruno）及康帕内拉（Campanella）。二子之新哲学盖全与亚里士多德异趣。布氏倡为自然无极之说，谓一切为帝之自然（God – Nature）。世界以外之上帝，属于神学信仰者之范围。宇宙系无极的创造者之无极创造物。创造者之变化及其总量皆为无极的，至宇宙之无极，则系显定的而非全然的。若夫各个之物，则皆形耳，偶然者耳。布氏之伦理说，谓有真理之光，贯注于道德及道德的行为，因之而得节制。法律须充以理智而以功用为归。政府者力也，法律之行为即裁判与惩罚，凡不影响于国家治安之言与行皆不为罪焉。

康帕内拉玄学家也，渠谓自然纵非即上帝，亦系上帝之形影。渠重感觉，谓其与动作终必相连，渠区别固有的感觉与引伸的感觉，谓理智仅系停顿的、提炼的感觉而已。惟渠在宗教中认为有神之力，过于自然之中。渠相信进化，赞同公产公妻，婚姻由国家管理，社会亦须有管制，而全世界之治理应如一教廷王国之制焉。

据新柏拉图派之见解，上帝不惟在宗教中显现，亦在自然中显现，此派以费栖诺为领袖。自然不独为上帝所藉以行动，且包含神圣之性质，人类亦可得而知之用之。通神学（theosophy）即系建筑于自然知识之上。自然为一大神秘，犹太之堪巴拉（Cabala，系犹太之神秘学说）为其管钥。按照此说，事实系一面幕，而观念隐于其后，因此而世界得其解说。申言之，堪巴拉证明自然之神力之存在，而魔术（magic）即人所藉以研究而欲战胜自然者也；炼金术（alchemy）系研究物质之秘密能力者也；观星术（astrology）系求得星体所及于人类行为之影响者也。

博丹[1]之工作，盖欲求政治真实元素之确切知识，及社会秩序之功用，而不欲深问其基本原理。渠之研究法盖取亚里士多德之途径，故格老秀斯谓博丹任意变化道德法律以入政治。然博氏能在孟德斯鸠以前发觉气候之能影响于社会组织是其足称者。此亦非贬损孟德斯鸠之创见，盖前此如柏拉图、亚里士多德等多数哲学家，皆早已指示立法者宜注意气候之影响，惟至孟德斯鸠乃以此说为其立论之基础，故不同于他家焉。

在此时期中，经院学派之假设重遭批评，而自然乃为人所重视。于是国家不复被认为无伦理性之一体，不复被认为兄弟相杀之组织，与罪恶之产物，亦尚未被认为教会铲除异端之工具。国家之目的，既非所谓地德，而有赖于天德，亦非所谓躯体，而以教会为其心灵。国家盖系各组织之集合，马基雅维里氏研究其分合，认以为人类之适然的建设物，含有世上之神的原则。国家可以单独存在，无须必与教会相连而后始为合法。国家系属各力之交杂，其初以王为中心，后此则以社会为中心，于是成为专利王国，而助成民族之发展。惟在意大利，则教会之力至巨未得达此结果耳。

四、培根、笛卡儿及格老秀斯

现代哲学乃文艺复兴之产儿，由怀疑而生者也。重要之创作者为培根，[2]笛卡儿皆欲求得一智识之稳确基础而脱离古代假定之疑难焉。

培根创为新机关（Novum Organum）之说不得，以代亚里士多德之机关论，于是归纳法始得其新的试验性质。培根谓人类如不能明了解释自然之律例，即不能战胜自然，而欲解释自然，非

---

[1]　原书译为"菩丹"，即 Jean Bodin（1530–1596）。——勘校者注
[2]　即 Francis Bacon（1561–1626）。——勘校者注

凭经验不可。经验必须脱离吾心所附加之成分，即系不可蔽于教义。吾人须用归纳方式以现象法则之事实为基础，此等事实，培根称之曰独立之例（prerogative instance）。

笛卡儿欲改建科学而趋重思想，其行动方向与培根相反。笛氏以为感觉机关非可恃之证人，惟有"我思故我在"（cogito ergo sum）语为惟一无疑之知识，因而知有存在。此知识系最初的、明晰的，因自我（ego）既自在而又显然，盖自我之异于他物正以其能思之特点也。由此最初之自在知识，乃由演绎法而生一切认识。凡可得明确的物之知识之处，科学皆在焉；而心则有疑，因其非完善也。若心自认其非完善，则必其自有一对于完善及无极之观念。有此观念，即可谓无极之道已加以印象。自我及上帝之观念，固有者也，人所起之其他观念，获得者也，而其因则皆在外物之表象，非必真出自其体也。盖色、香、声、味皆系人之方法，而已混列于物中矣。物之外延，非吾人之方法，而实为外物之纯质。思想即系灵魂，外延即系躯体，灵魂活泼而躯体钝滞。

培根欲以经验变化自然及道德的学问，然渠于后者注意甚少。渠似以为道德及政治的学问皆基于信心，而非基于事实，故国法之责任，非但保护私法而已，是且须主持人民之教育及其福利。培根之政治主张，盖周旋于道德及立法之间，无意于绝对理想的完善的社会。彼注意人之交际、通商，及平民政治。其交际论中，对于社会在法律上之权力，及其在教育上之权力，颇有显著之混淆。至论及通商，则颇富于博学的精审的格言。在其所著之第三书中，渠不论及国之如何可以保守而和乐，但推论扩充国境之方式，此殆因该书系奉献于英王之著作而然欤？培根讨论法律之源，其书少哲学性而颇富实用性。书中多有格言，可为立法之参考，且有一贯的政治原理。综上言之，培根盖不可列于自然法作家之林也。

笛卡儿以上帝为思想之原理，为知识及动作之推延。人为灵与体之结合，结合之情感兼自灵与体而来。伦理之目标，在使人脱离情感之驱遣，而欲得此自由，则非先对情感有真正之知识与了解不可。昔布鲁诺主张伦理建于理智之上，灵魂应离去与上帝之结合，殆为此时代之先驱矣。

自有笛氏派之哲学，此项新的伟大运动遂以思想为主干，以之为诚正之源，以之为社会制度是非之矩，一时大改易人之耳目，而所谓思想者，盖抽象的也。思想自此遂被视为个人的机能，而与他人之意志互相贯串。此主观的原则，是为现代哲学之基，其动力则非思想即为经验。经验于是被分析为外部的感觉，为苦与乐，为个人生活之利用，盖感觉本系个人的也。人身之于经验，其感觉趋向为快乐，为求快乐。此人身主体之原则，亦见于宗教改革，盖此运动将宗教的意识予以解放，而各个性灵之权利得被承认。迨后此种倾向，则见于种种争求自由之举，盖久被社会吞没之个人，至此自行抬头，反抗社会，而认其自身为社会之原，社会之终，甚至以为可以无社会而自能生存于一种假定的自然状态中，于是所谓自然律原理（theory of natural law）遂发生焉。此盖为一种伦理与法律交织的系统，建立于人之理解及经验之上，重在个人，而次乃在社会。

格老秀斯乃此系统之创造人，虽此说先有布鲁诺为前驱，然格氏对于原始的、自然的建立于理智的法系（jurisprudence）始有明晰的概念。此法系盖为不变易的，而为一切法系之源泉。然格氏之时代果何如乎？彼时一般法律家，盖正崇奉罗马法，认为天经地义也；彼时一般政客，盖公然崇拜武力也；彼时正统派的神学者，方希望毁灭王权，以稳固教廷之神权也；彼时经院学派，方继续编造机巧之议论而未已也；彼时抗议派之新的神学者，方将危及人生之自由权也；而格氏卒创为不朽之说，斯足称矣。

格老秀斯发展此新学之原则，首先讨论战争与和平问题，盖人类不明自然之律，其可悲之结果，于此为最显也。故格氏请求凡有纠正此悲惨局面之力者，皆读其书而明其新义焉。受格氏学说之影响，起而论战争之权利者，又有意人数人，其最著者，为真太耳（Alberico Gentile）氏，当为格氏所称道。真氏有首先草定一种战争之规律，并将战争之事与宗教划分，而以前者完全归入法律之范围。惟真氏所想像者仅系罗马之法而非理想之法，且过重战争，而急视人类常态之和平，于是不能确认战争之价值。

格老秀斯谓法律系正当理智之原则之总和，吾人盖秉此项原则，就每一行为是否合理，且相符社会的本性，而定其是非。人类之本性即系自然律之母。因此本性而吾人有社交之需求。自然律为不变的，纵假定上帝不存在（作如此假定即系罪大恶极），而自然律亦存。广义的法律包含道德，若以其狭义言之，则涉及完全的与不完全的权利，能力及曲直。然法律与政治不同。凡对于可喜与不可喜，有用与有害，现在与将来之物，而各与以相当之报酬，此政治之责也。此项分别，则格氏以前已有佐凡尼（Giovanni da Palazzo）氏著书论之，第未能详尽耳。

格氏想像中之自然律，全在个人之权利。私人财产发生于原始公产之后，盖基于一种明言的或默认的合同。无遗嘱之承袭，系就死者之志愿作当然的推测为基础。私法之范围于是由契约而进入国家的范围。保障契约，自然律之责也。凡组成国家之分子，均系明言的或默认的约定服从多数（majority），而多数即被赋予以权力。一切民法之基本，在于承诺即生义务。国家即人民也，系自由人之完美的团体。群相团结，由公益以享受各个人之权利。或共和，或帝制，皆可维持权力与义务的稳定。统治权之主体即系国家，政治之方式则由公家之同意而来。至惩罚之权，亦基于犯罪者之同意，其同意盖即由其犯罪之行为而表示默许也。法律与权力亦有专使某某阶级独享便利者，至国际法，则通行于各国。欲谋社会权利之充分发展，必须有自由贸易，故禁任何物产之人口，则运来之国，可认为宣战之正当理由。外国货物之自由通行，及各国间之交易，均不得而禁阻之，但如得关系国之同意，则关卡之限制，与入口之禁令，亦得而行之。海洋系公开者，此系合于自然及道德之理者，然如为国境内之内海湖沼，则此项理由不适用矣。

五、霍布斯、斯宾挪莎及来布尼兹

霍布斯[1] 洛克[2] 柏克立[3]与休谟皆表同意于培根之哲学。

霍布斯只承认物质与运动，将思想归入感觉，而以感觉为起自运动。渠以外部之会合律，解释整个之精神生活，故留埃斯（Lewes）及现代之会合心理学派，皆奉霍氏以为鼻祖。霍布斯亦犹格老秀斯由人之天性立说，其不同于格氏者，则谓人之天性，系自利的，而非为公的。社交之起因，由于自爱，而不由于爱人。社会之起源与存在，非系于互利，而乃系于互惧。在自然状态之中，有不息之斗争，人人以贪欲而交相争夺，盖人人皆自以为可享有一切也。然自卫自保之本能，乃出于天然，故人类遂自觉应解脱此不安之局势，而取得和平。由于此莫大之恐惧，而人类乃相约将一切之权及力奉归于一管理者，此即国家契约之所

---

[1] 一译为"霍布士"，即 Thomas Hobbes（1588－1679）。——勘校者注

[2] 原书译为"洛克"，即 John Locke（1632－1704）。——勘校者注

[3] 一译为"巴克莱"，即 George Berkeley（1685－1753）。——勘校者注

由来也。因是而有专制帝国之产生，以规定何者为诚，何者为正，何者应信，三者盖即法律之产物也。霍氏犹之格氏，注意人之各个的天性，以一切为生自契约，为自然律之果也。

　　洛克反对笛卡儿之天赋论（innatism），欲证明理智犹如白纸，而被感觉印字于其上也。吾人之观念生于感觉及回想，回想系将感觉之材料加以综合、分别、抽象或概观。物质之观念系一集合的观念，不足以表明其本体，盖吾人所见者仅系方法耳。至于自我，只在思想界中得之，而不在实质中得之。自我之为本体，乃在其各项活动之连续，而非在其真正之一致。假使真有物质，亦必为吾人之所不知、所不见。洛克谓品行之正当与否，应视行为之合乎法律与否。法律盖藉立法者之权力以运行。而可加赏罚于吾人者也。洛克放弃自然状态之假定，此项假定盖为一完备的系统，包含生命、自由、财产以及惩罚之权利。洛氏以为国家起于契约，而任保护个人之责。渠承认人民主权说，故以为人民应制定法律，而使王侯服从之。洛氏又信教会与国家划分之说。

　　洛氏分国权为立法及行政，前者属之人民，后者属之君主。其后孟德斯鸠乃本此说而发挥其宪法政论。孟氏依英国宪政之情形，描写一代议政府之全部机构，首倡立法、行政、司法三权分立之说，并发为三权互相节制之论。孟氏又为历史的气候论之创始者，第未免过张其辞，盖气候未变之处，历史亦或有出入，此为孟氏所未察及，故对于进化未有真确之概念也。孟氏未尝顾及法律哲学，然在其书中，任何国家皆可发现其所奉为法理者之解说焉。格老秀斯之学，在当日颇为流行，独孟氏未之言及，其所著《法意》中，有三处言及自然律，而实则所论乃道德也。

　　洛克以知识建于知觉之上，谓吾人之所学，不过方法耳。渠注意物体，但其实质则为吾人之所不能知觉，柏克立之说较为完备，渠虽以洛克之前提立论，然证明真在者系观念而非物体。盖观念之真，乃直由吾人之知觉以生，物之真即在此知觉耳。

休谟完成洛、柏二氏之说，对于因果（causality）之说，加以批评。其意以为因果非能感觉，非能知觉，亦非能由推论而得。其所以不能知觉者，盖因其本无相连之印象，经验所昭示吾人者，仅有两个事实之并在，而未示其相连。又不能以分析之法求之，盖分析只涉及逻辑之符号，而不涉及存在，换言之，仅有因之概念，不能即以发现果之确存。有之，只为一逻辑的证明而已。另一方面言之，因果亦非演绎之所及，盖未当有一中间之名词可供推论也。是故因果说无科学的价值，除数学之外，吾人盖无可置信者，盖凡物皆假定有其因在，惟数学则否耳。因果之念，乃在习惯中，在教义中，在期望中。一物之随他物，既已屡见，吾人乃信前者之为因，而后者之为果，此项教义与期望，纵无理论的价值，然在吾人之生活行为上已足为轨范矣。

马尔布隆什（Malebranche）、斯宾挪莎[1]及来布尼兹[2]皆笛卡儿派哲学之继起者。笛氏之意，以为上帝观念为人类性灵之所固有，马尔布隆什则复以思想之来源置于人之外，谓知识为直觉的感化，为上帝观念之影像。外延（即体积）为可思想的，因其在上帝之内可见也。上帝为惟一之因，在实际上工作，其所造者，皆神的行为之果。知真理之在上帝，吾人遂可以爱上帝，而与之共作。人应以各物间完善之关系为其行为之模范，此等关系，即爱之内容，亦即上帝所以自爱者也。

斯宾挪莎欲调停外延与思想之冲突，乃假定有一单独之物

---

〔1〕 一译为"斯宾诺莎"，即 Spinoza（1632－1677）。——勘校者注

〔2〕 一译为"莱布尼茨"，即 G. W. Leibniz（1646－1716）。——勘校者注

质，而二者皆为其属性。渠将外延及思想结为一体，而包括一切之实在。此物系活泼的、自因的，而进展为外延及思想二属性。每一属性皆表显物质之情态，但经由无限之方法。两属性并不相连，其各有之情态亦不互为因果，系相符而并行耳。是以物质兼此二属性，实为创造的自然（natura naturans），而宇宙则为实际的自然（natura naturata），惟宇宙亦系无限，第其各部分则皆单纯的情态耳。物质为自定的，非被定的，亦系自由的。人非自由的，因其仅为有限之情态，而被其他情态所限定也。人为一自然之力，而有自由之幻觉。各个情态则观念也，物体也。吾人，以灵言之，则为观念之因，以躯言之，则为情欲之因。在观念上，如其充分明了，则吾人系主动的，在情欲上，则吾人为被动的，因情欲系由我体或他体而生也。但对于二者，吾人皆不能有完全之意识。凡被动者，皆含有不足、暗昧及混乱之观念。但人以其心言之，本不被情爱与欲之束缚，因其知上帝，知物物之关系，因爱上帝而得有充分之认识也。

凡物皆为存在而奋斗，惟人亦有此倾向，于是伦理之原则生焉。法律乃人之天性之权力也，因此力而人得以保其存在。至自然之律，则自然之权力也。人之权正相当于其力，有较大之团结，即产生较大之力，而因之发生较大之权，故国家之权力甚大，盖因多数人之权聚而成之也。人因情欲及利害之冲突而有可怕之争夺，国家之目的，即所以止此争夺。国家建于合同之上，但不即因此而将各个人之一切权利均归之国家，如霍布斯所云，盖凡非力之所及，即非国家之所有事，故行为可予以管束，而意见及信仰则否。

来布尼兹亦欲调和笛氏之二元论（即思想与外延），渠谓凡物质皆系力，故皆为动作的，而非停滞的。渠信凡物质皆系代表的，盖皆系列单子（monads）之所成，单子者，非物理上之原子，乃玄学上之点子，乃无积之元素，不成形，不可分，不能毁，不可入，能被查见而能被表现者也。每一单子，即系一单纯之力，特秉其原来之使命，自含有宇宙之代表计划。布鲁诺为单子说之首创者，渠谓每一单子皆宇宙之缩形也。单子为活动之质，系代表自己，为单个有限之质，则代表他单子，盖据来布尼兹之论，物质非一，其为数尽一如力之数焉。

由全部之物质中，来氏特指出单纯之单子，赋有代表之性，为三级之次第发展。盖表显之初，仅单纯而晦昧，及连于感觉，则渐明晰，进而与知识相并，则大显明。单子能由一个概念以过于他一概念，即系秉此渐进之道。此力在凡生物即为特殊之活动，在兽类则为直觉，在人类则为志意。单子有连续之各种境地，在灵魂之单子中，有意识之境界，系由无意识之境界而来，故志意系为无意识之境界所决定，而非为任性（caprice）。灵魂的生命即系由无意识以极微渺之步骤渐变而为明确的知识。每一单子自始即各具有其特殊倾向，缩宇宙于其中，由其倾向以逐步进展。单子不由他单子而生，亦不加影响于他单子，但在各单子之间，有上帝之一定的协和焉。

来氏之教曰，有心则有感之表示，但心非感觉之因，心亦非似白纸，但为一含孕之能力，即系相同之原理与充分理智之原理，为因果的、终极的，相同之理，关系单子之本身。充分理智则关涉各单子间之协和。充分理智之原则，即系一切具体科学之基础，亦即道德与法律之基础。灵者心也，志意也。志意者乃一意识的倾向，而趋于快乐者也。经由明确的认识，而灵魂乃自觉为大全体中之一原素，因之有为公众福利工作之责任。法律乃建于上帝之本质，而非建于上帝之志意，其表现也，则有成文法（rigid law），有衡平之道（equity），有正直之道（probity）。前者为可代替的正义（commutative justice），基于"不可为恶"之格言；次者基于分配的正义（distributive justice），而使人各得其分；后者则包含"正直处身"之格言。法律以完美为目的，任何之社会，皆以人之快乐为目标，国家尤以保障对外安全为特职。来氏理论之理想为灵魂的社会，而直接倚赖上帝，生息于道德之轨范中，一切之权利皆集向同一圆心焉。此正似克己派之理想国。在此理想中，基督教原理与希腊哲学相交错，颇堪注意；但来氏以纯理主义立论，乃转而入于幸福论，终则使道德与宗教乃混而难分焉。

六、浦芬多夫、托马西乌斯及佛尔夫、卢梭

浦芬多夫[1]将笛卡儿哲学似以任意的方式，与其自然律及国际法之说相并，因以说明法律之心理的基础，及归功之论（theory of imputation）（此为格老秀斯之说）。惟浦氏学说之进展，既非深奥，亦欠正确；盖渠以人类的社会性直觉，非生于仁爱，而生于需求，且渠又以道德与法律相混，而又将道德分为对神、对邻、对己之三重责任也。浦氏之法律概念逊于格老秀斯盖渠以为法律及凡一切正直之事皆视上帝之志意与神命而定，故来布尼兹颇不重视浦氏，于其论自然律之书，极鲜言及浦氏者。浦氏之徒有巴培拉克（Barbeyrac）、彪拉马基（Burlamaqui）及得腓利彻。巴氏博学，然对于合理的法律未有明确之了解，但能为之新说，而以科学的方法演出道德与法律之分别。彪氏亦有巴氏之意味，对于浦芬多夫之意见只一味盲从。得腓利彻曾著书论欧洲之公法，并就法律哲学之作家著为书目笔记，但对此学派未有新的贡献，即此日耳曼哲学家对于分辨道德与法律之努力，在彪拉马基在世之日已着手矣，而笛犹未之知也。

---

[1]　一译为"普芬道夫"，即 Samuel von Pufendorf（1632－1694）。——
　　勘校者注

格老秀斯及浦芬多夫之说，引起各方面之反对，如罗马派则谓此二氏为希图将衡平之道抬高于罗马法之上，而不知罗马法为世界上最大之成功也。然对于衡平法之性质，罗马学者亦未有一致之意见。至于神学者，尤其是新教派之神学者，则视对于法律之合理的研求，即为无神主义（atheism），且于自然律学之不一致，大加攻击。塞尔顿（Selden）不愿以法律基于理智，故其说以为法律系由上帝之本性引伸而来，一部分系强迫性的，一部分系允许性的，至于神律，人人皆须遵从，则皆由《圣经》中显示也。浦氏、巴氏等几一致反对塞尔顿之说，因塞尔顿由《十诫》及犹太习俗以演绎法律之原理也。科克最犹斯者以争辩之便宜，表同情于塞氏，但渠有较高超之原则，即由神之志意直接引出法律之训条，至于神之志意，则由其行动而知，或由神质之纯善而推得，无须凭借显示也。

托马西乌斯（Thomasius）建法律于理智之上，不藉显示而得。渠亦承认有自然状态，但其时非战、非和，实混乱而已。人之行动应以轨范为依凭，法律即外部行动之轨范，而社会和平之保障也。托氏援用来布尼兹之法律三级说以明法律与道德之别。渠信道德上的责任非强迫的，非完全的，为保障内部之和平的；法律上的责任乃强迫的、完全的，系保障外部之和平的。由此说引伸之，国家应放任道德及宗教之事，听之良心的自由。托氏历述万国法之各解说，谓国际间不能有真正的法律，盖因无更高之威权以督促责任之履行也，故托氏于此不同于格老秀斯，而其说反见退行焉。

佛尔夫（Wolff）以有系统的方法解释哲学以为学校中之用，盖从来布尼兹之教者也。然渠不尽守来氏之说，而颇与以修正。如谓所有之单子皆具代表之性，佛氏即不以为然，而谓此特为灵的单子之属性耳。佛氏之伦理原则系"至善"。渠谓责任有完全的与不完全的，但未定其分别所在，未尝提出一分辨之标准，是以道德及法律仍归于混乱，而科学又见一退步。佛氏自谓由人类本性，藉严峻的演绎术而得自然律。自然律加吾人以责任，使之为美善而行动，盖自然律建于人的天性之上，即人类应为与不应为之法则也。自然律之最后基本为上帝，因上帝乃事物次序及自然次序之创作者，佛氏之原则不可释以过分的个人意味，盖渠谓善行或以保其固有之善，或以取得偶有之善，或以完成人类之善，即家与族与国是也。佛尔夫与其徒发泰尔（Vattel）皆赋积极的法律以绝对之威权，但亦承认个人的或民族的自然律为积极法之来源。在意大利人中如拉姆普累提（Lampredi）即信其来自此源，甚且谓假使两军之间亦可立法，则渠亦执笔起而拥护之，又引证海军战事，以说明人道（humanity）之大原则。拉氏对于道德及法律之别亦未提出标准，一如佛氏。渠以自然律为自然之普遍的系统，趋向快乐与美善，但未指明自然律究含何物。渠引伦理之假设及理论，以讨论法理，假设上帝为行为之裁判官，又分析道德之归属。拉氏以为法律者乃系利用其所当然，以完成各种的责任。其责任或为普遍的、原始的，本来的、特殊的、引伸的，以及假定的。如主有之权，二氏皆以为由公有而来，其起源为肉体的嗜欲。拉氏亦主契约论，谓社会为一致的契约，因谓其系于立法而且执政者之允许之上，而拉氏之错误亦于是显然，盖未能分辨公家的正义与私人的正义也；然彼一般为自然律之说者，率有此误耳。

　　休谟代表培根哲学之补充派，一如来布尼兹之代表笛卡儿派。其后法国之感觉主义（sensualism）唯物主义，以及苏格兰各哲学家与上世纪之德国混合主义者（syncretism）胥未能对哲理有何等之新供献。法国感觉派起于伽桑狄（Gassendi）之说，伽氏与培根、笛卡儿同时，其说以为吾人观念之惟一来源，即系感觉；吾身之确实存在，不但因有思，而更因有感觉之事实，第伽氏对于物质未能有以说明也。洛克之后，康的亚克（Condillac）将意识感觉及思想之起源皆归于单纯的感觉，因谓性灵不过感觉之变象耳。菩内（Boanet）及哈德烈（Hartley）亦注重感觉，谓其在运动之原则下而重演，而联合，而保存。拉美脱理（Lametrie）及何尔巴哈（Holbach）以明显及通俗之方式述说唯物主义之原则。至于圣·彼尔（Saint Pierre）则将笛卡儿之"我思故我在"易为"我觉故我在"，特雷西（Tracy）之著作中，观念学（ideology）至被混入动物学。而卡巴那（Cabanas）氏乃将道德之学认为自然史之一部分，于是自由成为超理智之权力，而志意之动犹如火之焚焉。

洛克谓人之欲工作，非由于认识，而由于内部之不安。不安为一种感觉，故伦理之基础，不得不为之改变，盖伦理不复本于理智，而乃本于感觉也。由是以感情而非观念认为工作之动机，而吾人所用以定行为之标者，乃系特别之感觉，即道德之感觉也。此项感觉，亦非原始的（英国派之作者或为此说），但系由某种外部因素引伸而来。其成也以渐，颇为精细，以其各级段显现而成为心理上的会合，由于会合及习惯，而自利的行为成为道德的。盖其始也，欲他人之得利而己快之，其终也，则欲他人之得利，而无复其他动机焉。凡沙甫慈白里、蒲脱勒（Butter）、赫起逊、休谟及亚当·斯密 [1] 之理论，皆由此概念而来。斯密谓道德之裁判官，须为秉公的旁观者，而其裁判之基础，应为同情心。对于得利或获祸之人之同情心，非仅因分期乐分其苦而然，亦因对于以善报善以恶报恶之冲动而有同感焉：社会正义之

---

[1] 原书译为"亚当·斯密司"，即 Adam Smith（1723–1790）。——勘校者注

原理盖在乎是。

休谟谓在道德上主位之因为感觉，客位之因为利用。爱尔法修（Helvetius）谓行为基于自利，即自求快乐与享用是也。边沁（其人天性系立法家而非哲学家）则只注重公众之享用，以之为伦理之基本，对于原则，不为心理的分析，如霍布斯及其他英国伦理学者之所为。边氏深自信其说之为创获（此亦足见其未熟悉哲学思潮），故以趋乐避苦视为行为之动机，此与霍布斯及洛克之说相符，但边氏则谓此原则不能加以证明耳。边氏反对将行为之标准置于结果计算以外之主张，而自造成一道德的算术及社会的动力学。

苏格兰各哲学家以确实（certitude）为基于内部不可解的暗示，而以常识为真理之尺度。至文艺复兴期之德国哲学家，则徘徊于洛克经验主义与来布尼兹理想主义之间，而倾向于怀疑派。

卢梭承认自然律学派之一切假定，——即系个人自由之固有，自然之状态，国家以契约而成而毁，个人有自卫及自奉之权——故主张人民主权说。——若锡德尼及洛克，则更加以反叛之权利。此权之来源，为信教之民众对于教务均自信为特有其权利者；后此修道派教士（Jesuits）乃完成此论，以助教廷，为图推翻王侯之权，谓政权系由人民之志意而产生，但教权则由上帝而来云。——卢梭对于自然律之统系又加一新属性，即自由权之不能让渡性（inalienability），此系格老秀斯及后此作家之所未言及者。卢氏对于一般的自由见解加以否认，且谓格老秀斯及霍布斯均系主张奴隶制度之人。基于不可让渡之自由说，为解决问题起见，卢梭乃发明一种政治的结合，而自由权在其内得有不可让渡之地位。于斯时焉，人之服从国家，即系服从自己，而各个人皆完全互相放弃其权利，以归之国家，于是卢梭有"公意"（general will）之说，即不可让渡、不可分割、不可代表之主权是也，因之卢氏对机械的宪政制度加以批评。卢氏只赞同代议政府中行政权之办法，盖此制中现已成立牵制之系统，则行政权不妨授之君王或委员会。国家活动之目标为公益（抽象的公益），容许种种不同之生活状况，而取一致之方式。后此之哲学家，证明卢氏之所谓自然状态乃系想像的，与理论及经验均不相符，且此状态必先假定有一契约，而既未有国家之担保，则契约殊不能成立。且法律系存在的，且系必须存在的，而契约本无须存在的。且欲图达得所假设之利益均衡，一律平等，则不但法律条件之不同应一切铲除，即人生无限量变易之因素亦必须除去，又如承认公意与众人之志意（will of all）有别，则是将后者解放，不复受任何理智的节制矣。

厥后法国起大革命，而卢梭所昭示的自然律系统遂得实现。然此亦非骤然而来，乃有许多之因素，经长时期之酝酿而成者也。中世纪所产之新人观，文艺复兴期之振动，培根、笛卡儿两大系统之哲学思想，屡次之宗教战争，英国之革命，美国政府之成立，政治上历来之腐败，以及百科全书之印行，皆其促成之原因。而文化较次之民族，其中革命分子亦群集中于法国，以共成此大举。"公意"既被卢梭置于一切伦理法律之外，大革命乃希图无限度之自由，将世间对于人的发展之阻碍一概摧毁之，于是自由成为无拘束之任性，而卒亦不得不再自求限制；从此人类各项活动中乃见种种之改造，但一切皆不过暂时的幻像，未几即逝矣。

七、维科

在休谟、来布尼兹之后，除康德外，维科实为新运动之惟一主动人。维氏谓原理管辖事实之起源、发展与终结。天道（providence）也者，如加以最后之分析，实即心或思。其发展，始则为自然的，继则为人道的，故天道非超卓出世之原则，而系在宇宙之实际及历史中为固有。此项原则，先发展于自然世界，继则在人类的理想。是以物体由思想之原，动向思想之终。亦进亦退，为双重之循环。科学不能进入思想之内里，如笛卡儿之所信，盖物之本性，不过历史上之一阶段耳。思想之内里，不能表明确（the certain）与真（the true）之关系之因，如科学之所求。盖由确逐步以至于真。心由确而知真，以确为真之一部，为其附带者，而真亦即包含于确之内。盖真为观念，而确为实际。

天道内在之概念，维氏于其著作中证明之。惟在 Dell' Antichissima Sapienza Degli Italiani 一书中，则天道为世外的，几同于柏拉图之所谓善。此书含有两项假定为维氏后此所不复持者，一即谓吾人祖先之明哲，一即指人之发明数学，——数学即由真变实之重要原则一部分的适用也。在其所著之 Diritto Universale 及 Scienza Nuova 中，渠谓人为数学及一切科学之创作者，此与人类之观念，同为历史的发展，即平民的世界与宗教之发展是也。

人也者，知识、志意与权力也。权力为其志意所限，意志为其知识所限，而心实为其原理。以心言之，人初为感觉，继为想像，终则为理智。故人之历史，必经过三时期，即神之时期、英雄之时期与人之时期是也。主有、自由与完善即与知识、志意及权力相映照，此即法律观念之三因素。由理智之力而引出此力，与贪婪相抗，成为伦理之德，而又藉法律之力以均衡人类之福利。福利为法律发生之时机，但非其本因。主有、自由及完善三者产生威权，威权为僧侣的或经济的，或民治的；由三者发生三种之政体，即王治、民治与寡头政治是也。

法律之为科学，乃建于理智或哲学之上，及威权或言语学之上。其为学也，所论为真，即理智也；为确，即威权也。威权为理智之一部，而非为任意，亦即确者为真之一部也。故法律理论之基本，即关于真，而其理论，则关于确，以此而有别。合理法与现行法之合并亦基于此。现行法者，非完全同于合理法，亦非完全与之反对，其性质为依知识发展之则以实现理想的法律，亦即民政的进化也。在其附生状态下，厥为暴力，其后则经真与理而归于完成。最良之法律非严格的、铁铸的，及拘牵的，乃似罗马初期之寡头政治之状。盖在《十二表法》之前，法律之在罗马为公平的、示范的，及至共和时代则为严峻的；帝政时代，则又趋向温和，而复如初，亦为神圣的；盖经由宗教深切的熏染之习惯而生也。

政府者，初在家族治权之中，继则入于英雄式之寡头政权，更次则在平民共和之掌握，最终则复归于君主制下之个人。至混合式之政制，则为维系民众对政府之信仰而产生。法律之初，见于习惯而已，其后则经立法之手续。格老秀斯、塞尔顿及浦芬多夫以为法律生于未开化国之初期，而有富有理智之人，此则误矣。国家之起即有人民之自然律为基本。格老秀斯以为争斗为始于野蛮人，此说亦误，盖此乃自初民而有之，乃在荷马及英雄时代以前也。

维科论及理智与威权之关系，真与确之关系，及其对于法理抽象学派之批评，足征其对法律有广博之概念。事实上，如确者为真者之一部，威权为理智之一部，则法律既不致陷入历史上之相对律，亦不致被误为无历史之抽象的理想。照维氏之说，科学应与人类之观念同为历史的发展，故法律无历史之观念不能成立也。

维科批评格老秀斯关于争斗之意见，基于其对时代及制度进退之概念。然因有此进退之概念，于是维氏乃不能尽明基督教之深意，盖与波利比阿（Polybius）、马基雅维里及埃及哲家正同，至巴加纳（Marius Paganus）氏亦犯同一之错误。

马基雅维里非仅为伊壁鸠鲁（即创乐天派说者）之从者。渠信罗马之伟大乃系其真价值之结果，然而功德之受赏，固亦来自幸运也。马氏不深信机械的假定，其所著《王者》[1]一书中所劝导吾人者，颇为不稳定。而对于圣加新诺（Saint - Casciano）隐者之崇仰，亦堪注意。然观于维科之意见，则对于天道之福善祸淫，其说亦未始不可两存也，在马氏之生活计划中，此所谓天道，因兽欲而创为婚姻之贞德，因贵族之恣纵而引起民众之自由，因人民之惰乱而发生强大民族之管制。经由波利非马斯（Polyphemns）而人类知服从，因骄傲之阿基利（Achilles）及公正之亚立司泰提（Aristides）而为民众自由开其通路，而提庇留（Tiberus）则助成王国。然则该撒菩尔查岂不能为一多忧多思之人，赋有相当之品性，能在彼腐败之世，将意大利建为一国乎？盖在 Scienza Nuova 一书中，维科已屡提及一政治道德之标准，而与生命之其他方面迥不相符也。

八、康德

康德相信知识为一复杂之事实，为合理的及可觉的因素之结果，必以其全体考虑之，而不可以其一部分考虑之，如洛克及来布尼兹之所为也。洛克仅考虑感觉，来氏则注重者只心，及康德乃以结合两种趋向为目的。康氏以为时间与空间皆非概念，而为感觉之产物；空间之感在外，而时间之感在内，此皆感觉之初步的接受，而在吾身之外并无与之相当之物体。试验的知识，在某种先天的（a priori）条件下系可能的，盖由纯粹原始的概念系心的职务，而以施于经验的直觉。此系先天的综合，盖其各范畴系理想的中心，为诸种现象之所聚。人之知物，知其所现之象而已，非物之自身也。现象与概念互自交通，直觉与范畴为一本来

---

[1]　即《君主论》，为马基雅维里的代表作。——勘校者注

的综合团结。由此团结而知识为可能的，亦即知识之主要基础。凡非由经验所赋之物，如灵魂，如世界，如上帝，皆系不可知的，物之可知者，因其可以经验也。而对于上述之三观念，则并无相当之直觉。故三者非知识，乃系对于绝对者之条规，而非经验之所授。盖绝对者必存在，乃理智之所要求，但超感觉之学，则完全不在"纯理批判"（Kritik der Reinen Vernunft）这内也。

在知识中，有上述之二项因素，即感觉与范畴；在道德中，则同样有感情及道德的规条。道德者即志意的自主，志意即纯理，完全无偏见，无感情，无情欲。至他道之志意，即为次级自利目的所决定，通常被动于可觉的冲动，乃系非道德的。若有求快乐之希冀，即或为感于宗教慈善之高尚情感之决心，亦可掩蔽志意之纯洁。盖为善须无所为而然。行为之动机必须合法，必须合于普遍立法之原则。道德也者，即纯正志意也，吾人之一切行为均须与之相合。志意系自决的、自然的，故范畴（category）的要求必须认为终极的而断非中介的。此要求系绝对的，包含纯粹无限之意志，是以"实理批判"（Kritik der Praktischen Vernunft）中之绝对者必存在焉，因理智需求其存在也。志意的自由，灵魂的不灭，上帝的存在，此三者为实理（practical reason）中之假定要件，为伦理的前提，而非知识也。自由志意非认识之对象，但必须假定后者而后可为道德的。德行与修德所必需之时间有关系存焉，故灵魂之不死，必须承认之，而因德行与快乐之得以协和，必有上帝之存在矣。

康德将直觉与范畴之起始的综合团结予以揭穿，即将实现的与理想的，自然的与人心的加以解释，但渠之说明未为成功。渠未能调和此两名词，而在纯理批判之中，因假定所不可知，已进入抽象的、空虚的、形式的思想。至其在实理批判中，渠未能免除形式主义，盖以道德为理智之一纯粹形式，与任何感情及利害均隔绝而相反也。范畴的驱遣，如其所言者，绝未能指示如何行而复为诚，盖缺乏具体的内容也。

纯理批判确定知识之条件、规律及限度，故实理批判即讨论实际的根本观念。此等观念，系道德的、法律的；其交错之情形，则组成习惯的哲理，此即康德个人之理想所创造之学科也。康德以为道德与法律不同，盖前者涉及内心之动作及意向，其教人也别有其道，至后者则与意向无关，只涉及外部行为，而不能执行道德的条规。康德之分离道德与法律，至此而明，盖渠既未能完全捉定伦理之观念，则二者之同源固不可见也。

在康德哲学中，法律亦含有其系统之缺点，即成为形式的是也。各个人无限制之自由，在普遍的规律下，得以与人群之自由同存，此等条件之总和，即为法律。然总和究何所包，而普遍的规律又系如何，此则康德之所未言及耳。法律之精义，据其分析，即为限制及同存，然无执行之权力，则为无用。法律为私的，亦为公的，私法涉及财产，包含具体之物件，义务及个人之身份，因之分法律为实体的、人身的及混合的。至于公法，则私法之保障也。理智迫吾人由天然状态以入于社会状态（所谓自然状态，康德只认为一观念而非事实）。公法为制定的，为国际的，为世界的。国家起自契约，但其内容，非任意的，盖在国家之中，人人有真正之自由、平等及独立也。国家除保障个人自由之并存无他责，故康德式之国家，势必须由一自然律之系统以发生，因其基于理智也。斯国也，犹如个人，必须由自然以进入社会状态焉。

九、哲诺末西、菲希德、斯配达里利及罗马诺西

维科之后有哲诺末西（Genovesi），非佛尔夫或洛克之徒，但对洛克颇为敬慕者。哲氏实为折衷派，但怀疑派之成分甚少。渠所倡之折衷自由说，使学者不复为各大师之奴隶，且不独在意

大利为然，盖其原则亦甚获日耳曼人之称赏也。在伦理上，哲氏追随洛克者甚密切。其说以为人系倾向于快乐，而快乐系由个人的贪欲及社会之权利协和而得之；其致此协和者，则道德律也。道德律系整个的、确实的、不可变的、强制的保障权利，并于权利受侵时起而扶持之。权利乃理性动物所受之产业，为普遍律之所保障，乃快乐之途径也。关于固有之权利，有平等之原则，而于各等各类之物，则有不平等焉。每一权利必由一活动而得之，必起于一种需要。占有亦为权利，但必须对占有之物已加以工事。凡侵权利者，即等于剥夺他人之财产。至所谓真正的自然状态，则非如维科及拉美脱理之所云，乃系父族式的（patriar-chal）。因人之存在而有社会共同之存在，即系统治权之基础，盖先必有公众之默认矣。法律之制定，应由学者会议为之。斯巴达及英国宪法之混合方式，可称为神哲的发明。国家有卓越的主有权；教育之权责，及教会所行使之政权，实皆国家之特权也。对于中立、忠节及使节，须有完全之崇敬，此系法律所要求。至于藉口开化他族以实行征略，则为法律之所反对。

哲氏又追随洛克之功利学说，以为人之目的为求快乐，故行为之动机，如非图赏，必系避罚。哲氏认权利为财产，但未说明权利可以割让至如何程度。渠不信所谓自然状态，但道及某某权利系为公安之故而让归国家。哲氏描述自然律与人间律之对抗，其说实为维科以后所未有。哲氏书中论及之事颇广，如刑罚，如统治权如何为社会共存之结果，如某某项法文，如中级社会人士之品行，如博学之立法家的团体，如所有权之如何应使之自由易于转移，成为单独的、可分的、能为众所及的，如国家之统一及主权，皆哲氏所论及者。其说之关于改变财产制度之必要，具见于 Lezioni di Commercio 一书，是书乃在亚当？斯密以前已论及国与民之财富者，盖渠在那不勒斯讲学时已作此说矣。然哲氏未尝由劳力之观点立论，此则首由斯密加以考虑者。然斯密与哲氏所见正同，盖谓财富来自工作，工作如艺术、技能及商业皆是也。国家之主权统一之观念亦寓焉。其在那不勒斯则经由一位教士之力而使平民得胜。哲氏驳斥当阿根多（Argento）等人之说，盖此辈不能脱历史及经义之束缚，而皆信从罗马教廷之主张者也。

康德之后有菲希德。菲氏之论中，直觉及范畴，以及感觉与心灵之原始综合的统一，皆成为自动的意识，而自为发生。其进展也，为正及反与综合三者。菲氏谓知识者乃主体，即自我，同时亦为客体，即非我。换言之，知识须使非我之物与我有同一理想的形式，是故我即我与非我也。惟菲氏之所谓我，不为真我之行动，其非我，亦不为自然物之行动；盖此为知识之形式及不实性，故非真正绝对的，于是有菲氏之主观说及相对说。在其伦理观与自然观可以见之。事实上，道德之行为，康德以为应合于普遍的必然的律法者，菲氏则以为系自我因自信而行，且由于热情及互相之激动而达于完成也。然菲氏未言此自信之如何，未明示其内容，于是成为道德之条件。至于康德，则以为法律上的自由，自始即受一般的自由所限制，而菲希德则以为此自由起于自我之单的、真的存在，基于人类在世间自主的行动之权，其本身为无限制的。惟一个自我，不能不承认别一自我之存在；既承认矣，则不能均有同样无限制之权，于是两者之权乃相削而互限，而自由乃成为一无法则之放纵。菲希德完成一自然律之系统，全不注意康德以来所遗留法律哲学之种子。康德固尝见放纵之与自由，其间区别甚大，欲图实现人之自由，而同时维持国内各人之平等与独立也。

菲希德未能由绝对的道德律引出一容许的法律。在理性之动物中，有为责任而爱尽其责任，爱自身，且爱其群者，自由之取得，基于自由之本身，故法律及国家皆为次要的。国家可以任意毁灭或重兴之。惟至菲氏理论之第二阶段，则又修正其初说，盖已放弃主观的理想主义，而为绝对的自我之说，因之改正其先前之法律见解矣。

斯配达里利（Spedalieri）亦如哲诺末西，由人类之求乐立说，认权利及义务皆为中介物。斯氏以为自然律者乃合于理智之力量，非如世间法由人之行为而生，乃由人类天然之主要性质而来。自然律之原则系必要而不变之真理，若世间法则否。人类天然之权利，其作用为自存、自保与保有财产，而又有一权利以行使上三项权利之自由，及思想的自由，自卫的自由，与扶助他人之自由（惟此皆非完全之权利，除非在绝对必要之时）。心灵一见某事之应如何作法，人即负有实际责任，应即依理智而行，更不必因与他人有契约而然也。

责任犹之权利，其种类甚多。善也，恶也，正也，邪也，皆含于自然律之内，然非人类之所发明，亦非来自上帝之自由志意，此皆事物之果，表示必然的永久真理，而为上帝之不能不赞许者。是故斯氏依其对于法律、责任与自然律之三种概念，并其纯粹唯理的系统，实复返于现代法律哲学之大原则；即以理智为伊索思之源，理智为宇宙之统系，终于有客观的志意，而非任意的、主观的志意。

斯氏之论较自然状态与文明社会以及推论后者之起源，皆有同类之情形。此两时代皆有其便利与不便，此由于人之天性而不得不然也。如在自然状态之际，因人之求乐又赋有种种发展之能力，应有权利及责任之平等，及权利内容之不平等。文明社会亦然。更细察之，人在文明社会之中，远较自然状态为良，至少在物质的条件上系属如此。至论及灵魂其便利全在文明社会。假定自然状态果曾存在，必远不及今日之社会。事实上，自然状态殆未尝存在，盖其时人既野蛮，则欲其有一社会系统之概念而谋取实现之，已必为极不易之事，除非吾人假定上帝发挥其无所不能之力，以一举而造成人类之文明、语言以及抽象的观念也。此项理论，在一方面足以摧毁自然律之系统，即否定自然状态，又一方面，足以证明所谓固有之权利只能存于文明社会：盖无全体，则部分不存，无伦理的机构，则个人不能存也。

然斯氏卒亦不能完全超出其时代学说之影响，彼即将客观的自然观念抬入伦理法律之批评标准，既已否认自然状态之存在，然仍谓契约为文明社会之基本原理。第一，渠谓吾人必须分别真实的与理想的，盖搜求实现者为一事，而研求何者应为为又一事。人可以生于社会之外，存于社会之外，系属可以证明的历史事实，而同时有一不待言之契约，为文明社会之权利基础。人无论在何种可以生存之状态下，必出于其自愿自允，不然则其不可灭的自由权为受损矣。然至此而斯氏之原说，谓物有必然的、永久的结果，为上帝不能不许者，乃被忽略，只余一空泛的允诺之主观原则而已。此原则在各等生活境状中未为重要，亦非主要纲领；盖主观的志意，必须合于实体的客观志意，此乃事物之常态与其秩序也。

罗马诺西（Romagnosi）非仅为洛克、康的亚克及菩内（Boanet）思想之复述者而已，渠乃康帕内拉（Campanella）学说之忠徒。康帕内拉氏首谓外物的认识为完全基于的确的内部认识，即生、力、志、知的意识是也。此原始内在知识之概念，即原始的心之自动，乃完全与现代感觉派之见解相反。此派确认观念自外而来，而灵魂之得知外物，乃先于其知自己。但据罗氏之说，吾人之知觉，非即外物之真像，乃由自我之不定力引伸而来，此可以知识、志意及宗旨，感受外部冲动之不同以为证。盖此等皆影迹也，而外物及方法乃与之相符者。心以真理而知，于是行而有效。罗氏以心的发展分为数个时期，即成人期、模仿期及哲理期。渠反对狂诞之实现派，但承认此项真理曾因教会所允许之理论及推测而大被滥用，然罗氏又坚主吾人不可陷入他一极端，盖两害之间，原有中道，于此罗氏又证明培根之格言矣。

论及道德法律及政治，罗氏分析为五个学派，即神秘派、超卓派、神学派、假说派及哲学派是也。罗氏批评第一派，谓不应将法律建筑于野蛮的孤寂之上；对第二派，谓其不应不尊重公平法；第三派，不应以神意代替人意；第四派，不应创为假定之人与假定之性质。惟第五派，乃建立于无可疑之事实，不可否认之规律，与彰明显著之形式。此派认定人之天然趋向为基本的，而证明合法的行为系有必然的公平性。故社会权力应认为此项交织之效果，律文应由此演绎而来。同时注意时间及机遇之影响，且应以文明之完成为目标认为一种艺术，于是有文化事实任情流转之概念。故哲学派实非培根派，亦非边沁派。边沁为现代哲学家鼓吹法律道德之无神主义中最著者，彼等对于常规的有用，与非常规的有用，并不分别，提出伦理之见而不道其基本之因。彼等以为自然律及国际法皆属假设，盖仅因其未能达到有用存在之概念，即未能了解维科之公平的善之原则也。

罗氏之意，自然律乃科学也，乃对人类行为规律之系统的认识，由实在的、必然的自然关系演绎而来，于以趋善而避恶者也。此乃以社会方法追求人生最善自养之道，同时得以最速最完的方法使自我得达至善。惟此项定义，未计及道德与法律之分别。然人生行为，固可以完全为伦理的或法律的。盖此定义，乃重述克拉克（Clarke）及孟德斯鸠之法律观念，系罗氏哲学之积极的方向。因罗氏每求观念于行为之中，此项自然之概念，乃如自发的必然的事物之连续，为理智的次序，为道德的必然，第非强迫的，乃将快乐之功利的方式，与维科公平之善的原则相结合。盖如自然律系求得维科之真与确，则必系出于必然及不变之理；而因自然之变迁或偶然，又必变其地位。由此进而观察，则此理论乃成为延伸的、柔软的、多形的，以迁就环境。于是有必然法之社会化，又发生经济律之概念：亚当？斯密之自由学说，于此而得承认，而哲诺末西之格言，谓求治太急，其政不良者，亦可谓确言矣。

罗氏之主要的实用法学格言，大约有四端：第一，可交换的享用物之平等式，于此而有契约及半契约之法；第二，立法之调查，包含社会环境之复杂关系，及其节制之道，特别注重统计，以助国家之行政，俾管辖境内之一切事物；第三，即法律与经济之关系，俾社会之公道与真理及公利相符，受社会权力之限制；第四，即立法之比较观念，即谓在比较利用之技术上，惟罗马人为最优，而此技术可在今日意国民法法典中见之也。

十、反动时期诸作者历史派及哲学派谢林及什来厄马赫

以主张个人权利名义而起之有力广大运动，其结果成为理论的及实际的纵欲之崇拜，此可于卢梭、菲希德两学系，及前一世纪之广大的革命潮流而见之。因个人欲伸张其人格，于是发生空泛的自我，图以志意完全改造人间世，而不顾及伦理。然此项希图，因不合吾人天性，未能成功，不久遂起反动之新潮，以客位的志意之原则为其基础。此原则使康德之空的、理的、泛的形式得有实质，重立较高理想的必然之观念，并置重人与社会之密切关系。当此之时，古代之国遂成为可羡慕之目标。然自个人主义之时期以后，一般人对于社会之观念，不复能如昔之有力；盖自该时期之后，而社会与个人两者之待调和乃明，而此调和惟有待伦理的机体概念乃得产生也。

在意大利，客位的志意之原则，在上一世纪及现代诸作家中未被漠视。事实上哲诺末西乃至以此说之过分夸张为忧。哲氏之意，吾人必须保全权利，如其被侵，必须恢复之。拉姆普累提则谓权利者即为完成责任而能行其所必需是也。此系受理智之促迫而来，而为趋向快乐之感动也。拉氏信责任为基于物之天性，即系基于上帝之志意；盖上帝乃世界上法律之最高创制与守护者也。斯配达里利不信有自然状态，而鼓吹一普通的客观的系统。罗马诺西则建其系统于自然之必然性，而对卢梭大加批评。

意大利作家倾向于百科全书派训条者为加利阿尼（Galiani）、贝卡利亚[1]飞兰哲里（Filangieri），加氏为经济家、政论家、著作家，而并未致力于搜求法律之真实原理。贝氏脱离社会契约论之假设，于以建立刑罚之权，但以死刑为非法，故与卢梭不同。盖卢氏立论之点虽同，而其断案则正相反，谓死刑亦系个人供献与社会之权利，彼乃冒性命之危险而藉以保全其性命也。卢氏之刑法原则及分工原则，经伦内齐（Renazzi）而得有次序的说明。伦氏之实用标准及其衡平法、批评术，乃假之于罗马法学家，及马尔萨斯者也。伦氏相信自然状态及社会契约之说，对于死刑未下断语，惟反对残酷之刑罚。至于飞氏，则系抽象的法国哲学之忠实从者，相信立法自由之万能，欲将中世纪一般强人所遗留之法制立予废除，而造成哲人以为治。渠素以抽象的观念为依归，认为无论何时何地可以适用之良法系属可能，于此乃与孟德斯鸠异，因孟氏以为法律只适应一国或一时之需要也。盖飞氏系论人类所应为，而孟氏所述则为人类所已为。然立法之学与法国派理论之关系确甚显明，因飞氏已承认现代社会与自然状态之别，而讨论个人之权利如何交付与社会，此中即包括自卫格杀之权，即死刑所以合理之基础也。

意大利之外，此新运动之代表凡有三派：一即反动时期

---

[1] 原书译为"贝卡利亚"，即 Cesare Beccaria（1738 - 1794）。——勘校者注

（reactionary period）之作者；二即历史派（historical school）之继起者；一即谢林（Schelling）与什来厄马赫（Schleiermacher）。

反动派之作家，期望革命运动以前之伦理对象之复返，而设想一合于各国习俗之复旧，是以得·梅斯特（De Maistre）乃将神治制度推及于一般王侯，建立教廷之系统，而恢复以前法国王政之概念。柏克（Burke）则欣羡旧法王朝尚荣誉重宗教之风度，虽无神治之见解，而反对法国之革命仍为英国文化及保守观念张目。至于哈勒（Haller）乃认王权为私权性质，其信仰的源泉，乃古日耳曼地方组织之原则也。

历史派则如斯塔尔（Stahl）所云，乃以法律民族自觉之联系为立论点。既以法律（law）为在个人志意之外，彼等遂以之列于法典（statutes），而认法律为变化的、进化的、缓长的形成——由社会以形成——于是国家成为有机体，而非复机械物。彼等不置信于抽象的玄学，认国家内有形式变迁之继续不绝，而人民的最高理智和谐于以表现。彼等对于现状异常尊重，而极恶骤起的新奇以及破坏。萨维尼[1]即此派之领袖。彼相信古法律，又因家族关系及个人意趣而倾向于保守的观念，蒂堡[2]为哲学派之领袖则攻击古法律，置重于民族的因素。因其有如此之信心，遂起而主张进步之说。然吾人应知萨氏未尝舍弃哲学之助，亦未尝否认进步之可能，渠考虑其他之社会现象，而承认法制形式发展继续之原则。渠虽拥护习惯，而未有深闭固拒之态度，反之蒂氏则谓凡法学家置其希望于将来者无不憎恶过去及现在，渠

---

〔1〕　原书译为"萨文宜"，即 F. C. von Savigny（1779 – 1861）。——勘校者注

〔2〕　原书译为"提菩"，即 A. F. J. Thibaut（1772 – 1840）。——勘校者注

推重尼伯尔而热烈的主张凡不反于历史条件的改革之必要。盖历史派理论，亦如一哲学原理，在维科之真与确的不朽学说中得有谐和也。

谢林假定推度的理智原则，认为自然与精神之同一，于以解释知识之真实，即菲希特之所未释明者也。谢氏以理智的直觉而达此同一，循其基本原则，以伦理建于绝对志意之上。所谓绝对志意，盖远超于各道德的机体内所发展之各等的志意也。在实现的境界中，国家为强制与自由之调和，教会则在灵界中为此项调和。国家为一个与多个之结果：因一个与多个有种种不等之平衡状态，而各国之历史以殊焉。在古昔一个优越之时也，在近代，则一个之君王与多个之人民成为敌对，盖人民已自觉其力量矣。然在实际国家中，所谓"一个"颇为抽象而非具体，因之国家与教会有结合之必要，而成为理想的单位。

什来厄马赫之出发点，类似谢林即理智也。理智乃普遍的客观力量，因其发展而形成自然及道德世界。道德之世界系以伦理解释之，其中包含合理的习惯、权利、国家与教会诸法以及此等法律之历史或其实现。伦理之精华，由理智及自然之交互深入引伸而来，然其交错则永未完备。理智克制自然之有机的行动，即系交错之方法。法律基于伦理，求各个人之道德的共存，以各种关系联系之。此为必要的伦理阶段，缘理智需求人类之道德的群居也。此项目的在国家内可以实现之，即将自然之物交付国中一组织掌权之。然吾人如承认此为国家之定义，则凡属推测的思想，科学的企图，自由的社会观念，以及宗教的情念，均不可归于国之管辖甚明。如果国家之组织倚赖各个民族的原素，则不复能有政治的玄学，而只有一简单的生理学而已。

十一、黑格尔

谢林直觉的以最高之原理开其论端，黑格尔则不信此直觉之假定。黑氏之达到绝对的知识，乃经由一连串的行动，一个一个，相随而相连者。黑氏之理论，起于最简单之知识，即感觉的意识——此时之外物，见之未清，直不易与本身区别——以至表现（representation）——此时则已认外物为有一定之性质。由此项知识进至于理智，遂能明物之为力，为因，为单体；再由理智进至自动的意识，于是一个自我乃体会其与别个自我之关系；更由此自动的意识，再进一境，于是灵魂成为人格，但永远与客体或主体显然有别。此人格之区别性，为客观的，又为主观的，此等区别性，即为逻辑上的范畴。逻辑为研究原始真实或研究玄学之学，分为存在（being）、本质（essence）、意想（notion）三者。存在发展为性，量与度之范畴，本质包括一切关系的范畴，意想则在亲切的觉察中为其运动，在判断中为其领域，在三段论中，为其再成。存在即正位也（thesis），本质即反位也（antithesis），意想者两者之结合也。各范畴之全部运行，基于观念（idea），观念之自身为完成的，于完全明了之时，即为可觉的理智。天性系由灵魂引伸而来，灵即观念之所在，故常若被位置被创设者，而有一种基本的方法与之相关。自然之最初范畴为空间与时间，物质即具体之空间，始为无机的，渐变为有机而生活的形式。生命系有等级的，植物之生命，吸入物质而吐出物质；动物之生命，亦有吸有吐，但系由感觉而吸入，由嗜好而吐出耳。

　　灵魂最初为我身之不定感觉，继则为具体的或单身的感觉，乃系人与身之合一也。灵魂参加于自然之生活，由是而接受各等之影响，爱有种族、性情之不同，以及醒时、睡时之异态，与男女性之别。心既成为具体的自我感觉，与自我交互深入，于是成为理想的统一、理想的知识。意识成为自我与非我之分别。意识由其各种方式发展而为心，于是得为客体及确实。故心者，客体与主体之主体式的统一，而系理论的。理论的心初为直觉，而后成为表现及理智。然心既由理论的而产生主体及概念，于是乃成为实际的，换言之，即客体及主体以客体式而统一也。实际的心，首先为实际的情感，即不定的嗜好；其次，则为倾向、欲望、情欲及纵欲；终则习惯中成为理性的或道德的自由。既达于合理的自由，实际的心乃成为伦理的灵魂，亦即理论的心之谐和也。斯灵也，即系活动而产生伦理的或法理的对象，而非感觉、表现或理智的对象。魂魄也，意识也，心也，各个人皆有之。彼等不组成世界，但性灵，即伊索思，乃主体之集体，而为一世界。惟事实上，情感之争逐终未绝，于是有一更高境界之必要，俾性灵可独显其重要，而由艺术、宗教及哲学以达于绝对（the absolute）。艺术上之绝对在于可感受的直觉，宗教上之绝对在情感及信仰，至哲学上，则以理智之征验而明之；惟有在哲学上，性灵乃由心而得完全的自动意识及发展。

据黑氏之见，法律哲学之目的乃求法律之观念及其实现是也。法律为外部的自由，亦即自由之存在。其初步为对各个物体之主有权，继则为对某一物体以同意而立契约。主有权者，在所有物之中见志意之实现。然物为偶然的，故此权亦为偶然的。偶然的志意，亦即任意，即系表示让渡或侵夺权利之可能。然侵夺则须有罚，罚即系对于侵夺权利之复仇。因此而诚的、善的理智，起而代伪的、恶的理智；于是自由从外部存在进而为内部存在。内部自由，即系道德；道德即性灵之德，依理智以指挥可感受的欲望者也。

性灵之活动既经证为法理的客体及道德的主体，乃趋向于法律及道德之统一，亦即外部与内部自由之谐和。单纯的遵守法律，或抽象的相信善之为善，不足为德，盖遵从法律者未必能信其为善，而仅能信其为善，未必便为尊敬法律之确征也。其所信也，非仅必须为主观的、偶然的、暂时的，须更为稳定的而切实的，即须成为伦理的习惯，平常的行为与风俗是也。风俗者，乃团体之心也。所谓团体者，其初为家族，继则为社会，最后则为国家。家族之团体存于情及爱，然其集体渐则趋向于合理的形式；盖因子女渐长，遂完全自能意识其存在，乃各主张其个人之利益；如何使此各个利益得以系统化，则文明社会之事也。

情感及利益二者不足以尽人之概念，于是发生新的团体，俾性灵得以发展为理性或共同的志意，此项新的方式，即为国家，乃伦理的机体，含有普遍性的立法权，并单独性的王权。视此两因素之强弱，而各式的政治组织以分：民主者为普遍性，贵族治者为特殊性，君主者为单独性；在君主立宪之国家内，此各因素均充分实现矣。

国际的公法，为国与国间之关系所产生，其基础在各国之自主与各国之共通性。战争亦国与国间之关系，为解决争端之惟一方法。长期的和平，必须先有协调，协调基于相对的动机，故只能为偶然性的。国家之存在，完全在绝对的神灵之掌握中；凡已完成其使命之国家，则消灭之，遂又创造新国家，以表现新的概念。是以世界的历史，实为宇宙的公正之表现。国家之始与其终皆为绝对神灵的，是皆发展之层次也。国家之历史的个位，及其特别使命，皆由绝对神灵而来，黑格尔以此为最重，相信伦理的及世间的性灵为法律，道德及政治之交杂焉。

十二、洛斯米尼、赫尔巴特、特楞得楞堡及克劳西——谢林哲学之各形态——斯塔尔及叔本华

意大利之哲学，终不免受日耳曼思潮之影响，尤其是康德思潮。斯巴文塔（Spaventa）于其讨论加路披（Gallupi）、洛斯米尼（Rosmini）及乔培尔底（Gioberti）三家学说时，受此影响最显。加氏依从经验，认为感觉材料之复杂化，即关涉于性灵之综合的活动，如同及异皆是。渠立论首以康德氏之知识为经验的知识之基础，谓吾身外之所见，不能与吾身意识分别。渠又从康德之说，承认综合的判断为先天实际的，又承认由灵魂的综合单位产生之观念。洛氏则以知识为基于对全体之超卓观念；渠亦如康德，在知识之事实中见有直觉或可感的材料，以及全体的范畴或其固有观念。而在理智的见解中，则将后者化为前者。然全体之观念，由其不定性而不得为纯概念或范畴之联络，而后者亦不能由感觉而生，故洛氏之超卓主义，结果成为乌有主义。惟吾人需要知识的具体原理，以适合于范畴之产生，此项原理，即乔氏之理想的公式，"在"与"存"是也。为解释知识，乔氏不取空泛的惰性的观念，如全体之类，但重在一个观念可以包含且开发一切事物者；此创造性的观念，即原来感觉与理智、理想与实际、天然与性灵的综合活动之一新型。

上述意大利三哲中，惟洛氏有完全的充分展布的哲学。渠以伦理原则为出发点，承认"存"者及其相当之价值。由对于存者之实际承认，而快乐以生。快乐者，即吾人各项能力得达其各个之目的而满足也。存者之实际承认，由道德的条规定之。盖在一有理智之生物，其一切应有的活动均当承认之，尊重之。尊崇一单体之一切活动，即系对于其一切权利之行使有不可阻碍之义务。一人之活动，就法律之关系言之，因权利之复杂而甚众。且人之活动，必与其幸福有关：故权利者，主观地言之，乃遂吾所欲而行之权能，为道德条规所保障也。法律之学与快乐之术相连，乃示其享受之内容；亦与伦理相连，乃示其享受之形式。伦理注重在责任，法律注重在行动之权力。前者大体为道德的，后者则系享受性质，但亦受道德条规之影响。在道德的条规中，法律系服属于伦理也，由法律之定义观之，因道德之终点必为理性的原则，故权利之存在惟有在理性之动物，其行动受道德条规之保障者也。道德的条规规定对于人格之绝对的尊重；因人格系终极的，而人类一切直接、间接之行动因此皆须尊重。活动之为权利的主体，具普遍之特性者，是为财产（Property）。财产者，就其最广义言之，乃一物与另一物之稳定的、完全的连系；其相连之密，乃至可谓一物为属于他一物者，而对于任何别物不复能有同样之关系。权利者，有固有的，有获得的；然后者亦必须有先者，盖获得之行动，必须有获得之潜在性也。权利惟有不切属于人身者乃可以让渡。至权利之保有，则恃法律之力或躯体之力。

理想之物及原始之律，对于一切之人及一切理智属同一的。一切理智之活动，及一切纯属人身的权利，皆为连结的，遂能将人团结为自然社会的情态。社会者乃若干人为公共目的而团结，于是各依其权而活动，以期取得所望之福利。一切之人，皆以理想的存在而团结焉。一切人皆希望达此境而有之，享之。求存求福之倾向，大抵超于个人之活动，由此活动而得存在，而构成人之天性。如果有人希图其他特殊之利益，则在一社会之内，必发生其他社会之概念。由单纯人身之权利而发生人群，由各个人取得之权利，而其他特殊之组织，具一定之目的者，乃以生根，是以个人之权产生社会之权。然存在者，乃理想的、实现的、道德的。此三种形式相当于三种之便利：趋向于快乐，而存在者实现焉；趋向于真理，而存在者达于理想焉；趋向于品格与正义，而存在乃为道德焉。因一种存在之方式必需要其他二种之方式，故一种趋向中，含有其他二种之趋向。是以人类最初之社会，可变而为三种，即家庭的、国民的或神治的。家庭的社会，由于情感及生殖而使人与存在之实际相接，此中有一原则之至理焉；国民的社会乃行使权利之保障，其中有一方法之至理焉；神治的社会，乃赋权利以新品性，即使一切之物归于所由来之原理，故此中乃有一极终之至理焉。

对于黑格尔之绝对理想主义，在日耳曼又发生赫尔巴特

（Herbart）之玄学的，单个的实现主义以与之抗。赫氏之说盖基于康德物之本身之原则也。康德自感觉入手，而赫氏入手则自经验的形式概念，其中含有矛盾性，必以玄学清除之。一物之现象，其见也，吾人知之，然如无能以见之之存在者，则现象为不可解。存在者非概念之因素，乃在概念之外者。物有绝对的位置，故为独一的、不显的、简单的、无对的、不变的。物之概念之矛盾，及其性质、变迁与原因，皆由固有的假定与变更之要求而来，但存在者乃系独个的、一性的、简单的，且不能变的、固有也，变迁也，皆涉于现象，而非涉于存在者。存在者包含许多之"实物"或单元，简单而不变，在其自身而存，因其自身而存。一切单元相结合，则生结果，单独则不生。此密不可人之单元互相对待之关系，则有现象。如甲单元触及乙单元，其接触永为外部的，其动乱为附带的。被触之单元仍保有其性质，而有自卫之行动，于是得有物之形状或其表现。自我者亦表现之一原理。故为单的，兼为多的，自我包含多数矛盾，见于物与物性之概念，如自我被认为一动点，为若干组表现之交错点，则矛盾终止焉。

然此等之实现主义，决不能推倒理想主义。盖所谓实现者，仅为玄学上之假定，表示一简明之思想而已。由此观之，赫尔巴特与黑格尔之别，乃在黑氏以思想为经验之真实及其具体的连络，而赫氏则以直觉的思想为基，以别思想于实现之真质。赫氏之实现主义，在伦理上仅为形式主义，因其基于纯粹抽象的叶和概念，及审美的符合。审美学异于玄学，乃离去经验的材料，而由一串的判断以行发展，表示满意与不满意。伦理者，亦审美之一部分，盖含有对于行动之赞否的判断，以某种模范的概念为比较之标准。如行动与模范相符，则赞许之，不然，则否之。然此项概念，并不指示何者之应为，盖无命令性也。于是伦理之内容，不含行动，而仅为形式的。模范的概念凡有五种，即涉于自由、完善、仁慈、法律及公道者是也。法律者，乃多数人志意之叶和，藉以避免争斗者也。五项之模范概念，不能化为一单独概念，因之发生五项社会的概念：由自由之概念发生活泼的社会之概念；由完善之概念而有教育制度之概念；由仁慈之概念而生慈善事业之概念；由法律之概念而有法治的社会之概念；至报应的系统，则公道之概念而来。

特楞得楞堡（Trendelenburg）以为在黑格尔之辩证法中，直觉乃被漠视，第无直觉则无真正之进步，故推崇一单纯原始动作之原则，此动作为通于思想及实在者。惟特氏之所谓动作，既在一理想的系统之中，仍不免同于黑格尔之所谓生长，此则特氏所未肯承认者耳。在黑氏哲学中，生长者乃由思想之本性而来，乃系合或分之行动系关系，亦系动作。按理想主义之说，动作者含有思想与实在之会合，非系实体的，而只能为思想之结果。盖思想能单独包含存在于其内，亦能由自身而出，向自身而返；如是，至最末之分析，动作即成为康德之最初综合活动。是故特氏非黑格尔之敌，而实为赫尔巴特之敌，以赫氏系动作观之仇人也。特氏以为赫尔巴特所依据为论点之矛盾，并非真有；即使真有，而亦不能解答；即使亦可以解答，而其最高最终者终于不克说明。特氏否认原子的世界观，以及斯宾挪莎之漠然无动的概念；渠独有取于柏拉图及亚里士多德之有机的、神学的定义，而将法律建于伦理之上。

自然律者，犹之伦理，亦在玄学及心理学中得其前提。由前者得有世界的有机概念，由后者而知人之本质。玄学产生观念，即一切必要者之有机概念之原则也。法律可达于观念之高位，故能参加于必要者，于是得逻辑的、物理的、伦理的。法律之必要，首为伦理的，因其含有理智之模范；进则为物理的或强制的，因遇有顽梗分子，则模范之实现必假于力以行之也；更后则为逻辑的，盖法律必须合于理性，且其组成与实施，亦皆有待于方法也。是故法律有伦理的、物理的、逻辑的三方面。由第一点言之，法律既为伦理的，必须建于人之本质，在其各种观念之深处，并注重人的历史进展，若仅有一个合理的因素，或一个历史的因素，则无所用之。人之观念即社会之观念，一人即等于无人也。人类社会本系整个的，乃一伦理的有机体，在其中见有管制与组织。管制涉及各个人，各个人则彼此互助以达其个别之目的。组织涉及团体之目的，由公众之力成之。然管制与组织必须叶和而互不相侵夺；若管制为绝对的，则各分子游离而成无治状态，若组织专行，则各个人之人格无以存矣。法律乃管制与组织之模范，乃行为之交错，因以使伦理的全体及其各部分得以保存也。法律以其力而求伦理的全体之实现。伦理者，即人类本质之客观的实现，道德及法律则更代表其主观的实现。道德关涉于意向及良心，法律则关涉行为外部的关系，及人之共存。

克劳西（Krause）之哲学，企图将菲希德之主观论与耶林之客观原则结而为一，据克氏之说，上帝乃系人身的生活的原则，世界为生活的上帝之显示，上帝即系原始的本质。阿楞斯（Ahrens）适用克氏之说于法学及政治学，称此说为分析及综合两大方法之调和，而将人类与人道均归原于上帝。于是法律的概念，时为分析的，又时为综合的。正义者，神的亦人的观念也，乃一切道德的生物生命上之普遍规则，即在由天由人所生之有机的复杂情形中，可以使理性的生物达其合理的目的者也。法律一方面与道德及宗教异，一方又与二者密切关联，盖法律代表二者之条件，俾有适宜之环境，使生命之基本原素得以存在而发展焉。生命之任何方面，法律无不与有关系，盖法律不但限制而已，保障而已，乃对各个人之活动助其完成者也。在每一主体中，法律皆承认有二因素，即人身的与社会的；同时在各项制度中，皆企图调和比二者。国家者，法律之代表者也，然国家并不吞灭个人或社会。在科学、艺术、工业、商业、道德及宗教的范围内，规律应各不同。国家之责任，乃在于正义的生活上维持社会的进展，并使人类知识之各门类皆有达于完善之途径，国家可认为社会与个人间之调和者；然在伟大的社会机构之中，国家亦仅为一主要的机关而已。社会为一有机的整个组织，包有多种之制度，而皆与人生有重要之关系。一切制度皆系现有社会之高级形式，于以见社会之成熟及其谐和。

在康德与黑格尔之间，有数种哲学学说，以世界的非理（irrational）原则为论点者，如雅科俾（Jacoby）认绝对者虽其自身未为非理，但对于吾人实为不可知，盖绝对者仅系情感或信仰之物也。耶林则由理想主义变为非理主义；盖渠废弃实现及理想为一之说，而仍谓一切物皆由无意识之志意（即系力）而来也。在机械上、生命上、感觉上及直觉上，无意识之志意（即普遍之力）系盲目的及命运的；在历史上，则力的原则有一内部的单一化，而有意识与之偕。自个人意识力之志意与宇宙力之志意划分时，而历史起焉。而此划分即为罪恶之起源。历史之进行，盖示公共志意之意识的，无限地超越乎个人之志意，亦即个人志意之理性的自然的供献，以求达公共意志之目的焉。

在其哲学之最后阶段中，耶林放弃实现主义。存在者，乃心中之事实，惟心中乃有存在之概念。吾人之知识完全基于经验。经验者就其常解言之，不包括绝对者。然人类之经验又别有一种，即人之宗教意识，由其历史发展而来者，此则能自然地显示绝对之原则也。

在谢林思考之最后阶段上，斯塔尔植其议论之基焉。斯塔尔承认世界为一有人身之上帝任意创作之结果，而其历史之中可以见统治的理智及神权之节制。斯氏以为当代法律哲学及政治哲学之大进步乃由于客观的原则，即黑格尔亦以逻辑的解释承认此原则者。然客观原则必须以实现的意味了解之，且须将生命之有效的、具体的秩序认为法律之规定。所谓生命的秩序，即人类社会之组织，由超人之权，依伦理及最终之律之所定，而无所不在者也。故斯氏为历史的、神学的学说之创始者。

叔本华认世界为表现及志意。表现者，现象也，幻像也；志意者，真物也，实体也，在表显之界以外者也。人不独代表其躯体而已，且感觉对于志意之密切依赖，而为志意之真实的、直接的表现。乐也，苦也，即指示肉体活动与志意行动之相合与不合。志意为世界之原则，因其与意识分离，而在其无限性上实为宇宙之一力。志意即为引力，为磁力，为痛苦与直觉之力，为人之有意的行为。志意者，盲目之力也，趋向于客体及生命。现象者，存于志意之客体化中，而志意因其运用亦成为客体的。故认识可以志意解说之。人类之志不能于表现之外更求其动机，亦不能与宇宙之单一盲目之力相抗衡，因其受此限制遂有痛苦。吾人不能概以伦理的方式自脱于现象。志意使各个人生两项冲动，即自利与利他：前者相当于吾人之理智，后者相当于志意。自利主义不使吾人出于个身之外，而利他主义则使吾人发生一般的关系。人应与自利之念抗争，而参加于他人之痛苦，于以达道德的至善。然志意既不能完全与表现分离，则吾人惟一之德性，亦只有委身任运而已。哈特曼循叔氏之说，以物之最初原则归于不可知。所谓不可知，乃绝对的、非意识的、志意与观念合一的；换言之，即无思之力亦即无力之思也。

十三、唯物主义、实证主义及批评主义

非理主义将绝对者与经验及力之材料相混。然力之本身本不可以设想，盖不能不同时思及真实之质，故非理观之世界的本

体，即物质是矣。故唯理主义与唯物主义之进境，遂有此逻辑的结合。现代唯物主义之原理，乃质与力之统一性、传送性、不变性及力之流通性。由此等之原则而推定心力亦为质之性。思想之流通亦如其他力之流通，而心理之力亦可以一种运动释之。

　　一切之物皆由质与动而来。因原子组合之不同，及由运动所起之变化，而物各异焉。离去质之外，吾人对于灵无所知也，故吾人不能言及灵与质之交互作用。各式的物理动作之发展，与心理动作正相平行，故同一现象必有两面：盖由客观点言之，则与物理相关，而在主观点上，则与心理相关也。

　　孔德之实证主义（positivism）认绝对知识，即对于首因（primal cause）、本质（essence）及终极之知识为不可能，故对于认识，以律法为限，即限于现象之常具的关系也。实证哲学采纳逻辑及经典科学之方法，为一概括观，故结合知识上最普通之公律、昭示、发现及证明之方法，且建立对各科之管制。孔德以为心经过三个阶级，即神学的、玄学的、实证的。在神学上，物之原则即神之体也；在玄学上，抽象之概念即认为其因者也；在实证主义，则不住的变化之现象，藉经验以得来者，实为各项关系之主管者。现象多少具有复杂之性，愈简单者即愈普通者，愈复杂者即愈特殊者，其普遍的适用性，与其复杂之程度，适成反比例。故各种科学可以为下列之分类，即：第一，数学；第二，天文学；第三，物理学；第四，化学；第五，生物学；第六，社会学。此项分排之基础，系因最末一科必须以其他一切各科为前提，而最首一科，则无需任何科为前提也。天文学必须先有数学，化学必须先有物理学，社会学乃为最末之科学。

　　一切科学皆经过上述之三个阶段，惟数学则否，盖其无需乎神学之阶段为前提也。各阶段之继续交替即为进化，故社会学亦仍关涉及玄学之目标，然必在实证主义之阶段发展之。当社会科学犹在神学的阶段之际，人生行为之规律直赖乎上帝；及至玄学之阶段，则义务、权利及威权实主管人之天性，盖系抽象的、假设的。自由主义之主要理论，如平等及民主之说，皆属于此阶段，而今可认为过去之陈迹矣。革命的平等之说，乃系抽象的，玄学的仅对于假设的不平等予以否认而已。至民主之原则，亦非实证的，盖人民固未尝管理国家，故此说只可认为一种概念，由此概念而人民逃避暴政之权乃得以成立耳。社会学基于经验，不以人为抽象之物，而以人为历史之物，于是社会学可进入实证的阶段。社会之规律由历史的经验而决定，由演绎法而证明，更依人性之规律，即同于生物学之固定的规律，而重组社会之制度，凡由历史的经验所发现之规律，如与人性之原理符合，则系真实而必要。社会学基于集体的事实，由全体以进于部分，此其与他科不同之处。一个社会的现象，若非置之于相关连现象之旁，并就其一切方面而研究之，则为无意。社会学分为两部：静的社会学（statistics）乃研究社会因素存在之平衡及其情形之公律者；动的社会学（dynamics）乃研究运动及进步者。进步也者，乃最高的人类活动之盛行是也，其重要因素为理性之发展。

实证主义渐进而成为建设的及批评的。自然科学之广大的进步，种种新发明之层出不绝与其重要，以及物理、化学、生物之各项新理论，使实证哲学之内容大见充实。盖此哲学既建于科学之上，自不能不因科学之进境而有发展及修正。自然科学之中，渐积而生进化论，富于客观的、经验的及机械的性质，于是实证哲学乃具有进化论之性质，成为进化及变化之理论。各科学之进步，即使对于自然现象可以适用之原则日见增多，故物之本原及始因，自亦不能谓其永难发觉。科学的经验不承认有此见解，故实证哲学自不能禁吾心之研求物之原素。然机械性的进化论，不能径以之适用于高级的现象，故就其存在之阶级论，而进化之方法有不同。此项实证哲学之新阶段，尤其是斯宾塞之哲学，将于后文更详论之。

古代之玄学，经康德而被摧毁，康德盖以思想之自动性、创见性而纠正古之经验论者也。康德之后，绝对的思想主义，欲以辩证法改造实现主义；及实证主义兴，亦作如是企图，惟以科学及经验的证据为其方法。有许多的哲学家，对以上两种运动均不满意，谓前者赋予思想以客体，独立于经验之外，而与实现分离，后者则其终极成为唯物主义，将万物皆化为质与力及机械的公式而已。

现代之哲学家，为吾人所欲推重者，厥为新批评主义（neo－criticism）之一派。此派以康德对知识之分析视为基本的物理学说，但须先清除其"物之本体"（the thing in itself）之专断的渣滓。新批评派均谓玄学为心之私生子。又谓现代之试验哲学缺乏严格的科学性，盖因其含有若干的假定，未经澄明，且亦无从澄明者也。其中一辈，以为试验的推度虽不一定常有科学的性质，然为考虑实现之最良方式。盖进化性的一元论之概念，实最合于当今之认识，为各科学之所供给者，但吾人不可信以为"第一因"已经确定，或最上的进化律已经表明也。外部的观察只能与吾人以质与动，内部的观察则与吾人以已成之思想，但不能指示吾人思想如何而后与机械的事实连接。总之，据此派之意见，进化的一元论尚是实现的想像成分多，而实现的释明成分少也。此论自系一有用之假设，较之二元论殊多价值，盖二元论乃玄学系统中之最劣者耳。

由现代分歧的思想所根据之原则，以引伸伦理的观念，非属杂事。而快乐主义（hedonism）在此诸学说中，必系伦理之基础，则亦甚明。盖诸说皆注重苦乐激刺之效力，及有机体之需要及利用，而与社交、习惯、遗传之规律以及舆论为协和之进行。

关于此等伦理的、法理的及政治的观念，以及其所由来之理论，在本书之通论中将更为充分之考虑焉。

第一编

第一章　法律哲学之观念

一、哲学与科学

心之性质能由对于物之泛浮的知识进而为科学的回想，以求因果求理由，更进而达于哲学，即寻求宇宙各部分之最后的原则及最高的理由是也。哲学实为心之概念及其基本原则之最普通而高超的系统，盖哲学能将各观念之母为充分亲切的联络，而各科学即由此观念之母以生也。由是言之，在科学与哲学之间并无，亦不能有当然的不调和也。

二、科学之统一性

各项观念之需要一个系统或一种深切的有机联络，此观于各科学之历史而知之，盖各科学常倾向于取得此种联络之形式也。例如物理学，发挥笛卡儿之概念，就各项新的发现，遂能将声、光、磁、电之现象统以分子的力学与以解释，一切归之于质与动之两前提焉。

三、哲学系任何科学之一部分

吾心对于知识之各支派既觉有系统化、创造化之必要矣，故其对于知识之全体，自不能不感有此需要。观念既与日俱增，而其调配之必需乃起焉。哲学者即为最后的理想的调配，故在各个科学中亦皆见其重要，而各个科学因之不免越轨而进展。例如物理学家、化学家之对哲学予以否定者，亦不自觉而进入玄学之范围，倡为原子组织之哲学理论。盖世界上之显微镜尚不足以明辨物之真切组织，则原子论自不得不称为哲学的理论也。且凡自然科学之徒，号称哲学之仇敌者，皆不能自守其范围，如物理学者侵入化学，化学者侵入生理学，生理学者侵入心理学，皆是其例。彼实于其各个之境内自创一种哲学，而顾皆否认哲学之存在，亦可怪也。此犹罗马法学派，曩曾对于科学极表不满意，谓罗马法律实即理智之成文，一般学者不应以衡平（equity）之说次于人世智慧之首位也，虽罗马法学派之后起者已不坚执此种成见，然其态度今犹可以见之。故欲以合理之法代已成之法，则或否定哲学，或承认哲学，不一其途焉。

四、哲学有赖于科学

哲学者各科学观念之母之系统学也，哲学不能离开科学，其理甚明。自然学者每欲强为划分，对哲学之推想予以讥嘲，然彼等之意初不过欲使自然科学脱离中世纪哲学之概念而已。盖中世纪哲学，竟将神的玄秘混入于可感触的现象之中，致使与人间之意望、好恶、感觉全无法分别也。昔日伽利略始将神之玄秘及人之偏见驱除于自然境界之外，始就自然界之各种变化而是认其间之深切的关系。伽氏之后，由自然知识各部分之普通概念，予以调配等次，遂发生一自然哲学，与各科学相关连亦与之共进步焉。同理，吾人须承认有一最高的历史哲学之可能，而将一切历史的及其附属的研习归于一统，又可创造一语文哲学，就各种语言详尽地比列其方式，因以求得文字的发展之深远的知识焉。

五、玄学与必需

"打倒玄学"，此多人之呼声也。此辈以为一切可研求之事务可分属于各个科学；哲学之本身既有问题而哲学即由是可以否定之，然最近之实证主义派中，有人指示谓对于哲学加以否定即此便含有哲学，盖欲否定哲学，必先证明形而上之知识为不可能，而此项证明，则当然系推测性的、哲学性的，非将真实知识之条件与其可能性加以研讨，无以成此证明，如是，则认识论与逻辑学皆成立矣。知识之起源及其价值，非先求得其与对象之关系无由定之，于是宇宙的逻辑论成立。再就另一点观之，吾心欲求生存之义意，及物与生命的目的之关系，此即伦理之起源。哲学也者，乃各科学之统一体，乃各等观念之母之系统化及其分析观。在科学的讨论中，哲学乃所必需。如果各科学之组成不含有重大的分歧之因素，致使哲学难于进展，此乃因其未寻求基本的观念耳。每一科学，在其发展过程中，皆发现逐渐普通之原则，而与其他科学现象之通例相接近。此种通例可谓为宇宙的，盖可以贯连机械的、化学的及生物的真理也。科学既渐接近此项原则，而玄学之必需乃益显，然今世之玄学乃必为试验性的、科学性的，此则留埃斯（Lewes）、封特（Wundt）及安圭利（Anguilli）所认为当然者也。是则玄学之起死回生适为实证主义之助力矣。安氏谓实证主义不能为教条性的，亦不能放弃对于知识及生存原则之寻求，盖一切科学皆在期图揭发其本原也。实证主义应为批评的；对于物本物原之知识是否可能，应不加以断语。若如孔德将哲学仅作为自然律之编定者，及科学之分类者，而完全漠视其使各观念系统化之更高责任，此则过矣。

六、法律之哲学

法律哲学乃哲学之一部分，即法律的最高原则之科学也。是以法律哲学不可脱离法律、政治、社会之历史的积极的研究。欲对法律之本身决定其基本原理及其与个人、社会、国家之关系，而不研求其环境亲切的原则，此为绝对不可能之事。吾心常由特殊的及接触之物进而至于普遍的及辽远之物。此即亚里士多德所谓由吾人之初进至自然之初也。夫特殊的积极之物固非哲学之直接的当然的对象，然系哲学之必需的基础，物理学也，化学也，生物学也，其本身固非自然哲学，然自然哲学非依赖此等研究则无由发展。盖哲学每为最后之出现者，必生活已臻成熟，各个科学之知识成分已积有成数，于是哲学生焉。

七、现代哲学之性质及维科之预示

现代哲学有一自然之倾向，即系脱离盲目的经验论及抽象的空想的玄学。盖现代哲学基本上即系维科所发现之人心玄学，与人的观念之历史俱进者也。然所谓人的观念果何物乎？则维科自有明晰的解释。盖物之性即其本原之某一时间及某一形式；时间与形式如何，物即如此产生，无他道也。申言之，物之真性乃由运动及进化见之，而不在乎现象界以外之静的本质；且物之性因时间与形式而见其必要的原则，与抽象的、绝对的逻辑必要迥不相同。故理论之起须与所论之物之起源同时。科学之目的为欲决定物性，故即在其创生。

八、维科哲学系历史的非抽象的

维科之说曰，欲观人之性必须将关于社会生活必需物及利用物之思想加以严厉的分析，盖两者即人生规律发生之原也。基于此项原则，可知此学即人生观念之历史，而亦人生玄学之所宜藉凭者也。吾人应记忆维科之第一无疑的原则，即国际的世界应在人心之变化上得其形式。由此而建立一新科学，由行为以论观念，其学盖由生命以俱生，随生命以俱动，盖维科乃历史的哲学之创见者也。此新科学退出中世纪之空虚悬渺的推想，而进入基于事迹之观念，即历史的人生的观念，斯乃维科之巨大发明，亦即其巨大功绩也。

九、维科哲学系实用的

维科更论及哲学与历史之亲切关连，谓哲学研究理智，故为"真"之科学；言语学观察自由志意之权威，故得"确"之知识。人类之自由志意，本极不确定者，而鉴于人生之必需及人生之利便，人类之常识遂使其确定。此其常识，不待思索，而为一阶级、一民族或全人类之所共觉者也。所谓确者，见之于言语及行动，故在境内则由习惯及法律表现之，在境外则由和、战、盟会、行旅、贸易表现之。凡哲学家不能以言语学之力确定其基本原理者，皆失败者也；而言语学家不能以哲学的理论证明其权威者，亦失败者也。倘彼等果曾为之，则对于世界各国固为益非浅矣。

十、维科说明合理法及现行法基础之不同

维氏之说以为法律之学应基于理性（即哲学）与权威（即言语学），盖法律须涉及真（理性）与确（权威）也。确者系真者之一部分，故权威为理性之一部分；于是有所谓法律之理，即涉及真者也，有所谓法律之心，即关于确者也。因是发生对于现行法及合理法之妥协思想，此种思想盖起源于哲学家及罗马法治家。西塞罗谓自然之法基于自然之理，犹之社会之法（现行法）基于社会之理。盖尤斯（Gainus）释国际法，谓为人类相互间所拟定之自然之理焉。

十一、合理法与现行法之异同

如果承认真与确之不同，而又不否认两者之关系，则可见现行法既不尽同于合理法，亦不全悖乎合理法。国家之法乃循时代进化之途以求实现，理想之法治与知识发展之途径正同。人之权力仅为其志意所限定，而志意则为知识所限定。知识也者，最初为感觉，继而为相像，最后则为理性。是故国家亦经过三阶段，即无语时期、英雄时期及人道时期是也。法律在草昧时代不过一种公认的暴行而已，其后渐变而温和，终则依真理及智慧而达于完善。格老秀斯、塞尔顿及浦芬多夫其论议不着手于国家原始之时，而顾断自较为开化之日，系属谬误。由渐开化之国家中，产生一般哲学家以其冥想构成完善的正义观念。国际之法自然发生于各国之习惯，相互地以常识而表同情，并非有意为之，亦未尝

彼此效仿也。

十二、法律哲学不能基于先天的原理

如果法律系人的观念，为真与确，则法律哲学不能专以先天的原理为基础，此康德之说也；盖因确者既永为真者之一部，非以其各别之体，乃以其普泛的整个而进入哲学之领域也。哲学不应问及此个或别个实际之物，而应理会实现之全体。哲学中的实现乃系理想的、合理的、意识的，盖真正之理想境其本身乃真实者也。康德于哲学的法律系统中除去普泛之确者，此其误也。但渠承认在经验的实例中有若许现代及古代法律之对象，而对于哲学皆只能供给以解释之材料，此则甚是。然此项实例，若加以推想而达于法律观念之境界，则不复属于现行法之范围。

十三、维科之理论为现代哲学家所推重

维氏之法律概念及其哲学，在现代大著作家之定义中，极得应声。如黑格尔即谓法律哲学之对象为法律及其如何实行。在黑氏之见解中理想者即为真者，真者亦即为理想者，故观念之本身即成为事实，而事实即系真理观念之一部。黑氏以为凡发生之事物不尽为理想的，但凡发生且存在者则在道德的宇宙中皆为必要的而且永久的；故皆为理性之实现。然黑氏戒吾人不可以相对者置于绝对之位，又不可将历史的解释与对于事物合法性之判断相混淆。特楞得楞堡之说曰，法律哲学应研求法律之最高原理，而此项原理只可于历史中发现之。又曰，合理的及历史的概念虽若有时相反，然根本上实为一致。人乃历史的动物，在深密的哲学理解中欲决定一民族生命中某时期之理想境界并非不可为之事。在意大利人中，罗马诺西系遵奉维科之真确论者，渠承认自然法视强制的理性为转移，就物之位置而予以影响，并依环境与机会而善于迁就变化者也，最后，洛斯米尼同意于康德之徒，谓历史的事实不能进入于纯粹推理之学。然渠亦述及一普遍性的法律哲

学，谓其包含三部，即合理法、现行法之理论与二者之批评是
也。现行法之理论及其批评构成现行法之哲学。洛斯米尼自谓欲
讨论合理之法，而称之为法律哲学，盖此标题可示三部之混一
也。换言之，渠在最高之法律学之分部中发现真与确之密切关
连，然渠固未以法律为人的观念或观念的事实也。

十四、维科之理论即实证主义之理论

实证主义哲学可以化而为维科之理论，其论以法律为现象的
实现，为一自然的形成，而求其"因"于社会的原素，于团体
生活之生理心理的活动，于文明发展以前之动力，于万物之进化
的运动之中也，彼等皆认此自然的形成与社会的理想、人类学、
各民族之心理、人种学、文化史、法制史、比较法学皆密切的相
关连。因法律之研讨而进化之说独见重要，盖法律极须以人之思
想及志意为转移，与人生以俱进也。申言之，法律乃伦理的、历
史的事实，其原素，其创生，其变形皆赖哲学以发现之。维科谓
法律为现象的实现，乃不可否认者，盖因其含有确者在焉。而法
律又可称为自然的形成，盖其本性即其起端，思及社会生活之必
需与利用，而加以分析以及人心之变易，此皆法律之引端。因社
会之理想而法律以生，而法律即含蓄此等理想；此等理想实证哲
学每每重为称道，而就维科之见言，实即系社会生活之必要与其
利用而已。

十五、维科之论计及经济之影响

各国法律之两大恒久来源，又与法律之社会观相关连，即关
涉人生之目的、需要及其利益者是也。此议亦非新创，盖自昔哲
学家每皆信人生之情况对于法律甚有影响也。在意大利人中罗马
诺西即以研究法律与生活之关系著名，其研究甚注意经济之因
素。在日耳曼，则克劳西及阿楞斯于所下法律之界说中皆置重生
活环境之关系。维科所言之社会生活的需要与利用，即指经济因

素之作用，第未如马克思、得格里夫及罗利阿（Loria）之视为极端重要耳。经济之因素与法律发生之二大原动力交互深入。所谓二大原动力，具体言之，即斯坦因所云经济的情形与国家之活动是也。此等活动即循上述之理想而来。所谓两大源流在耶林之论中亦有之，耶氏固尝谓法律中有一创造力，即在保证的利益之内。盖耶氏在法律中见有一被保障之权力及利益系统，亦即生活的必需与利用的系统。换言之，即人生之外部的、社会的关系与必需及利用的系统。换言之，即人生之外部的、社会的关系与必需及利用相适应，此项适应即实证论的进化论的哲学之特色也。

十六、法律须计及社会的关系

如果吾人认法律为人的观念，则法律自不能脱离其社会观。巴赫曼（Pachmann）近曾试为分离之之论，然其说未能成立。巴氏谓法律为团体生活中个人外部的自由之尺度。如是，法律成为一模型之系统，关涉于志意及行为之外施，而限制其度量，故法理之学，其使命乃系表示此等关系、模型或原则，使之系统化而不拘于其为事实。盖此等关系，如其为事实，则进入其他科学之领域，而成为法律的社会理论之对象，于斯时也，自由之尺度乃就目的与利益而研究之，至于真正之法理论则系武断的，其尺度系确定的，其规定自由之界限并不问事物之目的抑或利益。由此观之，是等法理论乃系空洞的抽象的数学的公式，系概念之计算，系将人生关系仅结为一得数，或为一由于细密规条构成之逻辑体而已。诚如斯论，则法律无复具体的内容，而与人生及生存的条件完成脱离；历史与实迹与法律将无共同之点，而法律只变为一死板的公式。夫武断论（dogmatics）之定义本不尽可能，盖其中颇有自物性引伸而得者。此其理论与其技术，乃变而为心的游戏，不复与人生相关，于是法律不复有实体，亦不复为人的观念。

十七、维科信现象为基于理智

现象实际之基础即系理智，此维科之见也；盖理智亦即法律之基础，因历史即代表真实也。理智含于实现之内，即真者与确者为一，究其极则得一生存必需条件之概念，及事物次序及组织之概念，而行为之不可免的结果亦从而可知。特实证主义者，或不承认绝对的变形说，对此不免异议耳。彼等以法律之客观的必需的基础置于此概念之中，盖不啻重述罗马诺西之原则也。法律应基于事物之真实关系及事物之因果，故人必须遵守之以向善而避恶。此所谓事物之次序，并非超然无迹，亦非知识所不及，盖可以心会者也。彼等又谓古代之自然法为非，因其由先天的观念而起，全在生命经验之外，并不因其寻求必要的普遍的原则也。

十八、樊尼之法律哲学

据樊尼（Vanni）之说，批评的实证主义之法律哲学乃创生进化论之第一原则之学也。此乃对法理知识之可能性及其价值之分析；乃有计划的行动方式之理论也。就第一点观之，各种积极的特殊的知识之母观念于此而为综合，而吾人既承认此学之存在，则此点乃无可疑者。且法律哲学又有其批评的责任及实用的职务，盖吾人藉以分析法律之观念，评定其价值，由查验所用之逻辑程序以求之。然则此项哲学，岂不成为知识的原理论乎？然既论及法律，则哲学又岂能不为知识的批评？如果法律哲学为伦理之一部，而伦理系以解释行为之基本原则，是法律哲学应设有行为之范型。而一旦论及行为之事实，则不能仅仅研究现象，而必须求得吾人对某一现象之继续所以好恶之理由。夫谓伦理为实用的科学，此言诚是，盖伦理不独寻求道德行为之定则，且欲决定改变此等定律之最良方法，因以达到未尝有之至善之境。

十九、实证主义者不应否认特殊之哲学

实证主义者中有不愿承认各种特殊哲学，因之并法律哲学而

否认之。彼等谓哲学惟有一宗，即统结一切知识者，如斯宾塞即如是立言。每一部分知识之最高真理涉及固定的事实之统系者，即成立一个科学或数个科学，但总不能成为哲学。然特殊哲学既为哲学之一部分，则自不能否认其存在，此则彼等未之思耳。特殊的哲学先假定一切知识之基本原理之协调，而各就若干对象充分发展其研究，决定其存在之特殊方法，而注重各对象之异同及形式。凡各特殊哲学并不脱离哲学而独立，亦不能使之与哲学分离；各特殊哲学引起若干理论以示基本原则与各种物体之不同的接触，同时探求各物体之原素。如仅有普通的哲学而无特殊的哲学，则对最高原理之研求无以为充分的发展。吾人于下文将更研究可否单纯以宇宙间较为普通之公律，如物理的力学公律之类，施之于一切进化的产物。凡为此企图者，殆皆将无以说明历史的、伦理的高级事实产物之性质与其价值焉。凡主张惟一哲学之说而不承认特殊哲学者，皆不能明物体之真实分别，因而于不一致之处强求一致。科学的及哲学的发现应为完全的，不可预存一致之见而漠视其不同，亦不可因预存不同之见而忽略其一致。欲变易物之实际，非哲学所为也。

二十、法律哲学及立法学之别

在吾人讨论法律哲学之时，须注意勿犯萨姆纳·梅因（Sumner Maine）之错误，如其在古代法制史中之所云。梅因以为基于观念之观察、比较及分析以建之法系乃边沁及奥斯丁之功，而二氏在英国以外殊鲜知之者，深引以为不平。奥、梅两家以为法学之对象应为现行法，而法学可以特殊而国别的，亦可为普通而比较的，此乃抽象的结果。盖各国立法系统之同样原则固无不同也。奥、梅二家称普通法学为现行法之哲学；所谓现行法之哲学与立法学不同，盖前者就法之为法而研究之，后者（伦理学之一部或称义务论）则示法之应如何拟定以期合于一种方

式以普遍的利用为其原则者。此项理论之后一原素为梅因所否
认，盖所谓同一者殊未经证明，亦不能证明。今姑舍是说，而普
通比较的法学其去法律哲学甚远固属甚明。法律哲学乃对于最初
最高的原理之搜求，而普通法学则只承认事实之相类或物之同
名，而不问其原因。普通法学对观念之分析固甚有价值，但其分
析从未达于哲学之高度。至于洛斯米尼之法律哲学，则迥乎不同
而系高深之研究也。此非仅为合理法乃合理法而施于立法学及法
律之批评也。

第二章 法律之观念及逻辑的方法

二十一、法律须为抽象的兼相对的

如果法律之中含有真与确之原素，则不能仅抽象的唯理论或单纯的相对论解释之；前者盖仅就理性之方案而发展，后者则牺牲法律之理想性及必要性而只计及事务之相续或相反的发生而已。

二十二、法律须以归纳方法及演绎方法发展之

维科论及法律观念应如何以逻辑程序而进展，其说云：人类观念之次序为观察物之同，先求知之，次求证之；换言之，先得其一样品即为已足，继则有待于归纳法而所需乃不止于一。苏格拉底氏首创辩证法，与归纳法同用，后经亚里士多德而以三段论法完成之，三段论法者不得一普遍前提则无由适用也。是故人类观念先为归纳的而后为演绎的。事实上，吾心由特殊之件进而求现象之公律及原因。然心于此未能得公律之理的必要，亦不能以经验范围内之归纳而得因果之方法。公律的理的必要之证明系由演绎程序而来，系由普通原则而示明一个条件连接他一条件因而产生一现象。如果吾人承认此项观念，则在法律、社会、政治问题上愈为确者之研究，则真者之范围亦必愈广。所谓确者，在此等问题上系成一历史事迹之形式，其事件成为数字的系统，于是

能供给历史及数学的演绎法以资料。

二十三、归纳法之四式

历史的归纳法多基于社会现象之观察，而鲜基于试验，盖社会现象远较自然现象为复杂，殊不易以人意使之重演或使之变换也。然其试验法盖有四项，即同一法、相异法、相伴的变换法与残留法是也。第一法即系除去各项变换之情形而保留其一，以为现象之前提。第二法反之，即就同一之条件而为抽象，独保留其变换之一端以为原因。第三法，相伴的变换法，乃基于一现象之伴他一现象而变，即认其为因或为果，至少亦认为与有因果之连系。第四法即本于下之定律：即从任一现象中，减去由以前归纳而已知为某某前提之结果之部分，则其残留之现象即为残留的前提之结果是也。

二十四、生理学上亦可试验法

昔人曾以为试验之法不能适用于生物学之研究。在上世纪中，屈费儿氏谓生理学仅为观察之学，但在今日则活体解剖已有显著之进步。凡著名之生理学家皆采用试验方法，但承认其不及在物理化学上为用之广而有力耳。彼等应用同一律以证明心理与生理原则之一致；在多数情形下，此一致可以确立，但在其他情形下，则思想活动之深邃及躯体作用之巧妙，均出乎吾人观察之外耳。然此等情形纵不能是证同一律之效力，亦不能反证之。现代的生理学家仍应用此律及相伴的变换律以指出相对律，即印象之因与意识之境之关连，而经由各试验法之同一结果以明示记忆及相似的概念之公律焉。

二十五、政治学亦适用试验方法

培因（Bain）定政治学上之逻辑原则，认为在政治上可以利用上述诸法（此说与穆勒相反），但须审慎施用之，因社会科学之性质甚为复杂也。穆勒不许经济学中施用试验法，谓财富之现象过于繁复；然培因则谓社会科学中之用试验法，固与用以研求自然公律者不同其程序。例如，相异法在社会生活中即不易求得某种结果，盖因所发现之情形未必为惟一之结果，亦不敢谓更无他因也。然如果有一动力突然加入，即立时见有某一变化，则其情概可推知。例如某二国间断绝外交关系，同时即见其贸易价额之重大变迁，则前者之引起后者盖颇为可信矣。

二十六、维科之人的观念得历史的归纳之证明

法律之人的观念由历史的归纳引伸而来，基于试验而更基于观察也。事实上，吾心即将各国不同之现行法予以搜集而比较其异同，则自能得一普遍的自然律之概念。在法理上之普遍一致及不变性上只有认识之原理。维科谓各民族中既有一致之观念，而彼此殊不相知，则其中必有真理之共通动力，是故人类共同一致之意见，即系上帝所授，用以确定事务与自然律关系之标准，此伟大原则于以成立。且在维科之前，格老秀斯已云自然律有后天的证明，其证明非绝对的然亦颇为可恃，吾人于是即能以一般文明民族所认为法律者为法律，盖普遍的结果必应有普遍之原因也。非有普遍一致之意见必不能起普遍之信仰，西塞罗即曾为此说。亚里士多德固亦当指示世间有人人之所共信，其性质为普遍的，可称为法律或正义，然非由大众先事协商而来者也。苏格拉底首倡为神的不成文法之说，即指普遍尊奉之条规而言，以敬神及拜祖为其例。一致性为认识自然律之范畴，此即由否认此说者之议论亦可以明之。卡尼亚低（Carneades）、恩皮里克（Empiricus）及其徒众否认自然律之说，而以相异之物置之相同者之位，然此亦足见彼等默认上述之范畴矣。彼等之不信，盖以各国之法律歧异颇甚，故不能信其间有真正的高度的协和。既系如此，如将相同点减至极小部分，则彼等亦可以承认有自然律耳。

二十七、归纳法适用于法律之批评

在法律哲学之各部中，尤其现行法之哲学上，亦即在法之制定及批评上，历史的归纳实供给以最初的概念。法之制定及批评，若无正义之原则即属不可能（此原则乃人的观念），同时亦不能无公益之概念，及正义、关涉、时间、空间及生活环境之概念。由法律之相似点及其相等性，吾心即以归纳法而达此原则。公益之概念乃由社会制度及内国、外国法令长时期之经验而造成。大理想家柏拉图当比较各国之法制，谓一国不知他国法令之善恶则不能得幸福与文明。亚里士多德搜集各种制度之材料，深重立法之比较，指示绝对的良法与相对的良法之别，于是遂有比较法学之一派。

二十八、维科之门徒与历史的比较法

维科及阿马利（Amari）之后有福尔克拉夫（Volcraff）应用历史的比较法，然福氏未有充分之材料；又有巴斯提阿氏作人种学之研究，而未有哲学的意味；更有波士德（Post）氏倾向于试验的法律哲学，其立论的基础，为由人种学得来之资料及法制事实有赖于有其他前例之原则。梅因氏有重要著作系历史的比较性质，然渠乃一思想家而非哲学家，第渠之概论已近于哲学耳。梅氏就雅利安[1]民族古昔社会法律生活之断片加以整理，而遗吾人以古生物学、考古学及道德的胚胎学，其倾向系示该民族意识中法律观念之演进，时或近于法律史之哲学矣。樊尼尝论述梅氏之研究，明其性质及其与他家著述之不同。梅氏亦尝以其比较法施之于已开化与未开化各民族之国家。渠对于大量的综合法及人种学理论不免怀疑，而对于今世之野人与古昔之初民之类似处亦殊未敢重视。反之，一般社会学家固多喜用大量的综合法，偏好

---

〔1〕　原书译为"阿利安"。——勘校者注

人种学之论列，而于野人初民之类似更任情的引用也。梅氏固系历史家而非哲学家，故欲于其著述中求一法律发达之完善理论，殊属无谓。彼其观察始于进化程序中较高之阶段，论及法律于其已成之后，故不含有真正社会的与法律的胚胎学也。

二十九、言语及法律之平行发展

上述法律哲学之两支，其归纳的造成，可以言语及法律之平行明之。此点初由柏拉图发现，继则有维科、萨维尼、浦克塔（Puchta）、阿马利、耶林等家，及今日则在意大利人中更由高登齐（Gaudenzi）之实证主义论而释明之。此其平行乃系实际的，盖言语表现人之思想，而法律表现人之行为，而思想及行为之密切的关联固可知也。具体言之，一民族之创造才智可以同等力量见之于语言及法律，拉丁文在文明史上之地位及罗马法之历史价值，可以为证。凡行为必先之以志意，而其先更有思想，故言语进步为法律进步之前驱。方罗马之建立，拉丁语已存矣，然《十二表法》则出现于三个世纪之后。及罗马共和制之废，拉丁文体已达完善，然其制之完备则在帝政之将终矣。言语有国语、方言之不同，故法律亦有国家法制与地方习惯之分。经验昭示吾人，凡国语、国法，皆由方言及地方习惯综合而来，其始也，言语中所有之字句仅足表明可感触之物体而已，而法律之行动亦仅及于具体之事物；其后言语中发生譬喻之词，而法律亦藉符号以进步。譬喻及符号将人心由简单的感觉物之觉察升至于理性及抽象观念之概念。言语之进步也，凡经三阶段。第一步系单音的，其成也由独立的语根以充名词及动词之用；第二步系复合的，即将语根为无变化的结合，以表示思想之各项关系；第三步则各语根化合而为一体，故谓之为语尾变化的。法律亦有类此之三个显明阶段，即其行动也，第一见之于单纯之存在，第二见有机械的结合，第三则互相交织而成为逻辑的全体。野蛮民族之习惯，盖由种种繁复之细微的权利历年代而积成，相当于复合的阶段。及文明之初起，则各国间因商业或他故而有言语或法律之连结。言语艺术渐进，而文法及批评术以生焉。法律先起者也，继之乃有法理学及哲学。必先有来喀古士（Lycurgus）[1] 梭伦（Solon）及其他立法家，然后能有柏拉图与亚里士多德。而后此之哲学研究，乃集中于语根学，而希腊先哲之说得备参考。法律既成立矣，于是法理学者乃研究其起源，如莱比欧、盖尤斯、乌尔比安诸家之作皆是也。由语根学及文法进而至比较言语学，其间之距离盖甚远。犹之在法律及创法学与比较立法学之间，亦几有不可渡之天堑也。

三十、统计的与数学的归纳

在法律社会及政治学中，数学的或统计的归纳乃与历史的归纳相连。维科曾云，数字之次序虽系简单的而抽象的，然可为巨大的复合的人群事务之一助。统计的归纳法起首为搜集众多同类可比较之事实，将其化为平均以得两极端间之中数。中数之本身即系一个时代社会事实定律之公式，故可以表显的通常之情形。继此中数，于是有数学的归纳，盖即统计学之工具，亦即社会生活、社会公律之系统的表示，由多数的观察以得之者也。数学归纳之本体，即逻辑之主干，对于社会事实及自然事实皆可一致适用。卢美林（Rumelin）在其统计著作中云，在自然界同一者系典型的，在人世界则系个性的。对一个自然事实之观察，可以观察其同类之一应事实；但对一个人之观察，则社会并不包括在内。因社会系由多数不相似之个人所组成，则欲求社会公律之根源，其主要途径在于观察大众。于斯时也，试验系属次要，而观

---

[1]　一译为"来库古"，被认为是古代斯巴达城邦最早的立法者，于公元前八八五年颁布法律。——勘校者注

察实为首要，正与自然科学相反。发格纳（Wagner）以为卢氏泛论过多，盖自然界之每物皆为典型，而真确亦只物理学、化学有然，若生物学则否也。生物之进境随时可遇有偶起的因素，以种种不同之方式相连接，故此类现象乃现有不规则的各样特性。盖自然进化至高阶段之时，其现象每益见复杂变幻而不规则。然自然力之结合变化，不可与人之个性相提并论，盖后者乃由自觉自决而来，乃由于自我之双位而然也。由此言之，卢氏谓吾人推求有机物愈进，则发现之因子愈多，结合愈复杂，而变化之范围亦愈广；又在自然界为人类社会之间，所谓典型的与特殊的，亦只有等次的分别，而无绝对的分别，此言盖甚是。沙之一粒，草之一叶，不能与另一粒、另一叶完全相似，然其相似者成分多而相异之成分少，且其相异由于环境而然。至如人类，则野蛮人不及文明人个性之强，黑人不及白人，中世纪之人不及现代之人，女人不及男人，愚者不及智者，而残忍之人不及仁慈之人。

三十一、统计之需要

统计的归纳，由数字以表现社会现象之常态，增加其确实性，以完成历史的归纳之工作，盖后者仅表其质而已。数目也，重量也，尺度也，非法外之因素，缘法律人常视以为比例之准绳也。人类之理智由观察及量度以得比例之观念，而法律于是乎存。以逻辑法考虑之数目，实介于可感之实物及纯粹的想像之间，故柏拉图及伽利略皆以数学置于物理学及玄学之间。此实为吾人之一助。盖自然科学之进步深有赖于言量以代言性，于是乃增加其学之合理的与必真的部分。统计的归纳，与创法学及法律批评术其间之关系甚明，盖公益之概念必须先有各等社会情形之概念，此乃由统计而得之者。统计者，实即"知尔自身"之原则施用之于国家者也，亦即表示各力量之均衡焉。凡共和主义下之政治，其重大行动之背面无不含有一个信念，即认国家之权力应由其自身衡量之。故在当今，统计所以能有益于公众，此为第一理由。更有第二理由，即政治既注重自由，故对事务之公开有无限之需求也。即在主张个人主义者，认国家只有依法保护人民之责，亦许其有统计之职务，盖统计非私人所能经营，非以国家之力无由收集也。

三十二、归纳法之职务

有经验而无概念，既不足为据，有概念而无经验，则亦无所用之，故科学必有赖于归纳法及演绎法二者。有归纳无演绎，则只系一经验的过程，未能明示因果律之必要及其行动之规则。然演绎若不以归纳为前驱，则又系空中楼阁，毫无基础。当一公律由归纳法而发现之时，吾人之心中即觉有解释其存在及来源之必要。当斯时也，演绎法遂被采用以就质于已知之原则。吾人可设想原质之本来的结合，及环境之有机的结合，因以发现其结合之方式。穆勒于其名学中谓演绎法所自起之普遍者，系具有必要之性质，而可化为许多特殊者之简式，此言非是。彼谓普遍者乃与所谓特殊者别为一式，然非真正完全之普遍者，盖仅系若干物中偶然相同之性质之和而已。此其发现，系将单独之材料予以抽象及比较，故仅能由此等材料表现对此等材料为有价值，与他物无与也。

哲学家谓此类之普遍者——即无必要性亦不能出乎表现之外者——为想像。夫表现乃系偶然的、特殊的、变化的且客观的；概念则系必要的、普遍的、不变的而主观的，盖概念示物之质，由超乎表现之作用而来，即由思想而来也。惟有经由思想乃可达于必要者及普遍者，此非经验所能给予吾人者也。惟由思想可起综合观；由之以得真正普遍者，即系一切可能之物任何时任何地之一体。一个概念即系真正完全之普遍者，即演绎之原则，而包含物之存在之一切必要条件，与其原因为一。此即三段论之中词，其作用同于自然之动因，而可依各特殊事件之力量以表示之。真正之普遍者，惟由各必要原素及条件之相互深入而见之，由此乃有机的统一。依同伴的变化法，吾人知潮汐为关乎月之现象，盖其变动正与月光相当，然此不足以示归纳律之理由，盖既入于演绎之方法，则纯由经验不能推知地球月球互相吸引之必然也。历史昭示吾人，奴隶工作之成绩不及自由人。此项概观既已成立，于是引起工作动机之概念，即恐惧与希望是也。吾心于斯虽尚未完成此思想，然已见此现象之必要性。吾人由归纳之方法可对专制政体之影响成一概念，然惟待演绎法方能说明其原因，即先就权力欲及其他动机而加以衡量是也。吾人既有一概念，设想一人或一体有自觉及自动之能，于是不能不推想其应有躯体的及道德的生活之当然权利。由此原则推衍之，吾人即见另一逻辑的结果，即为财产之应尊重，盖财产为人身之延出部分，亦即人之自由对物之适用也。

三十三、法律为生物的亦为历史的

由上述者推之，可知一切科学，尤其法律、政治、社会的科学，其范围应不限于已有之物之描述，而更须对应有之物为之推测。现象者实现者也，法律则表示应有之物，如其系由整个的普遍物演绎而来，凡存在之物皆于应有之物得其合理的及科学的基础实现者系建于理想者之上，确者系建于真者之上。是故变化起源于不变的范型，而历史起于永在的观念。维科特重此概念，故言及理想的永在的历史，言及永在的法律可以传之无穷，言及政治事务之永久的继续。在社会及民族生活过程中，有一终极的必要的理想的原则，虽事迹有无穷的变迁，而此原则不改。此原则即人或人类通性之观念，由渐进续进而得其统一性，更融化若许不调和的异质。倘使无此，则人性无以发展而进步，盖因其无复障碍物可供磨砺也。无缺陷可供克治，则无进化之可能，故吾人不能不舍历史的生物的方法，以及纯理的抽象的演绎方法，前者不合科学的概念——科学乃求决定必要者及普遍者——后者仅系形式的而未计及实现。历史的生理的方法只求实、确，法中之权，只适于解释法律之心，而非法律之理。至抽象的演绎的方法只议及法律中真理之一部，不超乎纯理范围之外，纯理乃与法律之生命不相符者也。此法基于人类天性最单纯之元素，纯系抽象的，而不问气候、时期、种族、遗传之不同。循此法而进，则人类天性似为相等，静止各性质之合体，而在历史及生命范围之外，此诚荒谬之见矣。如用上述之任一方法以定法律，则法律非复人类之观念。然如维科之说法律应同时为历史及哲学之目标；就其为哲学言之，则见有完善发展之理性系统，就其为历史言之，则为基于此等理性之人类行为之永久的连续，盖原因自得其本身之结果也。

第三章　法律之归纳的观念

三十四、雅利安及闪族两民族之重要

法律哲学之归纳的进程，应先着手研究各民族之礼法的意识。历史上最重要之民族，厥为闪族及雅利安族。至如中华民族则自成为一个世界。若埃及则虽非闪族、雅族，然在民族史上尚属重要，巴比伦非纯粹闪族，鞑靼人则如自然界之肃杀势力；要之，此数民族对于文化之供献皆不可与雅利安、闪族人相提并论也，故芮农（Renau）有云，彼等虽曰伟大，然其历史中无物可以比拟闪族人之发明文字，及摩西之教训，或雅利安人中居罗士、亚历山大（Alexander）之武功以及希腊之哲学也。

三十五、闪族与雅族不同之点

芮农氏论两族之不同，谓第一，印欧种人（雅族）无犹太先知或《可兰经》[1]或《诗篇》之文采，但自有其诗史、诗剧，为闪族之所无。闪族之天才，大体非哲学的，只能追述希腊之思想及阿拉伯之注疏。在《约伯书》及《传道书》中（犹太圣经）均斥科学为无用。论及发明及艺术，则腓尼基人实首以文字为教，倡为工业制造并从事商务，及夫中世纪则阿拉伯人、犹太人益从而发展之。就比较神话观之，雅利安人首先敬拜自然之力，其后附以推想，而成为一种万神教（pantheism）。反之，

---

〔1〕　一译为"古兰经"。——勘校者注

闪族之宗教则含有绝对专断的一神性质。闪族人之宗教使命，在历史上特别重大，犹太教、基督教、回教皆彼等所创始。雅利安人（除印度、波斯而外）则接受闪族之信仰，第其德教的情感，则反较闪族为细密而深远。闪族之道德，就摩西诸律、先知之命、《旧约》之罚罪观之，可谓高而且清，此其基础乃由于该民族之严厉、狭隘，自是之天性而然。该族盖缺乏高尚荣誉之品性及温厚之情感，如雅利安人之所富有也。

三十六、雅利安乃法治之民族

雅利安人从来富有法治及政治之观念。伊古以来，印度之经，罗马之律，日耳曼之法，胥此族之产物，而皆有以调停于国家权力及个人自由之间。雅利安人中从未有绝对专制发生如埃及、巴比伦、中国、回族及鞑靼族之情事，即偶有之，亦为期甚暂。若东方之闪族人，则历来常起仆于混乱的无政府、残暴的专制及神治状态之间。所罗门固明主也，然其残酷无异于任何苏丹，若各先知，则亦只为神治之主张，与君王抗争。且个人主义在闪族中甚有力量，彼等遂不能建立稳固之国家。事实上以色列人之历史革命乃继续不绝，而政治及社会遂皆不能安定。又闪族人常远离本国，自为小团体之聚居，而保存其本性及民族之敏锐的自觉心。如腓尼基人、犹太人、阿拉伯人至今皆尚如此。语云，闪族人有一本性，固有的国家，系基本的、不变的，随时随地可助之济之，同时又有一偶然选取的第二国家，又可供给以权利及幸福焉。克巴克（Kerbaker）云闪族人之信仰与其政治观念相符合，而雅利安人则反是，盖其宗教教人以依赖外物，使其行动合于自然之必需，以自然界中原有不平等之情事无法与之抗争者。至希伯来人则有三项概念：一为一位有人格的无所不能之上帝，以其志意授吾人以律法；二为一种社会制度，可使上帝之国在世间实现；三为人类之大同（不过希伯来人应居领袖地位）。

此三项概念中，含有人类抽象的自由之信念，即人类只有赖于神之严肃志意，而不拘乎物之不得不然，又信各国间可有抽象的平等及和平也。概言之，闪族人之政治生活，未尝发展至族长制度之外，系简单的，而与雅利安人不同，盖后者自往古以来即有其政府，由国王及参议院、众议院所组成也。巴佐特（Bagehot）曰，由奴隶制以至自由制，其经过系基于原则之讨论，公益之商谈，盖人心因商讨而盖见敏锐，增长新解，而又能互相容恕也。然巴氏劝吾人勿过于自信其政治上之超卓，盖在东方，则为孟加拉人固亦属于雅族，而奴性殊深，而闪族中，如泰尔人，如迦太基人，则皆尝享有自由也。

三十七、雅利安语言显示法治的倾向

就各民族意识之表现于礼法者而研究之，可知法律每被认为趋向于道德之原则，系规矩，系衡量，系和谐，系比例。在雅族人心目中，此项见解殊为显著，而构成其社会之基础。自维科以来，言语学之与哲学，其关系犹如古生物学之与生物学，言语所含之智慧，实可证明此项真理。在雅族人中，哲学也，诗歌也，国家也，其发展皆与一个事实有密切之关系，此事实即动词脱离名词之语尾而自行独立是也。夫动词乃最为抽象之词，足以表示吾人之概想的能力，此能力对于哲学、诗歌及政治皆属必需。希腊文之 διακιον，意大利文之 diritto，法文之 droit，德文之 recht，英文之 right（权利、正义），斯拉夫文之 pravo，皆表示方向或度量之原则。而现代语言学家又云，拉丁文之 jus 起于梵文之 ju，其义为缚束，故 jus（法）即所以缚束或调和之具也。

三十八、梵文之法即系和谐

由梵文之诗歌，可以见印度雅利安人承认有三个世界，亦即上帝之三个家庭，第一系在天上者，第二系地内者，第三系在空气中，而动植物及人皆在此生活焉。在婆罗门格言中，每言及哲

学的推想，则三世界常变为三个抽象观念：一即无声无动之隐晦；二即一往直前之动作；三即完全安定之快乐。此即相当于天、地及气之性质。人有感觉、志意及理智三因素，第其得于天者往往为得于地者所掩焉。国家亦有三位，故人分为三个阶级——在古印度其第四阶级首陀罗（Sudra）实同于奴隶，仅居于人兽之间耳。此阶级之惟一德性，即绝对诚敬以奉事其他三阶级。第一阶级婆罗门以默思为主，第二阶级刹帝利（Kshatriya）以勇敢为主，第三阶级吠舍（Vaishya）以节制为主。人人须遵守其阶级，而不得希冀改变。故印度雅利安人乃以三个阶级之谐和视为正义。印度人对于正义之概念与希腊人极相似，希腊人每以和谐为正义也。三权（理性、勇气、感觉）、三德（智慧、勇敢、节欲）、三级（哲士、勇士、技士）之和谐，此即柏拉图所认为正义也。

三十九、无语时代——祖先之敬拜

雅利安人认法律为度量或和谐，经过数阶段焉，盖以人为感觉想像理智之和，而其历史又经过无语的、英雄的及人道的三个时代也。维科详论各时代之特性，其所论经近代之分析而得证明。在无语时代，人系骄傲的，完全受感觉之指使而畏惧天然之力，因谓之为神。然所畏惧之神，即其所自想像者。当斯时也，法律实为神事，隐于神命之中，而人与物皆听命焉。神语（oracle）为行为之规律，法学即研究神语、体会神意之学。无语的宗教行为及敬神仪式盖自有其不言而喻之词，而正义寓焉。最古之习惯，无不含有宗教及事神之意，而政府亦皆为神治性质。凡有罪恶之行，必须向神报偿，此即正义也。于是发生向神之陈诉或为控词，或为辩语（此即雄辩术之兆端），其词既毕，则对罪人予以诟詈，予以放逐，或加以杀戮焉。

四十、古法律之近今的研索

近今对于印度古法之深邃研索，其结果殆异于维科。即米勒与梅因亦皆于印度各古圣籍中发现科学及人生应知应行之道。然法律仅为次要之词，盖古典籍本皆宗教及圣仪之书，其中昭示上三阶级之行为原则，即少年应研诵婆罗门之经训，中年应为家族之长，老年则应隐而修道。故法律全基于宗教之信仰，尤注重人死后之归宿，即升天堂、入地狱、魂灵转托、祖先敬拜诸观念也。此其原则，谓人死后所遭遇即系生前行为之报应。来生将为树木，将为禽虫，将为婆罗门，抑将为圣哲，全视其人之自择。奖赏属于来生者也，属于今生者则为修行让度。如今生不行修炼，则王者得祭司之佐，且将施以体罚。敬礼祖先之礼节具见于此诸法书中，此与承袭权盖至有关系。对于此项礼节，近人有以心理学的睡眠及想像释之者，如拉布克（Lubbock）氏谓古人尝久久未明死亡之事而与睡眠混为一谈。野蛮人以为睡时其身似死而灵则生，是以对于死者每企图其复起，且于尸旁留置食物也。至对死者之祈祷，亦当然由此概念演绎而来，盖死者系存在他一世界，对于今人之事仍可与以重大影响也。斯宾塞在其社会学原理中，将各等社会依其信仰灵魂之程度而为之分类。维科亦承认此项心理原则，谓死者依次而葬，实以灵魂非系身体而仅为其影像。后人既以死者为神，而此信念乃日见发展。斯宾塞且谓对于有形抑无形之君主表示服从之习惯，实在有教规法规之前；且在法律未有之前，已发生宗教的义务。盖必有一权力焉发号而施令，故仪节之为治甚古，乃在教治政治之前云。

四十一、英雄时代

及至英雄时代，人不复为感觉及外物之奴隶，而始渐自知其地位，惟想像盛行焉。故维科曰，人为身体、气息及心灵之和。气息亦即想像，乃在身与心之间。灵魂与想像之培植则有荒诞之设想，有诗歌之概词，有文字之公式，而心灵中亦自有其理智之概念。英雄之性质，意以为系由神而来，为英雄者乃自命系朱彼忒之子孙。彼等既自以由神佑而生，故对于避祸孤苦无依而来托庇者，乃视若牲畜。一切政治的特权，皆属于治者之英雄阶级，对于所谓平民，认为由兽化生者，则只许其生存而已。凡英雄有易怒及好辩之习惯，个性特强，各以武力自保其身份。彼等之法律即阿基利（Achilles）之法律，其尺度系理智，而以幸运估计之，其为力也，非禽兽的，系经由宗教的清除而由想像以发扬者。治者阶级即贵族也，彼等系最有力者，既维持其治权，且保护其边界，不使驱除法外者得混入焉。彼等之智慧存于严肃公式之中，而其法规自有其用语。昔之信仰之一部，今其权皆寄于英雄之手，由公式以表现之，至于裁决之行动，亦由英雄主之。

四十二、人道时代

人道时代继英雄时代而起，斯时人之性质渐变为温文而合理，其习惯亦由理智所育成。法制基于自然之平等，此乃自由而宽宏之民众所同具，凡正义之所需求即由合理的法律以实现之，此皆基于事物之真理者也。在自由的共和国及开明的君主国内，其法律之裁判皆适于事物之真理，诚实守信，及一切善良习惯。因人类理性之平等，而人在法律之前皆为平等。此际之权力非复神秘的、偶然的、封建的，乃与理性为一的。

四十三、法律最初之单位系家族

吾人既承认法律之三个时代，则可知在古昔道德及法律的问题乃与物理的问题相混。尺度与和谐既见之自然之中，故愚昧与命运之见，遂入于伦理概念之中。因有此混乱之见，故人之行为的评价遂不问其动机之如何。故荷马诗中，报复之神对于扰及自然之和谐者，不问有意或无意，皆一律惩罚之。凡有滋扰之行者，皆须得有报应，而其罚则降于犯者及其后人，盖古昔法律之基本单位乃家族而非个人也。此项混淆之见至希腊而绝，故西俄格尼斯（Thcognis）要求罚及子孙，而拜阿斯（Bias）则讥之以为令病人之子孙服药也。伊士奇（Aeschylus）书中言及窃火之人被缚于大石之上以饱鹰隼，此殆示个人受罚之始。至俄累斯提斯一书，则始有罪人可以自赎之观念。俄累斯提斯（Orestes）神以故经讯问而被释，其辩护者即征引新律，新律盖基于动机及伦理之见者也。索福客俪氏述及一人有杀及尊亲之大故而不自知，乃因其无犯罪之动机而终免罪焉。

四十四、七哲与初期之诡辩家

人道时代之尺度，不复混入物理成分，而与政治与法制相合。如七哲（Seven Sages）之格言，实为最初的哲学推想，皆关于人生及社会之实际问题者。七哲本皆非哲学家，乃富有经验之人，生于平民与寡头政治争斗之时代。彼等之格言皆推重希腊之概念，即国家应以取得和谐为目的也。如七哲之一之梭伦氏，即谓不正义必乱及和谐。拜阿斯则谓对法之服从即和同之原则。安那卡西斯（Anacharsis）云，各分子皆平等，崇德而抑欲，则全体之和谐存焉。亚琪雷厄（Archelaos）欲证明人兽皆起自灰尘，及人与兽分而国法以起。又云正义非由自然而定，乃由法律而定。至诡辩家，则既有关于自然之观念在前，遂不得不以之为道德的基础。喜庇亚（Hippiss）不承认正义与合法之同为一物，但信法律为人与人间合同关系繁复变幻之结果，而所谓正义者，乃在于自然之不成文法及神意而定，此考于各民族之主要法制可比较而知之也。诡辩派之初期思想，示物理观念之施于伦理，其次期则示自然观念与道德观念之分离。彼塔哥拉（Pythagareans）谓自然界无恒久性，亦无普遍性，盖其变化常不已，而人之知之则惟凭借感觉，而感觉固亦常变者。所谓诚者、正者，不过因现行法之规定而然。各市城所见之诚与正既同，于是皆规定之为正与诚。由喜庇亚之见解，谓自然为人生之原则而非法律，故卡利克尔（Callicles）遂谓正义定于强者之志意，以自然界无所谓平等，乃以力为上，力即正义也。正义基于法与国，而法与国则为武力与任意之产物，故斯拉昔马殊谓正义即系以强服弱，法律实为强者之利益，此言盖不反乎逻辑。是故诡辩派经由两个相反之途径而达到个人的承认，以之为一切的尺度。

四十五、苏格拉底哲学与亚里士多德

尺度之寻求，终乃不复求之于成法，而求之于合理的原则。彼塔哥拉云，正义即是和谐，系方形，各别而相同，可以互易者；而和谐实为宇宙之情态。推此论之结果，则正直之原不能于国法中求之。至苏格拉底氏之真理及尺度，则不求之自然，亦不在知识界之外，即在知识及概念之中，苏氏伦理之原则谓德即智，而恶即愚。凡知善者必能行之；其为恶者乃未知有善耳。故有智即有德，而有智即有乐。此苏氏与爱奥尼亚派及彼氏相同之点也。然同时苏氏又趋近喜庇亚之说，谓神命之不成文法乃成文法之基础。苏氏此项辨别，应与其知识原理合而观之。柏拉图以为正义之观念高于法律，乃包含知识及三权、三德、三等之和谐者。亚里士多德继柏氏之后，且谓正义可超乎国家之外，盖谓正义乃严格的法律与非法不平之折衷。交易的正义循照算术级数。乃处于"与"与"受"，及"损"与"盈"之间。分配的正义，则以功绩为目标，而循几何的级数。斯多葛学派[1]承认有神之律，而系自然理性之有力的表现。

四十六、罗马哲学

在罗马人中，法律之观念亦经过同样的阶段，然因民族性之不同而有别焉。希腊之世，人之心智初得发展，始由艺术及哲学

---

〔1〕 原书译为"斯多学派"。——勘校者注

而宣告其独立。在艺术中，人可以重造自然，使具有极完备之形式。思想趋向于鉴别，即无语趋向于有语。鉴别者人格之基础，而想像者乃艺术之权能，则常摇动而混乱也。此变换乃经哲学而生，其型式可于苏氏之"知汝自身"（know thyself）一语中得之。希腊语之"逻各斯"（Logos——思想、理智）渐觉与思想之义不同，但不能与之相离，其发展全在艺术范围之内，此固希腊人之特长也。希腊为哲学及艺术之世界，而罗马则为志意的世界，故法律、政治与战争尚焉。尺度之概念在希腊蒙以美丽之服，在罗马则为政法与军事知识之基。志意之表现，在罗马一方面既见于国家的高度组织，一方面又渐发展为个人之法律。盖志意系主观的，则私法自当由此发生矣。维科之解释，谓法律之初为严格的、铁硬的，继而渐就充实而变为柔和而更有衡平法以调和之。此非由《十二表法》及"谕令"而得来，乃由人性而得来也。在斯多葛学派法学家之心理中，以为有一"理"（ratio）焉，其中自含有共同的自然知识之基础。此自然知识则含有平等的福利之见。共和时代之末，伊鐾鸠鲁派之说流行，谓自然之法即系合同之利益。然在同时则经验论兴起，而怀疑派之说亦生，此皆自然法之仇敌也。恩皮里克（Empiricus）氏谓法律乃人类恣欲之变动的产物。此项纵欲派之论大为拉丁诗家所欢迎；即拉丁之法家亦多抵拒斯多葛观念，主张基于自然之理而有自然之法，对上说未免有同情矣。

四十七、后此之哲学

及至现代真正人道之时代，尺度及比例之原则用语完全依理智之证验而发展。自中世纪之后，此项进展已见于阿奎那[1]则丹第之著作。阿奎那分法律为三种，即永久之法（上帝之法）、

---

[1] 原书译为"阿奎拿"。——勘校者注

人为之法（现行之法）与自我之法是也。自然之法在前二者之间，乃首者之一部而次者之典型也。渠以为正义即系比例。至文艺复兴之世，布鲁诺发现伦理之说，而富有真理之光明，盖即以节制为德也。渠谓法律应合乎理性，而归结于福利。理性者尺度也，亦即法律之指针也。然至自然律之始祖格老秀斯乃能绝对清楚地设想一自然法系，建于理性之上，以为一切法制之源泉。格氏以为自然法实为正当理智原则之总和，即假设上帝为不存在，而此律依然可存。夫如是而善与福之尺度比例，即法律之演绎的目标，可以充分成为人道的，能以独立自存，而脱离向与为缘之神道焉。

第四章 法律演绎观念
之理论的前提

四十八、有机的灵物之人

以法律为福利之尺度之概念，渐变而以人格（personality）的原则为基础，于是归纳之法乃变为演绎之法。人也者，乃有机有灵之物，能善选方法以达其所需欲，以志意役使外物焉。人既有人格，必先假定有机与有灵。吾人于此，不得不追溯人格所以起之因素及活动。此项论证，不能简略言之，必须就哲学本论之内一为探讨焉。

四十九、培根之唯物主义

机体与性灵之常相应，即培根氏之徒所藉以证明性灵之为实物，盖谓在前者必系原因，而其后由变迁抑制所起之事实则系属其发展。性灵既系事实，故有身体则性灵随之，且与身体而发展变迁，因身体之亡而消灭。于是可得一结论曰，灵之性质与机体同，并非物外之物，且经由感觉，而生物之发生、合并以及动作皆可得而明其方式焉。

五十、培根之唯物论建于非法的演绎

凡作上述之理论者，其错误不在其过重经验，而在其结论超越其所据之材料，盖由上述之两者相应，以严格之理论绳之，不能便断定机体非心理现象之主体，而只为性灵之出现与说明的条

件也。果如此，则未超出经验之范围，而性灵主义可以成立。惟现代思想家每信夫力之恒久及变像；盖由动以生热，只为分子之运动，若由振动以生感觉，则有不同之改变。由分子之动以至感觉，如其中间之变动过程吾人尚不能一一见之，则应只认振动为感觉之一个条件而非为其原因，不将两者混为一谈也。振动之与感觉，犹之砂粒之与火药。砂粒为爆炸之一个条件，而爆炸之原因乃在火药之化学性也。感觉为一复杂的现象，吾人应知其有三个程序，即物理的、心理合物理的与心理的。物理之程序关于外力之动作；心理合物理的涉及机体之组织与功能；心理的则系单纯的不易说明的内部性灵境界，至此则为感觉。现代著名之物理家及生理家均认第二程序非第一程序之重演，而第三者亦非第二者之复本。是故感觉非外物之复写而仅系其符号耳。赫尔姆霍斯（Helmholtz）曰，感觉所授予吾人之外物的知识，其可恃之程度犹如教盲人以颜色耳。故外界之激动可以为条件而未必为原因。唯物论者亦认心理现象非事实，以别于生理的事实，但仍谓心理现象为后者之主观的观察；于是两种事实不认为同一，亦不信两者之关系上有何方程式，盖此而可能，则内与外、主与客之别皆不存矣。主观的显现在此为一新事实，乃系可意识的、新的而且更完善的实现。

五十一、心理的与物理的唯物论

自康德之后，唯物主义者皆信物之本身为不可知，但以为一切物理的与心理的现象皆属于运动。然凡信运动者自不能不承认物质之有一下层基础。若谓心理现象除运动外更不含他物，则不复能云两种现象之共通基础为不可知，果尔，则是将物理的现象亦抬入心理现象之域矣。同时又不可以单纯之感觉考察某一动因之如何交错他力以生某现象，盖非经由概念无以达此项见解也。此项概念含有物之本质，而明示各原素之如何混合行动以生结果。在考察躯体与性灵之交互反应，吾人所遇之最大困难即在物理的方面。陆宰（Lotze）氏云，假定吾人欲得一机器之完全知识，必先将其取其各细小之部分以观其如何相承以传动力。然所谓相承相传者果何物乎？如谓相承者系属吸引之力，则此等力由何而施乎？彼等如何而引起体内之某一行动乎？所谓行动者何也，由何而起？传动究属何义，为何一物之动可以使他物为同一之动？凡此种种问题吾人皆不能置答；于是不得不承认人之无知，而不可妄想玄虚之解答也。陆氏称如此之谨慎的研究态度为因缘论（theory of occasion）。其于此论，故无突然之障碍，盖生理的心理学可以容受的心理的生理学研究之果也。至此吾人须认物质非感觉观察之客体，而系（如穆勒之说）感觉之永久的可能性。夫可能者，其本身岂非即理想者乎？因此唯物主义遂化为理想主义，而穆勒乃与柏克立（Berkeley）同观。事实上，物质之概念非即客观之典型的证据，如一般之所信，此其概念乃经由长久且困难之心的努力而来，中含外来之因，但及其出现而不及其自在。外物之存只因吾人感之思之而然耳。是故唯物主义未尝由客体以得主体，即非由冲动以得感觉，乃由感觉得感觉，由思想得思想也。

五十二、斯宾塞之所谓不可知

体与灵相符（correspondence）之前提既如上述，吾人须研究如此之和谐生活以何形式而实现而表出也。世人多以为进化律既在物理世界有不可抗之力，其间各物成为不断的进步系统，于是此律亦适用于人生。斯宾塞氏乃公认之进化论哲学家。渠之理论就其《第一原理》及《心理原则》两书求之，可以简述之如次：知识由哲学而统一，但其统一不能完全，盖常有绝对不可知者存在也。外部及内部之宇宙组成两种变迁系统，其原则为吾人之所不能知。外部变迁之可知者，基于知识之初步的条件，关于各等知识的相关之观念，非物之真正异同，故不能谓为真实。但从另一观念言之，则亦可为真实，盖因其继续于意识中，不变亦不毁也。故必有物焉，有条件或无条件地与之相符。一切变迁必有其潜在之力。力之常存之概念即含有物质之不灭及运动之继续两概念。力之每一新的表现即等于另一表现之失踪，然其质其动之多少则仍不变。物质之集中即示动力之分散，而动力之吸聚则致物质之分化焉。换言之，失动力则各部分遂密接，得之则分散。在一切物质与动力之分配上，有一继续不绝之合成或解散之事序。假如有进化，则即系由含混进至明晰，由同类变为异类。盖进化者，乃无机的有机的，且系超有机的。生命之进化乃内部关系之永远不绝的适应，因所处环境而有然，其适应也，初为直接的而同性的，其后乃为间接而异性的。同性适应之起，经由简单的外部步骤，与生物的意识动作颇为相同，异性的适应，则见于变迁的、复杂的、歧异的境况。进化者含有属性机能构造之增进。复杂程度因之增加而各部分亦益为相符而相合。心理的生活乃系不断的分离与合成，其对环境则由会合而适应之。盖在一切思考之现象中，必须有一组合之统一，换言之，知识之形式及程序须一成不变也。然知识之形式非经由境界之变迁则无由进展。变迁之遭注意必须与前此相同或相异之变迁比而知之。如彼此之关系未能因同变或异变之屡见而明了，则对此之知识亦不能明了。至其适应之须经由会合，以理智必须先对内部变迁系统有把握而后可以与外部之系统，与同时存在之物，与物物之相续得以和谐也。

五十三、宇宙进化论之说

由斯宾塞之观念为出发点，于是所谓宇宙进化论可以简述之如下，此即近代多数学者所抱之解释而经安圭利氏所特为表明者也。此项学说包含存在及生长两问题，而有普遍之适用性。凡物皆由质与力而来，力即是动，而质亦即动也。进化者每由同进于异，由昧进于明；各部分、各机构、各功能，逐步分明而又互相增进其合同性。同时有新生焉，新的部分不与老者结合乃为新的组成，由旧者之变化以发展。由单纯原素之相聚而起新现象，而有原素中未曾有之性质。由蛋白质之高度聚合及与矿物之种种化合而生原形质（protoplasm），乃一柔和透明之物质，颇不稳定而富于活泼的性质。此物易受环境之影响且对之作有力之反应。此反应之能，基于烦躁性，感触易而反应速。烦躁性与易动性在生命中与饮食及生殖殆不可分离。除反应力之外，原形质又有一保存之能力，即能将其所遇突变之结果予以存留是也。换言之，原形质乃有记忆或复演能力者。感觉、动力及记忆见于生命之一切现象，乃心的现象之初步原素。是故心之原之问题，亦即生之原之问题也。生命之观念与组织之观念不同，盖生命乃物质所聚而生，而组织则生命发展之产物也。任何简单之组织，必先有一团滑软无定形不分段落之物质。由此不成形之元子（monera）进而为各别的元子，渐有组织之形迹，再进则成为细胞（cellule）。细胞进化之程序，实可为高级生物之缩影，盖生物一生之变化，亦犹之一个细胞。胚胎演进之次序，与一物类进化之次序正可相应也。

五十四、环境及遗传

安圭利之说曰，渐进之变化由环境及遗传而完成，环境即指养料，遗传即指生殖。生物由其四围而取食，其所得者较可损者为多，因以得养。有利之变迁基于食料供给之丰富。为与敌人竞争起见，必先取得相当之资源俾能适于自存。又由生殖之程序及产生时之情势而其他之变迁以起。经产生之单体，可以各个分开，亦可仍相团结以期易御外侮。因生存之单位日多，更起复杂之情形，于是有生理工作分工之律。与此律相连结者有自卫及自全之群聚律。而物竞天择之原则，亦可适用于生物之一部分，如原子也，细胞也，细胞组织也，肢体也，皆适用之。由于此内部竞存所得之效力，而对外之竞存颇受其益。生物渐具高度之想像与理智，故其适应之力更加发展。至群聚之律，可于生物之日趋复杂及其与他生物之关系考虑之。内部群聚之第一形式趋向于体积（原始动物）。其次则单体因内部之交通（如爬虫）而有会合，由逐渐之变化，乃发展而为脊椎动物之肢体官能，而具有神经上及心思上更大之集中。复杂的机体发展之条件，乃系可感性及社会意识之形成，由其各项活动之协和原则而来也。

五十五、斯宾塞演化论的批评

斯宾塞的学说，并不像许多人所设想的那样是完全经验的，因为两种变迁系统的内界及外界的最高原则，是不可知的，超绝于现象界的，因之乃处于经验的领域之外。他的学说，也并不从实证论者在玄学学说中所见的神秘中得来，因为这个绝对的原则是不可知的，它的表象之原理是不能知晓的。如果一件事物与知识没有关系，那么怎么会有说明它的真相的可能呢？如果一件事物的自身是不可知晓的，它就不能存在于心目之中，也就等于没有。斯宾塞分析经验的资料，追索得最后的因素，得到不能分析不能归纳的概念，在这些以前他只能停住了。这种最后的因素为空间与时间（作为形式的条件）、物质、力量和运动。普遍的分析的真理，是与这些有关联的；如物质的不灭、能力的长存、力的变化，和运动的继续等等。于是他以这种因素为基础，藉包含完整与分化两方面的演化法则，来重行构建宇宙。根本的因素，在这位英国的哲学家看来，就是不自知的一种原则的表象。可是如果说这种原则是不可知的，它就不能有所表现。只有能够知道的才能够表现和显示出来。如果根本的因素、物质、力量、运动等是根据于一种不可知的势力之上的，那么单说它们是可以了解，是没有什么用的。

斯宾塞自己承认，我们不能知道实在，所能知者，仅为在我们所见和心中所设想的现象。然而他却把这种不可知的东西，提高而成为一种原则的本身。他就不免于自相矛盾，即从另一方面看来亦是如此，因为在初，他说，事物之存在就是我们心目中所见的，但是接着即说，后者在它自行适应的过程中，统御各组列的变化以合于客观的共存状态和事物的真正程序。他并无一种确切的演进概念，在他书中所有的演化定义，大多皆侧重于量的方面。空间时间扩展的增加，区分和再区分，总揽性和复杂性的增加，仅是量的形式或方法。演化不仅是分化和同列之增加的一种运动，而且也是一种品质继续增加和趋于完备的过程。如果接受这种概念，那么数量、变异和混合，就不复为构成事物价值的惟一因素了。固然斯宾塞表示演进是继续的分化，但他并没有清楚地表明德国人所称的品质的积动力（qualitative momentus），在积动力中有一种永远更趋于高级的庞杂性，他们认为绝非数量的单纯变化或一种低级的并合所能说明，那就是说，绝非单纯的物质的力量所能估量。

五十六、演化不是数量的

经验和科学的思考，告诉我们物质是单一的，它具有一种原子的组织，它是不可毁灭的。它们更告诉我们，力的外部和机械的方面，就是物质自身的运动，因之物质和力乃是一样的东西；物质和力并不互相创造或毁灭；物质自始必已具有一定量的不受增减的运动量。由此，能力永存的概念就与运动延续的概念合而为一了。但他们并没有告诉我们，演化实在于整体而不在于部分，也没有告诉我们，每种能力有一种直接的变化。每一演进，其先必需有一种解体和消散，因之，必须有一种物质和能力的继续流动。马西（Masci）说得很好，直线的演化过程，即整体的演进，将与保存能力的原则矛盾，因为它必须包括能力的继续增加。如果说物理化学力量的直接变化，已被证实，我们不能说物理化学力量对于生命主要力量，亦有同样的情形。经验并没有显示这一种的变化，也没有使我们可以结论赞成主张脑力变为心力的学说。所昭示的事实，只是这一点：心理的变异，乃与有机体之生理的表象相应。这种单纯的平行状态，不能表明出变化来，因为它可以由各种互为对等条件的不同因素的联合而产生，或者从同样能力的双方存在的状况而来。经验和理性，都未能使我们折服，相信一切东西皆可归纳为物质和运动，或每一种组成体，最后分析起来，可以还原成为不同的分配。演化产物之存在，它具有非其组成部分所包含之特性，是无可否认的事实。

留埃斯把应该圆满的追索原因的结果事实，和不能圆满追索原因的突现事实加以区别，因为后者包含有新的品质，非其构成的各因素所具有。例如生命必先假定有一种物理及化学的结合，但后者并非是惟一的原因，因之生命乃是一种突起的事实，与心灵之必先假定有生命同时非生命所能解释相同。所以，如果有真正的突起的事实，如果演化的途径乃是经过异类的世代，则新的产物，绝非由物质与运动各种分配而成之机械的原因所能创造，而是必须由深切的原因才能产生。为了使因果的原则明晰和表现突生或异体事实的真实性起见，不能乞援深处于本体以内的能力概念。

五十七、机械之演化

机械的演化，用外部的因素和特质来解释所有的实体。它的力的观念，视力为物质的一种运动和一种外表的运动，适足表明它的不完全性和悖理。心灵在它自己的范围以内，既不能了解包含新质素和不能归于机械因素的意志之最高产物，甚至也不能了解力之方向，力之方向可以由自然领域的形式逐渐升至精神领域的形式中加以观察。宇宙系统内的事实，决不能与纯粹的机械法则调和，因为要是这样的话则一切将都为运动之外部的及偶然的并合之结果。纯粹机械学和因果关系在逻辑上是同一的东西，与力之方向及同在状态，处于绝对相反的地位。偶然性或永久意外性的概念，为机械的变化的先决条件，在用词上实在是一种矛盾，因为真正的机会常就是不相同性、差别性和变异性，容纳自然创造活动中的无限的变化性。一种机会要是常重复的话，就不能算机会了；它是它的反面，如果照维科说起来，就是心灵。实体不仅具有外部的及机械的特性，并且原来具有他种内部的力量和主观的变化的质素。通过演化的程序，它继续提高，采取更为复杂、更为异化、更为完全的形式。但即使在它最低微的起源时，它即已显示出两种特质。

在最初，外部的特征占支配的地位，只到后来，内部的特征始占最后的优势。最初，实体虽显现两种特质，但所取的形式多为自然的而非精神的；而今则情形刚相反了。内部的特质，最初为包含于原子之内的单纯的能力，它与容受性既非同一之物，与自外而传来的运动亦无关系。它最初是一种使用它把握以内手段来改变关系的力量，也不是如对机械变化论的有力批评者马西所指出的，是生命所必需的和心理的。不过，这样的能力，乃是混乱地侧重主体性质之反应的最初最荏弱的形式，到后来内部的特质、支配的势力增加，更为发展，变成更为积极，对刺激的反应更为完善，能够使用它理解以内的手段而改变关系，逐步逐步促进一种动物的感觉性及一个人的知识。不果知识不是感觉的结果。感觉并不出于感受性，而后者亦不是由无生命的因素所组成。这种事实中无论哪一种，都是自非其先前形式中所能见的特质所构成。它是异质的，它根据于物质本体固有的一种特殊的新的能力成绩之上，非物体以外的属性：物质与力的单纯概念所能解释。根据这个观点，心灵而无感觉，和感觉而无感受性、运动性、营养、生殖等，虽然在经验的领域内都是不可能的，然而说心灵起源的问题与生命起源的问题是同一的，实属不确。生命现象的出现，附随有物质因素的一种有机的综合，虽则这种生命现象可以是混乱的、模糊的和初步的，和不存在于物质因素有机的综合以前。感觉总是与某一种兽体的结构相关的，其发展亦非在于其前。在这个内在能力的原则之下，演化包括完理解的实体；凡不能分解为能力与运动的现象，即可推溯到这种内在的能力。

五十八、习惯

达尔文主义者所说明的一般的演化论，具有一种明显的机械的特色。拉马克（Lamarck）说，兽类变化的积极原则，是环境，环境改变兽类之生活方式，创造新的习惯和需要。它有改变营养质体和器官结构的可能。达尔文以动物的优越性为出发点，这种优越性，是一个组织体在生存竞争中因具有某种有利品质而获得的。马尔萨斯（Malthus）把这一种的直觉的看法，提高到了经济人口学的尊位；后来且在生物学中证明为不谬。这一种品质，经习惯的确定、遗传更把它传授给后代和使它凝固化，由于自然淘汰而得新物种的创始。在拉马克看来，变异一事是在生命程序中一点一滴积渐而成的；在达尔文看来，它甚至在出生时或胚胎中便出现了，而并不倚赖于遗传。斯宾塞更把它推展应用到知力生活方面，其他人更推张至于个人的特征。它曾被修正，以避免它幼稚的发展中内含的缺点。这种的发展可以引导至旧经验论者和唯物论者的"人心白纸"（tabula rasa）说。但这个苦心做成的修正，没有完全排除白纸的假说，因为遗传的预决，如果分解为它们的各基本因素，就它们被确定于生命及精神的时间而论，不过是种自外转入的特征。尤其是精神，在接受自外界环境而来的印象以前，在受习惯及遗传的交接影响以前，是一张空白的无印迹的版片，在那个时候，它仅有接受性；后来由于所给予的印象之累积及加强，始发生了自发性。接着这个理论就免不了把生物看成为受动的东西，精神仅成为它周围环境的反响，它对它的环境，常求有所适应。但精神自有其需要形体刺激的生活，它是主动的，根据它自己的法则而发展。

虽然如此，习惯确把一种方法输入生命之中，遗传可以不假原有的性质而使之传袭和增加。习惯乃是一种生物的特殊成就，其获得或者由于把同样行为不断反复重演，或者由于单个行为的引伸。亚里士多德曾经注意到，有些人由一次印象而成的习惯，反较别人由多次反复而成者为深澈。习惯产生的大效果，即在由使过去重现于现在和将来，逐渐减轻作成一种行为所需要的能力，和增加作成行为的力量和利便。明了了这一层，就不难看出，由重复及继续的方式产生出来的习惯，包含有许多的运动，其中最初的是为一组运动发端的胚胎，并表现于继起的运动之中。第二个运动的原因即在于第一运动之中；后者必然出于习惯以外的其他原因，因之它是基本的和新的。虽然最初的运动是单纯地出于偶然的，然而生命与精神却继续进行；如果它们进行，这即表明它们可以自力进行。它们有一种运动的天然习惯。植物和动物，对于外界的刺激，皆有所反应，因之它们是可受刺激的，而且具有一种受刺激之天然倾向。另一方面，习惯不是一种创造的力量，它是原始的能力，其原来的性质渐次增长、发展和加强。

五十九、遗传

以上所说关于习惯的一番话，也可用以指遗传，因为在复演中，其先必有所承受，然后略有所加，而传于其继起者。习惯实在就是限于个人生命范围以内的遗传，而遗传则就是历代相传的习惯。与习惯一样，它与演化的法则相关联，把应祖先由反复或引申所确定的品质,传之于后代,要是演化而无遗传的追随,那么每一种新的改变,在个体死亡之时,势必消灭无踪。反之,如果只有遗传而无演进,那么存在的本质将千篇一律,世界就没有什么变化了。遗传与习惯一样,并无创造的能力,它是一种发展、凝聚和完成的赋能。事实上,无论疾病、财富和豪贵,它们都可以追溯到一个很古远的时间,可以假定一个最初的个人,他是受自己机构或外界环境的牺牲者,他是知道用优点或武力取得爵秩和累积财产的某一个家族的首长。由此方式使他获得了各种特质,这种特质并非个人或遗传的习惯之产物,而是与自然没有任何关联的偶然的结果。当我们把存在体中所见的特质加以抽象化时,那么偶然即无从了解。对于通常的方法和获得的特征(非基本的特征),它是一种例外。

因之,如果身心健全的祖先,产生出痴愚或癫疯症的后代,要解释这种特征,我们便只得借助于追究他们的遗传了。但即使遗传不是一种创造的力量,但就它之为传袭之一种手段而言,其重要性是很伟大的,因为肢体、躯干、头形、面部、形式、容量、骨骼的不规则性、头骨的比例、胸腔、骨盘、脊髓、循环、消化、筋肉、神经系统的品质、脑周的体积及形式、血液的多寡、生殖力的强弱、生命的长短、声音及有机的疾病,都是从父代传到他子女一代的。心理的遗传,也是同样的明显,如本能、感觉的形态、记忆、想像、各种习惯、情操、情绪、个人及民族的特征,以及幻觉、偏执狂、神经错乱和麻痹。生理的遗传与心理的遗传一样,有时是直接的,有时是居间的。最后尚有一种隔世遗传的现象,这种现象,只有先假定了遗传胚质的潜伏状态,即不能了解。

六十、机械不能充分说明演化

演化的法则,不能单由机械学而有充分的了解,如相信谱系说的人所说的那样，机械力的胜利，产生一种力量减弱的现象，因为如果较速的运动克服较迟的，接着那较速的就比较变成迟缓。在知识、道德及审美的关系中，却并没有这一种的现象，因为在知识、道德、审美关系中，最强者也就是最机敏最巧捷的，它的最完美的特性会因征服它的对手而愈益增加，它的仁慈、美和敏慧并无损失。经验告诉我们，批评可以使心灵更为敏锐，产生出新的观念；伦理的意志，因应付罪恶中而受锻炼，更为加强。机械学的不足和神学的需要（不是生命以外的和抽象的，而是具体的和客观的神学），已为达尔文学说的主要原则之一所证明了，就是实体的及时适应的理论。实际上，适应的有利变异，只是实体达到安全的手段。因之如果说达尔文主义的本身（假定考量它全部的力量），是终极性的否认，是如斯巴文塔（Spaventa）在最高法则中所说的，终极性的终极（finis finis），实在是不确的。有利的变异，不是单纯和纯粹的变化，因为它含有改良和进步的意思。变异、遗传、因果、法则等概念，不足以说明这一种日趋增加的完全性。

要说明最优秀的鉴别（那就是自然淘汰），我们需要一种趋向目的的概念。生存的竞争是可以目睹的，它是在感觉之中发展的，但选择的决定与远见，却是超感觉的。因为它包含目的在内，所以不能目见，也不能触知。生活的竞争，后代的分离，他们的联合以对环境作更好的抵抗，不用斗争的更为丰富的生活营养等等，都是选择的手段。在此处我们必须注意，前面曾提及的物质的内部特质或原子的固有能力，根本上乃是低级存在体的发端的和模糊的趋势。后来它成为机能的可塑的力量，这种机能模造成为适应它们正常及充分发展的器官，最后它提高而成为人类之理性的意志力。没有这种内在的能力或趋势，自自然形式至精神形式的进步的秩序，即将不能了解。法则在于表现出现象界继续发展有限关系的趋势，这在前面已经说过，而且已经有充分的证明了，宇宙的规则性即建筑于此种关系之上。玄学的错误，不在于承认人类中的这一种趋势，而在于把它当作一种与意识及意志的终极性相同的真正的人类终极性，虽然近代人对于留伊斯所谓的超越哲学，即目的之追求公开表示异议，留伊斯就否认有目的之存在，但这种趋势确就是现代经验论中的内在客观的神学之胚胎。

六十一、就现在止社会组织的演化是不能解释的

演化的机械学说，没有把下面的事实充分注意，就是人的加入生活竞争，不仅具备机能的能力，并且具有一种可以改变外界的各种智慧力及道德力的复杂体。不错，诚如神话学家所说的，人是大地的子孙。不错，他是由火、水、尘土所组成的；地面上各种形式——野生植物和野生动物间的和谐性，也反映于另一种野生动物即人类的现象之中。但由人之能显著地改变地面，或者是斩伐森林，或者种植他所欢喜的新植物，由于他的能穿山入海，所以人之有动作的能力，谁都不能否认。人类之支配自然，而非如原始时代的自然大规模支配人类，这是一件重要的事实，因为一方面，这就是文明的发始，也是知力、意志、能力克服外力和继续取得胜利的起点，另一方面，由一面把人物质化，一面把外界精神，化而表明出生存体与其所处环境之关系的科学，如兰姆潘特柯（Lampertico）指出的。并且我们必须记牢，人类社会的庞大机体，即使不论特殊的政治的及民族的团体，有其永久的生命。在它扩张和加深联络的组织（由经验之无数累积所代表）时，它常获得新的力量，这种经验足以刺激起前此所未曾发展的心理活动及作用；另一方面，个人的自然机体，自婴儿期便开始，进而趋向于青年期、壮年期以至于成熟期，到老年便归于告竭和消灭。个人生生死死，但人类社会继续长存，我们种族

的生命史并无终结之日。因之，如果在研究演化论与这个大的机体的关系时，那么演化就具有了一种不同的意义。斯宾塞自己就把无机的、有机的、超有机的演化加以区别，虽然他承认无机的物质不能与生命混淆，而生命与伦理的及社会的机体并非一样的东西。当然科学尚未达到探索物质以外的生命的程度，那就是尚不能探究一种无机的物质变而为有机体，也尚未能说明，自我及人类精神生活，如何自原子的并合中产生出来，有两位伟大的自然主义者，在生命及意识现象中的分子运动的延续性前都不免把脚步停住了，那就是维尔荷和丁铎尔。

我们在此地可以记起，演化论的根源，可以远推到亚里士多德、来布尼兹、维科及黑格尔的思想。亚里士多德把精神视为一种运动，而视身体为物质或力量；在他看来，营养的、运动的、感觉的及智慧的精神，产生出各种等级不同的生命，在等级不同的生命中，营养、运动、感觉、心灵各占支配的地位，而成为运动之具体发展。精神或能力是经过配置好了的，所以低级的和比较不复杂的，乃有进而趋于较高级的可能，低级包含于高级之中同时受高级的支配。来布尼兹把精神视为一种单子。单子完成一种自身的演化，在这种演化中（如布鲁诺诗意地说的），每个单子的代表力量，表示出宇宙的缩型。扩延，它的根源在于原子的黯昧性中，是单子的一种现象。维科认为真正的原则，由通过演化而成为真实的，事物最初自它们中产生出来，最后在它们中得到终结。他说，事物的性质，非别的而在于它们的产生。在他看来，精神自感觉及想像，变化到充分发展的理性；由此乃有三个历史时代的演化。在黑格尔之认由"道"（Logos）[1] 至自然，自自然至精神，乃是一种完全的演化；这也同样不能怀疑。在这

---

[1] 前文将此音译为"逻各斯"。——勘校者注

一方面，无论他的信徒和他的论敌都一致同意，不过后者认为这是一个纯粹辩证的如主观的演化问题。

第五章 前章理论前提的系论

六十二、精神为一种单子

人格必先假定有最高级的心理生活，纯粹感觉性的精神，与身体联合起来，不能立刻达到人格的地位，得到人格的称谓。应用于精神方面的演化论，严格理解其活动的充分性，完成和改正了古心理学的一个根本观念和撤除了一个很大的困难。古心理学把精神定义为一种单纯的素质，而不复追究下去，同时物理学家把他们学说根据在单子或原子上面，体积即自单子或原子的并合中产生。那么心理的单子与物理的单子如何分别呢？一个单纯素质的概念，是不足以充分说明精神和决定它的充分发展的。我们必须认精神不仅为一种单子，而且认为行动与能力，这种行动与能力表现于精神之态度及能力的丰富发展之中，因为如经验所告诉我们的，它的本质乃在于行动及发展之中。演化论所清除的最大困难即是精神及其能力之关系的麻烦问题。加路披（Gallupi）以谓外部及内部的感受性、分析、综合、想像、欲望及意志，都是精神之本原的、各异的不能归纳的特质。库藏（Cousin）、洛斯米尼和陆宰抱有同样的意见。陆宰曾说过，在精神的特性里有许多的可能性，精神以内之可以包含各种本原的互异特征，亦如组成地球的物质之可以变化一样方便。这种可能性，在外界印象的影响之下得以实现，另一方面康的亚克、赫尔巴特、斯宾塞和培因，相信能力的差别，仅为数量上的差别。康的亚克说，所有的力量皆为感觉的变形，因之，他与康帕内拉同意，思想可以称为稀有的纯粹的感觉。赫尔巴特不相信能力中原有的差别，也不相信发展的瞬间中有何差别，他把差别视为从表象中产生出的精神状态。表象是精神受印象扰乱后的保守的作为。精神乃是那种单纯"实在体"之一，不是相对的，而是自身存在的，赫尔巴特相信可以用以解决现象界中的矛盾。因之，它是自足的、无接触的需要；如果接触不至改变它的存在，而是偶然的，那么如说表象和能力可以归推到外界情况，和它们的结合受机械法则的统御，就不确了。斯宾塞和培因的教训，以情操、情绪、意志为适应及联念的方法，与这个理论并没有多大的差别。由今日英国许多著名的心理学家判断起来，霍布斯、休谟和哈德烈所说明的联念法则，在心理学中正等于物质界中的吸引的法则。

六十三、精神在质上或在量上皆不能分析

此种信仰与精神的统一性，及其具体性或能力的多复性，并不和谐一致。事实上，相信能力仅为品质及原来的差别的人，即不啻否认精神的统一性，因为他们只能把这种差别，看成为各种特征、因素及部分。在品质的差别中，每种精神都不是一个整个的实体，而是实体之一部，在中，一种实体已被瓜分，分为不同的部分，各自有其内容。现在经验证明，精神乃是一种惟一的不可分的力量。它的生命虽自感觉发端，也并不缺乏代表的品质、心灵和意志；在它自现于理性之中时，它不仅以感觉及表象而止。在两种情形中，都只是一种形式之较另一种形式占取优势。认各种能力为质的差异的人，即使说他们不否认灵魂的同一性，至少未能说明它的各种发展，因为在感觉、表象及智慧之间，在多少抽象的关系以外，尚有差别存在。在知力之中有感觉，但此种感觉变为不能用增减符号来表明的精神之一种新而不同的形式。

　　我们姑且假定各种能力为质的差别，因之为精神外部的决定条件，接着根据这个理论，即不能说明继续的及深刻的心理现象（一种继续的趋于完备的过程）。因之，有些人把我们曾否认的相反的理论视为准确，不管相反者刚提出的论据，认为各种能力必然为出于原有的差异。但真理却是它们不仅为质的及量的差异，也在于发展的动率；精神在它逐渐进步的运动中的不同变化，在质和量方面都可以看出来；精神是在内部便不同的一种单位；它是一种伟大的能力，具有各种不同和相反的形式，因为它兼为感觉及理性、本能及意志；它表现于外者，是必然的也是自由的，是道德的也是超道德的，是公正的也是不公正的，是凶恶的也是善良的。此种形式互相贯通，所以低级的即包纳于高级之中和归源于高级之中；因之表象自身之中，包含有感觉与物质。思想转而包容表象的材料，把它提高到自己的水准。自然的阶段与精神的形式并不相同，因为前者乃是孤立的实体。矿物的、植物的、动物的及人类的阶段，都是自立的，虽然植物的阶段，须先假定矿物的阶段，动物的阶段接在植物阶段之后，人的发展又在所有这些之后，但这些都只是演化的条件。

　　六十四、精神及感觉

　　精神具有知识和意志。它是一种理论的也是实际的过程。亚里士多德说，精神与感觉、嗜欲、知识及行动联合在一起。作为感觉，或者作为认识原则的精神之心理素质，是传递印象的神经系统；作为嗜欲或意志原则的，为替精神效劳的肌肉系统，在肌肉系统中，当一种印象被传达至神经之时，有一种收缩的作用。感觉最初是没有意义的，因为除了生命，或在大有机体中生命之存在外，就不知道其他一切，也缺乏特殊的器官。它与若干神经有密切的联络，因之，领悟身体的一般状况，如压迫、疲劳、活泼、热及冷等，只须它们与生活的秩序有关。齐麦曼（Zimmermann）把这种特质或自我之漠然的感觉称为生活所必需的，而德洛比歇称之为带有风雨测验表意味的。洛斯米尼称之为基本的，因为它见于所有感觉之中，感觉实在就是它的方法。谁能听见声音或目击景象而不感到自我的存在呢？培因及其他现代的心理学家，也不得不加以承认，置于有机生活的名目之下，不得不承认有一种具有继续及随意运动，能够留意肌肉、神经、循环、呼吸及消化状态的东西。原有的没有意义的感觉，继而为决定的，和专化为肌肉的、触觉的、听官的、视觉的、嗅觉的和味觉的感觉。肌肉的感觉与肌肉的情形相关，告诉我们器官在运动中不同的紧张程度和它们力量的度量。它们包括因器官自身运动而生的快乐和痛苦，它们总常与运动有关涉。它们是基本的，见于所有感觉之中，因为没有运动的感觉是不可能的事。它与触觉不同者，在于后者必先假定外界刺激的存在。培因把它们与一种由内而发的自发的原始的活动关联，后者并非是对外界刺激之一种反应。他说，脑筋不仅须服从冲动的命令，并且赋有自发动作的能力；一种神经的冲动，通过传达神经而刺激肌肉，乃是在营养的有机刺激之下，脑自身的一种结果或自动的顺序。

培因提出他论述的佐证，穆勒称美他，说他填补了联想心理学中的一个大罅漏。这个空隙乃是对内在原始能力的一种否认，后者并不是外界的反响。当然，我们不能从印象中求得感觉，因为如我们前面所见的，因为前者是体验后者的，因为在感情中，常有一种原有的自发性，这种自发性改变刺激之动作限制它们的力量，有时让它们留在一边不受它们的影响。这种能力是心理与物理的，对于这一点是没有什么可以置疑的。事实上心理活动的真正特性是，受外界刺激的激动，产生出一个新的事实，事实的原因，从量的及质的观点言，皆不能从外界中找出来。因之心理活动不能与因丰盈而致之泛滥相比，当刺激在心理及物理程序中已经完成了它们的任务时，它就是完成这种刺激变化的东西。所有这种感觉，肌肉的、触觉的、听觉的、视觉的、嗅觉的、味觉的，可以与生命的基本感觉相合成一起，也可以不合成一起；如果相合，即增加它的力量；如果不合在一处，它们足以阻止它的发展。在前一种情形下，乃是快乐的感觉，在后一种情形下，乃是不快的情感；快乐与痛苦表示出我们感觉的质调。

六十五、意识

作算感觉是外部的，那就是说，是自身体以外发生作用的刺激所引起的；作算它们包括痛苦与快乐，但它们总带有自觉的性质，这种自觉以个体为终点，不能超出个体以外，而且总是集中表现于特殊的和暂时的爱好之中，与一般的感觉不能分别。感觉总常是一种不能分别的整体，由自动感觉的起源与被动觉知的原因合成。如果分别发生了，自觉即归为意识所代替，意识是惟一配自客观中鉴别主观和使主观归于客观的东西。原因成为客体，成为意识表现时置于主体以前的一种物质。受它自己感觉行为的刺激而发生的心理活动，超出于感觉的联合以上，不完全尽于感觉联合之中。意识的第一种形式，是一种主体中素朴的差别的感情，主观经过一种感觉的境界而可以自觉；是客体对称为自觉的主体的一种关系，但自觉的主体与纯粹没有分化的自觉不可混在一起。

在心理活动的这种程序中，我们感觉印象所收集的质料，经官能加以组织，自一种可以感觉的原因，变成为一种可以了解的客体，这是心灵的最初的产物。因之，知识乃是从与其本质不同的某种质素而来，这种质素不是单纯的感觉或印象，因为它的客体并不是自外而转入精神之中，而为一种智慧的组成体。它的可能性，如康德所说过的，在于某种原有的先验的状况中，伟大的经验论者并没有忘记。在解释认识的事实时，有引用一种自发的本原的心理原则的需要，康帕内拉相信，外界的知识（addita）必须根据于存在物意志、能力及知识之确实性以上。洛克对笛卡儿的内在主义表示异议，但承认精神之内在态度和自然的构成能力。斯宾塞承认在心灵中有一种遗传的积极的预存状态，没有了它既不能真正假释心灵，因为习惯并不是组成的和遗传给后代的。

许多心理学家已经表明，意识不能是多种状态的联念，因为这些状态，或者被认为附着于某种实体的状态，在这种情形之下，其结果乃是一种总和而非一种单位；或者被认为它们的行动在它们以外辏合之一点，如果如此，辏合的方式及理由，即可被了解，辏合点即可被知晓。在这样一种解释之上，即将有一种复杂的状态，因为它的将缺乏必须的统一，所以不能是一种真正的状态。在现象论者及纯粹联想论者看来，自我不是一种实在体，而是由各种关系束在一起的诸状态之一种复杂体。意识也不能是脑中任何一部分的功能，因为物质本身是一种复杂体，不能作为一个单位看待，事物的总和，如果假定能够设想的话，也不能如此讨论。缺乏应用力量的固着点，意识不能吸纳于同起各种力量的结果之内，或吸纳于由若干质素之交接与反应所产生之电流的结果中，因为它是由一种液体的点子所构成的。

意识，如果研究它的本质和它原始的单纯性，视为一种差别和提示的行为，那么并非出于有机体情操或综合的产物，亦非出于联念和必然性。李博以自我（意识实在状态的总和）之时间的继续性，乃在于记忆的产物之中，根本依赖于身体所有各部分所供给的感觉之复杂体。在他的心中，意识因这种情操之速或迟的变异而产生变化，因之而有自我之继续的组成，自我在各不同自我组成中的消解，和双重意识的病态现象。有些人说到脑细胞的一种新状态，它具有使一种不同自我出现的能力（如马西在他《意识意志与自由》书中所说的），但李博和其他的人，否认他们的理论，可以应用于已组成的、发展的、具体的、个别的意识，而不能应用于意识之原来形式。自我之感觉，综合之感觉，常供给意识以新质料或内容，它虽是无言的，与记忆合而成为表现于"某一时自我"（ego qui quondam）中之个别性的基础。无疑，具体的个人自我有其历史。它先假定一种如状态的长而复杂的延续，包括联想、记忆、感觉性的骤变。不过，差别及参照的行为，并不自感觉或印象所产生，与记忆及感觉终点之认识保持独立的关系。因为记忆本身，先假定知识的统一和参照的行为，如无参照，回念即不可能。原始形式的意识是空的，它是为心理现象所属的视力内部中心，通过心理现象才可以被认识和资比较。

六十六、表象

当一种印象或物质的原因撤除之时，感觉并没有消灭，而是保存于心灵之中，可以再现。再现的感觉就是表象。大家都晓得，相同的表象，都是根据于一种单一的表象之上的，相反的即被省略，不同的合而组成为群体。省略者，即是较弱的表象退回至心灵之谓，当它受与之相合成或相反的新表象补充时，它就再发现出来；它与新表象在空间时间上是同时存在的。表象显然是力量，它们之受机械法则的统御，我们不应该发生奇异。表象是诱导而致的，是一种感觉的产品，因之代表的意识或意识的第二种形式，也是诱导而生的，虽然客体是一种单纯的存在的物性，除可感觉的意识，意识中最原始最贫乏的外，便另无他物。在表现的意识中，外界客体只是具有某种特性的东西的意象。在这个领域中，显示出心理活动与指导我们表象的力量的关联，实在是表明再现之非自愿的一种证据。当心灵把生理的联念与建筑于外界及偶然性联合以上的表象分开，心理活动即具支配的作用，和给它们以逻辑的关系。抽象者，即是某几种特殊表象中共同品质的一种特征的分离和隔绝行为。因之，乃有共同的意象和抽象的普遍，这在前面我们已经说过了。

文字与意象或共同的表象，有密切的关联，后者是感觉单一性与概念之真正的有效的普遍性间的中间物，一个字就是一种幻想的普遍性或表象，因为它所包括的声音，是用以表明某种事物的某一种特性，由此特性，就使心中记起他种的特性和该事物的全体。格黎牧（Grimm）、库齐乌斯（Curtius）、斯泰恩塔尔（Steinthal）和米勒下了这一个定义，并同意承认字的代表性质。用了字就可以得到客体的常变性质的图像。心灵由此可以由代表的领域升至思想的领域。如果意象不是绝对的偶然的，而与一种声音相连，那么意象之变为一种概念是十分容易的。心灵之原有活动的优势，发生在一种文字的结构之中，因为接续词、介词和助动词，与名词、动词相同，非由印象或表象所产生而成为文字之形式的主要的原素。

思想乃自表象而产生。知识进步，变而为智慧。由于深入，和以慧眼而观事物的真相，乃看出必然性与普遍性。知识和心灵的目的是普遍性。不复是幻想的、想像的和游移的，而是包含本质的普遍性，乃是现象所有各种品质及条件的并合，没有它，现象即不能存在。这种形式仍在进步不已，因为其客体不是仅知其存在的赤裸的素质，也不是具有不断变化特质的事物。智慧的以及知觉的或表象的知识，是诱导而起的。原来，在它的各方面，仅有主观及客观的差别，一种并不存在于印象和感觉之间的差别。在这一种状态中，精神之综合的活动，在理论上得到它的最高发展，因为可知的对象已被知晓，因为表象不能显示出必然性和普遍性，它处理偶然的或特殊的目的。有许多逻辑的概念，并无相应的可感觉的表现的物质，例如质料、因果关系等。因之，有人指出，所有它们的价值，纯在于它们的形式之中，它们可以与代数的符号相似，代数符号并不代表数目，只代表数目的函数。

洛克说，我们不能从经验之中得到质料的概念，因为我们只设想方法；质料是一种子单纯的抽象概念、各种方法的联合。休谟认为实体表示出相接的事实，但不一定是相关联的。因果的概念，只能由习惯而形成。洛克和休谟，在表明素质与因果两种范畴，不能由经验所产生，这是不错的，但他们以素质（一种被当作品质之内在体的客体）与一种单纯的集合可以互通，以习惯的与出于逻辑之必要互通，却就错了。培因求援的苏格兰学派所解说的本能，一种不能说明的神秘的原则，而为因果关系的一种基础。此种纯粹逻辑概念的范畴，并不是内在的、美丽的、在心灵中所组成的，而是原有的、组成为积极的基础、心灵自身作用之各种系统；心灵的自身，受了印象的刺激，依照它的情况和法则，而有发展和作用，而造成一种最初的成就，要没有此，其他的成就就不可能。认识的行为（如果不是由心灵刺激所转移的印象或热情）是一种原始的成就，是由感觉而为一种被认识的对象的变化、客体的了解和认识的经验之组成。

六十七、实证论者心目中的心灵的起源

若干实证论者说，假定心灵有一种固定的组织，和不承认自经验中可以得到必然性和普遍性，乃是一种错误。他们认康德为科学玄学论的先驱者，他们即以这两种意见批评他，且主张先验的形式，可以用经验自身的超个人因素来说明。这因素不是逻辑的活动或原有的综合的活动，而是在心理及人类文化更深奥的历史中发现的。依照他们，思想的自觉的功用，属于公民的知识以内，因为在原始的经验中，逻辑的因素，是以组织感觉佐证的一种简单程序来假定的。自我及非自我的双重性，并不是本来的，

它是由孩子所逐渐习知的组成物。自我不过为一种经过团体过程而组成的整体。安圭利在他前面所引过的书中说，经验的发展因素，在自我与非自我发生差别以前的事件中，那就是说在无意识的经验和心理状态中便发现了。心灵起源的问题，就是生命起源的问题。经验的第一因素，是在刺激之下有机质体的反应。这种反应或感应性，根本上与感受性及运动不能分离。感受性、感应性、运动性，与营养及生殖有密切的相关。营养的法则是适应，生殖的法则是遗传。他们说心灵乃是一个有机体由经验而学习的能力，因之对外界关系的适应，逐渐变而成为选择的。第二种因素，是有机物质保持分子配置形式中骤变影响的力量。感觉并不是心灵的一种因素，除非它与以前的状态相关联。它有一种吸收、甄别的力量，一种不自觉的判断。这种吸收性的东西，与神经群有联络；它是由种族的经验所建立的，是由与兽类生活最初适应中相同的神经器官所产生的。心灵的第三种因素是注意，它有变感觉为知觉、变意识为自我意识、变意象为理想的特质。

六十八、变异有赖于刺激

　　安圭利是成为问题的这种理论的最明白的解释者，依他说营养的方法是心理学的，记忆的方法是心理的，统御外界刺激之吸收的，是神经心理的。这是脑之中心的能力。具有一种指导和禁制的运动，由这种运动，可以向我们表明，心理行为是一种内在而非外来的活动。它是遗传的积累的结果，如果其为数不甚多，即给予心灵以一种修正存在现象之更大的能力。心理的官能，乃由经验剩余的积集所形成，经验互相影响而创作器官、功用和能力。不过，联合所产生的各种能力，在品质上并不一致，因为我们看见，即使在自然实体的范围之内，若干因素所产生的一种结果，其特质与由一种组成体所产生的结果所有的不同，这是留埃斯所说明过的。经验乃是一种演化，在演化中，结果常与其组成部分不同。心理的因素是可变的单位，它们的发展，尤其是它们抽象的方面，先须假定有集体的及历史的经验之存在。知识的必然性与普遍性，根据于与它各因素的总和相等的事实之上。其相反之不可能性和不可设想性，常在实际或可能的经验中得有基础。

我们必须以刺激的能力解释一切，因为实证力量及品质的差别，乃是我们感觉结构及特质中差别的基本原因。眼睛之看到光，正因为它是光的一种产物。在一种对象的自身并没有存在什么，因为凡呈现的就是真实的。在主观的系统中，事物自身，自我是生理的功能，宇宙势力的表象。事实、法则、原因，乃整体的三方面。事实是状况的总和，法则就是在发展方面的事实，原因是就它的条件而论的事实。原因的原理，就是力的持续及变化的原理。事物不过是特质的综合。因之事物的知识是实在的；就它的实现而论是相对的，就它的整体而论是绝对的。不承认绝对的认识，即不能说相对的认识。

六十九、刺激中变异的倚赖性与现代思想相反

显然上述的理论，是纯粹客观经验论的一种形式，客观经验论所遵循的原则，即认定造成质体者乃是客体。内部的东西，是由外部的东西所构成的，每一事物都是一种外界的诱导物。然由于它的起源，现代经验论应该有一种与古代经验论不同的特性，因为它与唯心论的原则一样，是由主观的原则所产生。现代哲学在各方面都寄托于这一种原则之上，甚于追索自然的或理想客观的古代哲学，乃是无疑之事。在苏格拉底以前，自然的客观性，很占重要的地位，一般的哲学家在自然的因素中追求真理。自苏格拉底以后，真理被视为在于视作客体的概念或观念之中。现代的经验论，并不单纯的像斯巴文塔所说的印象主义，因为他与洛克相同，承认主观的某种自然态度，与康的亚克一样以感觉为一

种内部能力的行为一样，以封特的逻辑及嗜欲活动说以及黎尔
（Riehl）初期的综合活动说，遵循赫尔霍斯因果法则的先验性。
另一方面笛卡儿派唯心论及超越的唯心论，清楚证明主观的优
势。

七十、实证派知识论的批评

上一节中所提出的理论，把经验（它是知识、自觉、完全
的认识、确实性）与感情和生活，甚至与单纯的有机的感受性
相混，因之把它归纳成为一种单纯的印象。它改变意识的性质，
因为它说到一种无意识的经验、识别和判断。一种无意识的经验
不是一种经验或一种充分的认识，而是一种不知道的知识；一种
无意识的辨别，不是一种辨别主观与客观、以主观归于客观的行
为。它也不是一种判断。经验、理解、识别、判断都须先假定意
识的存在，但不一定有思考的附随。判断有原始的自然的判断，
也有间接的思考的判断。原始的判断，包括意识所在的识别及参
照的行为；间接的判断，乃是思考的产物，思考必然包括我们所
说的行为。所有的判断皆是意识的，但所有的判断皆不是思考
的。我们必须不要把思考与单纯的意识含混，要不然我们即将落
入错误之中。只有在生殖的机构中，我们可以允许具有意识之既
成行为意味的无意识概念与判断；有意识的既成行为会落入心灵
的暗昧的背景中，留在那儿，在生理试验的任何必要机遇中，就
重新出现。事实上有一种不自觉的心态，包含感觉的与本能的现
象以及再现的现象，再现现象就是亚里士多德所说的智慧精神之
尚未分化的基石，但我们不要把经验当作一种保持感觉的行为，
有一种公认的目的像知识的一种形式一样。只有经验才能与意识
心态成为一体。上面所叙的理论，把人类的内部行为转移至于兽
类，而把兽类的转移至于人类；常由于逆转，它达到物质之质
素、实证论的先验，和达到了唯物论的限度。

七十一、知识是主观的

斯巴文塔在他身后发表的著作《经验与玄学》中提出过一个警告，所有这种系统的理论，都把知识作为一种的结果，作为现象之间的一种现象；一方面它是一切现象的条件，它们的原理，事实上就是现象的自身。如果现象界，即是真实的和相对的世界，是表象的世界，一个人就不能找出本身也是表象的知识的起源，因为去找它的起源，就等于说追索到它所自出的现象。现象是表象，从此接着就可说知识与表象皆非诱导物，而是一个人如果希望从现象中得到它们所必须的假定，甚至即使一个人从现象或物质及可感觉因素的联合中得到它们，它仍是必须有的假定。事物的自身不是现象，它们是超绝的不可知的，是自然实体的因素而非表象或单纯感觉事实的联合，而且不能产生出表象来。思想与知识、经验、知觉，及确实性，用一种绝对的后起主义（absolute posteriorism）的假说便不能说明。从此乃产生新的客观的经验主义，它把经验甚至感受性都作为外界刺激的一种根据，作为在它主观的天性及结构中发展的一种反应，现代经验论将根据主观的原理，而把愿与不愿加以分开。知识与经验，在外表上异致，在本质上却同一，因为事物通过自我而存在，假使自我对它本身不显见，事物即不能存在和呈现于自我之前。如果我不显见于我自己之前，就没有一切可在我之前显见。在感觉上，如果我不感觉到我自己，我就不会感觉到其他一切；在知识上，如果我不知道我自己，我就不知道其他一切。

从此可以看出，自我不是没有感觉的，在感觉消灭以后它就不能存在，因为我不能感觉到我自己，我就不能感到其他。思想也是相同，假使它不是原始的，它就不能发展。此处的先验是先验的本身，是原有综合之自觉的统一体，是使印象之庞杂性归为单纯一点的能力。这种先验，存在于知识的每一种形式之内，哪怕是最原始最贫乏的。它属于能有经验、知识的人，它是确实的，并不像经验论者所说，只属于文明的人。遗传的先验的根据，在于接续的经验之累积，其所以可能性，完全由于这一种自我的原始性，康德哲学的基础。这种的累积，成为知识的具体性、丰富性，但事实上一致的知识，在外形上总是双重的，那就是我们已经说到的主观与客观的原有差别。客观不是感觉的目的，它是思想的产物，它是从感觉变为了解时所产生的。实体客观性和真理，不能在盲目的未形成的感觉中发现，只能在知识的范围中发现。如果实体存在于流动的、变化的、矛盾的感觉之中，那么我们就将放弃真理的追求了。

七十二、知识是先验的

前面已经说过，经验是一种演化，在演化中所产的结果与其构成分子的性质并不相同，在提到这一种说法时，没有想到，由于这一种理论，一个人就否认了因果相等的普遍原则。就得把结果（即知识）看做与原因（那就是自然实体因素的联合及感觉的事实）绝对不同的东西。但事实上不能把结果看做与原因绝对不相同的东西，因为要是那样的话，两者就将没有什么样关联可言，它就不成其为结果。但结果亦不能看做与原因完全相同，因为要是如此，那么只有原因的重演，也没有结果可言。因果性不是抽象的相同，也不是抽象的相异，而是两者的相合，是一种先验的综合。如果以经验为已列明联合的总和的结果，那么结果的复异性，与因素的延续性，只能由生理的及心理的联念，由偶然及特殊，相当地说明如何思想包含于非思想之中，如何光明自黑暗中产生，如何自机械的联合发生，逻辑的联合、必然性、普遍性始能使两者调和。事物因素之必然的联合以及由实在及可能经验所明示的矛盾之不可能性，皆非自经验剩余的累积得来，当然这种概念，先假定经验材料的存在，但它们的形成，必须有思想的原来活动，后者乃是知识的基础。关于一样事物之充分的真正的知识，只在心灵知道它的必然性时才具有。了解的必然性，就是知识的绝对性，也就是今日有些实证论者所注意的。必然性和绝对性超越试验方法及后天主义的可感觉的材料之界限以外。

七十三、本体可以经现象而知道

有人持反对的意见，以为如果承认知识表示知者的性质，因而是主观的相对的，那么实在的知识一定不能成立。如果事物的本质有赖于表象，事物就是我们所见的，——它们就成了现象。换言之，事物就在表象之中丧失了，就恢复了柏克立的理论。如果依照孔德所昭示的路径，把表象沉入于客体中，不是较胜一筹么？这种反对论是从一种错误的知识概念而发生的。知识并不在于追求我们以外的客观，而在于把感官所传达给我们的东西，变而为了解；它是心灵所产客体的具体和差别。事物的存在、客观性和实在，在心灵的意象中是一样的东西。事物只有在认识之中是真的，在认识前或认识外所假定的存在状况，都不是它的真相，它是虚幻的。一种与知识没有关系的事物之自身，一种从不能刺激主观和显现的事物，就不能说存在。所以，事物的本体是可知的，即可以显现的，即使事实上它没有显现，没有使它自己被知，也是不错的。这种物之自身，即康德亦加承认，使现象、感觉、表象及知识有延续的可能性。它是超越自我的东西，不仅为单纯经验的存在或现象，也不是超经验的存在，后者就其性质而言，其全部的实在皆自客体中得来。斯宾塞的错误，在于一种物自身的概念，而不把它归于心灵。若干实证论者加说，他的不可知论，实际乃是知识的，因为是一种与心灵无任何关系的物的自身，因之无存在的理由。在此，它与宗教的、神话的绝对和与玄学的绝对（如果是自给自治的）相同，因为它们变成了超绝的原理。

　　这种实证论者承认三种的绝对，那就是方法论的绝对（或科学最后概念的系统）、宇宙的绝对（或世界的整体）和客观的绝对（或感觉及表象之终久的可能性）。他们承认某种意义的绝对，他们承认玄学，但只限于科学的及实验的；在此处被痛恨和恐怖的玄学，又起而帮助在严重关头中的实证论。当以哲学解释世界一般纲领时，当然不能否认一种真实的深奥的最高原理的存在。有些人愿意在较为广泛或普遍的法则中求得这种原理，有些人则在一组力量或原因或目的中，和在心灵中求之。有些人否认绝对知识之可能，说根本的法则和目的是不能知晓的。只顾了一组的法则，一个人就不能看见原因；如果注意限于一组的原因和动力，即不能看到目标。假使是真正的绝对，它自身应该包括法则、原因和心灵。斯巴文塔说，根本的法则就是原因，根本的原因就是目的，根本的目的就是心灵。他在这一方面引用布鲁诺的话，"绝对的追求"是"以趋于完善及发展的步骤，非物质的而为玄学的运转"，因而至于"无限的中心"。由一种不定的直接路线，一个人绝不能达到绝对。

第六章 法律演绎观念的 实际基础
——发展与分裂

七十四、心灵的其他属性

心灵不仅具有知识，也有嗜好、欲望和意志。它是一种理论的和实践的程序。肌肉的系统在生理上适合于实践的程序。接着每一印象之后，即有一次肌肉的收缩或反射动作，由神经所传达，并且它不是所受打击之单纯的机械的结果，而是在器官的奋张中获得它的形式和标准。印象不是感觉，反射动作不是嗜好。嗜好是一种心理状动的状态，在其中有一种趋向快乐和避免痛苦的趋势。反射动作乃是一种生理的活动，不能与一种趋势相混。嗜好又转而改变刺激，就它的不定性而论，是同样主要的根本的感觉和同样的运动中的感觉性，关于后者，洛斯米尼曾经说到，成为实际行动的乃是感觉。

七十五、本能

嗜好之第一种具体的和特殊的表现是本能，就是一种不自知其目的与手段的趋势。它的目的，是不假先前的经验的凭借，使需要得到最好的满足。许多生物学家与生理学家以谓本能的来源，乃出于兽类对环境的适应，这种适应最初是出于必要的，以后成为有用的经验而存在下去，最后乃成为物种的一种遗传的和有机的习惯。不错，在一般的适应中，无论遗传学说主张遗传有多大的作用，我们在植物及动物中，总常需要一种可以受外界环境影响的性质。现在这就由习惯及遗传所假设，它归为一种深奥的原有的动力。在我们的情形中，归为一种保持快乐避免痛苦的先在的趋势———一种动物的特质。经验论者自己已经把心灵白片说放弃了。

七十六、欲望

嗜好发展的第二种状态是欲望，一种趋向吸引心灵的表象的倾向。在欲望之中，有目的的认识，但无手段的选择，因为目的与手段的关系，不是由表象而习知，乃是由我们的内部状态和外部客体早已实验的联合通过思考而习知的。因之与热情不同的爱，是先假定表象的嗜好之间接的形式。爱是一种终久的、有目的的、客观的嗜好；热情同样亦是一种诱导而起的状态，因为它可以推到情操，但它是一时的嗜好或猝然的感受，没有什么郑重的打算，并不想到刺激它发生的对象。相反，爱则有一个固执以求的坚定目标。它总是追求目的，又如逐渐泛滥、河岸的河流，自身成为一条路径，一如康德所说的，同时热情则如突然冲破堤坝泛滥地面的水流。爱是人的一种属性，行为之一种典则，亟切以求的目标。热情是兽类所共有的，是情感的激动。

七十七、意志

嗜好之第三种也是最高级的状态就是意志，亚里士多德曾加以讨论，因为它虽为一种诱导而起的力量，却分享理性的性质，从嗜好的自身而产生。依照他说，在意志或理性的嗜好中，乃可发现目的的决定和手段的选择。在低级及高级的嗜好官能中，即在本能、欲望意志中有一种共通的因素。这就是自发性，是在于我们内部而非在于我们外部的一种原理。在本能方面，目的即现在我们面前，与知识并无连接。在意志方面，目的却是中介的，它经过思考的手续，有时立之为行为的一种必须和普遍的决定因素。如果目的是最高的真正的人类目的，它一定是必须的和普遍的。亚里士多德的着重这个概念，一如否伦铁诺（Fiorentino）在《哲学构词》所指出的，对于最高目的，并没有置论的余地，所欲置论的，乃是在我们能力之中的手段，那就是关于起源于我们内部的事物。斯宾塞把意志当作一种较为复杂和迟缓的反射动作，他实在把生理的状况和心理的状况混在一起了。在反射动作方面，先有一种印象，接着发生一种肌肉的动作；在本能方面，可以看到一种由遗传及有机体习惯而同在的印象复杂体，和一种肌肉动作的总和；在意志方面，一种刺激可以诱致好几种斗争的心理状态，最后占胜利的一种，就是所希望的一种。本能的行动，由于自动联念的结果必定是直接的，而自动的行动必定是中介的，往往是很迟的，因为在各不同组的表象之间，先有一番的争斗。印象既非感觉，因此像我们在前面所说过的，反射动作不是一种趋势，也不是倾向、嫌恶或嗜好。演化不仅是一种量的进步，而是一种品质趋于更完美化的进步。依照斯宾塞说，在反射动作与意志之间，只有一种复杂性多少不同的量的差别，和速度多少不同的机械的差别。另一方面，如果说内部状态的冲突，受一种机械的联念法则所统御，那么我们就不能说明这个事实（亚里士多德曾经指出由经验所证明的），关于手段的考虑，限于我人所能接受的权力范围以内，而并不扩展到我们能力以外的东西。

七十八、性格

一种单纯的趋势，便是快感或痛苦的直接的反响，并无知识为之附随。真正的名副其实的欲望或嗜欲，包括回忆一种心理状态的企图，那就是一种具有知识的趋势，但单是嗜欲中的知识，只是处于旁观地位的力量，它的存在完全出于刺激的客体，它的名字即自客体而来。在实际活动的此种状态中乃有知识，但缺乏考虑，冲动和情绪占支配的地位。另一方面在意志中，知识和思考一样的活动，理性可以阻止冲动，可以把欲望的对象总括化，听任实际客观的经验的评断。它与情绪不同。马西观察，意志之起常是一种禁制的行为，因为它阻止、节略和改变冲动的力量使之成为观念作用，以一种逆转的程序，由观念作用而变为冲动，变为行动，而达到实现。这里就是不自愿的与自愿的意向的差别。前者根据于表象的力量和表象力量所运使的情操之上，后者乃自理性而得，因为表象之力不够强，它的气势已为禁制的行为所削弱。

李博在《人格之缺陷》书中就三种观点讨论意志；视之为冲动的力量，因为它是一种观念运动的势力，与在前的活动不同；视之为禁制的力量，或者由创造相反的冲动，或者凭借恐怖以阻遏情绪，以制止行动；和视之为表示主体深异性质的个体反应的方式。决意的主要原因，不是动机的冲突，而是性格。要是说这是不确的，那么越是思想丰富的人，就将越是比较踌躇寡断。性格是器官的心理的启示，一部分是原始的，一部分是诱导而起的。那么这番理论就与斯宾塞的相同，因为它根据于演化的原理之上，把出于自动的现象，作为刺激与反应间不一贯的例证。但它包括对英国哲学家学说的一种重要修正——承认一种实际主体的必要，他主动选择，意志即自他而发生；这基本上是一种积极的事实，但如果你同斯宾塞一样，把它当做动机冲突的一种结果，那就变成了消极的事实。像意志那样多变化和复杂的现象，决不能以一种单纯的矛盾观念便可解释。因为，如此较大的矛盾，即将使最大的寡断产生出最大的决断来。

不管李博所显示的活动的需要，他的意志作为一种禁制的势力而论乃消极的，因为它是恐怖的结果。真正的积极的出于自愿的禁制，并不是由一种显著的情绪去支配或阻止一个冲动，而是凭借知识的领导与理性的发展。李博把单纯的嗜欲与意志混在一起，因而就想在意志之外，构成性格的概念。病理的经验，对于心理学的研究无日不提供珍贵的材料，显示给我们凡缺乏知识或知识仅处于旁观地位之处，就没有意志可言；知识如停止作用或不积极，则意志亦有同等程序的减弱。自愿的行动，由于缺乏把冲动变为观念力，复由观念力变为冲动的力量而就毁灭了。关于前一种缺乏能力的例证，如各色各种不能抵抗的冲动，不自觉的如疯癫和歇斯底里的冲动，自觉的如偶有的纵火、谋杀、偷窃的倾向。后一种缺乏能力的特别的例证，为意志力之消失，在这种状态下，一个人的心理官能仍旧清醒，运动的机构也无损害，但受此种病症侵害的人，除非在剧烈的痛苦之下，便不能下决心。

七十九、机会必然为因果性的结果

意志不是中性的放纵，也不是一组行为中绝对创始性的力量，它的决定不是没有动机的。因果的原理要求一组的前因后果，凡同样的原因与同样的条件，即产生同样的结果，这个概念，适用于各处。中性的放纵破坏了这个因果的联锁，它是一种不连续的因素。它并不假定任何前因，转注成为一种谬妄的观念，即若干相同的原因，乃有产生不同结果的可能。承认原因结果的无定限的进步，将以一种自成一格之原因而终结，但并不就说自成一格之原因就是不定的。它也许是内部及外部的必然性。变迁的事实，并没有以任何方式（甚至部分地）表示出一种绝对的开始，因为能力是继续长存的，中间仅经过变化而已。结果的离异性，不特不足以显示出一种中性力量的存在，毋宁显示出条件及产生出它的原因的复杂。中性的放纵是偶然的意志，因为如从哲学的见地，偶然亦有它的原因，所以偶然的意志亦必有其原因。机会与因果律并不相反，而是表现出多种事实的一种相合性，这种事实的偶然的组织，分开来看可以作为各自独立的。这就是许多哲学家所接受的组列偶性说，温德尔朋德在《机会论证》曾加以说明。他说，如果发展只是连锁的必须相接之单纯的一环，那么就没有机会的可能。但事实上我们看见许多发展的线索，互相接触、混合、割裂而形成我们称之为世界进步的那种奇异的复系。在线索所接触之点，也就是常有新线索相与连接的地方，显示出两种事实，时间、空间相符而并无因果的关系。

依照吐柯（Tocco）在《亚里士多德的偶然概念》的话，理由是并不缺乏的，它认为与亚里士多德学派（the stagirite）的意见大致相同。亚里士多德不否认每种结果必有其原因，而是认为因果的联锁，可以为别种原因所产的额外事实所打断，与第一组原有的事实并无因果的关系。此种偶然事物的原因的数目，是不定的，因为可以影响或加入为一组因果连锁的线索，也是不定的。因之如果相合是一种事实，那么也同别种事实一样，它应该有一种存在的理由。所以，在因果律的范围以内，不能去除相合的现象和偶然的意志。去承认一种空泛的不定的活动，一种自愿同时不自愿的势力，一种决定自己意志的意志，都是与心理抵触的。来布尼兹有过一种深刻的观察，是众所周知的；人类并不是因决意而决意，而是因作为而决意，因为如果他是为决意而决意，决意就将辗转相继没有终止。知识对于超越行动范围的或只是一种可能性的力量，不能给予佐证。这样一种可能性，只能由推理而引申。简单的知识包括主体和意志，但意志及动机间的关系构成为一种推断。知识只证明，如果有作某一事的意志，事就可以做成，此外便不能证明什么了。在许多例证之中，它以动机昭示我们，有时虽不能昭示给我们，但并不就说没有动机。忠告、祈告、威胁、法律、承诺和协定，皆具动机的作用，表示自己有支配较强动机力量的期望，或当困恼时有选择决意的机会和必要，皆可成为动机。放纵的信仰，乃是以原因动机以后并不立即有行动，而行动的深度不一定与原因的深度相等而起的；由于某一种的不连贯，乃即相信之为绝对的独立。另一方面对客体之微弱的欲望和流动的荏弱的诱惑，很容易不加顾问，而接受一种不定的中性放纵的力量；后者根本上是非道德的原理，因为一种不理动机的意志，亦即是不理善或恶的意志本身。

八十、动机、性格的定义

意志必先假定一原因，至少也得假定一个动机。外界的原因，受机体的激动性所修正，它指挥有机体的行动，决定意志。当它为心理所代表时即成为动机，在这种情形之下，它具有真正的动机的特质，那就是说非动机的本身，乃是心理所代表的动机，即它在心灵中的产物。心理的活动，自原因变为动机而开始。每一个人都为他自己而形成他的动机，因为每一人皆不同地代表他用以增减能力的外界刺激。最初只有一种孤立的行动，随后在主体方面发生一种续作此种行动的便利，这种行动如果强烈地反应，即称之为习性。习性乃自行动之一或多种部分的习惯中产生，由此乃创造出特征的轮廓和特质。如果特征的特质与一种最高的意志同列，受最高的意志支配，那即是性格。从此接着，心理的活动在变原因为动机外，提高动机成为一种法律的重要性，形成习惯，并且是所有同列的和隶属的决意之有机原理。

性格与天性、气质、癖性不同，虽然这种名词与它也并不完全陌生。天性建立于有机系统的变异状况之上和建立于一种系统超越另一种系统之上，例如肌肉系统之优势。气质乃是接受性与神经自发性不同性质合成的结果。癖性可以推为天赋的同情心、憎恶心和冷淡性。性格是组成的，而天性和气质，则从一生下来便已存在了。性格在青年期出现，其他则任何年龄皆有。性格不能自动的组成。事实上有许多人，虽然各具特征的特质，却并没有性格可言。天性、气质和癖性，是人所共通的。性格先假定有自发性，其他则先假定有必然性。在性格中，所有建立于机体以上的自然因素，以及外界环境的势力，都同时包含一种物理的和道德的性质。从我们仅在于合作的活动中，或改变或创造新势力的行为中，可以得到许多东西。

动机的概念与自由意志的概念并不矛盾，与偶然的意志或放纵并不同义，因为动机要求一种内部改变的行为或心灵之充分的赞许。这一种行为，是对原因之具实践价值的一种判断，它愈伸展和延长，责任的增加愈多。但从我们行动中所产生的合作、变化和创造的行动实体，不必一定有行为，但无论如何具有迅速行动的动机。一方面，自由或自由意志被列示为一种分异的力量和相反的部分，在其下可以发生变原因为动机，和创造行为规则及形成习惯的事，也可以不发生。另一方面动机并不缺乏。换言之，必须保持动机必要力量及立意完全自立，不把嗜欲与意志含混，尤其不堕落为不定论，如果动机的力量与意志的力量是同一的，那么所有的是必然性而非自由，如果嗜欲受冲动所支配，那么即无意志。主张主体不用理性而增或减动机的力量，就不啻承认无定和空虚的势力。

当然，意志之决定一种行动，总附有一种动机，但一种自愿行为之动机，并不如马西所告诉我们的，可以自变为行动，但只是一种观念和思想，一种评价的判断。观念所有的冲动最少，受主体的动因能力所推动，于是外形上乃有数种理由之中选择一种的事，这种理由没有冲动的力量，表示出不同的可能性。立意乃是由反省、判断、抽象观念作用累积而起的能力的行为，附有一种勉力的情感或趋势，即是一种潜伏的活动，克服障碍和发展，成为自我的实现。主体并不必然地得到这种能力，因为它是与意志习惯一起组成的；这种意志习惯或者处于思考期中，或者处于出自知识力量之独立的冲动实际趋势组列中。能力是由那一种的自由一点一点完成的，那种自由并不缺乏动机，只缺乏准酌考虑的自主性。主体能够先定它的决意，和很远便为它筹备，增加而不至减少它的自由，因为合而给予意志以经常指导的单个行为乃是自由的。黏着力愈大和因而更大的性格的势力，其附随的负责性亦愈大，因之如果冲动的优势不是一种自然的现象和自然的一种结果，自动得到的责任，因为行动之非为一种片刻的决意的结果，而为一种前定和固定意志的产物，故更为增加。

八十一、机会和统计学

道德事实乃是社会有机体一般经常状况的结果，道德事实之规律性与终常性，给这个问题以另一种方式。它提出了这个问题，究竟道德的统计，究竟能不能使人类自由意志的概念与一般法律的概念相调和，根据后者，人民生活每一年的每一定期，都有同样数目的犯罪，复杂性相同，种类相同，甚至犯罪的方法亦相同，无罪与判决间的比率相同，私生的数目亦相同。我们必须考虑道德事实的规律性，既不是绝对的，也不是与外力之不动性相等的，而是相对的，包纳有变化可能和可以改造的社会及历史的原因。使人类及社会尤其在已有文明的时代中，发生一定犯罪比率的，不是地球及气候条件的不变性，而是不变的、智慧的、道德的及经济的诸条件的复杂性，它们才产生出某一时期数目大致相等的犯罪。我们现在还远不能在道德的系统中，建立具有真正永久性及一般性的特质，如存在于物质系统之中的，这种特质，在有重要物质及生理因素的物质中，那就是说，在人口的统计理论中和在人类测量学中，比较易找出。

开特雷（Quetelet）学派，以其机械学及天文学的倾向，企图由更着重凭借于外部和内部的关系，说明道德现象的常性，宣称这种现象的必然性乃见于复杂性中，同时差别、个人的质调和自由，则存在于组成社会本质的人之中。德洛比歇（Drobisch）

在他《道德的统计与人类的自由意志》的书中用一种倒转的方式推阐，表明道德统计中的常性，虽说它是有变化可能的诸原因之一种结果，却不是一种事实；一个所谓平均的人，他代表作某种事及不作某种事者间的关系；自统计的观点作某种事的习惯，乃倚赖于人一般的及种族的性质，和社会条件及他特殊个人的特性。习惯之产生或不产生一种行为，看当时冲动的力量，和自理性及文化的优性所养成的抵抗程度而定。这种条件发生变迁，平均人所表现的常性即将不克实现。他更说，道德统计不能答复自由意志的问题，因为它虽则可以说明行为的比率，却不适于考核行动之心理的动机。

奥丁革（Oettingen）在他的《道德统计学》中以这种统计学的经验为根基而研究社会的伦理，他的出发概念，是以人为自由及负责的生物，因无数的关系与社会发生连结。奥丁革在社会事实的规律性中，看出一种直接的天命的支配。在这一点他与苏塞密尔区（Suessmilch）相同。而与只相信自然及物理法则的开特雷不同。但他不承认旧神学家所说的宗教的前定，或哲学家所说单纯的放纵，但接受陆宰的原理，认意志的自由而无动机乃是谬妄的。他相信个人的道德生活交互透入于社会愈深，负责生存的意识亦愈将增加。德洛比歇和其余人的否认道德统计学这一方面的效能，是很对的。意志自由的问题，并不是统计学的适当对象，因为它可以推到人类的活动，而人类的活动，乃是须道德科学的全体加以推究的。凡有人类行动之处，根本上为生理的自由问题即因而发生。它已与哲学和神学一样的老了。道德统计学研究实在，以意志之决定的外部行为，作为一个单位，而并不作为意志之可能性，后者是心理学的主题。道德统计学只能否认没有动机的放纵，因为在人类的行为中，冲动和动机总常发生，但它不能否认自由意志。向统计学乞助以否认自由意志的人，以决定的内部必然性，置于由平均而表明的一律性之上，自复杂的结果以至于个别的事实，同时把现象之外部情形与现象自身含混起来，这是不对的。他们想结果之相对的常性，足以排除自由因素结合的无限的变异，因之常性，如库尔诺（Cournot）在《或然与机会学说之研究》中观察的，当因素有位置及独立行动的自由之时就比较更大，因为在那种情形之中，可能个别变异中间的补偿成为更充分更完全。总之，必须为相同因素的性质下一定义，以求得到一个结论，而这个定义一定不属在社会科学及统计学的领域内。

八十二、最高之善

意志是理性的嗜欲，和以此而趋向于实现人类的目标。亚里士多德说，人类的目标在于他的福利，即他的快乐，因为人是一种精神的和有机的主体，所以快乐中间包括良好行为、良好生活、义务和快乐。为行为最高目的所在的真正人类之善，要求情操、热情、利益屈服于理性之下。这样的设想，善才可以不至与斯多葛学派的脱去热情的自由心灵相混，不至于与初期基督教徒世界敌对的精神相混。也不至与康德所说的抽象形式意志相混，后者只在自行控制和自重地与感觉倾向任何联系保持距离时才是自主的；同时它也不能与伊壁鸠鲁学派的单纯快乐或功利主义者的利益混为一谈。从最合于人性的善之概念出发，情操与嗜欲并不与道德意志矛盾相反，而是构成它的具体性。

依照布鲁诺和斯宾挪莎，善乃是热情运动转为合理倾向之适当变化。意志是有力地自主的，它包括我们情操、情绪及利益的总体，和使它们听受心灵的支配。只有在这种条件之下，可以得到道德的自由，道德的自由是为品德或作善的习惯所实现的。亚里士多德把品德置于具忠告考虑作用的某程度之理性和习惯之中，既不太过也不是不及，即也不张喻过实，也不故意省略。他说，它不在于热情、能力、科学或艺术之中。热情是情操之突然激动，大抵倚赖于有机状态或气质之上，实在不值得追究也不值得赞扬。一种能力是由自然所赋予的，品德则是由学习而得。科学告诉我们以善恶，但品德是善之实践。艺术显示我们以行动之外部，但品德予内容以一种价值。他更说，品德不出自自然，因之不是一种能力；它也不是全无自然的凭借，但它应该包纳人的全部，不应置于一特殊的部分，即使是他存在之最显贵的部分。快乐、善、最高目的或品德，必先假定自足，即人的自给状况。当缺乏这种自给时，他是不快乐的；他没有达到目的或善，他不能成为真正有品德的人。自给是在社会中，在生命及情操的交感中，在讨论共通观念和文字中得到的。人天然倾向于这一点，所以被称为社会的动物。并且亚里士多德学派说，任何共通的善，皆能使人团结生活，和促使他们趋向社会的生活。

从此即可以引申说，伦理学乃是政治学的一部分，要没有社会生活，快乐和品德就不可能。我们现代人，说道德和利益受理性的支配，与表示社会存在的文字、文化、习惯和教育是脱离不了的，也正是表示同样的意思。心灵由文字、教育及文化的帮助而得发展，意志受为善的教育时，即有有效的自由。人从一个单纯的个人，发展成为一个道德的主体和社会的公民，在社会之中，他得到了一种关于他自己的充分知识和具体的独立性。因之在伦理学中，心灵的根本活动之显现，是因为道德的必然性，内在于善的观念之中，而且不能是有机需要、习惯和情操的结果。道德的必然乃是自由设想的人类目的。它是中介的和经过思考的目的，在本能中没有它的踪迹，它只能从精神的深处如实际的知识之中产生出来，自然只给我们以生命和保持生命的一种趋势。它才在生命之上，加上以快乐作为我们的目的，显示我们以社会生活的利益，但这种目的之伦理的必然性和它们的普遍性，却是思想的产品，思想给予此种可感觉的物质以形式。不错，有机的需要，习惯和道德情操都是先存的事，但这些东西尚不够解释道德概念的发生。当然人最初是由追随自私和社会的冲动开始的，后来始习于行为，因之他对于为他个人生存的利益和他人利益而值得做的行为，他的知识与他同侪的知识乃是符合的；依照某种变异的标准加以赞助或申斥，这种标准最初是加至他身上的，但后来他把它变化为一种普遍的原则，由习惯变成了一种义务；因之他倾向于作他所应做的事，因为他已经发现出生存及社会情操趋势和公民社会中的伦理必然性了，如否伦铁诺在书中所引的。

八十三、道德与法律乃是伦理学的部分

人类之善，乃是正当行为及正当生活，和使嗜欲及利益听命理性之统一，它假定共同生活的先在，为伦理学之一目的。伦理学，从这样的广义去理解，包括普遍的决定和意志及行动之最高原理。道德和法律乃伦理学之部分，因为善大抵可以在知识关系的深奥性中发展，另一方面表现于人同人，和人同事物的外部关系之中。第一，维科说，心灵为保持它的领域，必须防御贪婪和建立伦理的品德和道德的范围。第二，心灵变为标准或比率，在其中必须划分均平于人之间的功利，这就是法律的观念。法律的物质是功利，它的形式或标准则自精神的深处产生。在这一点，再表现出精神之高度的原始的综合的活动，这种精神见于情感、表现、思想和嗜欲之中，而是人格的基础。黑格尔的概念与维科的概念相同，因为主体和客体（黑格尔称之为道德行为或意志），如斯巴文塔在《黑格尔的伦理学说之研究》所表示的，外部表现为法律，或内部被说明为道德的起源。法律是外部自由的帝国，道德是内部的自由。依此方式，法律观念是从理论及实践的双重原则演绎地出发而发现。这类原理本质上是哲学的，把法律哲学与一般哲学连系起来。它们是科学的基础，科学表示出适

当意义之正义的最高理性。一种的法律的哲学，如果独立于在此章及前章中所侧重的两个母身概念之外，即将不成为一种哲学。至多它只能成为研究成文法律的形式导论。法律哲学是，而且必然是哲学的一部分，无论其所必需的特殊研究有如何大的发展，都是如此，把这一点牢记在心中是很有用处的。

八十四、成文法是命令的和禁制的

法律是福利之标准或均衡，它予人以命令或禁止。它由命令而规定什么所应该做的，因而可以得到均衡，法律的命令同时是积极的和消极的。它要求人的尊敬，允许他享有属于他的，禁止他有违犯的行为。福利的平衡如没有个人及社会人的观念，和人格的原理，决不能成功。在命令与禁制之间，有一容许带，受排斥、命令和禁制所承认，它归根并不需要一种理性法则的公式。一种准许法的可能性，见于现行法之中，后者取消了禁制而准允独立的权利，或者准许在某种可疑的法律权利中有所行动。因之莫特士狄纳斯 Modestinus 的话，法令是绝对的命令，可以指现行法，但仅能一部分应用于哲学法则。当法律最后分析起来是命令或禁止时，它只是为一个人规定决定的权利的数量和品质，用此权利他可以达到他基本的目的。它建立了个人的"他的必要的范围"。法律所既不命令又不禁止的，是对人的状况和利益并无必需的复杂体。这种复杂体成为"他的不必需性"之范围。

接着这，如果行为与命令或禁制的法律有关，即成为一个义务的问题，一个人如果觉得自己在实现它的道德及法律必要中，他即可合理的希望，在执行义务时不至受到什么阻挠。就在以法律作为轨范的意义上，才得到了最初的法的义务，后来变成为作为一种能力或势力的法律。但行为如果就其与法律的允准相关而论，乃是纯粹有行动自由的。在这一方面，法律之在作某种事的能力中的起源，其有所作为者，或者并不由于义务使然，倒是为方便而致，由此乃有责任及尊敬他人权利的必要。凡想便利而作某种事的人，当然不会去违犯伦理的法则，法律即是伦理法则的一部，这是很容易了解的。这个理论之指法律责任和法律为一种能力作用，而非道德的责任，后者常概据目的假说的公正之上，与别人的权利没有相关关系，因之也不难了解了。如果它有的，它即变成了法律的。一种行为在法律上有行动的自由，在道德上却可以是义务的，因为我们可以指出，在这一种的假说中，乃是道德先在而非法律责任的问题。就我们所已经说的，接着就可以说法律就主观的意义而言，不能全部归之于允许的，如洛斯米尼和塞特尔在他的《伦理学》中所设想的，前一位把它定义为作某种愉快之事的能力，假使不损害他人，即受道德法则的保护。但一种权利，往往是作人性必需之事的合法要求。在较高级关系的组列中，法律权利和责任间的连系更为严格。在其中可以看出属于一个人的能力力量，一如他之有实现它职责的程度。例如一种公共职责的行使，构成为威权的权利，但它起初是一种义务。第二，关系的系列降下，切近可许的范围，联系就变成不大密切，最后竟至完全消解。个人具有一种家庭性质的某种权利，家庭性质虽能与道德责任相关联，却并不即假定先在的法律责任。

八十五、法律是约束的和和谐的

如果法律是善，可以在人同人，及人同事物的外界关系中实现，那么逻辑地推论起来，它包括潜在的强制，是同在和生活和谐的原理。关系的外像即包括行动，使体质的及心理的强制成为可能，那就是体力和恐吓。强制乃是反对顽梗意志，执行法律的手段。它是法律的胜利的表象。武力为法律服务时，即失去了它的盲目和残暴的属性，发展成为一种道德的力量。由强制而来的正义的胜利光景，决不能与没有了拘束的自然势力的胜利等量齐观，因为，它是在自由质体世界中统御一切的道德势力，如谢林所说的，在它之前，自然活动就让步了。

习惯以秤及刀代表正义。有秤而无刀，即流于孱弱无力，有刀而无秤，即成为暴力。法律之为同在和和谐的原理，如果我们设想每人各得其所，即无不和或冲突的终久动机，就可明白知道。部分对社会大整体的友谊，是由实现利益的均衡而保存的。道德福利乃是终久友谊的惟一基础。正义是公民生活中真正的吸引力。

亚里士多德从另种的观念，即没有共通的生活即不能设想品德，而达到同样的结论。他说到个人的品德，例如节制、勇敢和谨慎；但在这些中他所看到的仅为嗜欲及理性的一种混合。依照他，正义包括所有其他的品德，为伦理学的基本，因为它较其他更清楚地显示普通生活的要求。每个人都可以不顾他人而勇敢，而谨慎，而节制，但另一方面，除非在社会中，即无公正之可言。社会自需要而产生，因为个人并不是自给的；需要促成互相服务及行为和事物的往来。互相往来，即发生平等的要求，这种平等是正义的原来形式。因之共同生活、品德及道德的基本条件，没有正义便不能支持，而正义不过是完全的品德，洛斯米尼尝试从法律的定义中撤除社会的概念，甚至取消真实同在的概念，但他到底不能脱离一种可能的同存观念，因为人类同存观念与正义的联结乃是非常的真实。他说，"让我们主张，假使人类只有一个人，法律观念仍将存在"，接着他讨论他与另外可能的人之间的假设关系。无疑，可能的同存是一种最高的抽象，超乎此，我们势必至放弃一切了解法律的企图。但道德福利、品德和法律观念，先假定完整理解的共同生活；那就是公民社会和真正的共存，只有在共存状态之中，才可以得到自知及真正的自由，以及它们由集体活动而累积的无数物质的智慧的及道德的附属品。换言之，具体及积极的共同生活，乃为伦理发展所必需。洛斯米尼把可能共存的概念置于一边，而在他的法律定义中，把法律视为个人的活动或主体的活动，求助于社会及真正同存的概念，因为这一种对人行为的支配，只在有充分自我知识及自由中才得发展。

八十六、法律为演化所支配

把法律认为同存和生命和谐的原理，就等于把它当做有机的原理，因之，就使它受所有机体皆遵守的演化一般法则的支配。演化的意思，是新属性的发展，职能的逐渐分化和部分之继续的自主化，和形式的复杂性越发明显、连贯和条件具备，法律之遵守演化法则，因为它包揽关系之数目继续增加，因时日之过去而更为明显，最初由感觉，继而由幻想，最后终由理性所形成。法律逐渐进步，和努力克服在途程中所遭遇的抵抗。维科说，法律之目的，即在抵抗私人之反对。从耶林我们得到一种重要的关于法律斗争的理论。他说"法律有似自食其子的农神（Saturn），因为它创造和毁灭法令、制度和利益"。它由加援自己、抵制日常错误和犯罪的势力，以保持它的实际形式。因之法律的表象，作为轨范而论，也脱不了斗争，因为习惯皆由克服阻难而建立。法学在信仰的差异和法令的矛盾中向前进步；我们今日的法令，很可以称之谓议会中辩论的结果。耶林未曾讨论到为主观所理解的权利的斗争。为权利的斗争，应由受损伤的人格的感情所鼓动，不应单由于经济的利益，关于经济的利益尽可有妥协的余地，除非经济利益之外对人格发生了一种伤害。在防卫一个人的权利时，所有生命的道德条件都一起参加，因之斗争在个人方面对于自己成为一种责任。斗争也是个人对社会的一种职责，由他的抵抗，保持整体及安全，维持法律的势力，和使它不至无效。国家之最大的充分的力量来源，在于个人的健全有力的法律情操，因为已有有勇气敢为他们的权利和保护人格而斗争的人，才会感受到爱国的情操，或在国家尊严受到侵害时积极参加国家的事务。

八十七、演化法则显示法律的发展程序

为法律所归属的演化原则，给我们以它的逻辑地区分的原理或标准，法律的最初形式无疑一定最为简单和抽象，即最不复杂的。因为社会秩序中的各分子，用自动的行为，达到他们特殊的目的，所以法律的最初形式一定包括私法的关系。公法的关系比较少简单和抽象，这种关系的发生，在于人以公民的资格，而非以私人的资格，藉一种有秩序的权力以实现普遍的目的。国际法的形式更为复杂，它先假定列国的共存，和诸国和谐相处的大同原理，后者维科曾有所发挥。法律的演化与人格的演化并行，并且在某种程度以内是同一的（因为最初都是单一的，继而为集体的和政治的，最后为国际的），因为人格的观念乃是法律的基本原理。

八十八、私法与公法的差别

关于私法及公法的区别，我们必须说，除了在前节所引，先由阿楞斯所指出，后来得尔·朱代斯（Del Giudice）在《法学词汇》亦曾发挥的它们各自的目的和手段性质的标准外，别无其他可以接受的标准，因为它只能处于关系的主体或它实行的手段之中。如果差异在于个人的或政治的主体，那么逻辑的结论即是说，以国家为首的道德的实体，将不能以任何方式参加私法，但同时在许多例证中，它们与个人却有传统的关系，并且在它们的特殊性质的容许程度以内，作私人主体的行为。如果它在于动作中，由一种私人的动作和保护的关系是个人的，而受一种公众行动所保护的关系是公众的，我们就有了一种极外表的标准，即给法律以力量的方法，这种力量在没有设想出实现手段以先，无所谓公与私。

我们所曾着重的特殊的及普遍的目的，在罗马人对私法及公法的定义上并不完全陌生，前者建筑于私人福利之上，后者建筑于公众福利之上。私人的或一般的功利，常包括于统御人类世界的目的原理或目的论标准之中。要把私法的范围，归为对真正的和适当的福利作一种合理的统制，那是不可能的，因为公法亦抱有同样的目的。由比例平均化或由一种租税的规定而得的权利，伸及真正的福利和一种财产，法律服务的权利或义务。福利为私法的惟一质料，基本上关涉一种财产价值的权利。无论其主体之为一私人、一道德的实体或一国家，它给予法律关系以特殊的特征。例如，一个公民对不公正支付的税有要求赔偿的权利，如国家得享有出卖或出租某种东西的价格，因为在两种例证中，都是一种有经济价值的福利的问题。选举权、良心的自由和国家征纳税收的权利，都不是私权，不含经济的福利，而是广义的福利或利益。这是加巴（Gabba）的理论，他指出相信私权仅出自自愿的和契约的行为之错误。它由这种行为所产生，但它的起源，却亦见于单独的合法及不合法行为中，甚至见于公法中。损害一经发生，即使是超契约的，在受害者中即产生一种私权；赔偿的责任（如果国家收用时，国家为公众福利应负责任）与一个财货被剥夺的人具有私权或经济权利相应。

八十九、个人与社会人是密切地互相贯通的

当然在私法中特殊的意志居于显著的地位，它的范围以为任意法所束缚为限，但也不应相信个别的福利便是排外的和唯我的，因为人乃生活于社会之中，因之，他的意志须受一般意志的限制，他的利益为全体利益所调剂。相反，一般意志在公法中居于命令的地位。它不受经特殊协议而起的修正。在公法中，凡有行使能力的人就有使用它的义务，这个原理是严格的。但也并不是在所有的例证中皆同样的严切，在公法中并无行使选举权利的

义务。事实上私法与公法之间，并无数学地固定的疆界，因为法律的发展包括所有人、个人和社会。具体中的私人与集体是分不开的。

九十、法律是历史的

对于私法及公法中顺序的方法有各种的意见，斯督克注意在法律两部门中的方法，与立法者心理的性质，和由主体、客体及权利的获得、行使和丧失的绝对特征而形成的观念的同列，不能脱离。不过在私法中，形式的因素、一般化的活动和方法的程序（后者在于连结法律的原则与人性）占优势，因之私关系是很简单很典型的。另一方面在公法中，历史的因素曾有一种大发展，变异性居于显著地位，因之逻辑理论因素的系统化，乃不若追索事实之重要，而居于次要的地位。拉班特（Laband）[1] 说民法的方法在格律中是强的，在公法中它们便不大重要。我们对于民法的观念，必先予以一番考查，因为必须将为私法所特具的所有特殊因素和特质，一起排除。

现在，如密切注视这两种的意见，和把惟一可归于成文法和它技术结构的观念丢开，我们必须记得法律无论其为私的、公的或国际的，总常是一种人类的观念，那就是说，一种在历史中发展的理想原理，并不包含于一种单纯的逻辑结构之中。我们必须视它为一种真实的活动的形成体，它常根据于人性之上，可由此而解释所有各民族生活（构成历史的全景）中的它的丰富状态及形式。因之在研究法律中，不能把历史的因素与理性的因素分开。假使说在私法中总括化的活动较为发展，形式的部分较为显著，并不就是说法律的这一部门不是一种历史的形成体，只是说所注意的关系，不若公法中的那样复杂和富于变化。假使我们承

---

[1] 一译为"拉邦德"。——勘校者注

认私法中的关系比较少复杂和少变化，那么形式因素之优势，将不至惹起我们的惊异。另一方面，公法先假定较高级、广泛不变的关系，因之显然形式的因素和总括的活动比较少显著，虽说这一种关系也是根据于人性的共通原理。如果公法的关系更为高级，包括新的因素，则私法中的简单概念在公法中就没有多大轻重。继由确切化和完全化而产生的真实演化的运动，它们即将被廓清。换言之，应该有一种变化。因之它们的廓清，乃是已失去它价值的东西的减免和新东西的增加。民法在这一种工作中曾经活动，曾有深切的改变。

九十一、私法之五种范畴

演化的法则，在以一般形式示明的关系的范畴中可以观察出来。每一种法律关系，要求一个主体和一个客体。人是主体，是权利及义务的主体。由于他性质的必然，他受推促而将外物屈从于他的意志之下，为了要使必须及有用的物体有继续的互相往来的交换，乃使他自己与别人发生连系。接着这个，乃有私法中的五种范畴：人格法律、财产法律、义务法律、家庭法律及遗传法律。显然遗传的观念建筑于家族的观念之上，而家族的观念，又转而建筑于关于事物或个人关系发展的一种活动的观念之上；这一种活动可以归至人自身的原理，是每一种法律关系系统之开始和根基。

九十二、民法及商法

私法分为民法与商法。商法为私法的一种形式，私法与义务的权利有适当的关联，因为它的关系包纳自个人意志而得且与集体目的和谐的特殊目的与手段。商法之需要，因为日常生活之原理和商业之特殊规则，可以予商业生活以便利性、敏捷性和巩固性，它是特殊的，但不是例外或特权的，适用于所有的商业行为和全体的商人。

九十三、公法

家族乃是国家的胞体，是高级和完全的人类结合。现在我们必须先明示国家的基本结构，次则它的性质、它的行政以及特别由行政权力及政府所担负的行动。国家有执行法律的义务，以防止任何趋向违反它训诫的行为。同样，它也有决定程序为两造宣布法律，及为社会利益而惩处违犯者的义务。从此可以看出，公法的范畴，广义的说来是宪法的、行政的、刑法的、司法的或程序的法律。严格地说，公法包括宪法和国家的行政。程序法，先假定私法、公法及刑法的存在，因之乃最为复杂。刑法先假定国家的组织和一切法令，如有违反此种法令者，即由它处理。行政法对宪法的关系，亦犹如功能之与结构；但公法之最简单的关系乃是宪法的。这并不是说，对于宪法理论中的职能，全不加以注意。这种理论之中诚然有功能，但它们都是政治性质的。当我们说宪法的目的为国家的结构，而行政法为处理国家的职务时，并不把结构排除之于行政以外，而是以一般的方式说明宪法主要的是静态的，而行政法则较为动态的。

九十四、国际法

一般地说，国际法统御国家间的关系或一国公民与另一国公民间的关系，自身份成公法与私法两部分。国际公法包括国际人，他们的所有、义务及行为等范畴。行为的权利与战争的权利和中立及和平的权利是同一的，战争包括国家间的争执和消灭及解决争执的方法。在这一方面我们可以注意自不大复杂的至较为复杂的间之进步，因为战争先假定和平的常况，各国间根据于国格之上的财产权及义务的存在。因为属于不同国家的个人关系，根据于民族的共同性质。它们的共存与团结之上的最高级的原理，所以国际私法之不能使人相信先于国际公法，正与证明私法先于公法的理由相同。但我们不能承认国际私法与私法绝对的相同；那就是说，国际私法先于国家公法。私法本质上是国家的，它由各国的立法者所执行，而国际私法乃是国外的，一由民族的一般意志所推动；另一在应用之时需要他一民族之公开或默然的同意。私法因国民意识的不同而有差别；国际私法为对国家所陌生的法令或法律的适用性，在发生争执之时，它趋向于建立同一的轨范。

关于私法三分法的最后一种观察，由盖尤斯所提出而为查士丁尼所着重：即认为法律之全体可分为属人的部分、属物的部分、属诉讼的部分。有许多次曾经指出，它并无理性的价值，因为它并不根据于法律关系的基本性质，而有把家族关系并入私人权利，把遗传并入财产权利，把程序并入行为法则的弊病。但三分法对于制度前来源之法律区分，却有很大的历史价值。罗马法典编纂委员（Decemvirs）第一表有一定数目的程序规则（传讯De in jus vocando）。罗马护卫军的书谕亦以关于同一主题的名号"诉讼"开始。罗马法典以法律之若干一般的命题开始，提供具有不同名目及法权之帝国官员的描写，与法典编纂委员第一表同一题材的第二书的第四名目 De in jus vocando 即由此而来。从而可以看出，来源之起处即盖尤斯和查士丁尼的终处。梅因在他早前提过的书中，追究这种和原始法律的记录两者间的相同，表示出这一点上的大相同，因为《撒里克法典》（Lex Salica）[1] 开始即说到一个法院中的引证和凭契。爱尔兰法律的特点即其一大部分专论程序，程序之原则是司法权的由协定的原来行为，缮写而呈于法官之前。摩奴（Manu）及内拉达（Nerada）法典先述法官及程序，只后来才论及法律及可为诉讼题材的东西。无疑在

---

[1] 原书译为"沙利加律"，为法兰克王国时期的立法，也为最重要的日耳曼蛮族法典之一。——勘校者注

最初，审判权之组织及程序有非常的重要性，因为为了使人服从，和形成一种法律意义的质料自有组成习惯的必要。惩罚和法官的观念，对于文明开始时的人民意识有极大的影响。当服从的习惯一经形成，法律的支配一经建立，社会的合伙结合了，心灵发展了，惩罚及法官的观念成为习例，将如边沁所说，成为法律关系本身的仪则、实质法的一大支持力量。盖尤斯的三分法，代表这个第二方面，表明超过旧法律系统的一种观念的进步。

第七章　主要法律定义
之批判的分析

九十五、两种的定义

关于法律机构的主要定义，不是关于法律的合情的内容，就是关于它的合理的形式。在前者中我们必须提到霍布斯、斯宾挪莎、卢梭、功利主义者及实证主义者的定义，在后者中我们必须提到康德及赫尔巴特的定义。所有这些定义，都仅表示出充分理解的法律观念之一种特征因素而已。

九十六、霍布斯的法律定义

霍布斯接着培根，申述宇宙之间除物质和运动外，便一无所有；思想与情感可以互相交换；而我们的内部秩序的现象，可以用联想的法则来解释。他在《政治论巨灵》中所推阐的伦理概念，以自卫的趋势，为正义、感恩和虔敬等义务的基础；由于实践那种义务才避免了人人相恶的一般斗争。在自然状态之下，每一个人都有任意作为的权利，因之就有人与人相争之一般的斗争，强力是决定是非的方法。在此种状态之中，并无确定的相互对等关系，因亦无义务可言。由于无限制的恐怖、自卫的趋势和保护荣誉的需要，才强使人们成立了一个基本的协定，由这个协定中产生出一种绝对的权力，听它来决定正义和荣誉。这种绝对的权力，后来又经宗教信仰所认许。因之，依照霍布斯说，法律自身并不是一种伦理的原则，而是与伦理学一样，乃是用以终止一切人类所从事的可怖斗争的一种外界的工具。最后的分析起来，又回复到斯拉昔马殊（Thrasimachus）的思想，后者视正义为最强者之权力，而不问正义的真正价值和道德性质。柏拉图反对斯拉昔马殊的主张，认为权力之作用在于保护弱者，并举医生对于病人的权力和船长对于船上旅客的权力为例。霍布斯的学说，虽然侧重于荣誉的保护，表示出某一种高等的因素，但它确立了本能的优势（经伦理上打算的帮助），从受情感压迫之心理状态中推求法律的出处，企图由荏弱或恐惧的盲目势力，建立一种法律的系统。当然法律不应荏弱，不应为无刀为后盾的尺度。它应该有威力，但不足以因而使我们相信的本质就是怯懦的恫喝。不过，霍布斯注重法律关于保护人性中伦理及社会因素的一面，是值得称许的。

九十七、斯宾挪莎的法律定义

斯宾挪莎在他《用几何学说明伦理学》及《宗教国家论》两书中所下的法律定义，在一方面与霍布斯的学说极其相近。斯宾挪莎把"思想"和"扩延"统一为实体的一种超然和积极的成分，作为"自因"（causa sui）的；他认为一切皆自这两种无限的赋性发展而出，他把它们同宇宙或物之总和（natura naturata）加以区别，后者的特殊对象是单纯的方法和想像的对象。实体就是上帝。实体是绝对的，不受一切有限事物所决定，自身就是自身的原因，因之是自由的，只有上帝是自由的，人是不自由的，他的存在不是由于他性质的独有的必然，而只是一种方法，因其为方法，所以是受他种方法所限制和决定。人是一种具有自由幻像的自然势力。热情、欲望和嗜好支配着人的行动。法律并非由理性而由嗜欲所产生。法律是种人性的势力——一种与使一切事物存在和维持其存在的相同的力量。自然的势力就是自然的法则。上帝是万能的，有支配一切的权利，在因情欲而产生的人间的斗争中，一个人的势力因别人的力量而中和，由此其力量即归抵消，因之乃无安全可言。由于保全一个人自己的力量的需要，于是乎有了结合，在结合本身中的个人的力量，因权利之增加而亦有所增加。国家，是最庞大的结合，似乎是全能的，倾向于保障安全的共存状态。因之在这个理论中，法律并非一种伦理的原则，而是出于受同意所支持，通过威力、机械的因果关系，及自然势力而发生作用的自卫趋向所产生。此处，国家也就是一个绝对的帝国，它的目的，即在于终止由贪念和情欲而生的人间的斗争。自然的势力，在法律的发展中虽然能与法律协力同行，和使之有效力，尤其如果得有同意支持的时候，但就自然势力本身言，却不能即成为法律。当法律在一种结合中实现时，它才因它的实现性而获得力量，"力因结合而增强"，但斯宾挪莎自相矛盾地又提出了若干修正前面发挥的学说和充分合于真理的概念。

我们应该注意这些概念，像得塔利奥在《斯宾挪莎的法律概念论》中所注意的，因为它们代表珍贵的真理的胚种。如果斯宾挪莎否认人有自由，另一方面他却不得不承认人是具有自由的，因为人由体质与心灵所组成，而心灵是不可毁灭的，它分有实体的终久不朽性，把一切事物推因于上帝。他有支配实情、欲望、嗜好的能力，支配它们的功夫愈深，意志愈提高愈净化，即与上帝愈切近，在这一点上，人便达到了他的目的，他的"默识"（acquiescentia）和意志乃和上帝的一样自由。布鲁诺在他的"Eroici Furori"一书中，也同样推阐着精神自由及其与上帝结合的概念。根据斯宾挪莎思想的这个新方面而言，法律不是一种自然的和机械的势力，而是人用以接近其合理目的之一种潜能（potentia）。这种目的，在普通生活中和在国家（建筑于理性之上的一种联合）中是可以获得的。"法律并不是自然的权力，却是基于理性，而此理性，却是社会共同生活与国家的目的。"斯宾挪莎更申说："国家之最大目的为自由。"

九十八、卢梭的法律定义

卢梭在他的《民约论》[1] 中，以不可让与的自由原则为出发点。根据这样一种的原则，他想解决下面的问题，即找出某一种的政治结合，在这种结合中，自由是不可让与的，每一个人服从国家，即等于服从自己，个人为社会的利益，完全和交互放弃全部个人的权利；从这种结合，乃产生用自由同意的方式支配全体或个别意志的普遍意志，而形成不可让与、不可分割、不可代表的主权。由多数票所表现的普遍意志，是法律的根源，因之法律可以归源到多数者的决议。卢梭的普遍意志，本质上既与理性没有关涉，最高的伦理观念遂为群众的放纵和逸乐所代替，而与根据人之道德本性继续权衡利益大小轻重者不同；而实际上法律即就人的道德本性。在这一方面之下，卢梭的定义，乃论法律之合情的内容。这个定义中准确的部分，乃是如以前罗马人所说过的人民全体的共同意思（reipublic? sponsio），他们认为法律或多数人之意志，是人民生活中法律的具体和有效的表现。

九十九、功利主义的法律定义

诡辩学派，攸多克萨斯（Eudoxus）、伊壁鸠鲁、爱尔法修、边沁、穆勒都是功利主义的伟大代表。他们都企图在快乐与痛苦中求得道德的真理和正义，从特殊的个别利益出发，而达到一般的利益。霍布斯和洛克虽不常为人称做功利主义哲学家，也表示出同样的倾向。到了穆勒，对于他所采取的这种学说，我们才有了一种真正的科学的说明。在他的《功利主义》一书中，他否

---

〔1〕　即《社会契约论》。——勘校者注

认道德根据于理性和先验的因素之上，遵从经验的和归纳的理论，乃是根据于快乐的感觉。快乐的感觉概括化时，就形成为功利或实用的观念；经验增加于行为的惟一目的，就是快乐，或一种脱免苦痛和在数量及品质方面皆有丰富享受的生活。享受的品质和它的数量，只有在因有机会和嗜好而具有比较的方法者的倾向上，始能发现。快乐是真实的，而且是惟一的善。人之希望具有品德，最初仅视之为获得快乐的一种方法，以后品德本身才成了可欲的东西，正好比一个人为了希望得到偿报而示惠于人，但以后就习惯而成为当然。但除非私人的利益和公众的利益一致，即不能达到完全的快乐。个人的利益如果没有他侪辈的护持，没有全体的帮助，便不能有大规模及安全的发展。一般的利益是发展私人利益的必要条件，同时也是私人利益的一种保障。从此乃有行为善恶的差别，行为而可以促进全体利益者，就是善的行为，行为而可以妨碍全体的利益者，就是恶的行为。这种知识是逐渐点滴发展的，以同样方式乃有道德情操的出现。它的因素包括愿与侪辈和好相处的本能的欲望，人类休戚相关及维持自我状态之不可能的概念，与他人合作的习惯，以及文明的影响，在文明中发现出义务的原则和自然法则的基础。

功利的观念与正义的观念并不冲突，后者乃是前者的一部分。正义（jussum）一词的语源，显示出这样一种观念的根源，是立法的规定。法律制定的观念，先于正义的观念，后者的内容是最为切迫的和必要的功利。因之，所有正义的事件的确都就是功利的事件，但其中最迫促的，都是出于人类需要的事件。正义的观念，包括有三种的观念：一，合于某种社会惯例的行为；二，惩戒违反社会惯例行为之法律；和三，由法律所给予、由法律所保护的某种人的权利，如果违反法律，即课以一种惩罚。与这一种正义观念相应的，有一种复杂的情操，它是自卫冲动及同情倾向所结合的结果。第一种冲动，产生一种因加于自己身上的攻击而起的愤恨，后一种倾向，引起对加于他人身上的攻击而起的愤恨。我们常希望危害他人的人，身受他自己所造的危害的痛苦。这种的情操，加上上述的三种观念，决定了对不合一般及特殊利益行为的惩戒的限制。

一百、穆勒定义的批评

这个理论的重大缺陷，在于想在逻辑方面，用归纳法求得一切，在伦理方面，想由习惯得到一切。其实大家都知道，归纳法并不能说明理论原则的必要性和普遍性，而习惯则常是一种机械的不自觉的连续行为，不能产生出义务或伦理的必然性来。在穆勒的心中，对品德本身的追求，公正不偏，牺牲，等等，都是心理习惯的结果。义务者，就是组成道德情操各因素之继续和有力联合的结果。一个人自己利益以及别人和全体利益间的调和，也是同样原因的结果。伦理学的惟一原则，是诸心理状态的内部联合，只为趋向快乐憎恶痛苦的倾向所调节，与理性并无固有的联系。事实上，这种精神的享受，如知识、自由和独立，我们之所以要享受它们，并不是在于它们的实质的利益，而在于它们的精神（情绪）的力量以及增加一个人快乐的或然性。这种利益的偏好，在穆勒看来似乎只是一个趣味的问题，只有对各色各种享受具有特殊体验的人才能加以决定。我们不妨注意，为满足享受而培植的心理活动，可以为了思想产生快乐，因而使一人设想过火，反把它们毁了。但必须记牢，穆勒在有几处说得很明白，偏好的原因，乃在于人类尊严的观念或情操；假使他们思想的话，每人都能够领悟及珍视这一种的利益。这样一种的自由，穆勒舍弃了他的系统，在他采取一种比经验的快乐论（empirical eude-monism）为优越的原则时显出了一种矛盾。但穆勒对于这一点的思想是动摇的，即使人类尊严及较高级利益的观念，亦有赖于情操的品质；这种情形发生于多数情形中；因之矛盾并无永久的性质。

在穆勒，不像边沁那样，把私人及一般公利的调和当作事实，而把它作为内部（精神）状态的一种联合所创造的需要，是一种进步的心理习惯的基础。追求全体福利以及个人自己利益的义务，别无其他的基础，因之理性及道德的必然性乃与心理的必然性互通。但对于如何自一个人自己的福利而引导至别人的福利，中间的过程问题，却仍旧没有解决，因为快乐是一种绝对属于身受的人所有的状态，把快乐加以概括化，乃产生功利的观念。快乐是不固定的，变化最多，受神经系统及各种基本感觉的无定限的改变。一个人的快乐绝不是别人的快乐，同一的快乐，享受者每次所感的也不全相同。在这种方式中，没有自利我主义转变至博爱主义的路径。并且以谓人类的整个欲性，皆集中于快乐一事之上，实际上并不准确，因为本能的活动，在它初次出现之时，初无快乐作它的先导，人类从不缺乏自存及由爱而在他人心中再生存下去的倾向。在穆勒看来，法律是积极性法律和惩罚的产儿，虽然它的内容着重另一种更高级的原则。必要的福利，最后分析起来，应该由理性所承认，因为只有后者才有确定"正当的需要"（suum necessarium）的资格。但在穆勒的思想学说中，最迫切的福利是由感情的量及深度来评断的，而是立法者方面试验和积极估算的结果。在组成正义的两种基本的和自然的情操之中，没有一种包含有组成法律的精密的度量或均衡。为恶而作恶的自私冲动，确然是不道德的，但如果一种同情心，其根据的固定和平等的标准，因本人与受害者关系而异，这一种同情心，也同样不合于道德。

一百零一、功利主义为法律的材料

虽有上面所述的种种缺点，功利主义包含有一部分的真理，因为福利（如果不作为一种原则）当然是法律的内容或质料，正如意国派哲学家及法学家所一向常设想的。罗马的法学者申说"福利"（utilitas）是民法的基础，公法和私法的区别，即在于前者以公众的福利为重，后者以个别的福利为重；但福利依照彼狄斯（Pedius）说仅为"发生物的权利"，因为法律的基础为"自然物"、"自然人"、"自然比率"。在罗马人中，虽然以重实践轻玄想的方法讨论法律的各方面，但仍保持某一种伦理的性质，那是从"美善、衡平、善意、良德或美德"而来，而是依据如执政官（prötura）、户籍官（censura morum）等制度的性质之上。经院学派说法律应该发展共同的福利。在布鲁诺的心中，法律应为真理之神圣阳光所烛照，应该趋向于有用。维科认法律为功利的一种准衡。罗马诺西与哲诺未西、斯配达里利及拉姆普累提同意，将法律解释为一种合于道德秩序的功利制度。洛斯米尼视之为一种受道德法则所保护的求幸福的能力。

一百零二、对功利主义的批评

梅因对于边沁的历史理论，表示异议。依照后者的说法，不同的社会，为合于它们的改变的一般福利的观念，各有不同的法律；因为依照梅因看来，福利诚然是促致变迁的一种有力的原因，但非惟一的原因，变迁实受与功利概念与倾向不同的新观念及情操的影响所促成。梅因的批评，以谓新的观念和情操常可追原到对福利的新了解形式和新的福利观念，是确实的，值得考虑，可供作有力的考核。当然所有的人类和社会，都期望至善，要是把为了善本身而期求善，及为了用处而期求善合混起来，则我们就无法辨别和承认那种称为功利主义的特殊思想系统了。功利主义是快乐论的一种。它的辨别善恶的标准，只限于（或者主要限于）可感觉的方面、善恶之的程度、看善或恶实现后所产生结果的品质和数量而定。梅因根据别种的理由，对于以边沁的功利主义，作为一种伦理及法律的系统，表示异议，他相信在立法的领域方面，采取这一种系统，并不说在道德的领域就也须加以接受；他相信一个人可以在立法上为功利主义者，而在道德上则非功利主义者，或者包含矛盾，或并不包含矛盾。但在此处边沁并不错，错的倒是梅因。不过可以注意的，正由于他所注意的对象的性质，在于将福利作为一种材料，所以在法律研究中不得不讨论到伦理学中的非功利现象。

一百零三、斯宾塞的演化说

斯宾塞在他的《伦理学的基准事实》一书中，与边沁及穆勒同意，承认行为之目的在于快乐或福利，但并不采取他们用以获得这个结论的方法。这两位哲学家的方法是归纳的。但斯宾塞指出，如果我们不能用演绎法求知一件事实为什么是另一件事实之必然的诱导物的理由和方法，则行为的轨范决非是科学的。经验告诉我们，某种行动产生善果，某种行动产生恶果，和表示出行动的轨范，但并未告诉我们这种缘由的方法或理由。我们必须以一个原则作出发点，这个原则，可以做人及所有生物之物质及道德生活的一切事实的根据。这个原则就是"力的持续"（persistency of force）。每种存在物都倾向于维持它的力之均衡，及抵抗破坏均衡的因素。存在物之集合及取得享受的能力，它的发展与存在物对外界环境的适应能力成正比关系。但适应是行为的法则。所有有知觉生物的行为的目的，即在于保持他们的个人及种族的生存和共存。共存代表同类的互助，要是一种行为，不能完成共存的目标，亦即不能完成前两种目标。只有在人类中，这三种目标的和谐关系有最完善的发展，因之个人福利与公众福利的相合，实为生物法则之一种不可避免的结果。人和他的行为，是内部及外部力量间许多次适应的最后产物。

一个人如果想到伦理法则和生理法则之如何紧密的结合一

起，没有一个能感到惊异。自印象中产生出感觉及交替动作；感觉有快乐的、苦痛的，就人为有知觉的生物而论，他具有伸长前者的时间和停止后者的倾向。因为觉得共同生活是愉快的，共同生活的伟大的福利性就被发现了。因而就形成了社会的倾向，经过长期的习俗及遗传，它变而成为一种本能。从社会的本能，就产生出在同情心总名之下的各种情绪。同情心是使个人生存之最大发展成为可能的一种协意和合作。从这样一种冲动所产生的行为，需要复杂的表现，而自私心所产生的行为，具有即前的目的，那就是享受目前的快乐和逃避逼迫的祸害，因此预定是单纯的表现。从这一组倚赖社会状况的自私的动机，例如对复仇、法律或舆论的恐惧，又有另一类包含于行动之非偶然的、非外来的而是自然的结果之中的动机，例如悲苦、羞愧、不愿个人自己的福利而对其邻人、对他的幸福的伤害，这种发展习惯及遗传等动机的复杂性，成为道德的情操，不受以一种威权为根据的动机的支配。我们越看到同侪的快乐，社会越自军事的变为工业的，同情也越自增加。在初期，社会专致意于自己的生存，对于个人的发展，仅加以次要的注意，它正忙于为自卫的战争和奋斗。后来社会变成为工业的，它的生命所受的威胁减少，其存在得有保障；到了此时，保护各不同劳作范围内个人的行动，才成了它的主要目的。因此，人类的行为，结局乃由一种自我的利他主义所统御。

一百零四、斯宾塞理论的批评

研究斯宾塞学说的人，所观察到的第一件事，便是归纳的或演绎的功利主义实质上并无异至，两者都显出感觉违反内部秩序及生存之真价值，而倾向于超越理性之优势，假使它遇到多人的赞许，这是因为它合于多数人的所习熟的作为，并非由于合他们应该行的作为。追求快乐避免痛苦的单纯的嗜欲的倾向，决不能藉习惯、遗传或者一般藉最大的多变化的适应，忽而变成为道德的法则和义务。第一，所有这种因素都缺乏伦理法则与义务的必然的和普遍的性质；这种特征，非仅思考所能给予，也非追求它的本质深度之人所能发现。联念及适应，并未领我们脱出心理学的精神必然性的领域。

因之，在斯宾塞的系统中，我们可以注意到我们在穆勒的学说中早已指出的精神必然性的领域。因之，在斯宾塞的系统中，我们可以注意到我们在穆勒的学说中早已指出的东西：义务根据于更为复杂和更为代表的情绪之更大的效率，那就是说根据于情操的品质。自身的适应，决不能是人类行为的最高法则，因为，道德固然是在日常生活中所发展，和应该感到它的影响，但说道德受自身的存在和由理性所示的原则所统御，也是同样的准确。理性供给人以准则，在这种准则以内，可以考虑个人及社会的特殊情况，使个人的利益与公众的福利并合。不过准则的限度，不能完全由环境所决定；它们也不能完全是外部的。适应的学说，不能推演为真实的伦理的动力，真实伦理动力能为时代的先驱，和着重有待实现的高尚的理想，因为适应学说带有一种政治的性质，它把在假定的社会状况之下与个人利益在某种程度相合的倾向别人之幸福的行为，称之为善。它也不曾解决快乐变为一般福利的问题，因为快乐保持它的自私和排外的性质，除非凭借一种高级的原则，这种自私和排外性不能加以调和和修正。

斯宾塞在私人利益及公众利益相对立之两极之间，发生一种和谐的关系，并且以保持个体、发展种族和共同存在这三种目标的混合，转变而成为一种生命的自然法则。但他并不能因此而创造出伦理的必然性，伦理的必然实在是思想的惟一产物。为了要得到义务及权利的观念，就必须使理性推进和发展，不能把理性改变或贬低为一种依赖感觉倾向的利益的估算。所有的功利主义者、现代的实证论者和唯物论者，都把法律的基础置于生命的事实之上，置于种族的和社会本能的有机要求之上，因之都未能予它的原则以一个真正的说明。生活之需要和它的用处是道德及法律的材料，没有人怀疑；也没有人怀疑社会本能、共同信仰、习惯、遗传之为正义及品德的条件，这几种因素成为日常生存的伟大的联络组织。问题乃在这种因素的形式和它们的不能在理性以外所发现的原则。古人曾谈到一种用意在于满足生命直接需要、自卫、男女的结合、繁殖及儿女的培养的根本法则。在这种根本法则中，那就是斯多葛学派所说的"自然的先决条件"中，如维科所说，人类期望他自己的生存。但他们也注重一种"次要的或间接"的法则，那就是斯多葛学派所谓的"自然的后果"，在其中，如维科所说，理性是支配的力量，人类期求着知识。从自然法则而来的这一部分，是更为直觉的，和统驭着第一部分，给它以坚实的特性。在这种差别中，我们又可看出我们所视为最先的和在自然所视为最先的之间的亚里士多德学派所说的差别。对于我们，感觉占第一的位置，对于自然，则为理性。现在我们必须找出这个自身第一的基本原则。

一百零五、斯宾塞的人类下正义说

斯宾塞在新近的《公道》一书中，推阐他的伦理法律观念。他把道德法则与宇宙之最普遍的法则相连起来，使伦理学成为更演绎的，在这个理论以后，他开始就说到一种动物的道德和一种人类下的正义。道德及人类行为是一般行为的一部分，那就是说，是各种存在物的行为全部结果之一部分，各种存在物各自适合它们自己的目标。在兽类之中，比较完善之行为，有促进更长、更丰富、更完全的生活的趋势；而与保障及绵延种族的两种原则发生关系。第一，后嗣在尚不能自行照顾以前，有自然的保护；第二，成熟者应该理会他自己的作为的利害关系。人类下正义的意思，是指每一个体皆受他性质和状况的结果所支配。它因组织的进步而进步。一切存在物之基本法则，是行为及结果间关系之法则。接着就有（本质上相同的）另一种规定限度的普通生活的法则。第二种法则，命令一个人用以追求利益避免祸害的行为，应该受必要的限制，就是要使同侪方面亦有施同样行为的自由。于是乃有第三法则。以限制第一种法则之应用，在某种环境之下须为种族而牺牲个体。人类不正义是人类下正义的发展。根本上和本质上，两者具同一的性质，都是一个整体的部分。

一般地说起来，正义的特征，在于把自己的利益置于关系的社会限度，及种族或社会健康的联系之下。在各种为演进产物的社会情操中，可以发现出正义的情操。正义乃是自私情操的灭绝，一种动物在抵抗对它自然生活的行为所加的限制时，便发生了自私的情操；正义也可以变成为利他行为的目标，利他行为多少先须有同情心的丰富的发展，与自动合作的情境有更适合的关联。但在正义的真正利他情操发展以前，先有"近利他"情操（pro – altruistic sentiments），它是真正利他情操的发展的条件，包含真正利他情操的胚胎，例如报复、嫉恨、复仇及苦痛的畏惧。正义的情绪，免不了和正义观念发生密切的关系，正义观念者，乃是它的标准。这种观念，有两种因素，一是积极的，一是消灭的。第一是创造出不平等的自由，因为个体如有不同程度的优劣，即应受各别的待遇；消极的因素，是每一个体活动范围的限制，由此每人都被认为平等。由正义观念所统括的法律的根本原则，非归纳的产果，而为"先验的"真理（a priori truth）——数百代相传下来的经验。经验的功利主义者夸张归纳的力量，对于任何必须设定的它的主要观念，都不能加以把握。个人及全体皆应趋向于全部的幸福，以及各人皆有享受幸福的同等权利，这种观念皆非演绎的，而为先验的。成文的法律即根据这种正义的原则而订制。

一百零六、对斯宾塞人类下正义说的批评

斯宾塞的《公道》一书，并没有改变他在《伦理学的基准事实》中所包括的理论，结果批评可以同样适用于二者。如果义务不能由嗜欲的倾向、习惯、遗传或心理的联念而产生，它决然不能自动物生活中求得。一种道德的动物是不可设想的，因为动物决不能了解一种有必然性及普遍性的义务，必然性、普遍性乃是理性的惟一产物。即使斯宾塞也承认，人类的理性，加上知识和自由意志才能认识个人之均一和生活之必需，成为道德与法律的基础。义务正是人类所知道、所珍贵、所期望的东西的必然性。所谓兽类的义务，是全无意义的，因为兽类并无真正的知识或自由的意志。这个浮泛的语词，常用以叙述兽类有机的要求或习惯及驯养的结果。事实上并无人类下正义的存在，因为正义乃是一种品德。它是一种凭借知识和自由意志，以实现理性法则的习惯；这种理性法则的作用，在于权衡属于人性本身的各种利益和权衡人性个别表现方法（个人的、社会的及集体的形式）中的利益的轻重大小。义务和正义都是在演化中呈现的事实，并不是一下便有力地出现在人及人类社会生活之前。两者因为皆为突现而非合成的事实，所以皆是特殊的产物；它们各有自己的特性和原理，这种原理，只能由抽象和不定的方式，始可归纳为宇宙之共同的特性和普遍的法则。正义之自利及利他的情操，其建筑于人性之上，亦如正义观念之两种因素（自由及个人活动之交互限制）之建筑于人性相同。一个野兽在它精力发展遭遇阻碍时的感情，与一个人在剥夺他的能力时的愤怒，是两样东西，物种的利他情操，与因认识了人与社会间性质的一致而产生的利他情操，是不同的；后者乃是智慧与意志的合作。可以解释的自由，显然是一种与兽类的能力不同，而且比兽类能力更高级的原

理，也是更超乎自我和自然性的感觉。对一切兽类分子的生活限制，与人类生存中所包含的社会联系制度，完全不同。

斯宾塞因为不能看出演化运动中的特殊分化，因之就犯了把属于演进程序中不同范畴的事实和观念，混在一起的错误。他把有机体的要求、自然之盲目的和必然的趋势、严格的自然的适应，与义务、品德与纯粹的人类的事实，混淆起来了。他把人性中的特性和潜在的能力，置于演化程序的最前阶段。他把对子女的本能的爱护及成年兽类禀赋远见的行为，与本乎自由意志成为一种义务且为责任之根源的对后嗣的贤明爱护相提并论。此处我们可以观察出比较的滥用，和对未知因素及态度之矫揉造作的预料，这我们在前面讨论知识的解释时已经注意过了。最后我们必须指出，斯宾塞回复到康德所下的法律定义。他说他的思想之与康德相合，完全出于偶然，在一八五〇年他写《社会静学》时，他并不晓得康德关于法律原理的著作，到很多年以后，他才发现有康德著作的存在。康德与斯宾塞间惟一的真正差别在于这一点：康德在他期望为法律下定义时，他的目光没有超越人类世界抽象概念以外，而斯宾塞发现出一种道德的兽类和一种人类下的正义。我们将在下面看到，康德绝不承认这种伦理学的企图。

一百零七、理性为演化的产物

毫无疑义道德必须先假定生物学和联念。联念提高生命的力量，和成为一种更高系统之事实的直接条件，那就是历史的发展。历史就是人类种族的生活纪录。由于人类性质的演化，乃引导而产生思想，世界中最伟大之动力。现在，即使是实证论者，也并不以谓对于现在社会环境的适应包括伦理学的全部，他们承认历史的进步和一种与人类生活之完善的观念日相切近的趋势。在他们看来，伦理学是一种不仅追求道德事实的法则的实践科学，而且是决定改变道德事实的最好方法、以求达到在当前尚未实现的完善的实践科学。这种伦理学的革新和趋向完善的工作，代表从自然和从现存事实的解脱，如安圭利所指出的。它为自由作先容。机械的必然性和机会，把我们行动中的道德价值一起剥夺了。一种科学的定命论，其实就在它概念之中，即包括有内在的变异的力量。这样一种的力量，最初是出于自然的，接着就变为自觉的活动，趋向于社会生活进步的目的。历史的经验和文化的影响如增加，由参照理想的未来和珍视现有状态而产生的改变行动动机的力量在个人和社会也就增加。此处即为自由之真正的根源。但如无认识的活动和思考，即不能充分了解自由，认识的活动思考成为和增加主体在冲动时的适当的能力。自由乃根据于理性之上，后者可以由历史经验的累积而说明，但并非是历史经验的单纯的结果或全部。

康德的法律定义，我们前面已经说过，是以法律的抽象的合理形式为对象的定义中之一种，在此处我们可以加述，他的信徒斐希特和赫尔巴特的定义，也属于同一类。康德指出知识是一种极复杂的事实，是一种并合感觉的及智慧的因素的结果，必须视之为完整的全体，不能如洛克及来布尼兹那样，仅讨论它的若干部分，洛克只注意于知识的一部分、感觉，而期望解决知识的问题，另一方面，来布尼兹将他的全部学说，根据于另种心理因素之上。依照康德，由于应用适用于经验的直觉之单纯概念，知识或经验是可能的。这种概念并不是固有的、美丽的，出于造作的，它们是心灵之本来的作用，而是我们的精神之认识的活动。它们称为范畴，因为它们是征集现象的枢要，故非由经验所产生；所谓现象就是指事物的外相。它们不是常在变迁的、具体的和经验的知识之函数，而是不变的、超绝的、知识的函数。因之经验就先得假定范畴的存在、唯范畴使思想成为可能。如果这是经验的性质，即可知人之心灵并不能知道物之本身，即本体，只能知道它们的外形，即现象。在他的《纯粹理性批判》中，他处理知识的问题，把知识归纳为两种主要的因素：感觉与先验的作用。在他的《实践理性批判》中，他处理道德的问题，后者在于感觉所示的两极端和道德法则之中。他首先把那种以伦理决定的动机在于物质的实践原理，一切加以排弃为合于这种实践原理起见，道德行为之价值，乃由它们的结果，由对它们结果之估算所衡量。意志之惟一动机为快乐，伦理学之基础纯粹为经验的性质。从这类的原则以推寻源流的他律的思想系统，例如快乐主义及功利主义，因为建筑于本性为偶然及特殊的条件之上，所以不能解释道德的、必要的及普遍的原则。因之，当一种理性的因素提高为一种原理时，往往构成为一种他律的思想系统（例如当把广义的以及与人类较高级赋能保持和谐关系的快乐，作为一种原理时），因为一种行为乃在于满足一种外部的幸福论的理由或一种经验的动机，而品德成了实际审慎之准则的结果。

在康德看来，真正的道德需要一种由纯粹形式法则所自律的意志。意志可以给自身以法则，因为他是自由的，独立于感觉世界的决定原因以外。意志给予自身以法则的特性，使它自己与外界对象分离，那就是自主性。自主的意志，即道德之不可或缺的条件，无论哪一部分都是由自己所决定，是自足的，不借助于外象。因之，法律乃意志所产生，同时因为法律是纯粹形式，所以它是惟一直接决定意志的因素。吉阿丕利（Chiappelli）在《伦理原理的形态论》中说，依照康德，道德原则应为可以适用于全部理性的一种共通法则。它应该是普遍的、必要的，并且具有一种命令的性质，并非为便于行为之目标及结果的假设的命令，而是无上的和绝对的命令。法则存在于为意志所已决定的东西之中，其决定并不出于外部的目的，而出于为法则所包含的和谐与功利。法则必须无条件的服从，但在知识中，范畴除非应用于直觉，便没有价值可言。自我不至由于没有范畴而成为盲目，不至没有直觉而成空虚。康德联合这两个条件，而把视为整个的认识之可能，置于直觉和范畴、感觉和知识的原来综合的统一原则之中。在道德的领域中，这两个条件是绝对相反的，它们并不一致。形式不必经适用于经验的材料，自有其价值。因之在纯粹的理性和实践的理性之间，就缺乏和谐。认识力本质上是现象的和相对的，它不涉及于事物的本身。只有自由意志，才促使我们趋向于本体，即超越感觉的实在：本体并不称为一种物象，也不能使之存在于实践的系统中。由于这一种方法，就产生了自由、灵魂不朽及神三种概念，作为实践理性的条件，那就是道德意识的要求而非知识的要求。纯粹理性包含若干的矛盾，足以毁灭它们的理论的价值。

在预述了这种讨论以后，我们可以说，康德之决定具最大纯粹性的伦理原则，和给予义务以一种无条件的绝对的价值，实值得极大的称誉。康德之伦理学是建设的和必要的，与古代人的叙述的伦理学不同，后者乃建筑于自然及习惯之外部因素上。

一百零八、康德学派伦理学

康德的伦理学是抽象的和形式的，因为道德法则、义务及意志之自主，都缺乏实质的内容。人类不仅具有理性，也具有感觉及嗜欲，但在康德的理论中，却把人完全看作理性，它对于感觉的任何倾向，矜夸地放弃了一切的忠顺。事实上，在意志放弃漠然的态度，与欲望、情感、利益斗争，并把它们征服及转变为理性之时，才能算是自主的。真正的自由，乃是意志之积极活动的结果，并不在于单纯的抽象之中。亚里士多德派的幸福论和康德派的形式主义，在人性完善的一点，有其逻辑上的关联。幸福论给我们以内容，命令的范畴给我们以形式。在这一种融和状态中之快乐，已非康德所辩论反对的伦理学的经验原理，而是将本能及利益处于理性统御之下的必要性的结果。认所有予道德原则以内容的一切系统，皆建立于幸福（快乐）之上，皆可归纳为唯我主义，是不确的。人性有向它目标而进的趋势。这个目标就是善，即是人的纯善。人的目的是他的纯善或福利，因之法律乃包括在他的把感觉的因素屈从于理性之中。这种屈服一经实现，我们就有了快乐（endemon）。快乐是完善的人类行为之必然的附属品，而非意志的动机。目的的观念，乃自人性之基本性质中得来，因之乃具义务的性质，构成为无上命令；它的具体性，当康德说到必须把理性当作根本的而非中间的时，已经说明了。

康德的保含形式的伦理原则的无上命令，其实是没有用处的；它判定一种正当的行为，可以变成为法则，可以作为无论何时无论何地的行为规准，但是它没有说明什么是应该做的。每一种行为的正当性，可以产生出一种普通的准则，但接着并足以证明行为便是道德的。如果这种准则成为普遍的话，行为将成为不可能，显而易见又将不能不求助于不合实际的结果的估计。例如法律禁止定约的背弃；但如果这个法律成为普遍的准则，则根本将无定约的可能。康德自己就用这种方式而辩论，却没有想到他之乞助于行为之结果，而依照他的前提，这原是不允许的。当然普遍性是伦理原则的基本特征，但它就足以成为它全部的起源或质料吗？

一百零九、康德的道德是抽象的

理论的抽象性，在前引的吉阿丕列书中，也从另一方面表示出来了。康德把所有的道德都根据于自明的纯粹意志之上，对于它的具体由来，绝不加以注意。另一方面，亚里士多德深知目的（善与快乐）先得假定只有在共同生活中才可得到的自主，因之，他与其他希腊哲学家一样，结论说伦理学原是政治学的一部分。依照他，除非个人意识与社会意识透彻贯通，道德即不可能。但康德脱离这种立场，而处于主题本身范围以内，不顾它的具体的位置。亚里士多德的思想，在今日已为演化论所复活了，演化论的根据，在以伦理学为政治学之一部和企图说明道德，认它为由于自然的、精神的、遗传的和社会的原因所交合之形成。演化论的伦理学，从道德意识中得到它的基准材料，它说明了道德事实的实际发生，但不能解决道德的问题。道德法则的先验性是与在生物学、历史学及遗传中的先验性大不相同的。道德法则是必要的、普遍的，因其必要与普遍，故不能为经验的结果。但心理范畴及直觉形式的先验性，既不排斥经验知识的组成，因之对于道德之具体及历史的起源而作的演化的及伦理的解释，如果使之成为一种类乎学说的系统，或关于道德意识的材料，就可以加以接受，以补充伦理行为可能性的学说，和补充伦理原则之性质存在于人类目标之中的学说。

一百一十、康德的法律观念是抽象的

在康德的学说中，法律观念是形式的。在他看来，法律是同时存在的多种情形的总和——每一个人的意志及通过一种普遍的自由法则的全体意志的总和，至于这种总和及这种普遍法则的具体性包含的是什么，康德却没有告诉我们。因之法律乃成了一种纯粹抽象的原则，不管事物系序的真实历史关系。洛斯米尼对于康德的法律学说，不过四种观察。第一，任何人期望法律存在于人之共存的可能性中，尚不足成为行动正义性的因素。在增进共存状态的自然法则之下，仍能有一种错误的行为，对于共存状态，人类既无作恶的能力，人就没有作错误行为的道理。第二个观察可以作成下面的公式：即使在不法行为之全部总和将有效地毁坏共存状态时，它们的所以不法，将决不限于那一点而已。不违弃共存状态，并非构成行为及法律正义的因素，而只是它的一种征象，正就是普遍性的特征。第三，普遍性是很混糊的，有加以解释的需要，因为普遍性有绝对的与相对的，在绝对的普遍性之下，一种行为无论如何正当，如全体人一起去作，它即将转而毁坏共存状态，例如每人都去作靴，那么谁留下来垦地呢？或者普遍性是相对的，即视成为问题的那个人的处境而定，虽然在同样处境内容许一切人作同样的行动，但因同样的情况决不会再现，所以就没有可以破坏共存状态的不正当行动。最后，第四种观察，我们不能说如果在任何行动显然是正当的和无害于共存状态，因而就应当让所有人皆自由采行，它的成为一种权利尚有一种必需的条件。一位父亲由于他的父权可以阻止他儿子的最正当的行动，虽则这种行动如果普遍的话，将不至破坏共存状态。但儿子的这种行动，就对他父亲的关系而言，不能称为真正的权利。理论上，共存状态和自由的限制，乃是实现合理的或权衡利益轻重的结果，而不成为它的本质。在康德看来，国家的任务即在于规制自由之共存，只注意保护的法令，即法律与警务。但在这位德国哲学家看来，它终不失代表一种理性的必然性，国家诚为契约的产物，但其产生并非出于矫揉造作，因为正如他说，人只有在国家中才能获得真正的自由、平等及独立。这种概念的自身，就包含着修正其学说的胚胎，把国家的终极性限于人及财物的保护。同样，深切注意于形式的最高命令的本身，我们可以找出某种积极性的痕迹，或以意志为最高绝对目的的原则，这种目的，要求各人的尊敬和全体的自由。

一百一十一、斐希德的法律定义

康德学派在条件限制的状况下的法律观念，在斐希德《自然法概论》书中有更进的开展。他说自我应该承认自身为自由的实体；那就是说，应以别人自由的概念而限制自己的自由。法律上的关系，就是指存在于两个有理性的人之间的关系，两人各抱有对他人自由的概念，以他人将限制他的自由为条件，而各人自限其自由。在此处形式主义极为明显，因为视法律有限制自由实体的可能，可是为法律出处的积极的最高原则究竟包含些什么，仍常有待于决定。因为自由是形式的，所以斐希德的最高命令"要自由"也是形式的。在康德，道德行动，根据于对必然的普遍的法则之谐和，在斐希德，则推源之于自我的行动，在行动中先经过确信和接着经过一种相互的热诚和亢奋。但斐希德没有说这种确信的寄托所在，或者更可说因为它是道德的一种条件，他没有表明它的内容。依照康德法律的自由，从它的产生起，便为普遍的自由所限制，在斐希德，它的起源在于自我的个别真实存在，它寄托于感觉世界中惟一目的之理性存在物的求进步的权利中，它的自身，一如固着于它的强制力，不受什么的限制，假如不是一个自我必须承认另一个自我，那么自我即将使自身具有不受限制的力量，因之当它用自己的力量限制其他自我的力量时，即自然节制了它自己的力量。在理性的人类中，有为义务而爱义务之心，有对自我及对同侪的爱，一被称为一种趋势，具有绝对的义务性质，另一被称为一种力量，因为可以归纳至排除任何法则的无限自由，因此没有同样的性质。这种的主观主义和伦理的相对主义，是斐希德思想系统的一种直接结果。

一百一十二、赫尔巴特的定义

　　赫尔巴特认为哲学就是概念的精练。哲学分成为三部分：逻辑、形而上学及美学。逻辑只求概念的明晰，不问它们的内容。形而上学的部分，注意于内容，和清理它们中间所包含的矛盾，使它们成为整个的和给予它们以证明。美学包括一组可归于心理特种情况，可归于快乐及痛苦的一组概念和判断，在理论的和美学的判断之间，有这种的差别：前者给予事物以认识，追求它们的价值，后者并不问它们的价值，只限于表示它们的快乐及痛苦。许多美学的判断，皆由赞许或申斥某种行动的伦理判断所组成。进入美学的伦理学，不能假定任何的命令，因为一种命令即包含有做或不做什么的义务，因之道德乃是一种形式的概念，不能像康德所说的归于一种命令，但可以归为四种实际的模式的概念：（意志与它自己动机的谐合）完善的概念（我们的意志行动广度及深度间的和谐），仁慈的概念（自己意志与他人意志的谐合），法律的概念（若干意志对于一个对象以求避免一种斗争的谐合）和平等的概念（功绩与报偿间的调和）。如果具备所有这种调和的形式，即将有一种表示赞许的伦理判断，如否，则就有一种表示申斥的伦理判断。这种模式亦具动机的作用。自四种实践的观念，乃有四种社会的观念：从完善的观念乃有教育的制度，从仁慈乃有行政制度，从法律乃有司法制度，从平等乃有酬报制度。

赫尔巴特在他《实践哲学概论》中所表示的学说，显然根据在最夸张和绝对的形式主义之上，把任何的内容排出于伦理的原则之外。伦理学被剥夺去了行为的义务，它们缺乏法则论，只存在于审美的范围或感觉界和形式的和谐之中。法律及其规定，无疑有阻止冲突及斗争的倾向。但它不能归纳为一种避免冲突及斗争的单纯的轨范，因为它是由一种形态转移至另一种形态的力量，倾向于维持一个决定的外形，和应付在中途所遇的障碍。法律并没有在斗争以外的审美性质，斗争就是它的生命。真正的美并不从附随的因素产生，而从灵魂的深处，从努力及活动中产生。调和与谐合乃为法律的抽象形式，或者毋宁说是它的实现的结果，与共存状态相同，但它们不能成为它的原理。法律与反对者斗争和克服反对者，建立继反对不正而起的和平，这种和平一方面增加法律自身的力量，成为超出畏惧的力量，另一方面给予它以更大的光荣和美丽。

一百一十三、克劳西和阿楞斯的定义

克劳西在《法律与自然法系统或哲学概略》和阿楞斯在《自然法与法律哲学》所下的定义，主要的缺点在于把法律的全部要质，包括在条件限制性的单纯概念之内。事实上克劳西和阿楞斯，把法律定义为自由条件的有机复杂体，乃在于和谐地实现人类的命运，实仅表示了条件的一方面，而把法律贬低为一种仅代表手段的单纯结合。当然法律提供人以生活和发展的条件，和保护他的优点，但也必须把它认作至善原则的实现，因而以较高的形态参与于无条件性之中。该厄（Geyer）在 Geschichtl und der System der Rechtsphilosophie in Grundzügen 中以为特楞得楞堡的定义，说法律为行为的普遍决定性的复杂体，这种决定性使人类社会可以保持及完成为一种伦理整体和它的特殊部分的形式，实在同克劳西一鼻孔出气。如果这种行为的普遍决定性，认做它的实现的必要条件，如特楞得楞堡所说的和乌利际（Ulrici）在《自然法》中所依照的，那么该厄是不错的，那就是说，在关系民族法时，它是合伦理的，具有适于一个有机整体的力量。但这个解释如经接受，法律即将丧失它的本质，成为实现伦理目的之一种手段，纯粹的伦理学将成为法律中伦理的一部。因之它的强制力，亦将无形之中而被否认，因为在纯粹道德界中，本来是不容威力的存在。因之，如果行为的普遍决定性的复杂体，可以视为外部自由的思想系统，那么特楞得楞堡的定义，与前面所述的黑格尔的概念就将无异了。实际上，特楞得楞堡的法律的特种本质，是不精确的，可以加以双重的解释。

一百一十四、法律是一种伦理的原则

所有上面所考查过的定义，皆包含部分的真理，这从对各种定义的分别批评中可以看出，法律是一种伦理的原则，有其内在的形式，亦有其物质的内容。柏拉图、亚里士多德、斯多葛学

派、罗马哲学家和国际法学者圣托马斯（St. Thomas）、丹第、格老秀斯、维科、黑格尔、洛斯米尼及特楞得楞堡已经表示，法律之形式为理性；它的质料则为生命的需要、物种的要求、功利，如现代唯物论者，实证论者伊壁鸠鲁派边沁及穆勒所明白说明的。法律必先假定文字、习惯、遗传的日常生活，如亚里士多德、穆勒达尔文主义者和斯宾塞所特加说明的。在它的实现中，从斯拉昔马殊所说的威力中，从霍布斯心理的压制力中而得到它的价值，而成为斯宾挪莎所说的全部的力量或联合的力量。依照卢梭，法律由多数的意志而具体表现阶段。它的结果在维科和耶林所说的斗争以后，成为自由之限制，康德及斐希德的定义，及赫尔巴特的和谐说，即根据于这个基础之上。最后，因为法律是一种较高的伦理原则，所以如克劳西及阿楞斯所设想的，它供献及保护人类生活及人类趋于完善的必要条件。

第八章　法律、道德与社会科学

一百一十五、成文法与道德、社会科学、经济学、政治学有关联

在我们用演绎的、归纳的和批判的方式确定了法律的观念以后，我们必须表明理性的法律与道德、社会科学、经济学、政治学、成文法的关系。法律毕竟是一种伦理的研究，因之最好便开始考查它同一般伦理和与特殊道德的关系。

一百一十六、道德和法律原来是一样的

在原始时代，必须有一种全权的、扩张的、单个的、不可分的势力，把所有的人类活动包纳于某种限度以内，和执行服从及常态行为或巴佐特所说的合法的统系。这就是维科所说的波利非密（Polyphemi）的日子。在他们之中，精神与道德的惩戒和司法与法律的惩戒，没有分别；心灵尚在幼稚时期、极其混杂，尚无分析及抽象的能力。在变异、分析及自由的时代以前，常经历有不变的划一、单调、混乱和奴化的时代。因之，在这种时代中去找寻与道德分别的法律的踪迹，是徒劳而无功的。这两个名词的混淆，甚至下垂至希腊、罗马时代，其时精神已自自然的桎梏中解放出来，由艺术及哲学思考而给予以新的生命。事实上，希腊城市国家的法律，不仅支配公民的外部活动，且趋向于与它们的深切的意志互相贯彻，不把动机与行为分离。例如按照柏拉图说，正义主要地乃在于内部行为之中；亚里士多德只把那些希望和实现公正的人才称为公正者。在希腊，把法律被归入于正义的普遍概念之中，所以无表示法律的一词。

一百一十七、罗马人分别法律与道德

罗马的哲学家与法学家把道德与法律分开来，但这种分别并不常是切实清晰的，它也缺乏一种明白宣布的思考原则所有的那种力量。法学家承认道德的事实和加以区别，如卡普瓦诺（Capuano）在他的 Primi del Diritto Romano 中所指出的。依照法学家，差别的理由在于道德行为之自然性和法律行为之必然性。

一百一十八、中世纪道德与法律之差别的消灭

在中世纪并没有出现这种差别，因为教会支配着人的精神生活，成为国家的灵魂，国家失去了它古代的和古典的意义，迫而成为教会的形体。教会欲考查人的圣魂，在圣宗教裁判中包纳有世俗权力的强制手段。精神上的罪孽变成为犯罪——异教的罪孽成为最大的罪恶，有待于用最有效力的防御和最有力和可以为法的镇压加以消灭。但非法的要求激起了一种反动，良心自由的原则初在意大利继在其他诸国出现。布鲁诺主张不影响于国家和平的行为或事业，不应受惩处。后来，格老秀斯侧重一种严格的和完全的权利，它包括权力、财产、要求分内的可许性和一种包纳品德、宽大和报酬的不完全权利。他把法律与道德两词归为一种法律，所以他没有用那么多话来把法律与道德区别开来，但我们不能否认，这种在不完全和完全的法律条件中两名词之广泛概念，实为后来特殊分化的根源。《普通法理学要论》、《自然法与万民法》及 De Officio Hominis et Civis 的著者浦芬多夫，把内部义务置于理论及自然法则的外部义务之下，阻止了哲学的进步。来布尼兹在他著名的《法理学新方法论》论文中，改正这种错误，从神学的统治中取出内部的义务，而代置之于道德哲学之中。托马西乌斯在《自然法与万民法的基础》中，真正地把不完全的和不可强制的义务与完全的强制的义务分开，前者可归入于心理的内部和平，后者保持外部的和平。康德在他的常规的形而上学论中，视道德与法律的统一为一种科学，包纳伦理的及法律的观念之原理，但当他说道德在处理内部行为及动机，可以自己的方式命令法律所命令的，同时法律处理与动机无关的外部行为，不能执行道德的教训，由此他就得到了它们绝对分离的知识。道德的立法，它的动机，在于义务绝对概念之中；法律的立法，只需要行为与确定轨范的符合。斐希德加以申述，即使无人抱有一种好的含意，法律仍将继续存在，单是物质的力量就可给予法律以存在的权利。

一百一十九、法律与道德的混淆或分离都是错误的

混淆或分离表示两种极端：混淆乃是原始时期或静止时代的表征，分离乃是近代散漫的分析的产物。动机不能与行动尽同，纯粹意志不能与行为尽同。内部的自由不能与外部的自由相同，因为一件事物的内容与外相，是不相同的。因之如把道德与法律混淆，就使所有的道德皆成为强制的，给了动机自身以一种价值，而对于法律关系领域中它的结果及行动并不给予以价值。另一方面，如把两者分离，就毁坏了两者间的自然联系，把它们从原来的综合中排除出来，在动机及行为中，在意志及工作中，在内部及外部自由中，有具伦理行为的人的存在。分离是不能加以接受的，因为在法律及法令之消极的和禁止的教训之中，道德的精神是积极的，以求达到教育之高尚目标，或建贞洁和习惯之温和，或加强灵魂和精神，如特楞得楞堡所说的。禁止在某种情况之下举行婚姻的法律以及禁止军法审判的法律，即表明所述的两个目的。说法律不顾动机是不确的，因为在契约遗嘱构成法及犯罪中，它是考虑动机的。法律只对表现于行为之中的动机加以考虑，并且不像道德那样，讨论它的本身。国家与法令，如果受一般怨恨的威胁，它们就无久存的可能。真理是如此：道德与法律既不能加以混淆，也不能加以分离，只能加以辨别而相当承认它们共通的起源，这种起源可以在古代人普遍的实践哲学中和在实现人类目标及他的最大规模福利的伦理学中找出来。

伦理行为、人类目的及善之实体，皆是感觉、利益、功利受理性支配之过程的结果，这在前面我们已经说过了。这是哲学家说的普遍正义，非道德或法律，而是它们的起始的统一体。柏拉图派的正义与特殊的品德同列，规定它的领域于每一官能。亚里士多德的普遍正义是品德的整体法律，如由格老秀斯所给予的广义的说法，包括道德及法律。抵制贪婪和评量不同功利的人类理性的真正力量，在维科看来，是两种学问的原理。黑格尔承认广义的法律，乃自主观的及客观的意志的混淆而产生，而包括两者。罗马诺西讨论同样意义的法律，即作为缓和人类行为的轨范而言，它是自事物之真实的和必然的性质而出。洛斯米尼以法律的正义作为普遍的正义之一部分。我们在前面已经观察到，如果屈从于理性之下的过程在内部意识中占优势，和见于动机本身的范围之中，我们乃有道德；另一方面如果它处理人与人或人与事物的外部关系，我们乃有了名副其实的法律。道德与法律乃是伦理学的两枝，是实现人类目标或伦理实体的两种方法。因之接着，道德不是在意识之中完全的，而表现于行为之中，因为它们常是一种伦理的实体，既为一实体就有一个外面。另一方面，法律不能归为一种完全外形和仪式的实践，而无任何基础或动机，因为它也是伦理的实体，因之本质上包含某程度之内容。伦理行为、主观及客观意志的符合，和感觉因素之受制于理性，皆不能为绝对内部的或绝对外部的，因为它们是人类整个的结果，为所有一般的善之发展。道德总括行动，但主要包括意志，道德伸及意志，但它与行为特别有关。它们既是伦理学的分枝，它们在起源上不能为互相矛盾的，两者都不能完全抽离行为和意志。

一百二十、道德及法律的分离

有些人相信，在道德与法律之间有一种分离，有时有一种矛盾。例如，一个人可以合法地破坏他在道德上应该遵守的承诺，债主可以残暴地对付不幸的无罪的债户，把他的全家赶出去，然而这类的事在道德上却是不合的。任何人都可以挥霍他的产业，过着荒唐的生活，但道德禁止挥霍和放荡。债户可以向债主拖欠，这种行为是合法的，但是不道德的。但所有这些例证，都证明一件事：道德与法律各有不同的范围，是分离的但非互相矛盾的学问。固然，一个人违弃约言，可以仅在道德上不合而与法律无背，但亦有人遵照道德履行约言，而不背法律的。如果真有一种对立的话，如卡发格那利（Cavagnari）在《近代法律哲学论》书中所说的，尊重道德将（虽则不是一定）违反法律。在一种根本权利的例证中，两者是并无矛盾的，因为法律基本上是允许性的。如果法律规定债主必须向不幸的债户诉讼，那时才有一种真正的矛盾。人除了常尊重别人的意见和受社会及政治秩序的限制外，他在私人行为中有自由的权利，得凭其喜欢处置他的财物。因之，他并无挥霍及荒唐的权利，他只有不受干涉的处置及私人行为的权利。因之假说遵守法律而无一种好的用意，其间并无矛盾，因为有一种伦理上完备的行为，可以用于各方面，好似好的用意附随着合法行为一样。如果有时用意与行为不调和，那是看两种领域和学问的差别而定，但如果真有矛盾的话，则在一种行为之中两个条件便无符合的可能。洛斯米尼所谓不道德的权利是相对的，而非绝对不道德的。换言之，当法律不禁止一种非理性的或错误的行为，当它允许因为不能有证据而冒充为善的行为时，当它因为基本权利而不禁止一种不道德行为时，它是不道德的。

一百二十一、洛斯米尼未曾清楚了解道德与法律间的差别

如果说一方面洛斯米尼消灭了道德与法律间真正矛盾的可能，另一方面，他对于这两个名词的概念，并不常常确切。我们前已指明，他把法律的范围归于正当的范围，而不注意于法律的义务，义务乃是"准许行为"的先存条件，在处理人格的基本目标时，法律出命令或加以禁止，但根本上另有一种做或不做法律所命令或禁止事物的义务，这种义务是法律的，在履行义务时，有一种不受障害的合法权利。依照洛斯米尼的概念，法律的领域不如其所应有的大，因之他没有站在准确确定两种科学界限的路上。并且，洛斯米尼置重法律福利内容中特殊的差别，好像一般之善，作为一种伦理的目的而言，并不包纳与理性贯彻的快乐。善乃自感觉因素受理性的支配而来。伦理学包含幸福论，并不模仿一种像康德所说的抽象、形式的和空泛的原则。在道德中，幸福的内容，更可归于心理之内部情操，在法律中它更注重外部的福利，但这不是说道德与功用无关，或法律与快乐或不快无关，这不过是一种因素较另一种因素占优势而已。

一百二十二、以有用、忠实、公正为善之三方面的学说

卡尔（Carle）在他的《法律之生命》中说有用、公正和忠实乃是善的三方面。有用由与物质有关的连系而与人的感觉相应，从物质中他得到生活的资料。公正与人的社会性相关，具强制的性质，因之使公民社会成为可能。忠诚乃是善之与人类精神及道德部分最密切相关的方面，它的发展趋向于完善化。忠诚不是强制的，是经自由的发展而实现的，成为由有限以趋向于无限的一种欲望和渴想。有用是公正的质料，公正成为它的形式。依照这个学说，道德并无真实的福利内容，因为忠诚的观念并不包含有用的与保守的。忠诚乃是绝对的、理想的、先验的、演绎的

客体。有用是相对的、感觉的、后验的、归纳法的客体。然而道
德之善应该有一种物质的感觉的基础，这种基础可见于快乐及广
义的有用中。人类的完善化，非保存一种有伦理意义的事物即不
可能，因之应该由道德所讨论。忠诚与公正，皆是一种人的观
念，皆经演绎和归纳而决定。道德一如法律有其相对的方面，两
者都是科学的部分，依维科说，是哲学及历史的部分。这个学说
中法律与道德的差别，根本上与洛斯米尼所指出者相同，因为法
律乃是由有用及忠诚的联合而产生，同时道德与有用不相关涉。

一百二十三、法律领域的增加

随着时间的过去，法律的目的及受法律统御的关系，数量上
随而增加，而且发展得更为错综和复杂。法律管理了在先属于道
德范围的目的。例如习惯的酗饮和虐待动物，在今日皆须受罚，
在过去皆只听道德的处分，这不是说法律的逐渐一点点吸收道德
而是在它自己的发展之中，它把理性上属于它范围以内的关系，
置于它自己的支配之下。不是法律剥夺道德以占取优势，仅是它
收回它所固有的产业。另一方面，法律的领域越增加越扩大，同
受演化法则统御的道德领域也愈扩大。道德主题的内部自由和自
主，因深密的伦理关系之发展和增加而更为发展。个人的性格由
此有具体的表现，同时显见他性质及气质之逐渐构成的困难。外
部及内部的自由，与情绪之更高级的发展，和观念之接近真善、
公正相应。人的势力只受他意志所限制，而他的意志又受他知识
的限制。

在这一点巴克尔与斯宾塞的意见不一致。巴克尔在他的
《英国文明史》中说，仅观念受进步法则所统御，道德情操和意
志乃是静止的。斯宾塞说行为并不为知识所决定，因为人自己违
他所习知者而动作，相反倒是行为与习惯有赖于情操。但巴克尔
的学说，麻痹了思想之精神创造的运动，如果意志而非思想、心

灵和实践理性，则一种意志之后来的变迁即不可能。巴克尔所处的位置，承认整个感觉神经的行动，而否认反省的现象和感觉之变为运动或趋势。他的堕入于此种错误，是因为他太把理论侧重于道德界中思考，保持相同的或绝少变化的事实，而未曾予新的变化以一种真正的估价。无疑，宇宙及性的重要因素，比起他种因素来，变化要比较少些，但比较少之变化却有更大之价值。有机体之头，其变化较手足的变化要少。但当变化发生时，它的重要性却较大。心灵的变化较代表人之本质的意志的变化为多，但意志的变化，在人类生命中却更为重要。这是巴克尔常常错误的学说中的真实的地方，如习惯及情操之继续变异性所说明的。斯宾塞对巴克尔的主要观念表示异议，但他用的理论实在毋宁在肯定巴克尔的观念。说心理并不决定行为，因为人常违其所习知者而动作，实在是采用了一种错误的准则，因为在这种例证之中，观念常是行为的引导。观念是陈旧的（另一历史时期情操、热情、利益所产生的意见），但终极它们总是观念或行为的引导。我们不能否认，观念自身常是荏弱的、不足的，其力量与精力乃自热情的理性或冲动而来。但冲动如不由藉情操而活动的心灵的引导，以达到冲动的目标，那么它即将成为盲目的、偶然的。穆勒说如持上面的说法，不啻说船之到达彼岸，是由于汽力，而不由于火力。感觉或冲动的刺激，与汽相同，而智慧则可与火相比。

一百二十四、伦理学为一种社会科学

前面已经表明，伦理学活动于一种广义的社会和政治生活之中。这是希腊哲学家尤其是亚里士多德的思想。在近代人中，黑格尔告诉我们，有效的伦理精神不仅须先假定单是行为与善之法则相符合，并且要求对善本身的确信，因为事实上尽有没有这种确信而尊敬法律的，和有这种确信而不尊敬法律的。不过这种确信，不应以一种主观的、偶然的和易变的方式表，而应是实质的、必然的、固定的，那就是说表现于伦理习惯、事物之共同程序和社会精神之中。社会精神是诸心灵的集合；它是一种自觉及自由的状态，因之不应把它认之为一种单纯的素质，或个人所集合的无关的统一体，而应认之为一种主体、精神或人格。一待个人集合结果的社会出现，它即以一种原因的形式出现，个人凭此而加入团体。因之社会不能视为一种单纯的素质，而应视之为一种主体或人格；因之接着，个人不能归于单纯的方法，归于纯粹的偶然。主体的最初是家庭（一种根据情操的结合），它变成了公民社会（关系及私人或家族利益的单位），最后成为理性居最高地位的国家。

一百二十五、维科认之为一种社会科学

实现伦理学的共通生活或社会，今日已为一种特殊科学的研究对象。一种社会科学的概念，在维科的心中是并不陌生的，虽然他在《新科学》中宣言他承认神在道德及政治（即日常习惯）事件中有先见之明，他相信这一种学说的可能，因为这个公民社会乃由人类所造，因之在人类心灵本身的变形以内可以也应该找得出它的原则，依那不勒斯派哲学家（Neapolitan philosopher），神明中知识和行为乃是相同的东西；人分享有此种神明的性质。人与神的差别，在于人创造这个世界，依照他自己的原则，而并不知道它，甚至相信他所做的正与它相反。由于神明之慈爱的智慧，神明利用人的自然习惯，从它们特殊的和受限制的利益中，产生出适应种族保存的这种丰盛的结果。人类希望满足他们的兽欲和散播他们的种子，但他们企图的结果，却为婚姻的贞洁从此而产生家庭：家长对于受他荫蔽的人希望操有无限的父权，因此而产生了市镇；贵族希望滥用他对大众的自由，驯而变成为法律之顺民，从此而有平民的自由。做出这些的都是心灵，因为人是以智慧去完成它的。它不是由命运作成的，而是经过选择所作成的。也不是机会，因为它们曾由继续动作而进步。维科所说的神明不是一种任意和超绝的无建立科学可能的原则，而是出现于习惯之中的。它是终久的理性并不以直接的、不可理解的、神奇的方式影响于人。它由自然习惯而创造一切，常在于提高人性和不断增加它发展的总积。维科在叙述神明的动作时侧重人性及心理的深奥法则。这种叙述，使以日常世界为人所造，因之人可以了解它的科学的那种高贵的真理，更为明白。

一百二十六、社会学的开始

苏塞密尔区和重农学派多少承认一种社会科学的可能。苏塞密尔区是第一个在各种社会事实，如出生、婚姻、死亡等中发现固定秩序之一人。这种秩序内在于这些事实之中，唯它有一种命定的性质。在此处我们看出一种以通常手段经过人而实施的定命，它不能称之为完全超绝的原理，因为苏塞密尔区派的奥亭革所说的定命确然不是超绝的。利维埃尔（Mercier de la Rivière）和内木尔（Dupont de Nemours），曾识到社会的一种天然秩序，尤其在他们表明经济及其他社会现象间密切关系之时。但清楚地和准确地把社会学从他种社会科学中分开来，给予社会学以正当的概念的，是实证学派的创始者和领袖孔德。在他看来，社会学是直接建筑于生物学之上的最后一种科学，它分成社会静学和社会动学两部分。静学是社会关系的理论，动学是社会进步的理论。

在孔德学派的心目中，如利特累（Littré）在 La Science au Point de Vue Philosophique 中所见的单纯的生物学，很难说明某种低等动物的多少颇可奇异的联合和高等动物间群集的现象，完全不能说明根据于创造群象的能力之上的社会及历史的演化，这种能力为共同生活所具有，这种群象则可以而且必须知道。这样一种的能力表现在传统思想、纪念物及著作之中，可以以四个阶段来讨论：需要的阶段，人与家庭、社会及自然势力关系的阶段，诗歌艺术的阶段，和抽象知识的阶段。利特累指出，创造一种知识的遗产是纯粹社会学的，生物学中并无可以代它的东西。习惯和遗传，可以帮助社会的演进，却不能创造或指导它。利特累把社会学作为一种社会物理学。斯宾塞在我们前引的书中，谢富勒（Schäffle）在《社会躯体的构造及生命》、拉撒路（Lazza-rus）和斯泰恩塔尔（Steinthal）在《民族心理与语言科学杂志》中，把它视为一种社会的生理学和心理学。巴克尔（Buckle）、拉布克（Lubbock）和泰勒尔（Tylor）在《初民文化》中发表的意见，以及依照这种说法的巴佐特（Bagehot），都把它看做原始野蛮状态至近代文明的一种自然历史。雷图尔诺（Letourneau）在他的《人种学以后之社会学》把它根据于人种志之上。得·洛柏特（De Roberty）在他的《实证哲学与社会学论丛》中，接近孔德和利特累的意见。一种民族或社会的心理学的合法性，在此种讨论中并无地位可言，因为许多见于生命及历史中的现象，非个人心理的活动和态度所能说明，只有由一种社会的或民族的原则始能了解。维科描写此种原则，视之为一种活的而非盲目的形式，因为机会并未移转或强迫人脱离他们的原始的自然程序，在这种程序中，他们利用适当和已备的材料，造成在其中他身心俱极活动的国土。已备的材料是适当的宗教，适合的文字，土地，事物的名字，适当的武器，因而适当的帝国，适当的主宰者和法律，有了这种适当的因素，乃有真实的自由，由于真实的自由，乃构成真正的共和国或国家。

一百二十七、斯宾塞是伟大的社会学家

斯宾塞是对社会学最后提供最伟大最圆满的著作的人。他贡献对个人单位的相互关系和他们的集合的研究，他表明人类群体的结构、产生、发展和职能。为社会发端的人类共同行动，倚赖于人性的一般性质和各不同种族及个人的特殊性质。社会科学有三种的阻碍：客观的、主观的和混合的。客观的困难起于社会现象之富有极端复杂性、它们数量的不定和它们在时间和空间上的极大分布。主观的困难或者出自观察者的知力，或者偏向于将事实附会于自己的观念和情感。或者缺乏广泛的了解，或者出于感觉如仇恨、爱好、不耐而起的偏见。第三种困难由观察者所处的位置不同而起，因此而产生爱国、阶级、政党及宗派的偏见；斯宾塞在《社会学研究》中对宗派之见曾有精确的分析。斯宾塞在《社会学原理》中说，超有机的或社会的演化，一部分由外界环境、一部分由人群单位的性质决定。外部的因素，如气候、土地的形式，它的构成和动植物。内部的因素可归为组成社会之个人的组构、情操和知力。在原始时代，外部的因素，居优势的地位；在文明时代，情形恰巧相反。除了原来的外部及内部因素，我们必须承认有间接的或诱导而起的因素，是社会演进自身所生的结果，例如人口的增加，各社会团体的交互影响和哲学的、科学的、司法的和政治的进步。

社会学是诸科学中最复杂的一门，必先有诸科学之存在，尤其是那些与它有密切关系的科学，如心理学与生物学，因为心理及生理的事实直接自社会中发生。由于与个别有机体的类比，可以推断社会是一种有机体。社会群体的发展随所有主要体积而发展，它的继续的量的增加附随着结构的复杂化、更细密的分工和更广泛更精确的共存。任何人都可以把原始社会的职事的结构及共存状态与一个进步社会的职务之结构和发展相比较而证实这种理论，社会由各有生命的因素所组成，那就是说由个人所组成，一如生物之为其他有生命个体之统一体相同。在血中移动的球状体和自生物身上割下的表皮细胞，在水中继续生存，就是这一点的证据。个人有生有死，甚至制度可以消灭，社会却继续存在；一如血液、皮肤、细胞时有更新，而生物体却继续存在。社会有三种主要的属性：生产的、节制的和分配的。生产的或消化的基本上是工业的，变原料为滋养的质料。节制的给予社会以对外界及其他群体的关系，提供防御及保护的作用。分配的由交易手段及运输所代表，接连第一种与第二种属性，正如动物有为滋养的质料的内部器官，有与外界接触的外界器官，及沟通两者的脉管器官。生产的及节制的器官，一般而言即内部的与外部的器官，关系极为密切，互相支助，及程度因兽类及人的水准趋高而更为显著。分配方面也是如此，它只在其他两者的复杂如差别化已经充分及完全时，才行发展。社会亦如所有个别的有机体一样，受生存竞争及最广义的竞争法则之支配。

一百二十八、社会学为社会哲学

把社会学作为研究社会有机体的各种因素和形式，表明它的结构、发展、功用的学问，有人指出这是一种百科全书的学问，吸收各种的社会研究，不能成为个人心理的研究或思考对象。樊尼（Vanni）在他的《实验批评的社会学大纲》中说，除非把社会学看做诸社会科学的哲学包纳诸社会科学基本原理的一种综合的理论（这种基本原理就各研究单位的个性和能力范围而组织化），相当承认科学分工的有效果的法则，社会学是不可能的。研究社会事实的各不同形式，属于诸社会研究的范围。社会学研究与完整的社会有机体之结构、职能、平衡、运动、发展有关的基本最高原理；各特殊社会科学限于与已有关的现象界，探讨前此所及的法则，不必构成一种一般的精密的社会理论，一如穆勒所指出，那是社会学的专门职责。诸社会科学对社会学的关系，一如知识各特殊部门对哲学的关系，哲学在于探求最高的原理和根本观念的连接点。

斯宾塞和谢富勒都未曾说及此点，孔德的注意偏向于社会学而忽略了其他的社会研究，但穆勒和在意大利学者中樊尼，看出了这一种关系。社会学作为一种哲学的理论而言，它的任务在于应用宇宙的法则于共同生活的现象，决定它们的形式与适当形式及特性的关系。社会是一种在历史中发展的伦理的有机体。它是一种伦理的有机体，因为它的整体和因素，是自觉的自由的人，他们的存在或为相互的目的和手段。它在历史之中发展，因为它的生命即是人性的进化。社会不是一种单纯的生物的及心理的产物，因之它的进步并不单纯地包含在有机的和心理的变异之复杂体中。它是一种伦理的历史的产物，是一种突现的而非结果的事实，它的进步和运动与文明同调，那就是说与人类实体中精神因素占自然因素的优势同调。社会进步，有超乎斯宾塞所说的超有机进化者，它是时间中的发展，是历史的动力。从此可以看出，社会不能由生物学及心理学说明。社会存在之适当品质，如视之为一种伦理的历史的有机体，就超出了这两门的科学的能力之外，我们必须记得演化中的新形式，一方面包括前见的形式，一方面呈现出一种特殊的高级的性质。相同性及一种单纯势力的原理，不能给予一种圆满的说明，因为由此只能表明数量的而非真正性质上的差别。它们发展的进步，和它们更复杂的形式的继续完全化，仍旧暗昧不明。

一百二十九、社会学必须讨论群体和单位

假使我们承认斯宾塞所表明的社会及有机体间的类比，我们不得不结论说，它是一种真正名副其实的有生命的实体，但我们必须不要忘了社会是一个整体，一种伦理的有机体。用柏拉图的话说，抽象的人，乃是由有限之人的人的因素而密切结合的结果，人自身即是根本的。在伦理的社会中，个人集合体联络和互相加强（如特楞得楞堡所说），同时整体组成为各部分，分配于个体之间。加强的观念，包括经个人的特殊目的而促致个人能力的增加；以及组织的增加，包括通过整体的普遍思想和目标的实现。加强和组织应该相持而行。一种违反组织的加强，是自私及破坏性意趣的占取优势；违反加强的组织，即等于牺牲部分。如果社会是一种伦理的有机体，物理及生理法则的类比和应用，应该在我们前面关于演化法则所指出的限度以内，加以接受，且受其支配。我们并不欲否认一种社会物理学或生理学的存在，但我们的意思是说，两者皆引申入伦理学而非伦理学申入两者。所有根据于生物学研究的社会学研究，都可这样说法，这可从谢富勒和其他人的著作中看出。

一百三十、法律为社会学的一部分

人类单位和它群体间的关系和后者的结构、发展及功用，就它们之归为个人和群体自身的行动，和向外实现善的法则而言，都有一种法律的方面。在这一种情形中的法律，一如在其他情形中相同，是准衡或范围和保护的性质。一方面它是社会因素及整体的份所应为的原理，另一方面由它的保护，阻止部分的生命的发展不使群体受到阻挠。伦理的有机体要求单个的及集体的活动或人类行动，因之受法律规制的支配，是力量及组织之正当策划。因之，法律哲学乃是社会有机体、最高原理的研究，尤其要研究它对人类活动的方面。如果不晓得社会的奥妙的结构、功用和社会发展的法则，它是不能影响为理性（那就是法则）所容纳的准衡，也不能应用于共同生活的现象。同时也不能否认正义参入社会因素或势力的组成之中，虽然它也许是一种间接的引导而起的因素。正义之为一种因素，意思是说伦理的原则出现在感觉的因素之后，但它具有更大的内在价值。

一百三十一、社会学不至为一种法律哲学

阿狄哥（Ardigo）在《道德与实证学派》和《社会学》中

把正义的自然组成，视为社会有机体的特征。在他看来，正义是这一种有机体的特定力量，可以与社会观念相合而解释，根据于希望自由行动受理性支配的人的性质之上。从这一个观点，社会学自身归成为法律的哲学。即使不愿承认这一种的同一，但不能否认两者间的关联是密切的和实质的，各先假定其对方的存在。法律哲学，视之为一种发生的演化的学说，视之为一种以法律之人性观念为根据的学说，必须研究各社会因素。这种社会因素，参入法律事实和法律观念的自然组成之中。法律的事实，本质上是一种社会的事实，因为法律在社会外就不可能。就特殊的观点，就人与人及人与物的外界关系而言，在这种关系中，人类之善与均衡的法则及保护的原理互相调和而实现，法律事实实为主要的社会事实。如果这是社会事实的性质，那么法律哲学既研究这一种的事实，是一种趋向完善的实践科学，很明白就不能不管社会的因素和公民社会所企求的阿狄哥曾说及的理想性。此处又可见到维科关于自然法律的两种渊源的深切信仰，和对社会生活之必然性及功利性的分析。法律是在社会中产生发展的。它为社会所变化，常企图达到人类知识所表明的理想。社会学，或者称为把各别社会研究的基本观念的系统化的科学，不能讨论社会有机体整体而不论法律的最高原理。社会科学的哲学和社会的一般学说，先假定法律的哲学，因为没有法律，社会就不可想像。

第九章　法律与社会、经济及政治

一百三十二、研究经济学的开端

　　格老秀斯、维科及康德对于社会经济制度，就其与法律最高原理的关系之点，并不加以研究。我们大致可以说得，自然法最早期学者，专注意于人的主要权利，而于人的活动所加的物的本性，却忽视了。经济的科学此时尚未诞生，惟距出世之期则已不远。佛尔夫于其《自然法的科学方法论》一书中，仅述及事业、入境、人口及行乞。在彼之后，以巧妙的姿态讨论经济学与社会经济之间的关系的哲学家，当推罗马诺西，他把最确实的经济原则，转变为严正而不可少的法律与自然而必要的责任的议论。在他的心里，以为经济的完善，当发端于要求个人的稳定财产的农村生活，借着法律的平等，使幸福的享受能有较公允的普及。它的基础，是商业自由的概念，据他说这是公法与私法上自然之理，是租税的平等分配，与阶级隔离，其结果乃系最多数人间社会价值的普及，或生产能力的获得。国家有权干预人民私事，其结果必致多数人的幸福因少数人的利益而被逐渐牺牲。

一百三十三、早期的德国经济哲学家已为人们遗忘

　　黑格尔、特楞得楞堡及阿楞斯，曾就理性法则的关系，观察社会的经济制度。黑格尔曾说及公共财富、劳力、社会阶级、商

品价格、贫困、入境及法人的管理。特楞得楞堡讨论过农田法与森林法、艺术与商业法、交易、保险、财富及人口。阿楞斯研究过每个哲学的法律理论的经济情势。但较晚近的德国经济学者，却不复仰赖于黑格尔与特楞得楞堡。他们以非常审慎的态度，引证阿楞斯之说，以显示经济学与现代法律哲学间的关连之点。社会学者有时仅提及黑格尔之名。其主要的理由，于他们作品的大相迥异的特性中，可以见之。在黑格尔与特楞得楞堡二人的著作中，哲学成为有力的因素；其在阿楞斯的著作中，则详于细节的讨论，至于理论上的要素，则并无多大的发展。严格说来，黑格尔与特楞得楞堡并不是法学家，阿楞斯则法学家的风度甚于哲学家。但此外尚有第二个理由在。这两位哲学家，曾经实验主义派斥为形而上学者，而实验主义派则在欢迎宽大哲学的人们中收有不少的信徒。经过此番责难后，他们伦理的、法律的与经济的观念，是否与财富研究的实际运动相合，便没有人去注意到了。阿楞斯则不然，由于其理论之不甚受形而上学之嫌，因得明白依附于此财富研究运动的旗帜之下。

一百三十四、阿楞斯的经济学说

阿楞斯赞助晚近的经济科学运动，这是很明显的事。他说，人在自然力扶助之下，凭借其自己的力量所要完成的，为善的原则，经济学是一种伦理的科学，就是受这善的原则支配的。人是财富的主体与目的，人兼具个别性与社会性，所以经济学的意向乃在表明指导财富的生产、交易、分配及消费中个人的与集体的行为的法则。经济学的法则与物理学的法则，并不同一，因为道德的法则，与道德法则为其部分的社会的法则，乃有关于人亦即自主动物的法则。康德、斯密、巴斯提阿（Bastiat）及巴克尔关于国家的职务的学说，阿楞斯并不表示同意，因为在他看来，这只是抽象的、消极的；他认为此伟大人格的建立，其动机不但在人与有体财产的保护，且为修养与文化的维持。在彼之意，国家应排除个人活动充分发展的程途中的障碍，甚至更应以直接而积极的方法扶助之。

一百三十五、黑格尔的经济学

读了黑格尔的《法律哲学概论》，我们起初很以为他接受私人利益与一般利益绝对而必然的相合的概念，并以经济的法则譬诸单纯的自然法则。他说，伦理的世界，除家庭外，表现着原子的错综性，因为家庭社会中的共通利益，分化而为许多特殊的利益，但此特殊的利益，复可归于一致，至此，它们便不期然地互相扶助。于此个人利益的敌对状态中，却有着一般而必要关系的错综性。这种情形，与太阳系的伟观，略相类似，行星的运动，在肉眼看来，是很不规则的，而科学研究的结果则断定其精密的现象。在一研究黑格尔关于团体与文明社会的理论之后，我们却应改变原来的判断，因为经济的法则，在他看来，是社会的与文明的，并可化为伦理的法则。在黑格尔之意，文明社会乃是伦理精神的形体。经济法则是伦理法则，但它关系于今日所谓政治团体的发育，或满足需要的物的总和。这当然是伦理学，但却是自然伦理学，与社会静力学极为接近，与生物学亦不甚远。这是很可以明白的，因为在说及伦理法则的时候，同时注重于其不可知及自然发生，并不有所矛盾。在黑格尔之意，国家不仅有着保护生命与财产的职务，且须治理伦理世界，并实现文化与幸福的目的，而不致破坏表现于从事事业、职业及一般活动的个性的原则。

特楞得楞堡分别着两种理论，就是自然的经济理论与旧意义的政治的理论。第一个理论，为亚当·斯密所创，渊源于精力，而此精力则发动于个人物理的与伦理的需要。除商品的价格外，它否认一切的价值，并视国家仅为一个保护者。第二个理论则认个人活动的价值，须视国家的内部目的而定，国家乃代表伦理组织体，应保护修养与教育的要素，使免受商品多变的虚妄的价格的损害。两种理论，都犯着不充分、片面与专断的毛病，因为前者仅注意到经济价值，后者仅注意到政治原则。我们不得不需要一个较高的学说，以调和此两个极端的理论。此一学说，得名于伦理组织体，于此组织体中，各部分过着全体的生活，但自有其一己的人格。部分就是个人，全体就是抽象的具有一个民族形式的人民。特楞得楞堡拒绝接受个人主义支配下形成的国家的观念，而认之为一个高的人格，其功用在发展一切人的能力。

一百三十六、经济学的内容短少了伦理的成分

我们可以看到，直到近几年前，许多学者都以为经济学是和伦理学、政治学及历史完全各别的一种科学。培雷格利诺·洛西（Pellegrino Rossi）是这班哲学家的领袖，据他们的意思，一个人只在适用经济理论于艺术的实验范围，而非于纯粹财富学的领域，才能够并应该注意到此种学问的原理。及至今日，学者的见解已有改变，政治社会学派提及经济学的伦理原则，实验主义者把经济学降格为以生物学与进化论为基础的社会学中的一章，历史学派则欲把它变为一个事实的科学。还有不少的经济学者，则反对此三个改革学派，仍竭力拥护旧的概念。这三个学派，是否以他们的学理与方法，尊重经济学的独立？或者，古典学派的门徒，保存经济学的独立性，是否较善？经济学当然是财富的科学，但它不得不仰赖于人性与物理的、生物的、社会的、政治的情状，至一般条件下并须仰赖于历史的因素。所以，经济学必须以动作原子的错综性为其基础，而显示其对于财富的影响，但不应特别地并就他们的立场研究他们，并抽出其本性而研究之，因为这样势必侵夺了其他科学的任务。这种种的事由，就经济学者的立场而言，只代表着设想的前提而已。伦理学，以生物学为基础的社会学、政治学及历史，如果仅目为设想的前提，经济科学的自治性绝不会有所损伤的，因为自治性并不就是孤立的意思。但若这些学问与经济学混淆一起，以至于使后者变为一个文明伦理学、一个真正的社会学或政治学、自然史或甚至工艺学、经济史或统计学的一分支，经济学的独立性就不免被动摇了。这一点必须充分加以注意研究，因为它虽不能认为法律哲学上的适当主题，而对于一个与法律有着多重密切关连的重要科学，却颇有助于其适当概念的形成。

一百三十七、经济学与伦理学的关系

经济学以财富为其客体。财富归因于人的活动，所以政治经济根本上是一种实用的科学。最实用的科学则为伦理学。它就工作的自然目的，观察其适当的法则，而此自然的目的则是人的善或完善。据此，则经济学实为最广泛与最普通意义的伦理学的部分。人性，其目的及完善的概念，实包括于财富概念之中，事实上，财富就是满足吾人需要并可以交易或为工作客体的动产或物。这是很显然的，要是没有人的行为，没有他的创设或生产满足资料的活动力，没有包括可以交易的客体在内的这种资料，财富是不能想像得到的。但我们的需要活动及客体，要是不研究到它们与人性的目的间的关系，以及它们相互间同等与主从的地位，是没法了解的，因为目的构成了一个真正的人世，于此每个人据有其应得并能够行使人的权力的地位。在遂行这些集结一起的目的中，在满足感觉与心的意向中，幸福是存在着，它包括快乐与义务，并代表完善的状态。亚里士多德学派的所谓幸福，就是人的幸福、伦理学的对象，而财富或经济的繁庶就是幸福的部分。在财富中，人类有着关于有用的可交换的物的幸福。在这点上我们就遇着了经济学的伦理原则，此一原则我们不能加以忽视，而且要是不否认一切实用或理论的学科上的共通基础，我们也没法摆脱此原则。此原则亦不致使这些学科混淆不清，因为它只表明它们间近似的性质，而不及其他。如果经济学完成人在财富上的善，则称谓适当的所谓道德学乃计划着意识亲密上的善，而法律亦即以人的善为利益的准则或比例，并为人与人间外部关系的保证。而且，这一切的科学，都渊源于伦理学，这真正的一般的实用哲学。

以此原则为出发点，我们可以发现，洛西的理论是如何的谬误，他不曾看到财富、繁庶与伦理完善间的因果关系；而在另一方面，我们也可以看到明该提（Minghetti）的理论是如何的正确，他知道幸福非伴以义务不可，而经济学亦即幸福科学不能与伦理学相分离，且须隶属于其下。有时，非伦理的关系亦会变成经济的，例如不道德物的热烈追求，但此乃病理状态及邪心与恶俗的结果。在这种场合，自然界的物体被倒行逆施着，经济现象在人力的推动下遵循着它自己的法则。但若此种推动常常或者较一般的与伦理学相违反，经济学必将背离其原来目的，而不复为真正的人的科学。经济学不能与善恶无关，因为人是主体，而善恶当然不能与人性无关，凡足以唤起与发展人的能力的一切事实，对于财富决不会无影响的。财富既以人性为前提，则经济学自不应全然立基于个人利益的意向上，而更须兼顾（不过其程度稍逊而已）足以影响于财富的其他个人的与社会的意向。在个人利益以外的本能中，由尊严或礼仪的认识而发生的情绪，以及因自由与独立的需要而引起的情绪，我们可以把它们辨别出来。至于家庭的情感、爱国心及宗教心，则应置于社会的情绪之列。

一百三十八、政治学与伦理学的关系

依据希腊哲学家的见解，伦理学须赖政治学之助，而始得臻于完善。事实上，除非在某个社会中，人因教导或修养之功，获

得对于自身及其四周景物的知识，并能藉教育之力，指示其意志于趋向理智的目的之途，要不然，善是不能得到的。日常生活或文明社会，乃是真正的具体的美德（道德学的对象）、人与人间善的比例，以及法律具有的保护原则等必不可少的条件。不但如此，它尚是为一般的伦理学一部分的经济学的前提。经济学所关涉的是财富，财富有赖于货物的交换，而货物的交换又有赖于贸易与日常生活。没有劳力的合作与分野，生产事业便不能发展，而合作与分野这两种事实根本就含有社会性在内。撇开了社会，财富的流通与分配，这念头我们是不能有的。而在另一方面，要是没有安全、卫生与教育上复杂的社会性设施，自由的经济活动也只是一个空想。社交往来，供给一种不断增加的心智上的光明，并予个人以获得新的结合与权力的机会，因为它能进行与自然间的斗争而获胜利，并削除后者对于人类所掌握的优势。它完成个人精力所不及的行为，有时并凭借其压制的作用，促成特殊与一般利益所迟迟其行的合意。在上述最后的一个场合，社会的存在，虽不足为经济学的先决条件，却也不失其为经济学上的原则，且是适用于工业统治的一个适当的原则。但除了这一个例外，笼统说来，治理社会组织体的法律，无疑是不在经济学者的职权范围之内，所以不属经济学的领域。纵然经济学已被认为社会学的一分支，在他看来，它们仍不失其为前提的特质。经济学为伦理学的一部分，而应在后者的界限内发展着，但这决不能作为伦理学的全部应与经济学混为一谈的理由。社会学对于社会经济学者，是一个研究的前提，这是因为母体科学当然是从出科学的渊源的缘故。

一百三十九、经济学、生物学的关系

经济学是伦理学的分支，与生物学有着密切关系，与其他自然科学的关系则较为疏远。经济学与生物学之间的第一个关连之

点，就是亚里士多德的自然占有欲，换言之就是自然发生的视为己有的活动，此在动物与人均无所异，凡是社会组织体中为个人生存所必需而有用的物体，必有此种活动力寄迹其间。在亚里士多德之意，此种物体的丰富构成所谓财富，所以他的"占有欲"乃置入于其《经济学》中。斯多葛学派西塞罗、普利尼（Pliny）、塞尔萨斯（Celsus）、阿尔柏塔斯·马格那斯（Albertus Magnus）、托马斯·阿奎那及尼福（Nifo）诸人，承认并有几处叙述人兽的这种活动结果的共有的事实。嗣后重农学派详细研究此扩张自然法概念的物理、社会与经济制度之间的相互关系。佐雅（Gioja）很无条理地显示兽的经济职能与人的经济事实之间类似之点，同时并指出其相异的原因。佐雅之后，在意大利学者中，有科奈提·得·马提斯（Cognetti de Martis）把一切关于动物的经济职能散乱的研究材料，汇集而整理之，并写了一篇关于低级民族与原始文化社会中经济事实范式的论文；有此研究材料以为助，他并试欲作成经济社会学的初期论料，而特别着眼于英格兰姆（Ingram）的规范。他相信经济学的任务，乃在觅取人类生活从动物学上的发端以至最文明的进化过程中视为己有活动的状态，并决定其法则。他依赖于经济学，来显示效用与需要的意识的适应工作，最初由自然器官完成之，其后凭借器具之助，终则由以货物变为金钱的交换方法完成之；我们知道实验学派，对于兽的经济职能与人的经济事实之间的密切联系，有着透彻的说明，但我们并不承认，由动物以至于人的视为己有的活动的演进程序，其研求的责任，应由经济学者担负之。

经济学者应只研究人的经济职能，并以生物学对象的动物经济职能为设想的前提，而仅略及二者间关连之点。进化的新产物，根原于在前的形体，这固然是不错的，但凡有特种差异之处，即不能视为同一，这也是很对的。在这一种例子中的新产物，应就其本身特殊的原素及特异的性质研究之。在经济学中，生物学上的视为已有的活动，已有转变，而取得一个新的意义。兽的生活中经济职能的需要、精力及效用，并非就是人的生活中经济职能的需要、活动及利益。人的需要，并非限于物质的，并且还是心智的与道德的，也不纯粹是个人的与集体的，且还是私人的与社会的，人的物质需要，因心的影响力而大受改变，并且产生各色的进取的格调。心受着全般性的感化，虽发自特殊性的知识，却并不受制于一时的单个印象。道德乃由意志的力所创设，此意志力足以拘束冲动力，并依理性判断之。所以，个人的需要，并非就是个别的人的需要，共存的需要，也并非就是社会的需要。我们知道，一个人乃多于一个单纯的个人，而社会也多于共存。此外，心指导下的人的活动，发育着继续受制于自然力的思想，并主要上是具体与抽象人的个人的，利益并不是盲目与模糊意向的简单效用或满足，而是有体与无体财富、商品或交换的客体，此即人的社会所以异于动物的群之处。前面说过，人的伦理目的或完善概念，从经济事实的一切原素中，是很显然的，像这种事实的特性，对于经济学者，只构成了设想的前提。他必须认识它们，但无须加以详细的分析。它们的分析与论证，乃属于其他伦理学科的工作，正犹初期专用职能的说明属于自然科学的领域然。

一百四十、经济学与生物学之间的另一环

经济学与生物学的第二个联系，可于人口的学说中得之，因为此理论包括生理的与社会的要素，因此与两个相异功能的条件与原因有所关连。人口的学说有统计说与经济说之别。统计说乃就人口的内在要素研究之，就人口生存的实际方法或其发展状态所由遵循的定律，加以阐明。经济说则就人口与生活资料的关系研究之，为马尔萨斯所倡议。这两种学说有着相互的关系，因为

我们如果不注意社会的与经济的原因，便不能详尽讨论人口的状态与变动，如果不知道人口变动的理由与姿态，也没法充分研究生存与生计间的关系。目前有一种趋势，欲为人口的全部研究，特开一个独立的园地。此新的学科，曾在不少的名义下，就一个社会的或生物的观点，经过种种的研究工作，但人口的经济说则迳与经济学结不解缘。我们不可忘却，人乃是经济学的主体，他的增殖能力不能谓与社会的财富制度无关。达尔文与斯宾塞二人曾把马尔萨斯的人口论改造成一个有机性的一般定律，这是谁都知道的。马尔萨斯看到贫穷深刻的一般原因，乃在于人口的过剩，而人口的过剩，则由于现存生活资料的缺乏，于是猛烈的生存斗争不免发生。但正如美塞达格利亚（Messedaglia）所云，他停步于此原因之前。达尔文与斯宾塞认不平等与斗争为事实，于此事实中，进步的曙光与自然的闪光仍可发现，其结局是人类的完整，或至少其迟缓而逐渐的转变。有了这一个大前提，则经济学者研究人口问题，应多从社会的立场而少从生物的立场下工夫，这是很明白的事。他无须分析一个有机性的定律，而只须说明它适用于人的可能性，特别是它的制限与管理。一般的法则，对于他只是一个设想的前提。例如，经济学者先概括地考虑着斯宾塞的人口原理，以为其生物的前提，随乃转而特别研究人口影响于财富的定律。

当然，一切的有机体，无论植物与动物，都受破坏力与保存力的支配，而此两种力量又具有相生相克的作用。一个族类如果有了异常的繁殖，其结果常会使破坏力占着优势，例如食料的缺乏，空间的限制，或与仇类发生斗争。在另一方面，保存力的消长，常与生殖力适成逆比，所以凡在最蕃生的地方，生殖母的自保力亦必最为薄弱，这事实我们也不能否认的。有机体的构造越是复杂而各别，生活标准越是高昂，其增殖率也就是越是低小。

但在经济学中，此生物的原理不须再予研究，而仅须注意于一个特殊的新的限制，及意识的自由的适应于樊尼所谓预防的重新平均分离原则。此原则不复为有机体的，斯宾塞曾忽视了此点，它是一种先见，是马尔萨斯的道德节制，人口的伦理原则。此原则，就其全部功能而观，乃藉以补正为其基础的马尔萨斯学说的缺陷，显示文明时期并不罕见的一种事实的理论，换言之，就是次于生活资料增加的人口增加。我们知道马尔萨斯曾经说过，生活资料每一度的增加，必继以人口的同等增加。人类的繁殖速度，如果超出了生计的方法与限制，乃有生存竞争的发生；自然的与历史的法则，否认因较适应于生存竞争的人占优势而产生的进化可能性，上述的原则，与此定律，并不背驰。此外，在文化的继续进展中，生存竞争并不中止，较适者的优势亦未减弱。但竞争的范围则有转变。一个人不复仅为生命的保存而奋斗，且为人的每种利益而奋斗。至于竞争的状貌，亦不复如古代之为生存而作残忍的杀戮，它已一变而为争竞与较进步生活中一切利益的追求，而成了警告，就是警备的局面。

一百四十一、经济学与历史的关系

经济学乃以人性的法则为前提。人性并非静止而不发展，却受一个恒久的继续的、进步的内心运动所驱策，由于此种作用，它便逐渐取得它应具的姿态，而接近于其一己的理想。此种运动，就是人类或其历史的生命。经济学又以社会的法则为前提，原来社会是一个有机体，它运动着，并完成一个进化的工作，此进化的轨迹，取决于三种要素：一种是外表的情况，例如气候与地势；一种是内在的原动力，具有一个生理的、心智的与道德的特性者；还有一种是此进化所产生的原动力，斯宾塞称之为传来的原动力，例如人口的增加、法律与政治的进步及文明的增进。人性与社会既在历史上移动着，人的经济活动也就不能自外于进步的定律，由于此种作用，它恒久地分割为许多的职能与动作，彼此间常取得密切的联络。此经济活动伸展于巨数的物，并藉每个人为方法之助，变为较聪明的、自由的与有势力的。提及研究这些活动的科学，我们不能忘却维科的两个"金科玉律"：一个是说物的性质非别，就是它们在某个时间与某个方法下的产生；另一个就是，此研究工作，应开端于其所讨论的事件开始的时候。他说及的开端，乃是人类的开端，而不是生物的开端。这就是此位那不勒斯哲学家严格分析社会生活的贫困的对象。因此，经济学须以历史为前提。

我们谓历史为经济学的前提，绝不想把财富科学降格为经济的历史及统计，转变为单纯的事实叙述，或充其量更易为一种讨论关于经济事实状态的哲学论文。经济学果作如是观，必不复为一般定律或范式的科学或研究事业；它必然仅成为具体的个人现象的一个实验上的汇集。经济学如果一变而为关于财富的经济状态的哲学论文。它即不复能研究内在的原素，并将与历史的哲学部分混为一谈。原来所谓历史为经济学的前提，其意乃指由社会的或历史的事实的归纳，与历史非无关系而言。但我们认历史为经济学的开端与补充此举既无损于演绎法的作用，亦未因而使我们放弃一般定则与范式。此外，它并不排斥真正或理想的原则，只因为它乃开端于肯定及现实，而心乃由特殊趋向于一般。理想的真实虽不表现于事实，亦不能与之混为一物，却仍寄迹于其中。理应如何，从过去与现在的事实中，可以分晓，套着维科的话来说，范式见之于变化，恒久见之于暂时。一方面，为本身有着矛盾的现象，而牺牲法律或义务，这固然是不合理的；而在另一方面，徘徊于抽象与形式的思想之空幻、超越且无关于生活的理想中，也是有乖常理的。于此场合，所曾经是的以及现在是的，以视不变的一般概念与严正的范式，实不足道。

一百四十二、经济构成社会的条件而非社会的原因

我们知道，经济事实并不是原始的，乃起源于自然心理的与历史的原素及外界的势力。就社会生活为经济学的一个职能的意义而言，经济事实并不占有优势。若谓一切社会事实产自经济事实，而道德学、宗教、法律、政治学及科学为其结果，这是不对的。马克思、古姆普罗维赤（Gumplowicz）、罗利阿（Loria）诸人，就抱着这种见解，他们却忘记了就使最简单的社会事实，亦必渊源于许多的原因，而且一经产生，即反应于此种原因，并能改造它们。前此我们曾数度重视于社会现象的巨大复杂性，这是物理的、心智的、道德的、法律的、政治的、宗教的及历史的这每一种情形的结果。

例如，利益的世界主义，因自由贸易而有增进，或因保护政策的重现而受挫折，于此我们可以见到人类博爱的伦理概念。这显示了一个基督教或异教的经济学常是可能的，但欲设想一个佛教的几何或回教的代数，这是不入情理的。凡是世界主义存在的地方，它显然发生一种影响力，而改造它所由形成的原因，因此，我们可以说，目前博爱的伦理概念，视前已有所异了。在这一种事实发展以后，此概念获得新的原素，并扮取一个较具体的而敏感的形态。从某一点看来，经济事实系以所由产生的社会原因的全体为前提；而从另一点看来，它是属于较高级事实发展的条件。如果有机的力，特别是胃纳的力有所缺少，则心、意志及想像的力亦必不会存在。如果生活的需要并未略有满足，则科学研究之类的工作也就永远不会发生。一个财富分配的确定方法，乃某些法律的与政治的制度的前提。但经济事实仅为社会生活与文化的条件，而不是它们的决定原则，正犹胃纳之非为天才灵悟或意志坚强或富于情感的原因者然。此原则乃为心或思想。如果有着一个优越的社会原动力，我们不应由文化的低落状态中，而

应由其较高状态中觅取之，在那里可以找到一个原则，以全部先在状态为条件，但却对于每个状态有着一种影响，改造它们，并予以较大的意义与价值。只有心能够如此。它于最后始行出现，并需要其他一切条件为其前提，但它于出现后又把它们变形而改造之。用心观察社会事实的规范，常受制于一个片面的方法，如果把经济的要素撇开不提，整个的社会事实是没法研究的。在此窄狭的理论中，人的生活与历史是不能了解的。

一百四十三、法律与经济学的关系

法律的内容，有很大部分是关于经济的事件，因为法律是一种量器，是利益效用及财富的比率。它非提及利益不可，但严格说来，它对财富及效用则无关涉的必要。有种伦理法律的关系，对于以为客体的财富、利益及效用，毫不相涉，且亦不能定一物质的价值。德国学者，如丹克瓦特（Dankwardt）及柏姆·巴威克（Bähm Bawerk）辈，抱着一种错误的见解，他们想把法律科学改建于经济生活的绝对基础之上。明该提（Minghetti）于其《公共经济与道德法律的关系》一书中，告诉我们，古代的哲学家有着一个立基于比率之上的秩序制度的观念，并欲把它变为道德与文明制度的范式。特尔斐（Delphi）的"勿使过度"的圣言，彼塔哥拉数的理论，柏拉图的辩证，西塞罗的"保持比率"的格言，都表示出这班哲学家如何把此概念置于科学及艺术的基础，它取得一个教义的尊严并与天神的观念相联系，于是在中古时期的神学者的教义及权威学者的著作中，把握住其自己，丹第就是其中之一，他认法律包括比率。现代的实验科学，从天体的大运动中，或从化合力最精密的化合中，觅取比率的法则。此法则在历史的一般研究及一切社会科学的各部门中，亦应加以考虑。这一切原动力的最大生产、最善分配、最佳贸易、最适消费及最优同格，均得之于比率的法则中。欲维持土地、资本与劳力间的比率，我们需要科学的研究、勤勉及沉着的辛苦操作。欲维持人口与生存资料间的比率，我们需要预虑与财富。欲维持生产与财富、国内外贸易、现款与信用交易间的比率，我们需要供求、诚实与信用的精确判断力；而欲维持供给与需要间的比率，我们需要商品的真正评价、节制及禁戒。

在这一切情事中，正义及他人权利的尊重，实为秩序，良好的忠实的文明社会中必要的条件。以明该提（Minghetti）的概念为出发点；法律显然是一个比率，它本身尚包括另一个比率。在明该提的心中，法律无疑是商品的比率，因为他认比率的概念为物理与伦理科学的对象，支配着宇宙间的秩序。经济的比率，无正义便不能实现；这在一方面是我物与尔物的量器，另一方面则为保护的原则。法律乃是在每个外界利益、社会效用及完善，亦即在财富的生产、变动、划分及消费的场合，个人活动的相互强行及伦理统一体组织的轨范与担保。法律的本质，不止财富一种，即实现或可以实现于人与人间及人与物间外部关系中的人类幸福的一切形态，亦包括在内。法律的经济内容，可见之于三个分类中。在私法上，可见之于财产权、它的取得方法、契约、家属关系及遗产继承中。在公法上，可见之于公民的昌盛与财富间的关系，及政治与管理机构中。而在国际法上，正如安托尼俄·沙罗雅（Antonio Scialoia）所云，国家的人道与民族间的正义，也可供作未来的发展与考虑，而成为严格经济打算的结果。较晚近的法学者，谁都不能不知道或注意到经济学的法则，因为它们实支配着法律与立法对象的很大部分。

一百四十四、政治学的定义

依古时学者的见解，政治学包括着国家的全部科学。柏拉图认哲学为高贵的艺术，并谓政治学乃介于理论学科与实用学科之间，又谓政治家即为科学家。亚里士多德把一切关于国家的学问，都归入政治学的领域。及至今日，摩尔（Mohl）于其《政治学大辞典》中，布隆智利（Bluntschli）于其《万国主义》中，及荷尔曾多夫（Holtzendorff）于其《政治学原理》中，则已把政治学的概念加以限制，并一致承认之为关于国家之目的及完成此目的适当方法的科学。荷尔曾多夫以明显的谨严态度决定其意见，他认政治学并不包括司法行政在内，因为这应该是法律科学的对象。在意大利学者中，洛斯米尼对于政治学亦作同一界说，他认为这种学科应致意于社会目的，并说明国家在其权限内所握有关于此种目的之工具，及使用此种工具最妥善的方法。

一百四十五、政治学是一个实用的社会科学

政治学的论题，乃有关于社会事实的一个单一情状，换言之，它研究国家所命令的社会生活的终局，及获得此终局的较妥善的方法。政治学是一个异于社会学的特种科学，就其哲学研究的立场，讨论一些基本的定律，并把它们包括于社会组织的较概括的定律中。它从这些定律中，取出国家行动的指示原则，此原则具有命令的方式，而成为实用的规范。所以，我们可以很适当地说得，政治学并不是社会学的部分，而是一种实用的社会科学，以社会一般学理的结果为其基础。

洛斯米尼有过一个很重要的结论，这是不容我们忽视的，于此结论中，他告诉我们，政治学并不是社会学的部分。他相信文明社会是一个趋向于某个预定目的的本体，并把政治定则，依其关系于社会本体的运动所欲趋向的目的、其运动的定律或势力，而加以区分，关于他在《政治哲学》中所载此种定则的分类，在这里实有扼要叙述的必要。这些定则，由结果之点观之，可述之如下：假定政府审慎维持并发展社会生存所赖的一般势力，此势力鞭策政府致力于使社会昌盛，而产生人类所倚升的相当安宁，原来知足的公民，其生活是安适而宁静的。此一般势力，为一切物理的、心智的与道德的势力错综的结果。后一种的势力，刻印其特征于物理的与心智的势力，而构成此一般势力，并赋予其特有的性格。在任何社会中，总有着四个划时代的纪元：在第一个时期中，社会开始生存，因此它关怀于大体，而不及偶然的情事；在第二个时期，亦即社会生活圆满的时期中，偶然的情事为人所注意，但社会仍不遗忘其大体；在第三个时期中，人注意偶然的情事，而不及于大体，衰微的现象于以发生；在第四个时期中，人仅念及偶然中更偶然的情事，而浑忘了社会的大体，并认此一切偶然的特征为真正而有效的。在此时期，社会便陷于巨大波澜与猛烈爆发的危境，很易趋于灭亡。此一般势力或社会的大体，在一个时期，可以包含着物理的势力，在另一个时期，可以包含着审慎与敏锐，终于包含着正义的原则。

此由社会本体的特性所决定的定则，可略作范式如下：政治凡足以使社会最接近于其天然的正当的结构者，是优良的，其足以使社会与其本性分离者，则是恶劣的。所谓自然的结构，就是人口与财富间，财富与权力间，社会权力与物质势力间，社会的及军事的权力与科学间，以及科学与道德间均衡的结果。由运动的定律推阐而得的定则，维科已有启示，但因缺乏不同民族的各种社会变形的材料，未能加以充分演述；此定则可转述如下：政治手段，凡与社会自然运动的定律相调和者，是优良的，其有悖于社会本性者，则是恶劣的。至言满足，社会必先致力于生存，次乃致力于权力、财富与欢乐。真正的满足，乃存在于道德及正义。善的进步是一件事，一般的进步是另一件事，正犹之进步与运动之间有差异然，原来运动的步法，为前趋或后退，为向前或越过，或为一种混合的前进。我们必须把人性在其心智发展及社会外部形态中的运动，与道德的及幸福主义的运动，加以明白的区别。至于最后的一个定则，可于社会直接与间接势力的研究中表现者，可归纳为如下的结论：政治手段，凡能以最少的费用与困难，完成社会至善者，就是最优良的。一个社会，在特定时期，物理的、心智的与道德的势力，其与社会统一体相互间的影响及关系，从政治道德统计的精确尺度中，可以表现出来。

一百四十六、政治与道德的关系

政治目的与手段，不能是不道德的，因为它们乃与人类安全的最高原则有关。道德法则，与个人或集合人的真正利用或恒久利益之间，并无也不能有矛盾的存在。国家是一个伦理组织体，所以它的有效工作，不应与诚实公正的原则相背驰，这种原则并不是刚性的定式，但含有一种确实性，在生活中，于变化多端的机会下发展着，在人的活动的不同场合中，常随种族、年龄与地域的关系而发生种种变化。如法律然，政治不能与伦理分离，亦不能与之混为一物，而简直是各别的。我们如果相信政治与法律相分离，这是因为受了两种偏见的支配：第一，依旧相信政治的艺术，乃以权力、管理的物质资料的积储、国家私利的效用及其他国家的破坏或灭亡为其对象；第二，混公共道德与私人道德为一物。第一个偏见，无异否认国家的真正定局，及人民道德与法律上的共有概念，原来人民只要能适宜于进步，他们的人性必可逐步有所发展。第二个偏见，与伦理原则的性质不相一致，因为它可各别地适用于不同的场合，并由每个场合获得一个新意义。例如，个人可以牺牲他的生命，但国家必须保存它的生命。谋杀、袭击、财产的毁坏、诽谤及拦路抢劫，在个人为之，就成了重大的犯罪行为。但在战争中，此种行为，为国家的利益而受到准许，国家并有权以不合法或不道德的行为图利，收容叛徒与利用间谍，就是这一类的例子。一个政治家可以作恶的方法图利，例如贪婪、自私、虚夸或率直。不过作恶的行为，须先有机会，随后可加利用，但凡诚实的政治家则不应出此。

政治的艺术，就一个艺术的立场而论，与欺诈、恶意或暴力并不同一，因为它的任务乃在社会的不同事故中，把一个异于伦理学但本质上并不与之背驰的科学的原则，付诸实现。政治的艺术，可使政治家认识人性与社会的法则，领悟形势于一瞬间，估量一个行为的近果与远果，发展国家与社会势力的相互影响，并适应其行为于变化无穷的事故，以从每个机会中获得最大的利益，而完成他预定的目的与理想。所以，政治学亦有其理想方面的职责，它是一个实用的学科，并致力于活动的完善，在此点上与伦理学同。真正的政治，并不是一个唯物的、不道德的、残忍的艺术，也不是一个诗意的、空想的、感情的学问，它却含蓄着高尚的伦理及社会的目的，其完成有待于最合时的、便宜的与有效的手段。什来厄马赫（Schleiermacher）说过，一切的政治，乃存在于行为的效能中。而行为的效能，包括着两种要素：有关于终局的要素，及有关于效能的要素。仅仅终局一物，它只是一种抽象物与急务；仅仅效能一物，它只表现一种事实的原因，相关的从属的力量，于此，原已存在的一切事物，得以发展，此外则一无所有了。

一百四十七、政治学包括政治手腕

布隆智利（Bluntschli）谓政治学为国家生活状态下的科学，公法则为国家存在状态下的科学。政治学致力于国家的目的与手段。公法则建立它法律上的同格。从这一个定义看来，这是很显然的，政治学必须与宪法相一致，否则一个深刻的不合理的矛盾现象必将渗入于国家的生活中。此种见解，只在理论方面是对的，因为在事实上，一个宪法常老过于它的效用，而变成一个陈旧的拘束的形态。于此场合，政治学当然不应受阻于此种形态。政治学，也就是国家在生活状态下的科学，于此情形，乃致力于鼓励在进化中法律的承认。此种承认，足以激发集体的意识，并致力于篡夺此明日黄花的宪法，较圆满发展不成文法的渊源，以完成并加强新的成文法。一个宪法、制定法或律令，乃事物某个时期在社会的某种情状下的特定地位的结果，但当事物的地位有所更易，社会的情状有所变迁的时候，它便失去其存在的理由。就政治学的立场看来，宪法、制定法与律令乃是一些手段，因此不能视为不变的形态。为了过去无用的不合理的观念，而牺牲几世代人的自由与生活的利益，这是不应该的。但撇开这种变化不谈，再来讨论政治学与公法的本身，这两种学科，包括着国家的整个体质，这是我们不能否认的，这国家的本质，不但是法律与文化的目的的高尚的结合，且具有以有着物理上、经济上、心智上、道德上与宗教上共通利益的各阶级个人为其基础的一个文明社会的形式。

国家这一个名词，有着广义与狭义两种意义。就广义来说，一个国家包括文明社会在内；就狭义来说，它是异于社会的东西，正犹一个单纯的团体异于政治的团体然，但它仍不失其为一个人格。社会的概念，包括由个人以至国家或毋宁谓为由家庭以至国家之间的一切集体组织。摩尔（Mohl）、布隆智利（Bluntschli）、斯坦因及格奈斯提（Gneist）所下的社会定义，就是指的这种严格的适当意义下的社会。甚至黑格尔亦认社会为一个利益结合的团体，于此组织之下，自动地互相扶助，异于家庭，亦异于国家，而介于二者之间。当我们把社会代表着包括各个集体组织与中间级机关的一个组织体的时候，这时的所谓社会，意思是指的各种集团与阶级，它们各自致力于生活中的不同对象，并代表着共通的利益。这些对象，随着满足的资料而异，或为物理的，或为经济的，或为心智的，或为道德的，或为宗教的。这一切对象，各自发展着，甚至彼此间陷于斗争的状态，但因它们原来都产生于人的活动，而人的活动本质上初未互相仇视，所以它们常趋向于互相贯通与调和。国家就产生于这种生活利益的团体之上，它是某个人民的法律上的人格；抽象的人，形成一个民族的特殊的人。国家把包括一切发展于社会关系中的人性的法律，付诸实施。国家可称之为社会结合的法律上的形体。此外，它也是利益与阶级斗争的一个自然的节制者。

因此，社会的、政治的与法律的科学之间，显着有些差异：第一种的科学，乃以广义的与适当的意义下的社会为其直接对象；第二种的科学，以国家为其对象；第三种的科学，以法律为其对象。社会学以国家为其间接的研究对象，原来国家与社会是两个不可分离的东西，政治学也研究着社会。至于法律科学，我们知道，它虽然以法律为其直接对象，但若撇开社会与政治科学不提，亦不能独自有所成就。政治要是没有公法，它就缺乏了具体的形体与制度；公法要是没有政治，它也就成为偶然的法律上的组织体，换句话说，就是不以国家及其工具的终局的认识为其基础的一个法律上的资产。真实而有生气的国家，乃产生于政治与公法具体的融合之中。国家的观念，如果包含着生活而存在的国家，如果它是有关于确实的一般性及真实的最高原理的要素的一个结果，它便成为哲学上的观念（一个人性的观念，正如维科所云）。依此意义的国家，才是法律哲学的适当对象，它改造它的结合，划分为政治与公法，决定它的价值，并置之于与其他称成最一般的法律基本观念的关系之中。

第十章　理性法与成文法

——渊源及适用

一百四十八、理性法与成文法之间的差异

前面说过，法律乃由真正与确实所构成。它是观念与实在；它是一个理性的原则，发展于生活的阶段中，因时因地而适应其一己于人民的特殊情形。法律，就其为一个可领会原则的立场而观，于其以为实现场合的历史形态中，未有充分发展，因为这种形态与法律的内容并不相等；于是乃有继续求取进步的奋斗，以支配制度与法律，鞭策它们趋向于较一般及较合于理性的目的。理性法乃直接以真正为基础，且是一般的。真正，就其一般化与历史的观点，而不就其各别部分观察与研究，它发展于确实之中，它的证明也就存在于确实中。在另一方面，成文法则直接以确实为基础，并具有一个特殊的性格，因为此乃民众或国家意识苦心经营的成就。确实与真正并非无关——它是真正的外附。所以，理想的要素可觅之于成文法中，正犹历史的要素可觅之于理性法中。然成文法的确实，乃是法律观念的一个分离的零碎物，是实在的一部分，与哲学的部分亦即一般的实在并不同一。我们必须记住，哲学所欲说明的，并不是这一种或那一种的实在，而是知识本身的实在。

一百四十九、理性法的信念

前面说过，在亚里士多德以前的希腊哲学家，曾趋向于一个超于成文法的法律的概念。亚里士多德显示过自然正义与成文正义之间的区别。在他看来，正义本身是一个一般的测量标准，别于成文正义或国家的正义。后者只能是成文法上的或基于自然的决定，此即法律上的正义所以异于自然的正义者。我们已曾说过，依西塞罗的见解，自然法依据于正义的理性，市民法则与社会的理性有关。西塞罗区别万民法与自然法，视前者为具有成文法的形式，为一切人民所共守，并认正义理性的原则即存于其中。但西塞罗思想的全体注释者，却不同意于此。起初罗马人只承认他们自己的法律，就是市民法。其后他们与其他人民间的种种关系中，发现一切法律中，有一部分是同一的，并设想着一个一般的成文法，即为各国人民所共同的万民法。在时代的前进与心的发展中，民法学者把万民法根基于自然理性，并界说之如下："自然法乃基于人类共认的自然理性。"更后他们的见解越变普通化，并得到一个结论，认万民法之外，尚有一个更广大更恒久的法律的存在，就是这自然法。乌尔比安界说之为"自然最适合于吾人的意思"，塞维笛斯·塞佛拉（Cervidius Scüvola）及保罗（Paulus）[1] 界说之为"公平而良好的东西"。控制自然的先在与后果观念的斯多葛学派势力，即贯彻于此定义中。

一百五十、不同法律的渊源

圣托马斯把成文法、人为法，与自然法及永久法相区别。第一种法律为"人类所发现者"，应当是自然法的部分，而自然法则又为永久法的部分，为"神的存在的理性"、"永久智慧的理性"，与"神的意志"实为同一。这一种区别，显示着中古时期哲学理论的进步，于此自然法完全以启示圣语中显示的神意为其

---

[1]　原书译为"保卢斯"，即 Julius Paulus（约 222 年去世）。——勘校者注

基础。菲罗谟西·归尔非（Filomusi - Guelf）于其《成文法的概念》中，明白告诉我们，自然法当文艺复兴与宗教革命时期，开始失去其神学上的特质，并变为较密切联结的法律。梅兰吞、俄尔顿道普（Oldendorp）、罕明格（Hemmings）及文克勒（Winkler）的尝试，显示着一种新的变迁。格老秀斯否认《圣经》为自然法的渊源，并承认即在上帝不存在的场合，法律亦有存在的可能性。自然法乃产生于保证一个安宁社会的正当的理性，民法则发生于人的共通意志。霍布斯认自然法为如此，为"正义理性的法则"，它要求安全，且为一个担保，而成文法则为最高意志的结果，与自然法相调和，以维持安全。在余人的见解，则认自然法为自然与恐怖状态中的原始法律，成文法适与之处于相反地位。

一百五十一、理性法与成文法的比较

浦芬多夫从神的命令中觅取法律的基本原理，并使科学在这里采取一个后退的步骤，和在讨论道德与法律的关系时同。圣托马斯与佛尔夫二人都相信自然法以人性为基础，成文法则产生于意志或合意；又，前者乃由理性所赐予，后者则由国家所制定。菲罗谟西·归尔非从卢梭的学说中，显示区别的胚种，因为不可割让自由的原则乃是自然的定律，人民的意志乃是成文法的原则。康德绝不怀疑地把理性法（创设外部立法的规范的错综物）与成文法（现行制定法的集合，此种法律乃依据于理性支配下的立法机关的意志）加以严格的区别。斐希德从成文的或历史的法律中，见到自然法的实现。谢林以理性的原则为出发点，他认理性与理想及真实为同一，此项工作他不赖辩证方法而藉简单的觉知以完成之。他把这两个名称之间，所有的同一异点，置于其理想与真实间的体系中，实则理想与真实二者原为一物。在他的意思，成文法为自然法的必要形式。黑格尔显示着合理法以一般原则为基础，而成文法则取决于国家特征、宗教及人民文化的程度。成文法与理性法并不互相抵触，不但如此，理性法且逐渐出现于成文法中。黑格尔又谓成文法有关系于理性法，犹《优帝学说汇纂》[1] 之于《法学阶梯》然，只在这一点上，他是错的。这个比喻很坏，因为《优帝学说汇纂》与《法学阶梯》都是关于成文法的论述，前者是完全的，后者则仅备法科学生之用。

一百五十二、理性法与成文法的区别——实验主义者的意见

关于理性法与成文法的区别，实验主义者的意见颇为分歧。斯宾塞于其《人与国家》中，认自然法乃以生存的一致与恒久状态为其基础。其他的实验主义哲学家则痛加抨击，谓其背离历史的真实，与变动的法则及认识的关系状态相抵触，且仅从生物学方面观察人。有些学者谓斯宾塞此种概念乃他早年《社会静力学》中理论的遗物，依此理论，道德与法律系以神的观念的实行为其基础。上帝预定人的幸福，而此幸福则赖生存的不变定则的遵守以获致之。这些定则，表明原因与结果间、行为与效果间的关连，并必要地决定何者为善与恶、何者为公允与不公允。性能的运用，如为人类幸福所不可缺，则运用它们的义务与权利，实渊源于此幸福。樊尼就抱着这样的见解，他把斯宾塞的学说扼要叙述，同时并谓这种绝对的伦理制度不能计及实在的缺陷，所以代表着理想人性的定则；又谓在此位英国哲学家的后期学说中，除神学与结果学的概念外，尚留存着一个起因于生存状态的道德与法律的内在理性及非由国家创设而由自然建立关系产生的定律的观念。我们还可以说得，此观念在斯宾塞的最后一本书《正义》中，有着明白的阐述。斯宾塞在这书的序言中说，

---

[1]　即《查士丁尼学说汇纂》。——勘校者注

他先欲说明正义，凡属于超自然制度的一切假定，均予提出。他把国家制订的成文法，与相等于社会理想的绝对真正与公允的自然法或可能法，加以区别。他说，这一种的法律，乃以人的本性为其基础，人则依理性的指示而自由决定其意志。樊尼承认一个以生存的必要状态及物的构造为其基础的法律，并谓此种概念乃自然法旧说的真正部分。

一百五十三、习惯为成文法的第一渊源

成文法的第一个主要渊源，就是习惯，它以人民的法律情绪及其所表现于外的某种不变的普通动作为其存在条件。乌尔比安云："习惯是人民久已默认遵行的规则。"社会中发生一个需要，而要求一个合法的承认。其始，这种需要，系由暂时的孤独的动作满足之，稍后，社会中乃产生一般的信念，认此满足为必要。同一的动作，由社会中较多数的人，以一致与不变的方式，反复为之。于是，"习惯行之既久，渐成为人民全体确认的同意行为"，而有习惯法或不成文法的出现，而赖习俗以表现之。奋斗与适应的因素，介入此种程序，但此直接程序的直接特性是无疑的，因为它全然是直觉而无反省力的，绝不需要国家的特殊机构。有时候，此无反省力与无意识的程序，其开端为一个个人的有意识的动作，他人则起而仿效之。琉喜阿斯·楞丢勒斯（Lucius Lentulus）、奥古斯都（Augustus）及拉皮奥（Labio）的例子对于罗马法中关于遗嘱附录的影响，谁是不知道的？一地方言，强行于一个民族，或由其自动采用，其结果成为一国的语言，这岂不是常见的事实？一种模样或一个个人特性，在模仿精神强烈的时期，如果特别另以渲染，并足以吸引他人的注意，不是常会变成一般人的表率？以上述的理论为前提，则注释者的意见，认习惯的本质存在于动作的本身及学说中者，浦克塔（Puchta）认习惯完全以一般信念为基础者，以及萨维尼在《近代罗马法的

体系》中的见解，其与事实大相背驰可知。习惯必包括着信念
及恒久的一般效用的两种概念，它们与一个基本原则及一个外部
表现有着相互的关系。习惯犹成文法然，必须包括真正，这也是
很明显的事。换言之，它必须是理性化，在进步的时期中并须承
认为法律，庶几可具有一个强行的力量。

一百五十四、原始习惯异于一般习惯

但如上所述的习惯，是特殊的，并且早已是一个独立的法律
形式，是故乃后于一个单一的不可分的绝对的权力（巴佐特曾
作此说）所定的原始习惯，此权力倾向于形成法律性的结构，
并如维科所云，使残酷野蛮的波立斐密（Poliphemi）归于顺服。
在法律的习惯与规范以前，在教会以前，有着另一种的习惯与规
范，依斯宾塞的见解，乃隶属于礼仪的部门。梅因于其《古代
法》中谓荷马的西密斯（Themis）是神圣的，感通神与君主的
决定；谓接连的这种决定，在同一的场合便创设了习惯；又谓在
荷马的作品中，"法律" νόμος 这一个字是找不到的，法典编纂
者的神的任何概念也是没有的。他引证格罗脱（Grote）的某些
按语，似乎前所未闻：其始为英雄的时代假借神权的君主政治，
往后则为贵族政治，在东方为宗教的，在西方为军事与社会的；
其时贵族有解释法律的特权，习惯法于以开始。来斯特（Leist）
于其《希腊意大利法律史》中，认成文的教令，先于习惯的形
成。班塔利奥尼（Pantaleoni）于其《古代法的一个问题之讨论》
中，痛诋梅因关于荷马的理论，但他承认这位英国学者的意见无
疑地可适用于较远古的荷马以前的时期。

在这里，值得我们道及的就是，梅因第一个告诉我们，教长
君主裁判反复的结果创设了习惯，其后又使我们了然于在另一方
面这种裁判却是习惯的结果。但关于此种习惯的起源或其形成的
方法，他却毫未述及，因为他只研究着包括教长社会的比较进化

的时期，而并未追溯到开端时期。梅因观察着一个早已形成的法律；他清除了此法律与其他社会势力特别是宗教之间的混淆之处，但他只以法律性习惯已出现的时期为出发点。现在，欲回述到没有普通习惯的法律最初起源的时期，已不可能，此普通习惯，晚近学者多数认为规定的结果，其后法律的结构渐次建立并加强着，其他各不相同的特种习惯，诸如纯粹的法律性习惯之类，自然地开始存在。除非人先获得服从某种规范的惯习，习惯规范的遵守当然是不可能的。古代的人，除非在一个严厉威压的惩戒之下，是丝毫不愿服从任何箴规的。由梅因重述的格罗脱（Grote）按语，乃是陈旧之物，维科的著作中可以找到，他的关于古代神权的观念，为一般人所知道的。维科谓习惯乃以例的方式存在于法律之前，法律则为一般的；又谓神父的习惯实先于《十二表法》而存在。他又谓加于荷累喜阿斯（Horatius）的刑罚，乃古人习惯的一个例子；谓寡头政治乃受制于习惯，古人习惯的保守与不可变性实为此政治的基础。此一纪元的法律，是一件神秘的东西。梅因认在上古时代，习惯的存在，并不需要社会权力的承认，这话是很不错的。法律自然地表现于习惯之中，没有人会争论着它形式上的效力，在这时期也没有人会要求国家对它的承认。在此种法律渊源需要国家承认的概念发生以前，心的普遍发展与事实的深刻分析，是需要的。这一种概念，乃是理性时期纯粹思虑的产物。但原来虽无这种承认的事实，习惯虽亦仅凭借己力而获得其价值，无须政府的核准，其后它却经人阐述，渐成明确，效力亦见加强，更因政府机关与制订并适用法律的法学者的工作结果，使其无关宏旨的要素渐次消失。在罗马，精研法律的主教学院及市长，有解释法律之权，其始，随侍印度与希腊君主之侧的诗人，熟知此班君主的裁决，便成为当时习惯的保管者。学院时期以后，民法学者乃出而以清除、发展并提净此法律的第一个模糊渊源为其使命。

一百五十五、制定法增多后习惯渐失其重要性

及至有史时期，自然理性有了充分发展，只代表着法律直觉的习惯，不复能保有其旧日的范围及效力。当一般原则的思想占势、公力的组织发达的时候，习惯不复能有废止法律之力，如在罗马时代然。时至今日，民法学者的格言不复可信："习惯已被认为一种默示的同意，其效力相等于立法，并能修改明示的制定法。"在刑法中，习惯已完全失去其支配力，因为犯罪凡未经法律明文规定者不能处罚；在民法中，也只在任意规定的部分，它才保有其势力。但在国际法与商法中，习惯却有着显著的发展；原来在国际法中，法典的编纂犹付阙如，在商法中，法典的编纂不得不采用一个极普通的特征，庶几不致妨阻贸易生活无限制与恒久变易的结合，并利用含有商业利益的世界主义色彩的通常的有用习惯，以维系不同民族于一起。

一百五十六、学理的研究为法律的第二个渊源

成文法的第二个渊源，为学说或法理学，它代表着对于制定法的科学研究，及习惯所表现的一般信念。但它常被视为习惯法与立法的直接与补充形式。它在法律方面的作用，其始是实用的，并表现于"法庭的惯例"或"类似于判决效力的永久情状"中，其后乃以注释与系统化的方法而变成理论的。法理学的使命在解释现行的法律，以衡平法补充之，并提示采用新原则的必要或便利。解释的意义，就是以适当的认识方法，了解并转述立法者的意旨。我们如果要了解一切的法律，不但须解释意义模糊的法律，正如菩勒利（Borrelli）所云，即意义明晰的法律，亦须在解释之列。解释，通常乃就其效能及起源的要素，以区别之。讲到它的要素，解释可说是字面的、逻辑的、历史的或系统的，胥视法律的文义而定，并以立法当时的情形与立法意向的复杂性而为转移；关于效能，它是陈述的、扩张的或制限的；关于起源，它是司法的、科学的或立法的，胥视其作者之为法官、解释者或立法者而定。多尼罗（Donnello）称此种分类为通俗的，萨维尼则认为怪异的。他们谓一切解释为智者的自由作为，含有研究的陈述的特征，它利用前述的四种要素，此要素只是一些方法，而不是种类或形态。现代法典规定，法官不得以法律含义模糊为藉口而拒绝适用，他须参照法文的字面意义及立法者的意旨，而就此法律下一解释，如遇不能依精确的法文意义而为裁判时，他可援引同类的判决例，以为裁判的依据。如遇疑难案件，不能依前述方法裁判时，则应依法律的一般原则裁判之。这种原则，并不是抽象的自然法或理性法上的原则，而是成文法的哲学上的原则，就一般而论，却就是法律哲学的一部分。所以，法律学及其哲学，也就变为法律的渊源，并与习惯及制定法，共同构成了一民族的法律遗产。

一百五十七、法理异于习惯

既如上述，则布卢美（Bluhme）于其《法律全书》中认法理仅为习惯法的一个反影，显然是有误的；斯塔尔于其《法律哲学》中、马累查尔（Marezzoll Bluhme）于其《罗马法制度大纲》中及布朗斯（Bruns）于其《法律科学全书》中，否认它是法律的渊源，当然也是不对的。甚至从历史方面说来，这种见解也是不确实的，因为在有些实例中，某些规则因了科学的工作，曾有着实用的效能。凡扣尼希 Warnkünig 于《百科全书》中，及萨维尼谓类推解释并不是扩张解释的一种，因为前者填补一个裂口，后者则扩张法律的意义。类推解释的许可，乃由于一种概念，认法官对于法律不能拒绝适用，而非由于解释的严格原则。在类推作用中，以一事与另一事同等，结论就可获到，在这里，如果二者同等，前一事的定则便不是一般的而是特殊的，如在例

外的情形与"单一法"的情形中然。除解释外，法理以衡平法
补充法律，此衡平法与法律丝毫不相抵触。亚里士多德说过，衡
平法是一个较良好的裁判，异于法律裁判，并改正之。与法律字
面的狭小的形式相反对的，乃是法律的本身。西塞罗谓"现实
法是衡平的。"塞尔萨斯（Celsus）界说法律科学为"至善与衡
平的艺术"；保罗（Paulus）之语亦然，彼谓自然法包括"永久
的至善与衡平。"罗马民法学者恒以为"适法"寓于法律的字句
中。"口头的与文字的法律"须以"衡平"为其基础。除"衡
平"外，尚有"严正的法律"、"严格而诡辩的法律"、"狭隘的
程式"及"残酷的法律"。"衡平法"是"适中的、自然正义
的、合于人类理性的"。罗马法的整个历史，提示此由"合法"
至"至善"的前进运动，于此，类例的"拟制"形式，足以修
正法律的实质，而不变更其形式，占着很重要的地位。最后，法
理表明其改革的愿望，这是法律机关一个长期注意的精密的实际
研究的结果，并鼓励立法的修改与新法典的制订。

一百五十八、制定法为成文法的法第三个渊源

成文法的第三个渊源，像习惯般的独立，但不像法理般的仅
为补充性质，较二者更为确实而一般，同时是反映的，这就是制
定法。这是国家或构成国家的人民的最高意志的表现，依罗马界
说可称为"国民全体的意志"，为"共同信条"。制定法是一个
独立的渊源，因为它是社会最高权力直接与形式上的效果；它是
反映的，因为它是立法者与法学者深思熟虑的结果。它较习惯与
法理更为确实而一般，因为它是一个固定的抽象的方式，为尽人
所理解，离去法官的解释与研究学派的讨论而独自存在。在学问
的准备与发展中，它和法理颇相关连；它和习惯也有关系，因为
最初它的材料常由习惯所供给，其后则较倾向于科学的基础以构
成之。它并非出生于岩石与林木，一如柏拉图所云，它却以实际

为其基础的许多自然与历史的情状为其前提。在这里，值得我们提及的就是，以制定法界说为国家最高意志的表现，常会引起误会，而我们必须避免一切关于制定法关系的可能发生的误会。英国分析学派，以边沁与奥斯丁为代表。谓就制定法而言，法律的观念，是最高权力及其威压力的观念，是不可分离的；这种观念，于上述制定法的定义中已可见之。梅因对于分析学派的见解，并不赞同，他以为此定义如果适用于文化的前进状态亦即成熟的司法制度，是很精当的，如果适用于文化的较早时期，却就不很正确了。在上古时期，法律并不是立法机关的产物，乃寄迹于受人崇拜的习惯的复杂性中。它们的义务性质，并不有赖于最高权力的威吓作用，而是产生于舆论及宗教信念。我们在前面已经说过，梅因不曾看到权力、威逼及义务，在一般习惯时期，即已存在，惟其形态模糊不明而已，由此一般习惯中，各种习惯发达着，法律性习惯即在其中。一般习惯包括一切规范，此规范嬗变而为有力的惯例。习惯产生一种权威，遵守习惯的义务则与恐违已死祖先意思的心理有关，此班死者的灵魂实支配着人的行为。这概括的恐惧心理，就是一种威吓力量，在舆论监督下的行为中，很占着一点势力。这三个概念，包括于制定法的观念中，并不是突然发生的，却在最远古的时期有着它们的先在原因，是故依维科之意，研究的工作应以此远古的时期为其出发点，因为研究的事物原是从那个时候开始存在的。

一百五十九、制定法并不独自发育

关于制定法与环境之间的关系，我们必须记住，谓法律与制定法的构成，可视为事物不赖外力或挣扎而凭自力运动的自然的无意识的迟缓的产物，这似乎是一种夸大之词。此自然发动中，也不须有着一个过分的动作。维科说过，人的世界，乃因心的变化而发展着。其结果，我们势必归功于思虑的因素。一般承认，历史学派赞同此种夸张之说，这种事实可从《立法论》的著者孔德的理论中见到，此外也可从许多实验主义的学说中体会出来，他们视立法者为时代的缮写者或书记员及习惯的登录者，并视立法程序为一页自然史。这意见要是不错，则科学仅有叙述事实的责任，而无给予忠告的义务，因为制定法势将成为真正的权力，孟德斯鸠所谓自然的关系，决定一个民族生存与发展的方法；如此，则吾人借重于立法者，必将成为徒劳，有求于他，势必也是枉然。

这些理论，也有一部分不错，这是无疑的：就是环境影响着人，在上古时期并且支配着他；自然规定了人，予以特性，使其类似，但并不使其同一〔正如乔培尔底（Gioberti）所云〕。制定法显然须与空间时间的情状及人民的习惯相合。关于这点，当然没有问题，但其后到了一个时期，人开始反抗，并采取报复手段，支配它们，改造并变易它们的要素与势力，而走上文化之路。在这一个时期，思虑或心占着优势，人类的解放开始，人对自然征服的第二个周期即开其端——第一个周期乃自然对人的征服——这两个周期，从个人的生活中可以见到，他无异是人类生活的摘要者。在法律中，自然介入而以其全部影响力临人，但人亦挟其思虑及自由变化的活动力置身其间。制定法，由于人力，在某个限度内得能产生改造的作用；环境与经验证实如此。到了成文法的渊源在质量上增加的时候，我们便愈不易见到人受制于自然的事实。当立法的范围扩张的时候，制定法改造环境的权力也就增加。因为这时科学盛行，偕科学以俱来的则有自由。我们已经说过，前述的学说在理论上并不正确，因为发展包含势力，而要是没有克服障碍的观念，势力的观念也就不能认为圆满。这些学说，在历史方面也是不对的，因为法律乃于残忍的对照与竞争之间，觅取其前进的途径。此种理论尚有一个害处，就是足以导人于迟钝之境，因为它们认事物能赖自力以履行一切，而不甚需要或甚至绝不需要人的协力。

一百六十、法律必须是明白精确与无疑

特楞得楞堡说过，制定法应以庄重而尊严的语言出之，因为它是伦理的意志，亦即超越感情的意志。它的用语必须简略而和平（因为它是有力的意志），且易为尽人所了解，犹通俗言语然。社会意志的表示，必须谨严而锐利。概念的谨严，常受定义谨严的限制。在科学中，定义显示着概念的范围。在法律中，定义的作用不只如此而已，它决定限界及法律关系，并代表一个真正的创造力。"在民法上，一切定义是危险的，事实上它们并不是不能推翻的定义"——这一个古训，不啻告诉我们，欲把易变的生活关系，包括于一个明白而谨严的概念中的困难，但精确定义的不可或缺，又谁都不能否认的，这种定义，实为法律确实性的保证，使法律上的裁决得以保持其境界。所以，法律上的定义，有时只是陈述的，也有时是创造的；也有时定义中并不包括概念的一切本质，而只含有一个要素或它的特殊标记，这种情形也不是没有的。

一百六十一、法典

制定法增多后，编纂的工作渐觉需要。编纂的工作，有为私人的，有为公家的，有依年代的次序而编成的，也有依内容分类而编成的。编纂工作完成后，渐感到另一种的需要，就是包括一切司法制度与法律的系统与组织的法典的完成。法律的编纂，包括许多法律，但它们仍各别存在；法典的编订，则包括一个单独的制定法，它的内容涉及法律领域的大部分。有些人误信法典乃为政治目的，非为科学理由而编订，因为法典的需要常与认识领域内系统化的深切要求相混淆，而显示于充分发展的科学思虑的时期。这种见解仍不足以妨阻法典的编订，以扶助人民的教育，并使他们团结一起。编订法典的现代观念，最初出现于十八世纪之际，嗣后渐次成为文明国家的一般而有力的原望，此乃由于当时法律中极度的紊乱，发生极大的不平等现象，各人的心理不免感觉综合的需要。

格老秀斯学派抱着一个自然的一般法律观念，认成文法应尽量与之同化，故绝对不主张法典的编订。来布尼兹指出编订法典的必要。在普鲁士，要求过一个以理性为基础的历久不易的地方法规。在奥地利，要求过一个有关理性的一般法则的平等而稳定的法律。在这些时候，一般相信罗马法为"成文理性"或"自然法"的实现。法兰西法典乃立基于自然法坚固的根据地及其和国纯洁的领地上。普法之役，使爱国情绪为之复苏，并使蒂堡怀着一个德意志法典的愿望，萨维尼反对此事，因为他和他的学派，认编订法典为法律的硬化，为不以历史渊源为基础的概念占优势的原因，为平凡注解的诱因。他们一致承认，在前一世纪的初叶，如果德国即已编订一个法典，则法律必不能获到像今日般广大的科学发展。在德国动议编订法典的当时，萨维尼所称可能的危机，诚有其事。但他泛指一般法典的编订，都有着这种恶影响，这可以说是对的吗？萨维尼却并不完全拒绝法典的编订。因为他在《现代立法与法学的任务》[1] 出版后的有些后期作品中，曾谓在有些场合，法典的编订是无可非难的。但除了这些不常有的场合以外，他是法典的仇敌，这是无可否认的；须知法典的编订，足使理性时代的法律，收最高综合之功，它并不是法律的结晶体，因为法典编订后，它的各部分仍可常依经验的结果而加以改正，或全部予以修订，一如吾人今日所见者。

今日正有一种企图，欲把法典立基于生活与社会的历史情状

---

[1]　现一般译为《论立法和法学的当代使命》。——勘校者注

之上。此种法典，不复仅以理性的原则为其基础。自法律被认为人的观念后，旧日的自然法概念已不复占着优势。现代科学，致力于人的观念的历史。它包括着观念依于事实的系统化。它编订法典，并使它们显示人的关系的真正状态，阻止空想的或纯粹主观的意念的侵入。至谓法典法律，就其全体而论，其科学的注释，为绝对平凡注释之物，这种见解，也是不能赞同的。

一百六十二、法律与空间

理想的原则，换言之，就是法律所包括的实现于人的生活与意识中的事物比率或量度，需要共存与连续、空间与时间。但若空间与时间为法律发展的两个条件，法律没有它们，势将成为一个纯粹的抽象的论理观念，那么它们当然不是法律的原因了。法律常是一个超越共存与连续概念的原则。以法律与空间视为同一，无异以人与居留地，与人的活动资料的自然，混为一谈。以法律与时间视为同一，亦无异以法律的本质易为一个暂时的形态，而使不公正有时成为合法，培柏于《法律科学全书》中，曾谓空间对于法律有着两个关系。从某一个立场看来，空间是一个地域或范围，于此，法律以成文法的形式，有着管理权。如果成文法是群众意识及国家意志的表现，则我们可以推论着它是地域的，其效力伸及于全部领土，与国家本身的最高权力同；但有时私人关系因外国法而存在，非"本籍法"而仅"所在地法"有其适用，例如特别是在适用国际私法的场合，此时这制定法的地域性观念便不能有其适用。从另一个立场看来，空间可认为人力可伸展以遂行其目的的资料，在这里我们可以看到自然科学与法律之间的联系，此联系依相关自然物体的性质，而具备种种不同的特色或姿态。

一百六十三、法律与时间——追溯力

在开始讨论到法律与时间的关系的时候，就发生了追溯既往的严重问题。法律是否仅统治未来，或者亦涉及过去？关于这一个问题，说得最为透彻的，要算拉萨尔（Lassalle），于其《取得法制度》中的理论，加巴（Gabba）于《法律溯往学说的研究》中曾加以澄清与推行。拉萨尔谓新法律对于既得权利不生影响，因为此既得权利乃在旧法律保护下履行义务而获得者。于此场合，如果承认追溯力的存在，这无异冒犯了个人自由所应有的尊重原则。其实此概念在拉萨尔好久以前，早已由特楞得楞堡加以发挥，他认正式的或公认的法律为自由的基础，既得权利即受它的保护。制定法的正式法律，与个人的既得权利，是互相支持与扶助的。但拉萨尔续云，一个新法律，如果涉及个人的本身或其特性，就个人由其行为独立的立场，仍是含有追溯性的。无论这些特性直接有赖于自然法或成文的社会法，或由新法律以正确或不正确的态度考虑之，上述的原则总归是不错的。例如，废除奴隶与家臣制度的法律，对于过去亦有适用，因为它尊重这些制度所曾否认的人格。决不会有一个官能上的真正既得权利，为成文法所给予，而与自然法显然相矛盾者。加巴接受拉萨尔的学说，但增补而修正之，使具备一个显著的个人主义的特征。依照此位意大利学者的见解，获得权利包括任何凡可作经济估价的可容许的行为，而行使于一个物体使成为产业的一部分者。拉萨尔只看到行为的可许，而忽视了其他的要件。但若谓一个获得权利仅从一个个人的行为与意志发生，亦不可信，因为它亦可直接或间接由法律发生的。在加巴的心里，每个权利就是一个获得权利，这是一个行为的结果，如果这权利依行为完成时的法律，可有一个经济价值，则在新法律通过以前，给予价值的时机虽未到临，此行为在完成时仍是合法的。完成的行为，可有三类。第一类是人的意志的结果，此意志欲藉"无主物"的取得或与他人的合意，以创设一个特定的权利。第二类行为也是有意的，但并不包括创设权利的企图，惟若由法律规定时，权利亦即因"法律的救济而发生"，例如在犯罪案件中，或甚至更明显地在"因侵权行为而发生债权的案件中"。第三类行为，却是无意或偶然的，权利从这种行为中，因"法律的救济"而发生例如在土地添附的场合。

我们对于加巴这些合理的修正案，如果以其依据于本问题较详尽的研究，而接受之，则拉萨尔的学说及其修正案，可扼要述之如下：一个法律，如果它影响到一个个人有意或无意的行为或所完成的事实，而此行为或事实依完成当时的法律可给予或创设一个获得权利时，它是没有追溯力的。于此场合，法律不溯既往的理由，乃存在于因果原则中，前述的行为与事实，应受它们开始或完成时的法律统治。在这里，原因并不是时间，而是事实与行为所受统治的法律的控制。如果这是一个人格的问题，是一个人及其本质属性的新而较高概念的问题，那么，新法律就有追溯既往的效力，因为一个个人不能以其意志或异议而妨阻法律的向上之路。人与其官能观念的新而较合理的宣告必须能变更社会状态，并达到圆满实现的目的才行，在同一的社会与时间，而有着人与其基本能力的两个概念存在，这是乖谬而矛盾的。

一百六十四、追溯力的错误法则

其他关于追溯既往的学说，其科学的与理论的价值，均较次劣于加巴告诉我们的拉萨尔学说。有些学说，认追溯力应视立法的用语而定，遇有可疑场合，则推定其有追溯力。这并不是合理的标准，而只是一个推定的方式。我们所要讨论的，乃是一个立法机关所应遵守的原则，伸延新法律的活动于过去，抑仅限制其适用于未来。一个新法律，虽因其较为优良，而得适用于过去行为的结果，其适用的准则，至少亦应以有关于既得权利者为限。有许多人以为一个法律，如果涉及公共秩序或禁止行为，即应有追溯既往的效力，他们却不曾想到，在与个人利益的对照下，欲严格划出公共秩序与社会利益的境界线来，是不可能的。这一个标准是不确定的，因为既得权利的尊重，乃是社会利益与公共秩序的问题。二说均不足恃，因为一个新的刑法，虽含有公共利益的性质，却常无追溯既往的效力。这是很明显的事，含有公共性质的法律概念，常合于追溯既往的较复杂的观念，而适应社会的要求，至于私人性质的法律观念，则常与既得权利及不溯既往的观念相关连，以满足个人的要求。但科学却觅取一个较高的原则，一个至上与终极的条理，它是明确而固定的。有些学者谓禁止性的法律是追溯既往的，因为禁止的特征必然地携追溯力与俱，因而演绎出一个定则，此与公共秩序的概念，相去已不甚远。萨维尼区别着两种法律，一种是关于权利取得或个人能力认许的法律，另一种是关于权利存在或不存在及一个制度的承认的法律。属于第一类的新法律，不能破坏既得权利，如新法律影响行为能力然；属于第二类的新法律，则有追溯既往的效力，例如废止私斗的法律。有人指出，这个区分，其标准抽象而不固定，常犯着模棱两可的毛病，例如同一个法律，从个人的立场看来，是一个取得的法律，而从客体的立场看来，则是决定权利存在的法律。一个权利的存在或不存在，一个制度的合法承认，与我们适才提及的公共秩序及社会利益，极相类似。

一百六十五、有追溯力的刑法——损害赔偿

当权利尚未成为不可改变的时候，法律对于简单的希望或期待并不加以过问，其于制定法所赐予的仅仅的权力亦然，直至它们所根据的事实发生时。如果此事实业已发生，就有一个真正的既得权利存在，新法律便不影响及之。在刑法上，如果说到一个犯人的既得权利，这是不正确的。凡属于犯人者，于他决不会有经济价值的存在。一般说来，它只能容许为犯人的"财产"，而未取得"既得权利"的意义。虽然如此,最宽大的法律,不问颁布的先后,均有适用,这个格言实具有衡平法上的价值。衡平法在暂时的法律的范围内,有着恒久的控制力,在这里,它可以研究系争两造的辩解,个人就其既得权利的辩解,以及社会就其一般安宁与进步的立场的辩解。社会的主张,根本上并不是大多数人的要求,也不是因法律变更而受益的人的要求。特楞得楞堡说过,凡要求变更并因而受益的人,对于法律的牺牲者,应赔偿其因此所受的损害,这样才是公允之道。如果这是一个简单的个人权利的问题,例如一个阶级特权或利益的禁止,便无损害赔偿的余地,因为以黄金易得光荣,是一件不光荣的事;但若这是一个财产的问题,则法律的变更,不应不费劳力不予补偿,而使原来受益的人蒙其损害。换言之,获得之事,是不应有的。英国政府,于废止殖民地的奴隶制度时,予蓄奴者以相当补偿,并责令被解放的黑奴至某个时期内,仍充其旧主人的仆役,为其操作,此举兼顾双方利益,至堪钦佩。

第二编

第一章　个人及其权利

一百六十六、法律上的所谓人——权利和义务的主体

就法律上严格的意义说来，人格是权利义务的主体。所谓人格，就是人就其组织体的特性所赋有的感觉力、认识力和自由意志。如果人的感觉能受制于明确的变形的知识，或者他的意志就是行为的理性，那么我们便可以说得："凡是具有自由意志的，便有人格。"但人类事实上只具有一种人的意志的单纯的可能性，或是自我的自动决断力，而不是权利义务的真正主体；法律上的人，固然就是平常人的部分，但在认识的动作——这是法律上的准则——上，他们间却显然有着区别，因为法律上的人这时就有着自己的生命与功能。抽象的人与具体的人，固具有同一的本质，但前者还具备一种完成动作的能力。行为诚然是必需的，但这只是人，也就是权利义务主体的第二要素。这只是一种人为的东西，一种法律的产物，而不是人格的一部分。

一百六十七、社会是一种必要物

要是我们看到人是社会中真正的伦理单位，而且没有社会，世间便只有伦理单位的本原及其要素，这样我们便不难认识清楚了这人为的物的特质。此种伦理分子现身为人，靠着五官的作用，并得助于知识与教育，而臻于自由的领域。但欲语言、教育及纪律的存在，非先有社会不可。亚里士多德的关于人的最终命运、独裁政治及伦理与政治间的关系的学说，就根据着此种推论

而制作的，而现代哲学家固亦未尝背弃此学说而自作主张。维科在《法律的普通原则及终局》中，称性格为能力、自由及节制三者竞合下的产物。他说，要是能力包括分配财产的智慧，自由包括利用财产的适度，而节制就是支配能力的一种精神上的力量，那末欲有性格，非先有文化不可，这是无可置疑的。因为要是没有语言、教化及教育，上述的智慧、适度及脑力便无从表现出来。康德谓国家为契约的产物，但承认个人因国家的存在而获得自由与自主。黑格尔则相信公众团体是伦理的物体或灵魂，个人只是此种物体的单纯表现或形式，而人类的生活则系此个人的一个目的，此目的则在公众团体的环境中发展而前进着。据他看来，公众团体与个人是互为因果的，前者产生一种力量，使其各个分子联结一起，并保持他们原来的特性，后者则企图凭借其各自的行动以变更之。特楞得楞堡则谓个人欲离去伦理的组织体亦即社会而独立存在，这种想像是不能实现的，而人的意念往往就是包括个人的公众团体的意念。孔德则以为在心理学中，静力学与生物学有关，动力学则与心灵有关，是历史演进之原，而非生物变化之原。在孔德之意，个人显已成为活动的因素，只因为他是全体的一分子，而此全体则在循历史轨迹前进中。

一百六十八、两个必要条件——它们在历史上的迹象

法律上的人，就其参与日常生活亦即对外关系这点来说，与自然界的人根本上就是同一的自我。但他却自有着两个生存上必要的条件，就是意志与社会意识。现在我们且从这两个条件最初出现的时期，来观察它们嬗变进化的迹象。当"家族"社会时期与村落社会时期，亦即社会文明启蒙以前的时期，这两个条件已可略见其不完整的状貌。这样看来，法律上的人，其非必赖文化而生存可知。在有文化的社会中，法律上的人固然可有敏速而多方面的发展，在这里他可找到较适宜于他生存与前进的环境，但在未有文化的时期，他也早已存在着，我们要说他没有有文化的社会就不能生存，这并不是说在社会形成的早期他并不存在，不过想说明不论是原始的社会也好，要是没有一个社会，他总没法活动起来，而且须有赖于历史的过程，他的活动才能臻于圆满。"自然人的人格基于市民的身份"，这定义并不是说人类须赖文化始能前进，而是说没有一个人是不和权利发生关系的，——这法律与国家所承认的权利。这种权利的握有，就是法律上的一种能力。法律上的人的原则，常随社会机构、情感、惯例、信念的不同，更常因时因地，而异其表现的态样；但在不论何种态样之中，意志和前节所说的法律上的人为物这两个要素，是永恒存在的。人，不问他特有的或具体的性格如何，总少不了这两个要素来点缀他的外形。

一百六十九、绝对的权利和相对的义务

就绝对之点来说，也就是就个人的立场而论，个人自有其应享有的权利；而就相对之点来说，或如特椤得椤堡所称就社会的立场而论，则个人又自有其应尽的义务。个人是一个中间物，这并非因为他是一个客体，而因他是所隶属的人类或伦理社会中的一个有意识的因素。洛斯米尼显然抱的此种观念，他称子孙的繁殖是父权之原；并谓从伦理的意义说来，儿子是父母觅求欢乐和幸福的中间物，而就其自身的立场看来，他本身却是一个目的。就其对于父母的相对关系来说，他有着一种义务，而就其自身的绝对性质来说，他就自有其权利。个人本身就是一个目的，他企求从义务的履行，或适当的便宜的行动的实施中，得到自由。他却也是一个中间物，有些事情他应该去做，有些事情却不应该去做，因为在这种情况之下，他已成了实现伦理原则和人类观念的一个工具了。我们应该知道，伦理的组织体不仅是过着人的生活而已，它自有其一己的生活及其一己的性格，以异于一个单纯的自然组织体的生活及性格。在高级的自然组织体中，固然也有它一己的生活某种的独立性，但这种生活，以与人在伦理社会中的生活相较，却相差得远了。原来个人能够自成一单位，而自然组织体则不然。

一百七十、固有的权利和获得的权利

权利有固有或本质的，和获得或偶然的之别。固有或本质的权利，虽系直接基于人的一般而抽象的本质而存在，却并不是根据于斯多葛学派所谓"自然的先在"的权能，也不是仅以保存或繁殖人种的原始权利。获得的权利则起源于人的具体的个别的本质，而非与心智的及道德的要素有关，换言之，并不是一种"自然的结果"或随来的权利。固有的权利表示真，获得的权利表示确；前者是基本的力量，后者则代表发展和实行。洛斯米尼说过，人有一个原始的基本的权利，就是人格权，随着这人格权，直接地或间接地，便产生各种的权利。人格的本质与活动力之间的联系，要不是为自然之所赐而与人类的生存并始，则即为人类活动力运用结果的产物。凡此种种的权利，如能调和而与人格本质相适应，便构成了所谓天然的固有的权利，但若专供人的活动力及自然权利的运用时，则谓之获得的权利。如果没有一个天然的权利，我们便不会有一个获得的权利，而就常例来说，要是没有一个先在的权利，我们也就无从获得一个新的权利。要获得某种的活动力，动作是必需的，因为要动作，某种的能力也就不能短少，所以，一个人欲获得新的活动力或权利，便须先享有行使上述这种能力的权利。因此，凡活动力所能为力之处，权利亦得伸展及之，换言之，权利的胚种既然有了，权利也就不难获得。

一百七十一、权利是随着人类的进化而增多的

一个人的机会和能力有了发展，他的权利也就会增多起来。

人愈是完善，社会就愈见进步；国家愈是文明，个人的权利也就愈见增富。在时代的演进中，因了获得权利的运用，固有权利的新状貌也就层出不穷。此类新状貌，因了滋长进化的作用，渐次分离嬗变，其相互间的关系也日见错综复杂，终至于固有的权利已非复为一成不变的能力，而成为一种人类的活动力，此时渐不见其静态而但见其动态，各活动力间能最密切而有力地调和着，且其变化的领域最广泛而无定限，此其特色。

一百七十二、能力的质的差异和量的差异

上述的这些活动力，换言之就是精神上的能力，是不能以质或量互为区别的。原来以质的区别，所关涉的不是物的全部而只是物的一部，其法就此物的一部以不同的方式剖别之、分配之，于是每个异点自成为一个因子，而各有其定界。精神则不可分，它就是一个单位，而且只是一个复杂性的能力，所以人就其一切的天然的固有权利而论，也是整个而不可分。因此，吾人如谓能力与固有权利得为质的区分，此种概念实与人体和精神的一元说相背驰。不但如此，此种权利亦不能以分量计之，这是因为它们之间并无多寡关系的存在，它们也不能离人格而单独存在，例如，生命权初非在加减或乘除的记号上有以异于真实权或自由权，亦不能离其主体而存在。吾们知道，分量并不是决断上适当的准则，因为我们可以或增益或减损而不发生质的差异。因此，如谓吾人纵不否认精神与人体的一元性，能力与固有权利仍可有着量的区分，此种理论显然无视精神的发展的特征。总之，固有权利是精神的能力，是一种不断前进中的充足而有力的力量所表现的不同形式，并且不断地在变化和改进中。斯力也，可于其活动的至境中见之，在心理学为心，在伦理学则为人格。

一百七十三、人是权利之原

固有权利在理论上的渊源，可谓舍人莫属，而人的一切权利就是活动力，亦即能力。但我们应该明白，这里的所谓人，不是指整个的人，而是指人的抽象或伦理的部分，因为要不然，单说到人的绝对权利而不及其相对义务，是不合逻辑的。特椤得椤堡说得不错，人的固有权利乃代表种种准则，以为个人的环境宜于其发展的保证。凡欲求得此种权利者，首须承认权利所仅得赖以存在与活动的伦理社会。凡此权利之理想，乃与目的不可分，而此目的则为个人与社会双方所努力以企求者。目的维何，曰人性的充分实现而已。但人而作如是解，换言之，非指权利本身而言，便应视为固有权利的因素与形态。要是有人格的权利这一个名词的话，这并不是指的特种的相异的权利，却是指权利的共通中心，亦即人的能力本身而言。依据洛斯米尼的说法，一种权利的所以异于其支配下的活动力的一般特征，就是最广义解释下的所有权，于此可以见到一切与人的肉体及道德上有关连的或为人所获得的事物，换言之，就是在他所有权支配下的一切。依上解释，此最广义的所有权，仿佛环绕于个人的四周而以个人为其核心，于此特定的领域内无人可以侵入，盖一人之所有非他人所得而剥夺之。

一百七十四、权利的发展

欲明固有权利的特质，我们姑引意大利哲学家之说，他们在这方面的成就是无可非议的。每种能力就是一个活动力，未成熟而在胚种时期，但却有萌芽而发挥其特性之势。最初，情绪意图重温已在的感觉，次乃企求实现已知的结果，并致意于幸福的觅取。先见的可能性，启导真正的发现。意志使已发现的欢乐为人珍视，并致力于德行的完成。这三种实现幸福、真正、德行的趋向，与感觉力、认识力及意志力初系一物，而且正就是固有权利及其蜕化而成的能力。此种能力，如果循进化律的准则融为一物，而其成就又需以真正与幸福为先决要件时，则固有权利之挟真正幸福与俱，以及真正权之含有幸福权在内，要无可疑。如能不以固有权利误为"自然的先在"，而知为尚括有"自然的结果"者，吾人不妨同意于维科之说曰，权利之于"自然的结果"犹之规范以示其确，而"自然的先在"则赖必然之力以创设之。但有不容忽视的一点，就是我们讨论"自然的先在"的时候，就无异在讨论着人性的较低方面，而"自然的结果"则代表合理的亦即自由的部分。

一百七十五、辅助的固有权利

个人应致力于幸福、真正及德行之途，以实现其理想，并完成其目的，因为这个缘故，所以他就成为其他的固有权利也就是肉体与精神生命权、自由权、平等权、社交权、受助权及工作权的惟一主体。凡此种种权利，阿楞斯曾有过一番广博精密的研究。

一百七十六、生命权

权利中最重要的当然是生命权了，它与形成中的人及胎儿同时开始存在。因为人与胎儿，都是可能视为人的，所以他们自有其权利而不可侵害。但胎儿的权利，有几个立法例尚未完全予以承认，例如法国和意国两立法例，以出生为继承权存在的条件。像这种的立法原则，是很不公允的，因为权利能力应以生命的存在，不以生命的可能为条件。凡人必有其生命，至其生命的久暂是不问的；人既有其生命，权利便不可或缺，不但如此，上述的立法原则，很受一般学者的非议，例如萨维尼就指斥它有背于刑法保护胎儿生命的精神。不过事实上因了胎儿视为生存的推定，这错误的原则，就避免了种种适用上的窒碍。

一百七十七、生命权并不括有自杀权在内

自杀是一个犯罪行为，因为自我保存乃是人的义务。此种义务，是道德上也是法律上的义务。关于道德上义务的一点，并无

可以置疑之处，因为人世间没有一个生命是不附有幸福的期望的。有些哲学家承认人类的生存，有与伦理不相容者，此种观念实属错误，因为一个人尽管有着怎样的隐痛或是蒙着怎样的奇耻大辱，终不足以蔽其玩忽义务之过，更不能因此解除了他完成其正当目的之责任。人在患难困苦之境，一想到自己已尽了应尽的义务，便可得着一种安慰，于是暴躁不安的情绪为之平和，再接再厉的勇气因以振作。何况人的自我保存的义务，尚自有其法律上的根据呢。人，就其动作而论，以及在其对外的关系上，对于有关一般利害的事情，他的行动应与旁人及整个社会相一致。人与社会间的关系既如上述，而社会又有藉法律以保证其生存的义务，所以凡有欲伤害人者，社会可有权惩处之，虽所伤害者为其自身亦然。盖生命权之不可让与，犹人性然；人性无生命即无自发展，而生命则又为一切权利义务存在的惟一条件。然吾人亦不能谓生命权之所以不可让与，只以其为社会存在的要素故，盖凡固有权利，其自身即因系人格的部分而有其重要性。像这样的权利的不可侵害与不可让与性，非由于多变的社会需要或者个人在国家中利害关系之所致，乃与人的肉体相伴以俱生的。

有派学说，以为人只是一个无所不包的组织体的部分，这本来只是希腊时代关于个人与国家关系的学说的余烬。此说立论的根据，乃自然组织体对于其各部分的权力，而不是伦理组织体的受制于其构成分子的性格的权利。人之于其自身，诚无法律关系之可言；然此种关系固存在于个人与伦理组织体亦即社会之间，就在这种的关系中，个人对于足以影响他人或他人所有之物的行动，就产生一种实现人的理想的义务。不仅个人自身，即其妻子、父母、兄弟等人，对于他的生命，也都有着一种权利。因此，社会对于个人生命的保存，也就有着一个权利。贝卡利亚关于自杀权与迁移出境的类推解释，是很不合逻辑，因为前者乃伤害人的生命，后者则仅使之易地而居。人的祖国，原非监狱可比，国家自应准其公民自由离去，但国家却不能听其自死自生。总之，人的这种自我保存的义务，非国家或政治关系的产物，而是一般人类生存上必然的要求。

一百七十八、自杀与法律在哲学上的关系

以法律惩罚自杀，固然不易奏功，然吾人不能因此遂谓自杀行为缺乏犯罪性。盖自杀者之终未受罚，原因在于此种罪犯之无法拘获。人死不能复生，我们不能处罚他的尸体或污辱他死后的令名，因为这原非人道亦非文明所应为；也不能没收其财产使遗族并受其累，因为这样也未免有失公允之道。国家如不欲漠视自杀的意图，而以处罚未遂为得计者，姑不妨试为之；但个人而不复感觉有自我保存的本能的必要，则法律实不足阻止其自杀的意念，而反足以使其对于自杀行为深思熟虑务达于既遂而后已。但社会要是真能向前迈进，使大多数人的幸福不难求致，国家要是能藉教育之力使人民谋生较易，而法律也不再被大众目为一种虐政，那末禁止自杀的政策，其收效必宏。是时也，道德教育普及的结果，自杀的原因必然为之大减；人民既皆认自杀行为为犯罪而可耻，则凡身有重忧或虞困苦之来临，而启撒手人间之念者，必能有所顾忌而不致贸然趋于自杀之途。如果上述的阻力仍不能有所奏效，而自杀的原因与时俱进，则其中必尚有缺乏自杀其身的勇气，或恐自杀未遂而获惩，因而废然却步者，亦有知自杀为可耻而迟疑不决者。而且爱生恶死的本性，也足以阻馁自杀之念。因了这种种的缘故，自杀的意志不易坚决，立法的禁止规定遂易于奏效。不但如此，依上述的立法原则看来，我们可以得到一个逻辑上的推论，就是帮助他人自杀更是一个犯罪行为。"同意的行为不生损害"，这格言原来仅适用于可让与的私权上，而于此类柏纳（Berner）在《德国刑法论》中所谓如予忽视即有违

反义务之虞的权利，则不能有其适用。否认一个人权利的权，固须受他人权利的限制。

一百七十九、避免身体伤害权及正当防卫

肉体生活的固有权利包括安全与健康权，及正当防卫权。仅仅的生命是不足够的：一个人生活中应能尽情利用着自然所厚赐的五官及特质，庶几可以完成其最终目的。此种理论，大致是不错的。没有一个人应该享有自我毁伤之权。最古的法律曾规定着："无人有杀害自己生命之权。"凡有毁伤或以其他方法伤害他人肢体，或影响其健康者，虽经被害人承诺而为之，仍不能免其伤害之罪责。旅馆主人怂恿寓客饮酒，便须因犯伤害人健康罪而受惩处。法律规定限制女工童工的工作时间，也基于同一的理由。如有不法侵害自己或他人的权利，不及乞助于社会正义的援手，为防卫此被侵害或将被侵害的权利起见，得行使正当防卫权，为行使此种权利，并得用强力。这是一种私力保护行为，渊源于维科的所谓"僧侣的权力"，所以，此种权利，必起源于一个独居的人或一个无纪律的国家，在那里他不能乞助于法律以排除外来的不法侵害。

维科以为人最初一定是独居的，那时他为自卫而排除不法侵害，得杀死不法行为人，因为正义是在他的方面，而不法行为人则是有背于正义者。正当防卫是任何一种权利所固有的，因此在该权利的行使中，必要时都可运用一种强力。洛斯米尼却说得更进一步，他说强力的运用，乃是每种权利的作用。此种理论，承认人格是一切权利的不可侵犯的核心，人在行使此种权利时，得充分运用其武力。人既然具备智力与体力，为保全其权利起见，当然有权行使这两种力。至因行使正当防卫权而必然地加诸不法行为人的伤害，则是合法的，这是基于正义的一般法则，就是一个自由意志的不法行为人应受被害人的惩罚，因为这时被害人已

暂时成了维持正义的惟一工具。但正当防卫权的行使，须具备两个先决条件——侵害的不法及危险的存在。所谓不法的侵害，须推究侵害的本质是否不法，并须兼顾行为人的性格，例如他有无癫狂之症，但行为人的缺乏理性，要不足为行使正当防卫权之阻。危险也须是现实的，但并非必须绝对的解释为不可避免的，因为被害人原本是没有过失的，为他的利益着想，行使正当防卫权的条件不应失之太苛。吉刺德（Girardi）在他的著作《正当防卫论》中说得很对，他以为我们对于此种权利，不须作过细的审查。

一百八十、行使正当防卫权的限制

正当防卫权的行使，不应受制于与被害人的性格不相投合的情形，例如逃避的可能；也不能要求被害人于自我保存的本能发动的一刹那间神智昏乱的状态中，镇静自若地考虑最妥当的方法，以趋避此不法侵害或减轻其锐势。充其极量，正当防卫权，可用以防护生命、安全、名誉、自由，甚至在防护视为人格的延长的动产与不动产的场合，亦得行使之。格老秀斯与洛斯米尼二人纯以抽象的理由同意于此，前者基于充分正义之理论，后者则基于其私有财产之观念。但大多数的学者，则反对此种主张，并于以防卫无多价值的权利故，而不惜牺牲生命之举，不允加以宽容。施用武力，诚然是一个权利的属性，个人自得赖以防护其财产使免损害，但以避免易于填补的小损害故，而引致大损害，则为衡平法所不许。不过有一点应注意的，在财产的防护中，如果被害人因不法行为人的侵袭而有生命危险时，虽其防护的财产不值多少钱，仍得将不法行为人加以杀害。又，正当防卫权不仅属于被害人一人，即其亲友亦有之，而实际则即不相干的第三人亦有权出而保护此无辜受害之人，盖人类因自然的联系而集结一起，人各有援助其邻近之人的职责也。与生命权有关者，尚有一种紧急避难权，康德之意，此仅系放弃刑罚权的一种合意而已。人因饥寒交迫故，行窃以苟延其生命，这就是紧急避难的一个实例。

一百八十一、名誉权

精神生活的固有权利，包括尊敬和令名二者。凡是一个人，总是认为应受尊敬的，所以在他的劣迹未以证实以前，理当受社会公正和尊敬的待遇。人的名誉的久暂，初不以寿命的修短为限，故先于人之出生而存在，并绵延于其死后。死者的继承人，有权维护其死后的令名及纪念物，此因人的性格之不可侵犯性以及灵魂的存在，不以坟墓为界之故。惩罚之事，应与名誉无关，盖人恒自有其法律上及伦理上的人格，纵因犯有恶行而一旦蒙耻，固不难有以涤雪之。原耻之为物，乃个人行为之所招舆论制裁之表现，决非法律所能创设或支配之。如果借助于某个人之力，恶行的确实证据必无法获得，盖一个人的行动，就其本质而观，乃属于自由意志的领域，或必致陷于人性的专断评价之境。但若一个不法行为而竟归责于个人，使其蒙受耻辱，而欲因以觅取恶行的证据，此举亦必归于失败，盖吾人绝不可信赖一个事实而遽下定义也。惟有某种证据，而根源于可以诉究于公共权力之事实，换言之，得之于危害大众权利并招致社会损害的犯罪中者，始可为吾人放胆采信而无所遗憾。犯罪之发现及犯人之探求，此二事于社会至为重要，盖社会有回复被侵害的法益及维护公共安全之职责也。

一百八十二、决斗

随着尊敬问题而来的，就有所谓决斗。这是一种求得正义的野蛮方法，为经典之风的上古时代所未知，因为其时国家的制度囊括了个人的一切；迨至野蛮色彩的中古时代，其时国家的权威失势，专横的个人主义起而代之，荣誉与勇敢混为一谈，于是决斗之风渐炽。决斗之举，其实有乖常情，盖参加决斗而果获胜，固足为勇敢的明证，要不足与言道德、正义或荣誉。道德、正义或荣誉一旦受损，唯公共意识的内在正义始足以补偿之。索伏（Chauveau）和黑里（Helie）在《刑法典的理论》中，直认决斗为违反镌在每颗人心中的神律"毋杀害人"的行为。决斗不仅为道德所不容，即社会亦当引以为戒，盖此举无异以私人之暴力取代社会之制裁。为报私仇故，影响所及，必使全社会为之不安。迷信私人复仇主义的结果，必使天良为之泯没，并大足为社会安全之累。

因此，决斗之应视为犯罪行为，其理由有三：因此举足以伤害人的生命或肢体，危及公众安全，并足为"私力"不合理的优势的明证。决斗两造的合意，初不足以蔽其过，盖"同意行为不生损害"的法则，于不可让与的权利的处分，不能有其适用。因愤怒或激怒而杀人，须受最严厉的刑罚，而于决斗之举，则听之自然，不予谴责，这是非常不合逻辑的。凡因怒而杀人者，其人之思虑必已昏迷，神智必已错乱。其在决斗之一造则不然，决斗之故至少必种因于数日之前，则决斗中着手伤害人时，其神思当较镇静清醒。决斗之发生，有时乃由于一种情有可原的信念，以为法律不足维护私人的令誉；通常则起因于含有相当罪质的事实，例如对造有欺骗情事、无礼举动或彼此有所猜忌。如果以加重其刑之法，为避免决斗之道，则事之不公，莫此为甚，盖刑罚之重轻，在在须求与犯罪行为之内在价值相当。喀拉拉（Carrara）在其《计划》中说过，仅凭立法的补救，必不能达此理想目的，盖严刑峻法的顾虑，恐仍不足使决斗有所戒惧。侮辱是决斗的主要原因，在决斗者的心理，凭借己力以雪耻，实为勇敢与美德的表征。刑事法固当以前述理由故而惩罚决斗行为，并指斥社会一般观念的错误，却未能使决斗之风从此绝迹。欲求此野蛮风尚一扫而空，治本之道，端在潜移默化之功，以转变公众意识，以纠正其过去错误；至于立法作用，使人不复以私斗为勇，己力雪耻为荣，则仅能获间接辅助之功。此外，吾人如能就现有的法院加以改组，并添设新的法院，而各法院的管辖权更依阶级与职位的标准而为分野，对于虽非犯罪而足以影响私人名誉的行为更能加以注意，则于决斗的禁止，或能收水到渠成之效。

一百八十三、自由权

凡人有生命权，其自由权亦必随之存在。自由之于人，正犹躯干之于吾人身体，盖自由意志之于人，自有其显著的伦理上的特质。就其概括之点来说，此自由的固有权利，当易与人格权混为一谈，且据斯宾塞之意，并非一个特殊的权利而是居于其他一切权利之上的人权。然就其特殊之点而观，它就有着种种不同的形式，知识自由、道德自由、宗教自由、经济自由、公民自由及政治自由，盖其荦荦大者。知识自由以真与美为其目的，所关涉之问题有科学、艺术及教育。道德自由即为意志的自由，赖于此种自由，判断与措施因得不受任何威胁，安然进入合法评价的领域，而有以表现于一切与其他权利有关的行动。良知自由，当然包括崇拜自由在内，使人的生存与其行动合而为一；但大致说来，此种自由，绝不是个人对于宗教的思想，可以不受拘束的一种内心的绝对权力；因为人依其本质是社会性的动物，是相对的而非绝对的。在社会中，因了大多数的个人良知，对于特定信仰的合意，也因了共通与同一的熏陶及崇拜，真的充分的良知自由亦即信仰自由，遂见发达。实业自由则与生产竞争同义，就是制造社会需要的货物以及供给方法、地点、时间的自由。公民自由就是私权行使的自由，政治自由则是公民参加政治的自由。

一百八十四、衡平与社会主义者的平等

斯配达里利与罗马诺西曾说，有个人的自由才有平等，而且

才发生与之相适应的固有权利。人，不论是伦理组织体的单位也好，国家的公民也好，一概是平等的。平等乃渊源于抽象的人格，其内容实为个人一切主要权利的享有；此种权利，就是吾人所谓固有权利，亦即遵从维科之说的斯配达里利所称理论上的基本的能力，而以所有权、自由权及安全权为其限界。此种平等，纯然是一种形式上的平等，换言之，就是法律上的平等。而自由之表现于个人的生活中者，则有质、量及方式上的天然差异。个性之重要，与人性同，个人的自由遂亦有其各别的形态；因为这个缘故，个人的获得权利亦即罗马诺西所谓实际能力，就有着具体的不平等。形式上的平等，此时实居于超越的地位，使具体的不平等蛰伏其下。因之，贫人不能任取富人财产的一部分，此其理由，正与富人不能取贫人所有的一部分同。一个固有权利亦即基本能力，于其行使中，乃一变而为获得权利亦即实际能力；此种权利或能力，因其客体的各别以及主体精神与肉体组织上的差异，其所表现的形态因遂变化无穷。社会主义者，乃于实际能力，忽视其藏有个性的一切作用的中间活动，而仅斤斤于基本而无定限的所有权的尽人平等，及其对外动力的人人共通。他们不曾能了解个人及其客体间真正的关系；他们否认私有财产的权利，而迷信于生产工具的集体所有。可是绝对平等与集体主义仅能实现于空幻的乌托邦中，这是谁都知道的。

一百八十五、集会结社权

人是生而自由的，尤其富于社交性，因有所谓集会结社的固有权利的发生。就是禽兽中间，它们的日常生活中，也有社交往来的迹象可寻；此种交际，其形态固自有其特殊性，而直接间接有关于其物质要求，且常出诸天性所使然，要无可疑；但其活动程度，则从未越出于单纯聚合的范围以外。而在另一方面，则有人的社会，在审慎思虑与自由意志下发展着，其组织最是复杂。

其性质之最称特殊者，当为公司与合伙，在此组织之下，有许多的意志正为一个目的而协力合作着，于此，合作的认识与愿意，以及为一共通目的而万众一心的团结精神，是不可少的。公司及合伙，乃纯然以集会结社权为其渊源，此即所以展示于单纯的聚合之处，因为此种组织，半固为人类需要的产物，半则为个人自由活动的结果且为可有可无者。集会结社权，实容纳着生活上一切适用于艺术、文学、科学、经济、道德、宗教及政治的目的。它常采取各种新的复杂的形态，且日渐蜕退其本能的特质。我们可以看到，此种结社，如果并不循依正轨，注意社会的共通利益或其社员的特殊功用，而致力于破坏为一切权利存在要件的社会组织的原则，必不为社会所认可或容忍的。

一百八十六、受助权

个人是不能自足的，他必采取种种可能的方法，以达于独断独行及充分自我发挥之境。他有着受助的固有权利以为伦理组织体的部分，此种权利乃所以补充并辅助于其本质者，惟须以自助及个人能力的不济为其前提。它可视为非出于意志的生活上的必要现象，亦可视为自由的原始状态的结果；他所以有受助于社会之权，在前者的场合，是因社会为一种不可或缺的自然状态，在后者的场合，则为基于契约与准契约之所规定。

一百八十七、国家及其进化

当国家与人民处于敌对地位而国家被视为遂行个人目的之工具的时候，其对政治上的理想计划，在于政治努力的减弱，并主张个人的活动力，于文化的进程中，当全部取而代之，惟于维持公共安全及保障的责任则应除外。但国家既是个组织体，当然不能见摈于进化之门，因此我们知道，它的关系、它的职能以及它的权力，其状貌也就日趋于复杂性。在时代的演进中，国家一方固然失去了它许多原来的职能，尤其是人格及个人创造力的否认权，但另一方面则获得大批新的权力，利用着千百种的方法，以扶助和保护个人方面方兴未艾的各种事务。现代国家的机构越是进步，遇有个人的活动需助于国家者，它必想尽种种方法以扶助之；但它的所以扶助个人者，非厚于惰逸、薄于勤苦，而适反之，乃随其人努力的程度而为进退。斯宾塞与发格纳二人对于此点，各持着相反的见解，实则都误。前者以为国家的力量因文化的演进而趋于减弱，后者则认其趋于增强，致危及个人的毅力与创造力。经验告诉我们，这两种理论都非实情，因为事实上不但国家的职能日见增加，公家的开支日见扩张，同时社会的财富亦继续有大量的增加。前两种事实足以推翻斯宾塞之说，第三种事实则使发格纳之说难于立足。此外，斯宾塞的理论，本身尚有着矛盾的现象，他一方承认国家为一种组织体，一方却又仅将此种观念适用于个人而不及于国家，他虽是进化论的巨子，仍不免于此失。他显然不认国家受进化律的支配，因为他说在进化的程途中，个人渐趋活跃，并获得种种新的权力；国家则日见失势，其结果所能保持其社会关系而硕果仅存者，司法上的消极义务而已。

一百八十八、工作权——别于社会主义者的所谓工作权

个人既在自由与社交的条件下，并借社会之助，以完成其目的，他便需要一个最后的固有权利，就是工作权；基于此权利的作用，个人就有一种利用其精力与特征，以从事商品及财富生产工作的自由。罗马诺西说过，国家的职责，在于将社会价值给予人民，换言之，就是以指导与教育的方法，使人民熟谙于各种生产的技术，并激励其生产性的本能。但上文的所谓工作权，切不可与社会主义者所鼓吹的另一种工作权，并为一谈；盖基于后者之说，个人可以公然要求国家供给材料与工具，以经营其事业。此种权利不能予以承认，国家的存在，乃以保护教育及维持幸福

为其目的，而非以创设或维持特种事业为其使命。凡是现代国家，对于比较含有经济性质的事务，特别不愿加以担任。它已卖去的土地，不再以私法人资格经营实业，仅以关税为其国库的最大收入。只在私人未曾经营或经营不力，或铲除垄断现象，或鼓励金融发展的条件下，它才加入经济生活。在经济事业中，国家对于个人的势力，不仅不欲取而代之，且保护而扶助之，使其活动的力量得以充实。前面说过，受助权含有补充性与辅助性，而以自助及个人创业力为其先决原则。

索通（Thornton）在其《劳动》一书中，提出过几个疑问：富人对于不劳而食的人，为什么要负着不使冻饿的义务？世界是否须供养其一切寄居的人，才称得是合于人道？或者，人道的一部分作用中，是否已被剥夺了谋生所必需的方法？第一个问题如果不错的话，这种负担就透着不公，因为人口的增加，很容易使现存的生活之道力不胜任的；我们须记着，依马尔萨斯的学说，在最优的经济情况之下，人口繁殖之速，远胜于生活之资，人口依几何级数增加与生活资料依算术级数增加之说，就使搁起不谈，则不需奋斗而人类可以繁殖，生存之道未免太容易了。第二个问题如果不错的话，那末凡是丧失继承权的人仍应取得其应继承的田地，而另一方面他仍需富人餐桌的余粒以资生活，因为田地不加耕耘是不能生产的。所以我们要是承认这种工作权的话，国家便变成了包工的人，人民的积蓄必将从关税及其他赋税的征课中大部分归于国库，社会的生产资本必将大见减弱。此外，国家必将随时准备一切劳心及劳力的事业所需要的工作资料，以供人民之用。而工人因为工资有了保障，必将养成骄惰之习，这更是此种权利维持下势所必然的结果。

一百八十九、权利与义务的相互关系

上文我们已就法律上的意义，界说个人为权利义务的主体，

并看到个人就是普通的人，而普通的人就是单位的人。这两个观念是可以易地而处的，因为在法律哲学上，因此也是在成文法上，它们实处于等位的地位。完整的法律上的能力，实包括权利的享有及其运用，换言之就是权利能力及其行使。有权利的享有，便不能无权利的行使，而权利的行使，乃以权利的享有为条件。我们知道，法律上的能力是完全的或是限制的，胥视自然人的知识与意志的健全发展与否而定。此种能力上的限制，指的是行使的限制，而不是享有的限制，因为没有一个自然人是没有权利的，尽管他尚未知道有权利的存在，也无妨于其权利的享有，例如婴孩或胎儿。人如果未知义务的存在，他便无须有此义务。其于权利则不然，例如一个人纵然未知其自身应受他人的尊敬，仍应受人尊敬，只因他是一个人的缘故，只须该他人认识有此义务就行。基于上述的理由，所以个人最先有的是权利而非义务，因为这时他对义务尚乏认识的缘故。所以，权利与义务二者，在不同的个人中间，固有着相互关系，而在同一的个人，则无此种关系可言。不过这里的所谓法律能力，与政治能力有所不同，因为后者的性质较为复杂，其所进行的目的亦较伦理化与概括化，因此在运用的时候，除行使私权所必需的条件与特征外，尚须具备新的条件与特征。法律能力的限制，乃视私人的利害关系而定；政治能力的限制，则胥视国家的安宁概念而定。

第二章　固有权利的历史概念

一百九十、从抽象的观念中造成自我发挥的事实

个人，最初吸收于古代的国家机构中，其次受制于帝王与教会的势力，嗣又呻吟于专制政治的铁腕下，随后乃开始活动，并终于在时代的演进中充分认识了他自身的力量。因了抽象观念的发展，他发现了一己的可能的趋势。他企图摆脱与其个性不相容的一切历史上的羁绊。他想像着一个原始的超越社会性生活，而称之为道德世界的始终，他就这样地获得种种抽象的观念，而成为法国革命的因素。

一百九十一、在自然状态中的人的能力

欲研求此类革命运动之因，我们须将固有权利想像为自然状态中人的能力。霍布斯承认每个人在此种状态中对于每一事物有着一个原始权利，此即为一般战争之因。洛克以为在此状态中有着一种法则，包括生命权、自由权、所有权及某种惩罚个人之权。卢梭则认一种原始状态，足为人类生活的表率，在此种状态之中，自由、平等与独立原则得以充分发挥，顾今已不可复得。依据此说，原始时代的心理，得以把握住个人的主要与一般权利的观念，换言之，即社约的客体。随后，法律社会亦即国家，对于人民的固有权利，在宪法上的合意始能成立。前文说过，卢梭因为相信自由不可让与的原则，以觅取一种政治结合为解决本问题的方法，在此结合中，自由并不丧失，惟人民直接服从国家间

接即服从自己，而全部并交互地抛弃其一切个人的权利于社会。

一百九十二、人的自然德性的主义

十八世纪的哲学相信人的自然德性，他原来的无限制的自由，及一个根本的自然法则。它认为如果现存制度的罪恶不加侵犯的话，社会动作当受自然法则的支配，而此自然法则必可导人于幸福之域。卢梭之意，一切事物由自然造成的时候，都是好的；丢哥（Turgot）持人性本善之说；揆内（Quesnay）则从重农主义的立场来说明人的本性，他主张废止一切足为人性发展之阻的人为的专断的法令，以回复于自然法则的时代。亚当·斯密于其《国富论》（Wealth of Nations）中亦主是说，他以为只要能建设起一个纯出自然的简单的自由制度，凡足为人性发展之阻者，即可扫荡无余。他的门徒恒向重农主义者反复阐述其一切听诸自然亦即听命天意的政策，而娓娓不觉倦。此种经济学上的万物皆善说，终于在巴斯提阿（Bastiat）必要而不得已的调和工作中，获得其最优美的表现。

一百九十三、自然状态可在最早期的著作中找到

所谓原本完善与原始状态的原则，与最古传说中自有社会以前的黄金时期，颇有呼应雷同之处，在意大利更可从一五五六年出版的吉洛拉摩·维达（Girolamo Vida）著作《共和政体的伟大》及一六二七年出版的乔凡尼·蓬尼发稷奥（Giovanni Bonifazio）著作《阿比共和国》中，找到其历史上的先例。维达开始为自然状态辩解，并批评社会的罪恶云，提西斯（Theseus）使阿提喀（Attica）由牧畜时代转向文化之路，实为人类祸患的始作俑者。蓬尼发稷奥则盛称太平洋一理想岛中居民风俗之美，他说他们的生活一任自然状态中的自由意志的支配，无法典，无教王牧师，亦无僧侣，男子信奉太阳，妇女信奉月亮。

一百九十四、民法学者对于黄金时代的信仰

经典时代的罗马民法学者，因受斯多葛学派哲学的影响，亦曾言及原始的自然状态及习惯法具有成文法效力的太古时期，惟颇含糊其辞。在《法学阶梯》中这么写着："自然法显为最古的东西，因为它在人类开始存在的时候，即已同时存在。当城市建立、官吏设置、法律制订的时候，公民权利亦遂开始发生。"但我们须要明了，希腊人口中的自然一词，最初乃指单一原则表现下的物质世界而言，其后始用以代表一般与简单的法律支配下的道德世界；所以所谓循自然而生活，其意即是与俦类依常态而生活。罗马民法学者因受希腊思想的浸染，并相信所谓自然状态即系人类生活的原始状态，故认自由与平等乃人的自然权利；且把《法学阶梯》中的话引证于下："基于自然权利，尽人生而自由。就自然权利看来，尽人是平等的。"

一百九十五、民法学者与重农主义者信念的不同

但我们还须知道，于其接受自然状态的一点上，罗马民法学者的态度，与现代大多数权威学者的见解，颇相异致，盖前者并不如后者之偏重，越出社会的生活亦即未开化的孤居的生活，且其意乃指自然状态下而由简单调和的法律统治的原始国家。在罗马民法学者中，有一种强烈的一般的信念，就是认"万国"或"人类"为自然的产物。这从上节引证的话以及其他著作中可以见到，例如，盖尤斯云："万国就是社会，于此一切的人依于自然理性的基础而生存。"萨透尼纳斯（Saturninus）亦云："人在自然状态中即已群居"；佛罗棱替纳斯（Florentinus）并补充其意云："在我们中间，自然构成一个亲属的关系"。西塞罗赞同斯多葛学派的见解云"人乃由人所创造"；并接受另一种的信仰，此可从其许多写作中见之："世界为人与神的共同城市"。辛尼加亦云："社会给人互爱，并使其好交际。"伊壁鸠鲁学派

的学说，虽经琉克利喜阿斯（Lucretius）、贺拉西（Horace）、维特鲁维阿（Vitruvius）、味吉尔（Vergil）诸人相继传述，即西塞罗亦曾涉猎及之，但其对于罗马民法学者的思想，初未发生多大影响。此学说谓人最初生活于"兽的状态"中，似"一群不能言语的兽"，彼此间互相斗争，"以指爪与拳，争取食与住"，无知无觉，没有婚姻关系，没有父子关系，没有道德意识，在伊壁鸠鲁门徒之意，在此种原始时期，畏惧功利及盲目的机运，实为社会的开端。此外，这班古代的哲学家及民法学者，并不否认自然法则的现实统治，但认为成文法亦必逐渐变成此种状态；现代哲学家则并不承认自然法则的实际存在，而企图社会经历激烈而直接的转变，以实现他们幻想中的形态。

一百九十六、早期的希腊人相信自然法与成文法有着联系

吉阿丕利（Chiappelli）的报告中说，希腊人对于原始状态的观念，其发生尚早于斯多葛学派哲学，亦属于诡辩学者的一派。自然的概念，在诡辩哲学时期以前，为空幻思想的开端，其在今日，则为伦理学上最重要的基础。开奥斯（Chios）的帕洛狄克斯（Prodicus），与伊利斯（Elis）的喜庇亚二人，置自然于成文法之上，因而对于后者抱反对的态度。据这两位诡辩学者之意，诚实与公平以自然为其根本，而成文法乃与自然相去甚遥。我们如欲公平长在，非回复于自然状态不可。吉阿丕利续云，别的诡辩学者则反之，置成文法于自然之上，而目之为自然的未开化状态的精炼物，或认之为人为的惯例及置于自然之上的拟制。这就是勃洛大哥拉（Protagoras）所抱的见解，亦即后期诡辩学者含有破坏性的学说。喜庇亚之意，自然的不成文法以其出于神工鬼斧而入于一切立法，而成文法则为人类偶然合意的产物，其内容繁多而互相抵触。成文法常违反自然，而创设人类彼此间的不平等状态。堪为表率的人类生活，仅能求之于原始状态中，为

法律社会所不能有。奴隶制度，有悖于自然，却为成文法所创设，吾人一念及此，对于上述的信念，当无所用其惊奇。

有一位诡辩学者，名叫亚尔西达马（Alcidama），他是哥尔期亚（Gorgias）的信徒，曾说上帝把自由赐给一切的人，自然也不曾介绍奴隶制度于人。亚里士多德也说，有许多人明知奴隶制度是不对的，但仍重违其意。其后，诡辩学者间，发生一种与喜庇亚所创运动相反的趋势，企图推翻自然的道德理由，而以法律惯例代之。哥尔期亚认自然状态的特质，于可变及不变二者之中，必居其一；如是可变的，即不足以为伦理上的标准，如是不变的，则亦仅足为文化的开端。又云，自然状态能否长在，实不可必，且吾人对于自然状态，如能有明确认识，则社会的多变局面而欲回复于自然，当知其事为不可能。勃洛大哥拉以自然状态，拟之于既无教育、法典及法院，又无导人于优秀之域的力的情形；他认为人在此种状态之下，其为尚未开化的人，与诗人凡雷克剌提（Pherecrates）的密省塞洛普斯（Misanthropes）的歌舞队，正复相似。在他之意，优秀之事功，于文明生活中，得以教育的方法求致之。国家以成文法订定道德生活的标准，于是诚实与公平即得藉以取决于社会舆论。正义之获表现于事实，非自然之所赐予，乃为一较高权力亦即政治上合意的结果。

基于喜庇亚与勃洛大哥拉两大对峙的学说，诡辩学者卡利克尔及斯拉昔马殊二人乃进而信奉个人主义、专制主义及无政府主义。卡利克尔曾为其主张辩护云：如果国家并非有悖于自然法则的协商物，如果权势在自然的立场上是应当的，那末正义可说就是权势者所欲之物亦即权势者所创之物。在社会中，大多数的人统治着少数强有力的个人，后者则方伺隙而动，以图推翻此现存制度，以摆脱此种无能状态的束缚。斯拉昔马殊舍弃勃洛大哥拉的见解，认为国家的法典中要是能有正义存在的话，那末正似此类法典之出于强者的手创，正义也只是一种功利，换言之强者的利益而已。因此，这诡辩学者的两大学派，一派主张自然超越法律，另一派主张法律超越自然，其终局却趋向于同一的结论，就是专制主义与社会解体。

一百九十七、从政府的演进趋势断知黄金时期为不能实现之事

我们姑且承认有着这么一个自然法则统治下的原始的自然状态，于此一切人类的自由与平等得以增进，却不能不获到一个结论，就是人的心意，于其初期，必不能有"生得权利"亦即主要的一般能力的意念。我们势将不信人的心理能有如下的进化：从现象的考虑进至本质的考虑，从特殊的进于一般的，从感觉或本能的鼓励进于自由的求致。而且我们常陷于幻想的错误，离去现实，而憧憬于渺远的过去。自然的人固然也是社会的人，但社会觉心在自然人尚未有所发展。他并不优良而合理，一如前一世纪哲学家所云，却有着自私的心理，而且既缺乏罪恶的认识，也没有自制的耐心。在第一等的社会中，一切事物，均受力的支配。暴行就是公理的判断准则。谁有较强的体力与较优的武器，谁就可征服与杀死生存竞争的力量较弱的，此于动植物的生活中可以见之。

文化的作用，乃使人类从外来势力的束缚中解放出来，同时也从伊壁鸠鲁（Epicurus）及霍布斯（Hobbes）二人所描摹的野蛮状态中脱离出来，但这两位哲学家却主张人类应过着独居的生活，而社会只是一种人为的环境以继其后。人越远离其原始的世界，社会始能前进而伸展其势力。自然法则的观念，固为全人类所共通，并适合"自然理性"的原则，人的本质且于此见之；但如果我们不先从不同人民所适用的互异的法律之间，寻出并比较其相似之点，则此自然法则的观念，我们即不能加以考虑。至以契约的方法构成社会及国家的概念，其为现代的而优于幼稚且未开化的智慧，更无可疑，盖伦理生活的一切关系中，契约作用的成功，适足以显示个人自由的原则已获最广泛与圆满的确认。而古代的法律，则初非以个人为其对象，乃以部落或家族团体的利益为前提，与其谓为"强行法"，毋宁谓之"任意法"，其目的在训练人民以受权力或意志的支配。

一百九十八、理性的演进

心最初信赖其五官所得的谬妄的证据，希图以肤浅与专断的态度，来就明自然现象间的关系，其活动范围从未越出于肯定的简单判断的领域。在这一期心智发展中的判断，以其纯以心的直觉为其基础，所以可说是肯定的，又以其得自五官的感觉，所以也不免是简单性的。其后心有了进步，判断便渐次变为不肯定的，因为心这时对于皮相的粗略的不合事实的幼稚观念，已不能有所自足；于是它开始疑虑莫释，而此疑虑的态度正是科学的创造者。凭着不肯定的判断，一件事物便可如此这般，于是我们继续追求特殊的答案，因而发现某种特性，某一类的事物并非都具备之，仅一部分有之而已。于是心智得能领悟现象的主要部分，从假设的判断中求得确实或全称，以其为全称，所以是必然的且是肯定的。

据我们看来，在黑格尔的《法律现象论》中的认识论，最能说明一般的伦理关系及特殊的个人权利的演进的原理，因为这种理论可适用于知识的一切形态，在理论方面然，在实际方面亦然。也有一种知识，发生于动作的一刹那间，或紧随于简单的理论上的认识之后；我们如欲解决整个的知识问题，对于这一种的知识，亦应予以注意。但《法律现象论》仅以具备最初步最下级形式的知识为出发点，此种知识只有一个对象，除某些事物的存在外对于任何事物均不能有所确定，而此某些事物与知识颇不相同，其性质与名称又为知识所隔阂。到了第二期，知识才知道对象有着如此这般的外形，有着如此这般的特质。所以，在人的心中，知识于其理解力中，有着一个一般的性质，及其多个固有而主要的属性，此一般的性质为单一而不可分。是故知识之目的，常为区别与相互关系。

自我根本上就是意识的意识，亦即自觉意识，因为客体有此同一的形态。于是，自我与客体为同一的，但因前者不认识后者，因而发生直觉的犹之食欲的自觉意识。如果自我与客体并不同一，他便不会有此自觉的欲望，此欲望实为自我的本质所必需，并足以吸引之。但若自我一旦认知此同一性，则此欲望亦必不复存在，以其已能实际认知客体而引为满足。如果这客体并非另一个此主体可发现自身于其中的自我，而是一件因求满足的动作而可消耗以尽的物，则此主体客体同一性的知识便不能得到。如果一个自我被置于另一个自我之前，起初此自我必然拒绝并排斥彼自我，因为彼此各有其感官、知识、意志与躯壳。因于此种排斥的作用，两个自觉意识之间，便发生一种争斗，———一种生死之争，于此两自我各有一个躯壳。此一争足以致人于死，但在一个自觉意识死亡后，另一个并不能在死者的躯壳中发现其自己的存在：原来生命的保存是需要承认的。嗣后战胜的自觉意识深知前非，乃允许战败者生存，而以之为自己的属下，两个单元间的新关系也就是主仆间的关系于以发生。变成主人的自我，这时对于屈为其仆的自我，不但不再视为敌人，且思有以保护之，其后更渐成习惯而视之为己身的一部分。至于为仆人的自我，畏而听命其主人，久而亦遂忘其本来面目；它为主人而工作，并将他一单元的利益亦接纳于自己的利益圈中。于是"畏惧上帝的心理，成为智慧与自由的开端"，这是一种训练的基础，此训练足以征服原来的自由，并使人宜于管束自己与他人。

斯巴文塔在《哲学原理》中的话是值得注意的，他说：《法律现象论》中的为仆人的自我，是一个有食欲的自觉意识；仅有食欲的自我其于理论的及实际的理性，必俱付阙如；又，为奴仆之事，并不是对于自由的自我的一种束缚，而仅为人的将变自由前的教育。自由与平等终于征服奴隶制度。心的形态，于其本体中有着自觉意识的形态，于以并有着一个完整的同一性，常使心有以分明于主体与客体之间，——这就是论理学的开端。

一百九十九、维科对于人类演进史的概述

历史昭告我们，自由乃来自畏惧与奴隶制度。维科云，由于非常迷信的结果，欲望的动机乃开始出现于世间，而使此欲望的动机各安其分，就是社会安全与人类自由的内容。洪水以后，有着伟大本性的人，已成惊弓之鸟，骄悍之气为之尽敛，屈服于自然力之下，藏身山洞，并强曳妇女与俱，禁其离去，常相处以终其生。这就是人类婚姻的起源，自此男子有其固定的妻子，父母子女的关系确立，家庭于以出现。骄傲与凶暴原为男子的本性，此时他们乃以独眼巨人的手腕临其妻与子女。其后城市兴起，他们即渐受社会制度的管束。天意造成若干含有经济作用的共和国，具着君政的形式，由长老治理之，他们是男子中年高德劭的人，在自然状态及家庭时代已组织过人类最古的社会，他们有着自己的土地，或耕或猎，其对奴仆的治理俨然一家庭政府焉。但男子作恶多端，以至于货财妻子，主从靡定，放荡无耻久而成习，终陷于暴力争斗的局面，其不敌者不得不避难于长老处，长老乃纳为家臣以庇护之。请问，这班贪得无厌的避难者，其依赖于长老的情形，是否根本上与有食欲的为奴仆的自觉意识相同一，或与自由的为主人的自觉意识相同一？此种依赖情事，是否为自由的源泉？这班家臣，自经长老训练后，渐成聪明、敬神而有德行的人，向之独眼巨人的政治至是亦一变而为文明而自由的集团。巴佐特曾将达尔文学说，适用于政治生活及民族性格的构

成；他承认进步、多变与自由时代之前，必有一个亘至数世纪之久的停滞、不变与奴隶生活的长时期，这是文化演进中的一个必经的阶段。

二百、个人自由之争

由上所述，则所谓固有的主要的一般的权利，根本就是个人的获得的偶遇的特殊的能力。换言之，这种自然权利，最初乃偶遇的状态中所发生的一种获得权利，是一种性能，由于某种原因而输入某种社会阶级的道德或宗教意念中，或由新的正义观念所创设，于奋斗中发育滋长以适合于生存条件。嗣后这种性能，因了较高度的理性发展，于其生存竞争中力足以抵拒为其演进之阻的社会设施，并于人性认识其自己在它们中间的地位后，得力于习俗与遗传之功，因得嬗变而为原始的必要的普通的权利。人格权虽不是一个特殊的独立的权利，而为一切性能的渊源，但其演进的历史则在在使吾人以与生来权利相提并论。

有数世纪之久，个人成为获得权利的主体，此种权利其性质为特殊而偶遇的，因为其时一切的人并非生而自由，凡享有自由者，其所以能有某种意义的自由，乃由于一定行为的结果，所以凡是完整的或不完整的自由，其存亡不常，胥视机遇而定。其时代表人类大部分的奴隶，并不以人视之。他们从解放中取得自由身份或不完整的人格，并仅于获有公民的自由身份及家庭后，才取得圆满的个性。自由是随着时机而得失的；甚至有些个人，其父母并非奴隶而为正式结婚的自由人，或至少其母为自由人，其本人的自由身份尚不免受时机的支配。战争与掳人之事可使人格归于丧失，而"保留人格的奴隶的拟制"则可使之复原。人类中自始就有着一种奋斗以抵抗各种式样顽固不化的奴隶制度，使人格得普及于日见繁殖的个人，并使已获自由的人其人格臻于完整，这一场奋斗，真可称得恶斗，流血既多，历时亦久，奋斗的结果是节节的胜利。共通的意识，在长时期的习俗与遗传中，已获得一个主要与一般权利的概念。人权宣言还只是很晚近的事实，因为迟至法国革命以后，欧洲国家的法典中兀自遗留着否认人格权的痕迹。自由之于吾人，不复成为重利盘剥的面具，尚是过去几年来的事。国家对于外国人的遗产得籍没之，这原是一种蛮横无理的规定，直至晚近，多数国家始于互惠的原则下规定一种温和而有益的办法。依意大利新法律的规定，一个外国人，基于同一为人的理由，许其享有寄居地的公民权利，这算得是一个开明的立法。

二百零一、辅助的固有权利的演进史

其他的对于物质与精神生活、自由及平等的固有权利，可说是包括于此较大的人格权中的。最初，这些性能，为获得的、偶遇的及特殊的，与其胚种正复相同；这胚种就是人格，我们知道他曾被古代的国家所忽视，其时此国家实为他生死的主宰。他生而为自由人或为奴隶，胥视其运命而定。奴隶无生命、身体或名誉之权。至于自由人，也须要他的国家并不采行强迫兵役，或是他的父亲并无"杀害权"，他才有权利可言。有很久时候，杀死幼孩，并不视为犯罪之事。所以物质与精神生活之权，常是偶遇的，有时与自由做伴，有时则与公民身份相偕，仅属于若干的人而不属于全体的人。说到自由，我们各该记得黑格尔的话，他说在东方国家，只有暴君一人是自由的；又，在古代，自由仅限于一部分人有之，且含有政治作用，常限于国内或借国家的力量而存在。其于平等亦然，它为阶级的法律所否认，且仅限于公民有之。亚里士多德说过，在一个理想的国家中，农民与工匠应除外于公民之列，盖优良与手工不能并存。所谓优良的情形，——在这里我们的意思是说政治的优良，——是指闲暇而言，所以城市的真正构成员当系法官、武士、牧师及议员。直至物质与精神生

活的权利成为固有权利，换言之，几经奋斗的结果，直至人格的
概念成为人的概念时，自由与平等之权，始具备其主要与普通的
特性。

二百零二、权利并非独立的抽象物而为生命的组织要素

凡是聪明的现代哲学家，已不再从抽象的观点，以固有权利
视为个人在想像的孤居状态中的能力，而不与义务有着相互关
系；他却将它们联系一起，以新的较合理的方式，重行制成伦理
与政治关系的优美的原理。法律哲学反对形式的分别，尚有他一
方面的理由，而常视固有权利与获得权利为有关系，此种关系乃
基于本性、生命及历史所赋有的理想而存在。法律既然是人类的
意念，而且真正与确定的，那末它便须包括一切的要素，不论是
主要与偶遇的，是一般与特殊的，是原始与获得的。心开始考虑
法律偶然的、特殊的、获得的及或暂时的现象，随乃思索其必要
的、一般的、原始的及不变的特性。维科以此不满于自然法的原
则，并非难格老秀斯、塞尔顿及浦芬多夫不以希腊、罗马家族开
始的时期，而以自然理性初得圆满发展的时期，为研究法律理论
的起点。

康德、卢梭、抽象的自然法运动的一切代表者，其他许多古
代哲学家以及罗马民法学者的思想都和维科的这种见解相反，他
们仅从自己的时期加以演绎，并相信凡属于人的自我的一切都是
原始的。现代的思想，亦不能以自然状态的假定为其基础，因为
没有社会，人在心智、肉体与精神方面，便不能有所发展，而此
种假定，则与人的概念与及历史颇相背驰。前面说过，认国家及
社会渊源于契约之说，为期并不甚古。契约乃以效用的交换为其
目的，原属可有可无之物，而法律及国家二者则必须存在。契约
固可创设一个国家，惟须以此国家能执行与使之有效为契约存在
的条件。一七八九年，法兰西国民议会通过的《人权宣言》，我

们如果过细研究其内容，便可发现其储蓄着纯然空想的信任自然法的精神，它申述权利先于社会而存在，并想像自然人生而具有此种权利；它并未提及任何义务，惟承认无政府状态下的抵抗权，并把多数意志与法律混为一谈，其意乃在说明卢梭的主义。英国一六八九年的《民权宣言》[1] 及美国《独立宣言》，则并不赞成此种观念，仅对历史上的权利予以认可，并遵从其创造者的意向、遗训及习俗。美国《独立宣言》，其诞生较英国《民权宣言》迟至一世纪之久，十八世纪的哲学理论，虽未能动摇其具体的历史上的特性，但于其序言中已足以显示曾受此种理论的影响了。

二百零三、意大利哲学家反对自然状态之说

意大利学者哲诺未西反对自然状态的存在，并认为如果没有法律社会，自然的及获得的权利便不能想像其能够存在，因为人追求幸福，而法律乃臻于幸福的手段，且幸福仅能于个人贪欲与社会感觉的平衡中求之，而此种平衡状态又仅法律可以维持之，它能保障权利，并于其受侵害时救济之。斯配达里利的立论尚较哲诺未西更胜一筹，他在空想运动无论在理论上或事实上都尚未美满发展的时候，即已就自然状态作一番审慎的研究；他明白告诉我们，自然状态从未存在，并谓社会组织对于人的形体的与精神的圆满发展，实为必要。他排斥契约为一切义务的根据之说，因为有种义务，乃起因于自然事实，及某项需要亦即理性，而非渊源于合意；他并列举人的自然权利为生命权、发展权、所有权、行使此三种权利的自由、思想自由及自力防卫。此外他又增添一种受助权，但这是一个有限制的权利，仅于极端必要的情形始得有之。至彼之意，自然权利实渊源于社会状态，且仅于社会

---

[1] 现一般译为《权利法案》。——勘校者注

状态中始有其效用，其能存在于独居状态中只是一种假定而已。

二百零四、身份与契约二者易于混淆不清

在结束本章以前，我们还须讨论一个意义含糊的问题。梅因曾谓法律的进步，实为由身份变为契约的现象。身份是不可少的，含有强迫性的，且可认为古代社会的思想的必然结果。斯宾塞于说明此种理论时，谓进步乃为一个由义务的或军事的合作制度向着实业的或自愿的制度的前进。孚雅（Fouillée）基于同一的前提，认同意自由的程度，乃是社会现象的特殊差异。于是，为一切伦理法律关系之渊源的两个各别的概念，即个人自由的概念与契约的概念之间，便发生了模棱含混的现象。个人从古代羁绊中解放出来，无疑是一种进步的表征，但这并不是说道德世界乃依个人的意志而存在，且为其任意创造所致。原来有许多的关系与制度，丝毫不依赖个人双方的意志，例如婚姻，及国家而存在。因为结婚与否或接受何种政治方式，悉听人便，就这一点上看来，所以此种关系或制度乃以个人间的合意而成立；但也因为它们的成立或解除悉听人便，就这一点上看来，所以它们却是不自动的。个人是伦理组织体的一分子，所以法律需要个人的承认与自愿遵守，但法律略居个人之上，初不因个人的契约而变更其效力，所以契约能力并不是法律的渊源。是故契约能力并非任何社会事实的表征，则在过去的身份统治时代，基于同一的理由，其非为社会事实的表征，更不待言。

第三章　无　形　人

二百零五、无形人是拟制的还是实在的

无形人亦即集合人，亦为权利义务的主体。它们的创设，与个人有着各别的目的，而在活动的范围与生命的持久上，却还胜于个人。然则无形人是拟制的人，还是实在的人？关于此一问题，罗马及现代民法学者研究的，较多于法律哲学家。话虽如此，从维科、黑格尔、洛斯米尼及特楞得楞堡的著作中，仍不难找到关于本问题的精确而深奥的见解，这在后面可以见到，但只是缺乏一个真正的哲学法律的理论而已。阿楞斯曾觉到此种理论实有必要，但他仍未说明无形人究竟是否国家拟制或人格化的人，而且仅以假想为其议论的出发点，所以也不曾以哲学方式研究之。

二百零六、关于无形人的各派学说

有许多法学家不能置信于无形人的实体存在，他们认为所谓实体，仅指个人亦即有形人可以感官认知者而言。在这点上，他们正和爱奥尼亚哲学家及诡辩学家受同一原则的支配——就是实体仅存在于自然的现象的物体上。他们既仅认个人的实体存在，并视"一般"为一个名称或一个简单的抽象的概念而无实体的存在，在这点上颇与现象论者及概念论者的见解一致。今日的积极主义者则不谓然，他们以为物体的概念，其实体性并不亚于此概念所由发生的感官，并毫不犹豫而视无形人为与真正的有机体

同一存在。积极主义者竟将伦理组织体与肌肉组织体同视而不分轩轾，其立论诚不免失之过分，惟其认之为实体的人，则无可疑。正统经济学派的权威者，否认无体出产物具有真正价值，现代法学家其地位与之正复相似。但法学家的思想，究不如经济学家的合于逻辑，他们承认无形物，且至少已承认国家人格的实体存在，盖国家固不能目为拟制之物。例如，萨维尼初不置信于法人为实体的人，但仍承认国家为具有形体的精神单位。这班不认无体出产物具有真实价值的经济学家，就其理论得到一个逻辑上的结论，就是真正价值仅于有体物有之，而在讨论至高无上的无体人格亦即国家时，其见解亦从不越出机构的领域。我们必须记住，政治经济的经典学派，视国家仅为保护集合个人生命财产的工具，或如罗马诺西所云至多仅为完成人类目的的机械助力而已，他们从不以之为具有一己特性的人格。

二百零七、一个矛盾的现象——权利没有主体

依照法律的原则，权利必须有其主体，有些法学家既怀疑于无形人的存在，则依其见解，某些能力势必缺乏主体的存在，这种矛盾现象，势非予以解决不可。他们中有不少的人，便目此种能力的主体，为一种拟制的人为的主体，还有些人则将法律观念变更与扩大，倡权利可无主体之说，以消除上述的矛盾现象。这样，他们便无异创立了一个法人的原则，认此法人具有感官及抽象的思索功能，因为依着他们的理论，权利的主体既是人为的，则没有主体的权利结合只是一种抽象的事物。他们既认实体仅存在于有体的物，自非作此解不可。

二百零八、否认无形人的存在为逻辑上所不可能

浦克塔于其《现代罗马法讲义》中，萨维尼于其《近代罗马法的体系》中，及恩格（Unger）于其《奥地利法的体系》中曾云，无形人为成文法上有用的拟制，或国家所创设的理想的主体。此项理论，虽欲力避其矛盾之处，而不可得；因为一方面权利不可无主体，而人是权利的惟一主体，另一方面则有权利的集合而无真正主体的存在。拟制与人格化是不济事的，因为我们想像主体的存在或创设人格，就是承认主体或人格原不存在，但事实上则主体或人格非存在不可。所以，上述这个理论就算能有最美满的解释，而吾人仅认法人在私法上是虚构或人为的，其在精神社会中于一般条件下依然明白存在。且为公权的主体，矛盾现象仍不可免，因为公法上的集合人格，在私法常为法律所创设的拟制个人，且为所有权的想像主体。私法除真实的人格外，对于任何其他主体，不能予以承认。不但如此，依此理论，人既为权利的惟一主体，主张其说者终至于不得不承认权利亦得依附于非自然人的主体而存在。依民法学者的意见，无形人并不是事实上的主体，所以就其适当意义而观，并不在拟制之列。由于拟制的功用，某个动作与另一个法律规定的动作发生联系，并取得对于法律同一的关系正如后者然。拟制的方法，需要两个真正的主体，但在这里却只有一个——就是这独立的有形人。

二百零九、无形人的"类似物"说

朗大（Randa）于其著作《奥地利法中的财产权》中，波劳（Böhlau）于其讨论法律的写作中，布朗斯（Bruns）于其刊入霍尔仁道夫（Holtzendorff）《百科全书》中的论文中，均谓人为的拟制的主体，在法律上固应与个人平等，但不属于个人的特性亦不应属于它们，其意乃欲避免人格化说的矛盾现象。果如其说，则法律上固无所谓拟制的人格，而为人格的"类似物"，它能运用它的功能，亦自有其地位，所以"取得人的部分"。这三位作者，对于问题丝毫不曾解答，他们认有些权利似乎有着一个主体，但它们并不属于任何肉体的主体所有，可见这事实正待他们予以证明。财产无主的概念，亦不足以消除本问题的矛盾现象，因为这概念仍不免破坏了权利不可无主体的原则。此外，非人而具有人的属性，则此亦有待于说明。在这里，功能显已与颇惹人厌的拟制混为一谈。

二百一十、耶林的个人为权利主体说

耶林于其《罗马法的精神》中，反对人格化与同化的理论，并为私权可无主体之说开路；他否认物可以不属于个人，并谓法人并非权利主体，仅系一件赝鼎，一个简单的假面，一个空洞的外形，一个表面的形态，为便利起见而发明，以供居间的工具。所谓法人，乃是发展公司构成员或其利害关系人与外界间的法律关系的专门工具；其真正的主体依然是人，他是权利的实际主体，享有这种权利的也就是他。在一个公司或会社中，权利的主体就是这班享有利益的构成员。至于这抽象的本质，不能享有它们；所以，它不能有任何利益机会或权利。耶林已将事实与权利混为一谈。谁有一个权利或不如说谁享有之，这是一件事，何者为此权利的主体，则是另一件事。这是当然的，一个人虽不是财富的所有者或处分者，却能享受此财富所产生的利益。一个国家的公民或一个病人，他并不是此国家资本或医院的所有人，但却坐享其利。总之，我们须把物质享受与理想享受、占有与权利的所有分别清楚，因为一个人有了前者，并不一定具备后者；但耶林的思想并未完全撤去了人格化观念，因为他的法人仍需要一个明显的主体亦即假面。他自信其理论很是具体，而且立基于最严格的实体主义上，实则他的理论乃以抽象为其基础，认元素离去其自然的依附中心而完全独立。

二百一十一、权利无主体说

温得舍特、布林兹（Brinz）及培刻（Bekker）于其研究权利主体的著作中，较耶林更进一步，对于不属于个人的权利必有主体的已为一般公认的原则，加以攻击。他们及台梅留斯

（Demelius）于其《法律拟制论》中，认为在事实与特殊制度的关系上的法律观念，是抽象的；要是权利的集合无主体而存在乃是事实的话，那末得到一个必然的结论，就是法律的观念一定包含此种事实，并且包含权利无主体的可能性。温得舍特谓权利乃意志的无人格的能力，于其行使时，只须有一主体，即可成为实在。布林兹（Brinz）把财富分为属于一个人的与专供一个目的之用的两种，注重于事实，却忽略了拟制。培刻（Bekker）否认意志为主体，在他的心目中，名义或称号乃赐予一个人以自由处分权利之物；例如，铁匠的名称，乃予一个人以铁匠的权利。如果我们想到法律并不能解为特定性质离去事实而在心灵上的简单的集合，则立可发现与上述的理论是不相容的。在这一种的理论中，正和在任何其他的一般概念中一样，有着一连串的主要原素与关系，为简单的经验所不能造成，因为它们天生是偶然的与特殊的。所以，此种理论的假定基础是错误的，至于从这理论发生的概念，也有着一般的错误。

温得舍特对于权利所下的定义，是不对的，因为一个意志能力所以是一个附着的权利，且是无人格的，只因为它可以属于此人或那人，并不因为它可以与其主体完全分离，而独立成为一个意志能力，变了一个无主体的能力，以一个无内容的概念行使之，举孩童之例为其类推的解释，是不中用的，因为孩童本身就具备着意志的可能性。在这个例子中，如果特征是找到了，实质当然是不会缺少的，但无人格的意志能力仍不能有，则它所要代表的事实上并未存在。布林兹（Brinz）的主张，其立论亦不可恃，因为法律上完全的财产权观念，于其独立的存在的状态中，所包含的要不是此权利的人格化，则便是传授此权利的物体。财产的主要特质，便是它对于人的从属性。它包含完成人的发展所必要的有用的工具的总额。此种理论，也不免于抽象的弊病，它一方面提高无生物的地位，予以法律上主体的身份，另一方面却把人降格为无生物。要是财产没有主体，或与人在非偶遇的情形中无涉，则目的决不能自己完成，所以权利可无主体这是不可信的。培刻（Bekker）则循生物与无生物无定限的人格化之说，他显然对于权利的不确定的主体与其客体，不能分别清楚。铁匠的名称可属于此人或那人，终不能没有一个主体。正如康德与温得舍特所云，一个职位的据有人，例如王位的继承人，并不能视为一个法人，虽然职位或王位的本身是没有意志的；在这种情形，国家乃是这种权利的真正主体。就是继承权也不能认为一个法人，因为它的享有者亦即主体原非没有，只是不确定而已。在这里我们应该记住一点，就是继承人的权利，乃因被继承人死亡而开始。至于遗产管理人的选定，亦不足以为法人成立的表示，因为继承人不在时，亦可为之选定遗产管理人。

二百一十二、财富不能是主观的

上述学说的信徒，有时亦承认权利以其为主观性的，所以不能无主体，但更主张不应承认集合财产权无主体，因为此种权利只是简单的客观的集合而已。他们又云，此种以为主体的财产，并非物的单纯集合，而是它们的总和，由于此财产的宗旨或支配此财产的统一意志的作用，成为单一的、有组织的、自治的统一体，而经国家的认可。但在客观方面，财产只是一个部分、一个元素，而非统一的全体。总之，我们必须记住，对于权利不可无主体说的原则，决不能有丝毫的修正，而此原则的基本概念，固与上述理论相背驰。其次，我们还须知道，形成为有组织的全体物的财产，不应视为统一原则或中心有机体亦即宗旨或意志的主体。原来宗旨与意志造成并管理此财产的全体物，并使之成为真正的单一物，而主体之选应于此等因素中觅取之。物毕竟是物，而含有客观性质，宗旨与意志的本性就隶属于主观的领域。宗旨乃意志的限界，而与意志有着重要的联络。宗旨得以意志说明之，故主体当可于意志能力中求之。宗旨无意志则不能完成，而在另一方面，如果意志把有关于人的物组织成一个全体物，并使之成为单一物，则此时只有意志才是主体。财产属于人格所有，故不能谓财产之上并无人格；财产因意志而始能集合，因意志而始有生气，故不能谓财产之上并无意志，财产是个人的人格属物，个人却不能视为财产的属物。

二百一十三、无形人可以存在

有班法学家，固不置信于有感觉的简单的物的实体存在，却合于论理的置信于无形人的实体存在。一般的确信国家具有真正人格而罕有以之为拟制物的事实，前述各学说不能适用于公法的认识，以及一般哲学家对于国家本体的观念，凡此种种，实大有助于上述信念的觉醒与发展。维科说过，正如古代罗马从所谓"平民议会"的聚合而产生共和国体，所以意志的统一亦遂形成它们的心，亦即帕比尼安〔1〕加以文雅化的所谓"共和国民全体的意志"，或全体公民的共通意志——平等权利的享有。这种意志的心，就是社会力量、理智及有设计的正义。从这种的心和精神，才产生了公民的能力，它造成共和政体下的个人，它的生命就是公共卫生，它包括全体个人的生命。我们说及的这位伟大的那不勒斯哲学家，认国家灵魂为一个有生命的且非盲目的形态。味加西（Veggasi）与另外的许多哲学家说得不错。无形人存在，尤其是国家具有真正人格的概念，实渊源于布伦兹赤利（Bluntschli）在其《德国私法论》中所发表的学说。在德国，谢林还在布伦兹赤利之前，亦提出伦理本体学的标准，黑格尔则认

---

〔1〕 原书译为"巴比尼安"，即 A. Papinianus（约 140 – 212）。——勘校者注

国家为道德世界的一个制度，为一个自觉意识的物体，以个人意志总和的一般意志的实体存在为其基础，而此实体存在与赫尔巴特学派的西罗（Thilo）所谓实体存在很不相同。

但我们第一须要知道，历史学派的鼻祖萨维尼，虽倡人格化之说，他却承认最大的无形人亦即国家的真实存在。谢林、黑格尔、萨维尼诸人之后，特楞得楞堡则又复活希腊的政治概念，掺入近代的原理，而亦归纳于同一的结论，就是承认国家为一个真正的单一物，一个伦理组织体，为一个具有人的特种形体的抽象人。意大利的法律哲学，甚至在布伦兹赤利（Bluntschli）以前，于讨论国家与社会的特性上，即已承认无形人的存在。罗马诺西常称国家为个人智慧、意志及能力完善而有生命的辐射体。洛斯米尼则对于社会与道德的人格并不加以区别，而划分社会为组成社会本体的精神的内部不可见的部分，及构成社会形体的外表可见的部分。社会是实在的有生命的，唯其是实在的有生命的，所以是为其基础的众意志的会合。

二百一十四、一个新意志——两个意志合致的结果

巴伦（Baron）、培塞娄（Beseler）、拉松（Lasson）及其他不少位德国哲学家，都赞同于布伦兹赤利（Bluntschli）的无形人存在之说；他们视国家与道德本体为真正的有机体，而得为公权的主体；但对于它们在私法上的人格亦即法律能力，则彼等或并无一言及之，或追踪萨维尼之后，认之为仅仅的一个拟制或假定。稷退尔曼（Zitelmann）于其《法人之观念及存在的研究》中，发表过一个美满的理论，能兼用之于私法与公法。他的立论虽不怎样正确，却颇合于哲学的原理，并用着不少的暗比与明喻。他以人的意志的原则为开端，认权利为固有的，并认此原则对于自然人及法人同一存在。法人，因其为权利的主体，获得一个意志的可能的或实在的能力；换言之，就是人格，对于这，国家应予承认。因此得到一个结论，就是此本体的人格并非如有些人所信为法典的创造物，而是许多意志合致的产物，此许多意志的合致并非以其全体利益而是以一个特定宗旨为前提，这样便创造了一个新的一般的有用的意志，以为一个公司的自然基础。正如稷退尔曼所云，这样便发现一个常见的事实，就是，当两种力因合致的第三种力的督促而会合时，这两个力就会丧失其个体的存在，形成一个新的力，而具备其构成分子共通的特性。在法律上，亦有其"概括财产"之例，在这种情形，此"财产"便自具备其成为统一体的能力，以异于其各个构成要素。

二百一十五、此新的力乃较进步的形体

对于前节的一番理论，我们还可补充几句，就是公司既然是许多意志在一个特定目的上的密切会合，而且是一个全体物或伦理组织体，那末它在某一点上要较个人更见实在，因为它具有更复杂性的各部分，并且足以代表一个较进化的形体。如果没有人的生活以及种种的社会核心，个人只是一个抽象的东西。物质以及真正的实体，乃得之于有机的组织体，于社会团体，于各个部分集结的核心，此各部分的存在系以全体的存在为其条件。虽然，伦理组织体的各部分，毕竟是自由的个别的实体，且除为全体的生命的参加分子外，尚自有其一己的生命与特种的目的。会社是一个特种的伦理组织体，有着一个全然异于个人的实体，并在完成直接有利于其本体的效果。此统一体初不如耶林所云，为一个无享有力的抽象的实体，而是一个真正的独立的能力，产生于许多意志强烈的辐射中。

二百一十六、公司必然是一个组织体

除非公司为一个伦理组织体，由其构成意志的辐射作用而产生，稷退尔曼（Zitelmann）并不能明白说明公司真正人格的存在。它的实质，乃存在于不能改变的行为及国家的承认中，由于

国家的承认，一个法律上的主体乃得供献其能力的若干部分或其全部于一个特定的目的。有些人以为许多人集合或结社，同心协力以完成一个目的中，这种集合或结社，乃是一个伦理组织体，这是错的，因为这种人依其代理人的资格，其权力固大于个人，但他们初未构成此制度中较实体的因素。例如，一个牧师，就其所据有的职位而观，并非牧师界中的一分子，由教会以特定行为设立之，而具备权利主体的特质，他只是一个代理者，只是人求生存的一个方法。结社的观念，自然地会和它的创造者的观念，联系一起，因此我们必须分别此种类似性，而注重于次生的或偶遇的因素。结社基础的行为，乃其创造者的真正意志，变为客观的、具体的、不能改变的，循其一己的程途前进，且为此制度中应有权利的主体，因此便成为国家承认的人格的自然渊源。但这个意志，虽与人分离而变成客观，根本上却依然是主观而有人性的。此行为虽无能力不能成立，然与能力有别，宜于造成公司的形体、特质及状貌。如此形态的特定意志，与温得舍特的无人格的意志，毫无共通之点可言，他的区别主体，仅以其权利的行使，而不以其本质。此行为亦不能与无主体的宗旨混为一谈，那是布林兹（Brinz）的概念，因为能力所供给以实现的宗旨，乃后于创造者的意志而存在，为人的取舍行为的终局，以意志及有取舍力主体为其要件，此主体则使宜于目的需要的行为变为客观性。

　　这里且举一个分析经验我，亦即继续发育的自我的例子，换言之，就是完成具体主观性的例子。经验我得与各个的特殊自我相别。其区别之法，得于通常的与病理的情形下为之。"在父亲的地位，我得称赞你，但在长官的地位，我将判你死罪"，当孟留斯·托魁脱斯（Manlius Torquatus）对他儿子说这几句话时，有着两个自我的存在。在心理学上说来，同一个主体中，有着复数的人格，这是可以的；在法律上说来，一个个人尚可有着更多的人格。我们虽把关于一个单一固定宗旨的意志行为或意志，奉为一个主体或个人，不致自相矛盾，就是这个缘故。终结一句话，这制度虽不因公司的组织而成为一个伦理组织体，它至少具有同样的原则与人格，因此也具有同样的意志能力。在公司的组织中，因许多意志的辐射作用而产生一个新的单独的意志，这新的意志乃是主体；而在非公司组织的结社中，其主体则即为创设者的同一意志，仅因其行为而成为另一个客观的意志而已。尚有若干制度，虽由意志融化而成，其数则亦与意志同数。依后文所述，公司与结社之间，实有着一个特别的差异。

二百一十七、公司组织

上述理论，乃以系论的方式，由我们早就说到过的理论中演绎而来，就是那法律哲学上的基本原则。人格实在包括着意志能力。此意志能力，于公司及结社中均可得之。在前者的情形，它就是具备着新的各别的单一体的意志能力，由许多意志的辐射作用而产生；在后者的情形，它就是创设者的意志，只是在一个单独的宗旨上成为客观化而已。这种无形人，自从它的社会利益为一般所认识后，它的地位已被提高为与法律的及社会的主体同，享有所有权，有时且还有着政治权利及监护人能力。它有着所有权、他物权、占有权、契约权及遗嘱继承权。但它没有一种代表权，其情形与未成年人正复相似，其于代议政体亦然。国家并不设立无形人，仅为之注册，盖法律上的认可，乃以精神躯干亦即意志能力的人格的存在为前提。要是此种人格并不存在，国家便无从加以认可。即谓创造，与拟制人的存在或人格化，正是同义，且与之同为空幻之物。事实上，它竟是同一的东西。萨维尼认法人有着人为的存在，但同时又不认其在国家机构中的始终，这话真有些不可思议。其实法人既然是拟制的或人为的，在成文法上便不能否认其存在与解散的事实。国家不仅把无形人注册而已，他先须审查这精神本体的制度的社会效用如何，随后加以承认，视之为具备简单主体的身份，监督并管理之。国家的法律，乃是确认权的法律而已；要是我们称之为制定权的法律，那末应该放弃设立的意念，而信赖于原来人提高为法人的意念。我们知道，当国家认为精神单一体不应再许其存在，或它的行为违反文化目的与社会效用的时候，他可有权把已赋予此精神单一体的能力，加以剥夺。

二百一十八、公司组织并不影响结社实体存在的问题

佐吉（Giorgi）于其《法人理论的研究》中，曾严厉抨击关于本问题各作者的意见，补充布伦兹赤利（Bluntschli）、巴伦（Baron）、拉松及培塞娄（Beseler）的理论，而自成一说，以惬其意。他对于他们关于国家及集合本体的意见，表示接受，但于结社的理论认为不无缺点。在彼之意，结社在实体上与公司具备同一的本质，换言之，同一为现实的集体，故不得仅以拟制人格目之。此概念斐息赤拉（Fisichella）于《法人实在说》中，一度加以引伸，而佐吉（Giorgi）本人对此固已自认。为易于明了此说的内容起见，其理论可摘要述之如下：一个结社的财富来自人民，其目的在完成一般的义务，终乃归诸此真正所有者的人民。分配一笔独立的基金于理事团，或其他特殊部分，其目的在赋予以一个单独的自治体，然初不因而使主体有所变换。它仅在法律上与行政上，使集合人格亦即人民有所增殖，这集合人格或人民，或为整个的政治集合体，或为由于行政上的理由依地理而划分的小集团。为满足社会需要起见，统治权有两个途径可以遵循：它可以直接供给一个简单的不划分的国库；它也可以分割之为许多部分，授每部分以一个自治的个性，此种部分的划分乃视完成目的的需要标准而定，因有所谓精神单一体及结社。

二百一十九、区别公司与结社时其他矛盾之点

上述的理论，与佐吉据以讨论的原则，其间颇有矛盾之处。在他的心目中，把社会同化为一个有机体，认为一件可笑的假借之事，例如，我们称社会为"社会器官"、"社会躯干"、"社会意志"、"社会或国家灵魂"之类是。社会只是个人聚合而成，一个单纯的集结，不能视为一个实体或有机体。佐吉并特别指明，社会者非他，乃一个集合体，一个求遂个人欲望的间接工具，故其立论于原子说为近。但如果社会并非一种意识与意志，而仅系一个单纯的集合体，则它如何能有其一己的所谓独有的公权？他既力斥社会有机体说为荒谬假借而不可信，则他对于德国公法学者认国家为有机体的意见，何以又予以赞同？他说只人能有义务，则亦只人得为权利主体，权利的存在以义务为前提，而义务的存在又以意识意志及责任心为要件。人的团体并无灵魂，所以不能享有任何独有的义务与权利。此外，我们必须注意，布伦兹赤利、巴伦、培塞娄、拉松及其他学者，于此公法原则，颇欲视为精神单一体在法律上人格的基础，故于凡以私人利益为基础的商业结社，自己断然否认其为法人，因而摈拒一切具有私有性质的组织体于法人领域之外。佐吉一面以此班学者的原则为其理论的基础，一面却又郑重主张商业结社之为真正的法人，这两种理论颇相矛盾，自不应出于一人之口。

二百二十、依佐吉之说社员不应视为公司或结社权利的主体

在佐吉之意，公司与结社的主观性，乃存在于集合体中。我们姑且暂认此集合体为公司权利的主体，但须记住，此与波尔兹及耶林所称的集合体意义不同；依佐吉之说，集合体不能得视为复数，庶几我们可以法人权利归属个人，而不须再承认主体与权利有所分离。这样就可以造成一个法人。但虽说集合体的各个分子对它有着利益，并享有之，我们却仍不能了然于它与它们乃为

一体，因为界说权利的主体，这是一件事，断定集合体利益谁属的问题，却是另一件事。我们对于集合体如果无法别求一种界说，便只得放弃此种立场，认团体为一个有机体，并至少于重要之点接受稷退尔曼的理论。但集合体，就其有机体的性质而论，不止一单纯的集合体而已，尚有他种因素存在，就是那许多个人意志辐射下产生的单一的意志，这在前面已经说过。此意志乃是一个有生气的独立的新因素，其性质与数学方式所能表示的结合迥然不同。这共同的意志，其构成的内容，决非七加五等于十二的方式所可同论，所以与稷退尔曼所举错误的例也有所异，但佐吉不信此说，谓其于意志与个人分离，成为法律上的要素，而人则仅为多余的自然作用，绝不相合。

老实说，此种理论，并非不合，且亦非以意志的独立存在为前提。在论理学与法律上，人仅目为一个意志，而不是一个简单的理论上的心或想像。心与想像，乃是一种活动力，伦理学与法律仅视为包含于意志之内。二者入于实际的理性，是否为不可能？理性有了意志视为目的的安全，以为其对象，便可称为实际的。在这两种科学中，意志并非附属的，而是主要的，正如意志主体的人一般主要。要是意志无人的概念是不可能的事，那末人无意志的概念同样是不可能的。因此之故，我们不曾赞同温得舍特无人格意志说，而认一个意志能力并无有选择力的主体，是一个不可能的概念。如果公司是一个有机体而非器械体，则权利的主体自须觅之于个人意志的融合中，就是一个单独的共通的意志，社会性的人容许此种意志上的融合是可能的。一切视为伦理主体的人性，于特种及共通意志中，均可得之。所以，有人谓依意志说，人成为多余的部分，这是不对的。

二百二十一、佐吉学说的批评

就字面的真正意义来说，在结社中，意志并不与人分离，因为它乃渊源于创造者，并仍保守他的特性，而以一个特殊形体持续他的人格。但在结社的活动中，却有着一种关系，并不属于人，此关系成为持久后，就是一个多重人格的基础，这多重关系一个人在法律上可具有之，正与心理学上经验我的复数性同，这在前面已经说过。创造者的意志，就是一个经验我，一个传来的人格，不只是心的片刻作用而已。在法律上，虽只能有一个实质的人格，但各个不同的人格的存在于一个人体之中，并不发生抵触的现象，正如在心理学上，各个不同经验意识的形成，自我与非我之间，并不因而需要根本的区别作用。有了这样的一个前提，我们再来审查一下佐吉的学说，他把整个的人类社会亦即国家统治下的人民作为结社的权利主体。据我们看来，他的理论似乎不能站得住，因为它和耶林的已被摈弃的学说，犯着同样的毛病。佐吉且不能把法律与事实混为一谈，因为结社虽于社会有益，其组织且含有重要的社会利益，但这并不是说，社会因此便须视为它们的主体。贫病的人，虽从慈善机关得到不少的利益，但他们并不是这些设施的所有人。否则依此推论的结果，每个个人权利，势必亦属诸国家，因为社会从每个权利中，都得到些好处的。从某一点说来，每个个人权利，便是一个社会利益，故应归诸国家，这当然是一个不合理的论证。

二百二十二、佐吉学说的批评基础

佐吉仅注意到结社的目的，而忽视了它们的本原及创造的权利，这是不对的。如果把他的理论，应用于法人之具有显著私人利益的目的者，就越显出了它的错误。国家基于社会秩序的理由，对于精神单一体，虽有权认可并取缔之，但这并不足以显示它们是国家的部分而不可与之分离。波奈利（Bonelli）在他的著作《法人的一个新学说》中，看出佐吉把事务管理的分划与新单一体的形成混为一物。原来把结社的事务及部门，划分为许多支部，以及授一个部分以法人资格，乃是截然两事。一个私人，也可把他的事务划分为许多部分，并各别委任会计员及经理人；但在这种情形之下，并不一定就有着与各部分同数的法人存在。这划分的事务部分，须在法律上与其余部分独立，使它所涉及的一切法律关系，仅为它而存在，这时它才能取得法人的资格。法人是一个自治的单元，绝对与任何单元分立。波奈利说过，以某种公务为目的的部门，如果继续在国家管理之下，并不产生新的人格，此种部分乃有着绝对的管理上的价值。要使一个部门成为法人，这就是说，在私法上，它不再隶属于国家。其间所有人必须有着真正的和实在的变换，而所有新的关系，亦须以新的非旧的所有人为其主体。旧的主体一日存在，新的主体便不能产生，佐吉（Giorgi）却不曾看到这点；因为，旧的主体与新的主体同时存在，事实上是不可能的。

第四章　财产及其取得的方法

二百二十三、财产权的主要基础

人必须完成其根本的目的，所以他得伸展他的活动力，约束外界事物，使隶属于自己，并与他人约定，以相互保存必需的与有用的物体。由于此种活动力的伸展作用，于是而有财产权与人身权的发生；前者涉及人与物之间的关系，间接亦有关他人，因为他们有尊重此种权利的义务，有时亦有限制它们之权；后者则涉及人与人之间的关系，其于物则只发生间接关系，包括一切基于合意或承诺而发生的义务。往后可以见到，此种的权利区分，并不有悖于人为权利有意识主体的原则。此外，财产权与人身权的联合，就构成了人的惟一产业，它是人为自身所创设的外来的物质与精神财产的总数。财产权包括所有权及存在于他人占有物上的权利；人身权则包括一切有经济或财政价值的义务。因此我们可以得到一个结论，产业实由上述的一切元素所组成，有些是有体物，有些则是无体物。

二百二十四、内容最丰富的财产权

财产权是内容最丰富的权利，亦即"物上最大的权利"。它对于物体，虽不是绝对的权利，却是一般的权利，至少包含着最多数的权利，其内容为占有、取得、享用及处分，享用包括出产物的占有与使用，处分包括变形与让与。财产权根本上并不异于应用于物的自由，因为自由分析的结果，亦可化为自有。这两种概念，含着交互作用，且可易地而处，因为财产权乃个人的装饰与被覆，其不可侵犯性与人身同。黑格尔说过，一个人因财产权而有着外表的存在。由于财产权的作用，物体除创设自由意志的实体或表征外，别无其他功用可言。特楞得楞堡视财产权为心对物的胜利，为人的工具。物在人的支配下，成为供给完成特种宗旨之用的有生气的工具，并代表意志的决定，而不复居于非人之列。由于财产权的作用，我们把器官概念推及于外界的物体，并感觉自身存在于其中，犹吾人之肢体然。洛斯米尼谓一切财产权的共通特性，乃起因于一个物体与人身因素的联系。此种联系，乃双重的，为肉体上与精神上的。他又说，具体的联系乃在此物体的占有，为完成某种目的之所宜；精神的联系，乃显示于智能的与意志的活动，由于前者的活动我们可以想像某物对于我们有用，为自由的，且可以占有者，后者的活动则在试欲依法律取得此物，并运用宜于取得并保有此物的力量。具体的联系，发自主体的本性，以觅求其一己利益于物体之中。精神的联系，则渊源于客体宜于公然的自由的占有的特性。具体的联系，乃权利的实质；精神的联系则为权利的形体，失去此种联系人就失去了权利本身，正如民法学者所云：“占有乃基于意思与事实而成立。”

　　洛斯米尼、特楞得楞堡、库藏及提挨尔（Thiers）均承认两种财产权的承在，一是原始的，一是获得的。凡人必有一个身体与能力的原始权利。这“我所有的”就是一个原始的财产权，也就是其他一切财产权的根基与模型。其他的一切权利，乃由它而产生，且为它的适用与发育的结果。我们的躯体属于我们，只因它是我们人格的栖居物与工具，它是我们有着其次最密切关系的财产。人的能力的效果是他的第二个财产，它较少密切联系于他的生存，但其嫡出的地位则同。

二百二十五、财产权的哲学

财产权乃是一个实际的综合的演绎的判断的表现。我们知道康德是第一个人,在理论哲学上接受此综合的演绎的判断,于此判断中,主位是直觉或肉体的原素,宾位是一个状态或原素,纯粹的、可领会的与原始的,故非经验或外界的产物而为智能或心的内在活动的结果。这并不是两个概念的结合物,而是一个直觉与一个状态的结合物,以成为一个概念,因为此肉体原素的主位,于与宾位合并的活动中,变形而成为有灵智的。一个状态,并非是一个生得观念,历久不变而自始存于心中,而是一个方法或功能,所以只是心田中所产生的一个原始的演绎的原素而已。在物或幸福学上的名词转变为人的宾位的程度上,财产权乃在表示一个实际的综合的演绎的判断。“我所有的”、“属于一个人的”及“一个人所有的”就是这一类的宾位,它们显示着人的活动及意志的实质。人是原始的,因为他不是外界的产物,不是来自外界,但同时他并非自始就赋有着应具备的一切,而是较诸圆满的人的概念有所短缺。但他凭借一己的力量,完成此概念,而在社会中发展着。在这里我们可以看到,心的专用的活动,乃开始于实际的综合的演绎的判断之先。此于理论的判断中可以见之,盖判断的内容,乃在减少呈现于知识之前的物的变化。它的目的,在欲知悉、领悟并认识它所感觉到的,而使之成为心的财产。专用的活动与理论的判断只具有一种认知的价值,而实际的判断则含着伦理上的重要性。

二百二十六、财产权的历史——格老秀斯的学说

关于财产权的合理基础,学者意见颇为分歧。格老秀斯称私有财产,继“原始的共有财产”之后,乃起源于土地的占有与分割。占有以默示的同意为前提,分割则以明示的契约为要件。在彼之意,私有财产制,乃立基于社会构成员间的意见合致,最

初，财产乃人类全体所共有，嗣后乃为一个部落或一个家庭所专有。当私有制度因了特定的势力而开始存在时，其法并不将公有财产加以划分，乃以一般的同意各人保持其所占有。格老秀斯的理论，把财产的合理基础与其历史的起源混为一物，财产权的基础，必须是一个观念、一个原则，并不仅仅是一个事实，如占有或分割然。明示的同意，乃是一个事实，默示的同意亦然。

洛克于其《政府论》中，重农主义者亚当·斯密及斯图亚特·穆勒于其《政治经济原理》中，以及其他许多经济学者，认财产权乃起源于工作。依洛克（他是此说的鼻祖）之意，每个个人原来有着工作的义务与权利，因有占有之权，以为完成其义务并行使其权利的工具。这位英国哲学家的理论，认财产仅于工作实施后始行存在，以工作为其基础，如运用适宜活动的权利然，因此在人于占有中行使权利的时候，财产就开始存在。但依此意义的工作，与人身活动有着同一的不可侵犯性，而不免与之混淆。其实，人才是财产的真正基础。如以应用的工作，视为私有财产的发生原因，私有财产便无法加以说明，因为我们先须表明有着占有物的权利存在，使此物成为工作的对象。工作只是一个取得方法，须以财产的证实为其前提。霍布斯、孟德斯鸠于其《法意》中，边沁及查理·孔德诸人，以成文法为财产的基础，而并不思及成文法对于私有财产的承认，是否与理性及正义相合。

二百二十七、康德的财产学说

康德认为财产的存在，不能仅有赖于个人的单独动作，如占有或变形之类。财产不仅以体的占有为要件，且以心的占有为要件，因为依彼之意，在权利上的"我所有物"，其附属于我之切，以至于我对于物虽未有着体的占领，他人如未经我同意而使用之，亦属有损于我。每个外界的物，可变为某个人的；要不然，物将并无所用，而自由意志的食欲能力及由需要财产的理性决断的自由之间，必将发生冲突。想像着某物的在我支配力下，这并非仅仅的体的占有所能为力，是需要心的占有的，大概法律上的命题，如"理性法则"之类，在康德之意，乃是演绎的。一个演绎的权利的命题，乃是分析或解释体的占有的，因为谁取去我的东西，谁就限制了我的自由，违反法律上的自然之理，并因此影响及于我的人身权。但上述心的占有可能的命题，虽缺少体的留置，是综合的，因为东西不在我的手里，是演绎的，因为它确立下以无占有的权利为要件的原则。个人占有的权利，乃存在于原始的土地共有，及容许此种共有的演绎的一般意志中。土地，依其性质，原不能是自由物，否则它势须具有一个特性，使它不在任何占有之列。土地的自由，仅能因有用益权人间的合意而发生，于此他们虽互相约定不使用其地，然此地固仍为他们所共有。有史以前的共同占有，不能认为个人占有的观念，否则自由物将以其自身为自由，并须因权利而视为"无主物"，——这是一个荒谬的命题。

康德不能想像财产为"无主物"，但推定它一定是"共有物"。因为，正如塔利阿（Tullio）于其《康德学说中的财产法论》中所云，公有财产必排斥私有财产。如果我要某些外界的物为我所有，则在行使权利的同一行动中，我将承认一切人尊重私有财产的义务，这是必然之理。这种义务乃包括于此占有权的概念中。适宜于强迫此种义务并保障 meum 与 teum 的惟一意志，就是社会的一般意志。占有，在社会环境中，并非暂时的，如在自然环境中者然，而是持久的。理性产物的国家，固然维持着人所加入的关系，但它并不创造它们的必需性。康德曾谓宪法只是一种法律，于此每个人获得一种保证。一个国家并不创设或决定财产权。此整个理论，固然以个人人格原则为基础，并置重于财产的社会原素，可使之一般化以与心的占有的命题相接近，并可以为私有制的哲学上的理由，因为我们在前面已经说过，这实际的综合的演绎的判断，并非仅指阐明心的占有可能的命题而言，且包括每一命题之涉及财产的基本原则者。

二百二十八、斐希德的财产学说

斐希德采纳康德理论中的因素，以构成其自己的学说，但他对于社会因素的重要性，未免过于夸言。菲罗谟西·归尔非在《法律全书》中说，他相信联系个人的三种契约有加以区别的必要。这三种契约，就是财产契约、防卫契约及团结契约。基于第一种契约，一个个人可占有某物，并要求他人不得主张之，使他们不得不尊重他的占有，庶几他也尊重他们的占有。基于第二种契约，每人如欲他人助其防护财产，则对他人须为同样的承诺。防卫力量所以能够确立，只因为个人以团结的合意构成国家的部分，这团结的合意正是上述两种契约的保障。个人在客观的世界中，原有着一个偶然单元的原始权利，所以基于财产契约的作用，只须能尊重别人的自由并承认其活动区域的不可侵犯性，他也可分得一部分以为其活动的范围。自由与活动，不能无生命。自由一经得到保障，生命自必有所保障；生命权乃是人的一种绝对的不可让与的财产。使用物的基本目的，乃于此得之。一个人如果不能赖其工作以生活，真正为他所有之物便一无留存，与他有关的契约亦即变为无效。一个人必须把生活条件给予缺乏此种条件的人，如果他希望他们也同样能帮助他的话，因有所谓救恤的设施。在上述的理论中，所有权与人身原则乃为同一之物，但契约概念与生命及工作权概念予此所有权以一内在的限制，此种限制为社会主义论理的前提。此前提如下：每个人对于外部世界的一部分，有视为自己财产的固有权利；财产的自然权利，国家须承认并保护之。凡人便可有此权利，其神圣不可侵犯性，与自由或人格同。每个人基于需要与能力的理由，应享有财产之权，而使人有其产，乃国家的义务。

拉夫雷（Laveleye）于其《财产及其原始状态》中，对于斐希德的理论及上述的原则，表示赞同。我们必须注意到，斐希德与拉夫雷误把下列两种大相径庭的概念，混为一谈：一个就是国家对于一切人民关于所有权的平等能力的发展，应予保证；另一个就是国家有使人人获得财产的义务。为利用完成其目的所必要的工具起见，人人应有一个运用其活动力以支配其范围内的物的主要权利，这是无可置疑的。国家应予每个人以一种环境，以宜于行使此种获取的权利，排除可能发生的障碍，而事实上亦即予以臂助。但个人既具有一种开创力，他应自己行动，采取种种步骤，以使物为其所有。他的财产上的固有权利或理论能力，应具备一个获得权利或实际能力的形式。没有第二个权利，第一个权利只是一种抽象的能力，其涉及于人的本质较甚于人的个性。这只是每个人所具有的对于财产的简单权利。第二个才是一个具体的个别的能力，且是关于获取的真正财产权。财产的具体取得，乃在个人而非在国家，国家的职责仅在承认、保证并保护其公民的活动力，而不在为他们代劳。国家固应使形式或法律上的平等原则不受动摇，但因它须绝对尊重人类的自由，而自由的发展又有赖于无定量的各种原始的及获得的能力，所以它并不能设定物质上的平等。

二百二十九、财产权是一种人的抽象的权利

个人是社会的一部分，于其支配实体物中，不得不受一种限制。个人的权利常以伦理组织体的存在为条件，在此伦理组织体中，有着发展、保护及管理的种种作用存在。个人对具体物的意志能够稳定，乃受赐予伦理组织体，换言之，乃由规定处分财产的法律所赋予。特楞得楞堡谓财产权抽象上属于人之所有，他确认它，也限制它。康德关于两种占有的学说，理论上使其他几个以个人单独行为为财产基础的学说不免受到一种批评。科察（Cocchia）于其《财产权的限制》中，谓维科曾明白看到，管理是私有财产存在的惟一法则。他把私有的机遇亦即它历史上出现的动机，与其原因亦即合理基础，加以分别。私有财产，犹之自由，自有其人性的基础。依照这位那不勒斯哲学家的见解，在所有权中，实蕴藏着"热望"或利己意味的成分，及"真正的力量"、"理性"、伦理法律。所有权就是"有用物的聪明使用，也就是以理性而不以贪欲的方法的使用"。换言之，在行使所有权时，我们不但须遵循个人利益的标准，且须注意社会需要，听从社会审慎的指示。维科谓有种社会的控制力，行使于公民的占有之上，优越于一切的私权。这种控制力就是含有限制作用的社会理性，而不是使国家成为一切财产的所有者的私有财产收用权。

罗马诺西曾提及一个自然所有权，以别于纯然的社会所有权，但用着绝对另一种的说法。自然所有权乃与一个绝对利己主义的使用权，同其意义，可存在于自然环境之中，而社会所有权，则仅于社会环境中有之，其含义除具有个人权利的性质外，兼须具备事实需要及社会效用的条件。在自然环境中，能力常受节制，立法者须遵守基于真实关系的法则。他对于私权加上一个限制，并非要求个人的牺牲，因为这种限制实为社会求得个人间在公共自由的平等与安全中有用的能力，置于平等的地位。他们的利己主义的自由之间的调和，其用意初未减弱其自由的权利，乃增强之；亦未削除其私人使用权的力量，而反欲使其更臻充实、稳定。人服从社会的法律，乃在服从事实的需要，亦即服从其自己；所以，此种控制并未减弱私有权，自然控制不但不变，且有所减小。洛斯米尼的主张亦同，他就财产与财产权二者加以区别。仅就人与物间的关系而论，财产可以无定限的方式想像之，但若以权利视之，则财产须受实际正义的支配；所以，某人如果据有一物，于其自身并无多大用处，或竟毫无用处，而于他人则为有害，或为他们幸福的障碍，社会得强其弃去之。

二百三十、立法例所载财产定义的研究

法国和意大利的法典，以冗长的语句规定财产的定义，承认管理与限制的概念。依此二法典的规定，财产是享用和使用物的权利，只须不违反法令的禁止规定，可以最绝对的方法使用之。洛斯米尼认此定义的禁止部分规定，就是一种限制。他说，法规和命令，要不禁止个人以有害于他人或国家的方法使用其财产，则其目的安在？它们不是明白告诉我们，个人无权以此种方法使用其财产？法典虽未明白说明视为权利的财产应有一些限制，其实却含蓄此种意思在内。如果限制的概念能在定义中明白加以规定，使绝对享用及处分的观念，与某些使用方法的禁止规定不能并存，如果财产权并不奉为支配无生物的一般权力，这岂不更好；但我们必须记住，法国法典的立法意旨，乃欲郑重声明个人的财产权，以取代当时的学说，就是说这种权利在成文法上是存在的。公用征收、法定服役及强迫合作，就是几个限制的实例。基于公用征收的作用，所有人被迫捐弃其财产于社会，而取得补偿。在洛西之意，如果没有公用征收的办法，社会便不能有所改进，如街道、运河、港口、纪念物之类是。

此外，在有许多国家中，天然富藏的利益以及可供工商业之用的可珍贵的金属物，也不能有所获得。公用征收，常可增加财产的价值，建筑铁路就是一个实例。铁路一经筑成，靠近铁路用地的土地与房屋，就可获到不少的利益，否则必将一仍其旧而不见起色。法定服役，含有公私利益的两重目的。兵役就是第一种服役的例子；邻地用水、邻地通行、沟渠及相邻土地的隔墙，就是第二种服役的例子。强迫合作，当然也是财产上的一个重要限制，于此种限制下，私有财产应听受公用政策的支配。基于征收的作用，私有财产即让与于国家，国家可以之供某种使用为人民向所所不能者；基于服役的作用，则国家可强迫所有者听凭国家使用其财产。

二百三十一、财产上必要的限制

财产必要限制说，罗摩那科（Lomonaco）曾经加以讨论；此理论与乐天主义及调和的经济学派的主张有些抵触。亚当·斯密、马尔萨斯、李嘉图（Ricardo）、塞（Say）及洛西所设想的私人利益与公共使用之间的简单而通常的一致，已因巴斯提阿的工作，而变为非常融合的和谐现象。巴斯提阿说，个人就其利己的利益中，觅取活动的推动力，但于其自由为一己而工作之中，同时尚受深谋远虑的法律的拘束，以为全人类的利益而工作。人的行为，固然易于逸出常轨，违反法律，但错误之后有悲哀，恶行之后有痛苦，过犯之后有惩罚，这也是必然之理。于此可知，不调和只是偶然的暂时的现象，和谐则是本质的不变的定则。自由的自然趋势，是不受妨阻的，它予人的能力以扩张的自由园地，因此便有较高的制度存在。如有实施强力的必要，换言之，当某个权利被蹂躏的时候，国家便出而干涉，但它的政策，大致是承认个人最充分的自由的。

但巴斯提阿所想像的此种一成不变的一般的和谐现象，在现实世界中，其实并未存在，因为植物界、动物界、海洋与大陆，各处都见到扰乱势力的铁蹄，这宇宙的体系于是常在改造与转变之中。在巴斯提阿之意，和谐就是社会秩序或人类幸福，于其发展为行动的过程中，不用国家干预，而且国家本无须插足其间；也不需要真正的个人自由，于此他曾再三致意，因为这不足以妨阻和谐的发展。自然，在这里尚谈不到真正意义的自由，因为他不曾注意到倔强、刚愎与顽固在伦理关系例如经济关系中的影响。同时他相信错误、恶行及过犯的某种结果为悲哀、痛苦及惩罚。此与普通的常识不免抵触，因为经验告诉我们，一个人对于其一己的利益，纵使尚未知悉或认识，追求此种利益的结果，常不期然而能达于与其善行及一般幸福相一致之点。从开恩兹（Cairns）及其前的明该提（Minghetti）的工作中，我们对于巴斯提阿的乐天主义，可以找到一个公正的明确的批评。

二百三十二、固有权利的平等并不因此产生财产平等权

人为完成其目的起见，享有一个支配物的固有权利。但置信此概念的结果，并不是说，尽人的固有权利既然平等，就尽人都有着财产上的权利。一个特殊的事实介入其间，它取去抽象的相似点，而产生物的法律上的支配力；获得的财产权于以出现。这具体的事实就是获取，于此我们可以依据洛斯米尼的分析基础，区别四种等级亦即四个相继发生的权利。第一个发生的，就是自然权利，就是于不侵害他人财产范围内的正当行为的权利，这是其他一切权利的原因与渊源，此权利于行使的，产生同一的行为，完成复就成为依附于我们的东西，在它存在期间，它就老是我们的一部分亦即我们的权利。在我们享受此行为权期间，此行为如果把一件外界的东西系结于我们，我们就在享受着使一件外界的东西依附于我们并使之为我们所有的权利。此行为完成后，我们已能使某样东西依附于我们，扩大我们工作的能力，而此一切行为之权便为我们所享受。取得的方法有原始的，亦有传来的；在前者的场合，并不需要他人意志的合致，在后者的场合，则以他人的同意为要件。专有、附合、混同及时效，为原始的权利；合意及继承，则为传来的权利。

二百三十三、专有

专有就是以易为他人认知的专用意思，占有无人占用的外界物。在这里须具备三个条件——有可供占有的物、占有的行为以及可以使人认知的占有的表现。此供占有的物，须是可以占有的，且是外界的，要不然这便不成其为专有所关的取得财产的客体，而是自然财产的主体。它须是宜于实质行动的，此实质行动为肉体与精神联系所必要，以实现财产的观念，或人物结合的观念。它须是无主的，因为专有的行为并不能推翻他人的权利。占有行为，包括所有并保持其物的精神动作亦即意志，以及置其物于一己管领下的实质的权力。如果缺少前的要素，占有只是一种单纯的留置行为；如果缺少后的要素，则占有也只是一种意思。表现的功用，乃在示人以此物为我所有。如果旁人并未知悉何物已被占有，何物则未，我们不能谓财产权可以成立。表现事实与实质连环，我们应予区别，前者仅以后者的存在为前提，因为表现常以物的本体为要件。专有的方法有四——单纯占领、行猎、捕鱼及发现；它们具备三个条件，就是物须为未获得的，须为无主的，须为遗失物拾得后，经以适当方法揭示，原所有人不于法定期间内认领者。专有须兼受法律上及实体上的定则的限制。法律上的限制，有质的限制与量的限制两种。依于质的限制，所以凡是无限无尽而仅与全体人类为消极结合的物，事实上虽可占领其较小部分，仍不得为专有的标的。又，凡自由物吾人虽信其宜于为完成吾人目的，而其取得足以致损害于他人者，吾人自亦不得擅予支配，因此而有法律上的量的限制。至于实体上的限制，就是凡可以置于一己的支配力下，使他人得知其所有权存在的一切的物，吾人都可加以占领。

二百三十四、附合

附合是取得的一个特殊方法，其作用乃使一物体失去其个性，结合于吾人的财产中，于此该物体并未变其原形，亦初未因此与被附合的财产混淆不分。明白了这一点，则因果实的收获以及动物的生产而发生的财产上取得，其非为附合的实例，要无可疑，因为果实与动物产物的开始存在，乃以与原物分离为要件，此与附合之以结合为务者，其性质适相反。于此情形，其与其他类似情形正同，有着行使财产权的现象存在，其增加乃由于"所有人的权利"的作用。加工、混同、混合与附合亦有所异，因为在附合的场合，并未发生变形与合并的情形，其于前三者则不然。关于此点，奥、意两国法典采取一个合理的概念，与罗马法及法兰西法典不同，它们承认附合为财产的简单发展，并认其内容包括一切因自然增加、加工、混同及混合而致的取得。附合的作用，或由天力，或由人工。天然附合的例子，如沙滩、"骤积土地"、"河底干涸变更地位"、"河底一部分干涸"等是；人工附合的例子，如"造屋于他人土地"、"种植于他人土地"、"伐木"、"写字"、"绘画"及其他形式的"添附"。此外，尚有所谓混杂的附合，乃由天力与人工相辅而成。此种现象，可于农业中见之。但我们须要注意，在人工的附合中，我们并非不能见到自然力的因素介入其间。因此，混杂的附合的实例，如"伐木"与"种植于他人土地"是，可谓乃属于人工附合的领域。

二百三十五、改造

发明与时效，则为原始取得的另两种方法。改造的作用，乃使一物变其形体，以至于成为一种制成物。有些人以为存在有赖于形体，故制成物应归制作人所有；还有些人则重视原物，故认制成物应属于原物所有人。民法学者的见解，则分为二种情形。如果所制成的新物可以回复原状，其物应仍归原物所有人所有；如其不能回复原状，则应归属于制作者，而由其补偿原物的价值。现代立法例，重视工作的实体性及衡平的原理，故规定凡以不属于己之物制成新物，不问其能回复原状与否，概由原物所有人取得其所有权，惟须补偿制成者以相当于其工作的代价。但若加工使原物的价值增加颇巨，是其工作的价值必较高于原物，此时制成者就有权保留其所加工之物，而补偿前所有人以原物的价值。

二百三十六、时效

至于时效，吾人当不能目之为成文法为欲减少讼争而规定的一个可鄙视的权利，且是一个合乎情理的制度，盖人对于其物，理应行使其权利，若其权利久不行使，则社会对于他于物间的关系，自不应继续予以承认。于是，承认与联系，在旧所有人方面日见消失，而在占有人方面则日见发育、滋长而增强。因此，对于占有物必须具备现实的表现的意志的概念，实为时效的真正基础。时效固然是一种取得的方法，但并非具有绝对的独立性，它仅予占有者以在权利无效或欠缺权利的场合，一个补救办法而已。

二百三十七、财产取得的传来方法——合意及继承

合意与继承二者，为取得的传来方法；契约乃两个或两个以上的意志对于一件法律上的物具有经济价值者的合致。在合意中，财产易主的要素乃为同意，而同意就是双方心意的会合。罗马法上对于此种财产上的移转，需要"引渡"的程序，现代法律则规定形式的条件较少，此可于"合意即是财产"的成语中见之。后者的此种原则是正当的，因为此种财产上移转的真正原因，不在于交付的有形行为，这只是一个表征而已，乃在于"同一愿望的合意"。但第三者知悉权利移转与否，关系至为重大，为保护他们的利益起见，所以权利移转，须以书面为之。继承则是管理的与遗嘱的，管理乃指全部的继承而言，遗嘱承袭则指一部继承而言。

二百三十八、哲学与财产法律的异点

在"取得的方式"中，我们直接找到的是成文法上的"财产权"，间接找到的是理性法则上的"财产权"。在法律家的心

目中，权利的合法性只存在于契约、意志、时效及占领的场合；换言之，乃存在于取得的方法中，此种方法系经法律承认为权利之渊源者。哲学家则先欲觅得固有权利，考虑各种事实，并承认对于此种事实的权利，然后乃研究取得的方法。取得的方法，乃是居于固有权利与获得权利之间的一个名称。法律家仅欲证明一个行为，此行为即系获得权利而具有其近似的原因者，而此原因则为取得的方法，哲学家则欲更进而觅取为人的部分的终极原因，就是所谓自然权利。

第五章 财产及其取得方法的历史

二百三十九、取得的意向是一个本能

亚里士多德曾经说到过自发的活动，它效力于营养的获得，此于人类为然，于动物亦然，它并觅取为个人生存及社会团体所需要的有用的东西。据这位斯塔齐拉（Stagirite）哲学家的见解，此类东西的丰富，构成了财富，所以他的"有用"就是他的"经济学"的部分，后者乃以生活科学为基础。人的活动，致力于食物的获得，此与其他动物的本性同，但它因个人特性的各别而异其态样，此则人类之所以异于其他动物者。如果心的本体，以自然为原因，理解自然，并超越自然，如果思想离去感觉与理性，包含并提高使此活动及心的理解力更臻圆满的感觉及思想，则此种活动的发展，当无可疑。时人常以生理学与经济学相提并论，此就广义解释，诚为事实，盖经济学为物的满足需要的效用的科学，实包含社会发育的原理。但就极端而观，此种见解足以引起一个重大的错误，因为一方面经济学入于社会静力学之途（颇接近于动物界），而另一方面则此同一的静力又接受动力的推动，此动力乃有赖于人性最高势力的要素，并包括历史的发展。人的经济活动，不能与思想及自由意志分离，因为一个单一体决不能超越其本性而独立活动。其结果是，经济的法则并不与哲学的法则绝对相同，因为后者有赖于思想与意志，前者则否。

二百四十、财产是人的属性

在动物的经济功能中，有着两个平等的活动，一个是实体的移动或变形，一个是特殊器官的活动，以完成前一的活动，并致力于实现其目的。此平等活动的现象，可以证实一个终极目的的存在，且为结果学不可或缺的最确实的明证，不是抽象的超越的，而是具体的客观的。有机体与机械体之间，实有如下的差别，在有机体中，目的始终存在，且藉活动之力以发挥之；在机械体中，目的为外附之资。但在这两个活动的平等作用中，一种充分发育的心力的完成作用，以及恒久的方法选择变换能力，于动物均付阙如，所以动物不能胜任为有用的工人，亦不能使其自身常适应于较合宜而进步的方法，以增加其工作的繁复性或专门性。一个动物，在经济生活的某一阶段，常因它的有机体（特别是在精神活动方面的）不容许其超越于自然限制下其取得功能的领域之外，而停止前进。在动物中，此种功能常限于本能的活动领域，及欲望与满足的机械结合，而暂时占有外界的物；其在人，则心需要一切，心的自律并控制此类功能，它们乃致力于所有及财产。只有心才能控制自然，并于理论及实际上理解自然。这是只有人才具备的一个属性。具有感觉及自发运动亦即运动中感觉的个性，与能表达人所以异于禽兽的双音自我的个性，可作等量齐观，此则迄尚无人敢言。一个动物能使自身与一物体发生实体上的联系，如被一旦剥夺以去，亦能表示悲思，但并不能创设精神上的联系，此即财产所以别于占有之处。

二百四十一、财产权的演进

财产权的历史，可说就是人生的历史，因为财产权是对于物的自由，而自由非他，即自己的所有权。一个既然找到，另一个必然亦在；所有权既被侵害，人格亦必受到侵害，反之亦然。在一切人的活动的表现中，前进（例如单一体的一般进化）即是由简单趋于复杂，由不成形的纯一变为变化多端的庞杂，伴以各部分最大的类似与最密切的关连以及属性的不断趋于完整的现象。古代哲学家说明此概念云，在大单元的任何小分划存在以前，从一个与从全体中，产生了部分的划分，渐次发展而为一个充分发展的清楚的具体的单元或全体，一个调和的综合，颇异于原始的胚种时期的综合。最初，在人类社会中，个人只是一个部分、一个工具，嗣乃发展其具体的个性，图欲摆脱社会的羁绊，而欲使其特殊的决意与社会的决意之间，获得一个合理的调和。

二百四十二、财产的起源与发展

财产亦经历着同一的变迁，它最初是集合的，嗣乃变为个人的自我的，终则于社会及国家中取得其他位。在法律发展的原始的幼稚的时期，欲区分"属人权"与"物权"，颇不可能，因为依着当时幼稚的混杂不分的心理所规定，此二者的定则，在大体上全然同一。区别的事实始于罗马时代，其时法律思想有着一个显著的发展。梅因在《古代法》中，对于承认个人占领为太古时期的"无主物"变为有史时期的私有财产的方法之说，加以批评。此批评颇有其相当根据。他列举两点理由，对此当时为一般学者承认的学说，表示不能信任。第一，个人的专有，乃以财产的事实及其伸展于巨数有用物体的情形为其要件。原来这是很明显的，在"无主物"（一件并无所有主的物）发生占有的事实的时候，社会允许占有者变为该物的所有者，只因为它认为凡有用之物须为某个人所绝对占有，并且须对于此享有财产权的占有者有着用处。第二，个人专有的事实，本质上有赖于一个个人的意志与行动。而且我们可以看到，古代法乃以社会而非以个人为其基础。此于吾人最初仅能发现因大众专有而获得的集体财产而非个人财产的事实中，可以见之。

我们远代祖先的集体财产，非如拉夫雷（Laveleye）于其《财产及其原始形态》中所云，为正义观念或人的自然权利及平等概念的本能要求的结果。此种制度，乃由于下列两个需要所致（培罗 Belot 于其讨论本问题时，亦曾作此见解）：一个是自然的发展，一个则是社会状态的产物。在太古时期，地球表面的最大部分，不但尚未开垦，且为当时不完备的耕植方法所不能开垦。因此那时在一个特定区域中的居民，其数决不能多。此类一无价值的土地，并无加以划分的必要；不但如此，分区施以垦殖，亦事实所不可能。惟一的用途，只是共同畜牧于其上。最初的划分，乃发生于其后的农业社会中。此种划分的事实，乃为经济思想的产物，它们在用着巨大代价与人工耕植贫瘠土地的情形下存在着。当时肥料科学尚未为世人所知，土地经耕植后必须休闲数年，其每年耕地的分配，乃以抽签的方法定之，此种分配颇能均匀，因为其时的一切耕地都具有相等的价值。当时的社会，为共同防卫起见，实有采用此种制度的必要，因为他们被迫结成小团体，以免趋于灭亡。南塔开特（Nantucket）［这是北美洲的一个多沙的岛，一六七一年后，马萨诸塞（Massachusetts）一个小的反对教派的教徒因不堪清教徒虐待，移居于此］殖民地中，就推行着此种农业社会的制度，从它的历史中可以表现出产生此种制度的实体上与经济上的局面。它的历史告诉我们，集体财产的发生，并不由于正义心的要求，而由于土地因不能连年收获而不得不采用上述休耕制度，致价值甚微，长期分配势所不能的情形所致。

二百四十三、希腊的财产制度

印度在族籍制度尚未形成以前，其财产为集体的，此在吾人已不复有所置疑。上帝仅欲使人民有所享用，而赐予土地。他们的生存，不外为部落或家族的生活。迨族籍制度传入，婆罗门教徒认为上帝赐予土地，而他们允许他人使用之。希伯来人则以为土地为上帝所有，人民乃外来之人居于其上，上帝把土地给与他们，犹之给与佃户然。摩西把土地永久分与某些部落。土地的让与，只能是暂时的。以色列人的债务，每七年归还一次，部落或家族中产生的财产，须每四十年无代价返还于其公家。依海内克齐乌斯斯（Heineccius）于其《自然法与万民法的要义》中、浦克塔于其《制度的进路》中、蒙森（Mommsen）于其《罗马法》中，甚至拉夫雷于其《财产及其原始形态》中，及维俄雷（Viollet）于其研究古代财产的著作中所云，古代的希腊与意大利人民，亦曾经历过共产主义的阶段，从德国学者尼伯尔、亚诺尔特（Arnold）、培科芬及意大利学者班塔利奥尼（Pantaleoni）及巴塔格诺利（Burtagnolli）的著作中，我们可以找到与蒙森同一的见解。郎格（Lange）于其《古代罗马便览》中及孚斯泰尔（Fustel de Coulanges）于其《古代城市论》中，则持相反的论调。

二百四十四、希腊的财产国有

在希腊，土地认为国家的财产，人民仅享有附丽于此一般权利下的一个利益；从此种概念中，便发生土地分划频繁及财产常受法律干涉的情事。拉夫雷认为斯巴达在其初载于历史的时候，即已脱离古代共产制度的阶段，而入于家族集体管理的时期。其时社会的构成要素为"族"，这是家族组成的一种团体，因祖先相同的关系而重聚一起，握有一宗不能让与的财产。斯巴达奄有一片广大的领土，包括森林与高山，其所收租赋供公共宴会之需。波罗塔克（Plutarch）于其来喀古士（Lycurgus）传中云，婴孩于出生时，部落中的年长者必分配以属于其城镇的九百区土地之一，以代表为家族财产的共有土地。土地的出售，固所禁止，遗赠亦属不许。其时风俗，凡有马犬及器皿而无所用者，任何他人得使用之。在雅典，梭伦对于财产曾予重重限制，大概这就是古代共产主义的迹象。他规定凡有出售其财产者，即丧失其公民资格。他并采用累进税法。国库于贫女恒赐以嫁奁，于贫家必周以米壳，于元老院议员则助以生活之资。

二百四十五、罗马的财产制度

在罗马，最早的私有财产，为动产而非不动产，大致包括奴隶与家畜。古代的"衡器买卖式"为买卖的一般方式，最初仅适用于买主可携诸手中的物。土地为公有的，称为"公地"。因累次征伐的结果，土地大见增加。较早时期的农场，与日耳曼人的场围，可说差不了多少，其占地常在一英亩左右。在希腊，驴与牛为交易的媒介及估价的单位，其在罗马亦然。如果土地是私有的财产，而牲畜成为交易的媒介，这是事实上所不可能的，因为饲养牲畜的必需物无从觅得。牛驴如果可以作价交付，则土地的大部分必须供作公共牧畜之场。但在意大利与希腊，曾有一个黄金时期的传说，就是其时的人民初未思及私有财产的制度。以其与人类经济史颇相一致，故此传说不能视为诗意的虚构之事。代俄多拉斯·西库勒斯（Diodorus Siculus）谓利巴拉斯（Liparus）的希腊人采土地共有制度。亚里士多德谓即在彼生存之世，他林敦（Tarentum）尚保有古代的土地共有的遗风。波尔非利（Porphyry）及哲姆布立赤斯（Jamblichus）于其《彼塔哥拉传》中云，大希腊殖民地马格那·格里细亚（Magna Grācia）有居民二千人，在彼塔哥拉的财富共有政体之下，自成一国。波尔非利之言诚为可信，则中世纪意大利若干城市采行此制，似属可能之事。在马格那·格里细亚，彼塔哥拉的名号及勋业之中，带有财富共有的历史遗风，是否为不可能的？此外，尚有一点，可资上述制度的明证，就是当时意大利与希腊，遍地有着公共的宴会的设备，而古代作家，对于古代土地的划分及土地售于外乡的人须经社会全体的同意——此在吐林（Turin）及希腊即其一例——的事实，亦曾有种种的暗示。至在罗马，此种同意的需要，采取神权让与的一般形式，——此为国家绝对所有权的充分明证。最后，古代对于土地让与的禁止（此希腊法律及意大利风俗实创设之），吾们所叙述的时期中遗嘱权的欠缺，及其后妇女之被摈于继承之列（盖因伊辈于结婚后其财产的一部分必将移转于另一家庭之故），凡此种种事实，乃为蒙森（Mommsen）等人见解可信之又一明证。

二百四十六、土地共有制度通行于许多国家

约当西历纪元前四世纪时，印度若干省份，居民共同耕种田地，而分配其收获物。时至今日，印小村落中，居民尚共有其森林与荒地，而不加分割；至于耕地，则不复以为共有。中国古时，一个团体常据有土地的适当部分，而以余地托付于善于庄稼的人。但当纪元前二世纪半时，耕者之家依人口而自分其耕地，惟其十分之一耕地的收获须归诸国家。到了现在，只有皇帝才是帝国领土的主要地主。代俄多拉斯说过，阿拉伯沿岸有一个农村社会，其村人的报酬视各人耕作的成绩而定，耕作良好者其享得收获物的部分必较多。在日耳曼人中间，有所谓"界地"者，即一族的共有土地，每年其一小部分的土地得为私有占领的标的。但世袭财产，则仅包括房屋及其场围。与"界地"相类似者，为阿拉伯人的"公产"。高卢人虽有各别的农场及个人的财产，然系由族中长官按年分配者。在埃及，当法老时代，土地属于君主所有。回教徒的法律，亦采取同一的原则。在美洲土人中间，亦盛行此同一的集体财产制度。

二百四十七、原始时代的财产制度尚可见之于未开化的民族中间

在今日未开化的社会中，古代的财产制度，犹可见其遗迹，

使吾人于其内容更可有所了然，因为正如维科所云，凡渺远而不知其详的事物，吾人固不能获得其美满的观念，但就现存可知的实例中，则可使之较见清晰，此乃人心的一个特点。在俄国，土地并不属于国王或贵族，而为团体亦即"财团"的不分开的财产。团体为土地的所有人，个人则仅有暂时的使用权而已。除房屋所建及园圃所附的基地外，并无私有土地的存在。这种基地，是可以遗传的。他们把土地彼此划分，以某一目的故而聚居一处。在爪哇，以上帝为土地的所有人，因此他的人间代表，亦即君主，"村社"或团体对于土地仅有使用之权，而按年分配之于其会员。在爪哇，私有及遗传财产仅及于房屋及场围，如在罗马人、日耳曼人及俄罗斯人中然。在培卢（Pelew）岛，个人是人格、房屋及船只的所有者；国王则为土地的所有者，而以之供其人民使用。在卡罗来恩（Caroline）群岛，则有亲属团体的政制。在非洲中部，土地乃属于团体或代表此团体的首领所有。在美洲土人中间，凡可供渔猎的土地，归于部落所有。在秘鲁，财产受族长秉权的共产制度所统治。在墨西哥，则有一个封建制度，以皇帝为土地的终极所有者。在过着游牧生活的蒙古人中间，牲畜多少是一种共有的财产。在亚洲蒙古人的鞑靼人中间，共产的风俗有着普遍而根深蒂固的事实。共产制度，目前仍盛行印度的土著部落中。在西班牙的某些省份中，亚尔特马克（Altmarck）在古代斯堪的那维亚（Scandinavia）的全部，丹麦及遮特兰（Jutland）在古代的布累同人及阿富汗（Afghans）人中，在窝雷基阿（Wallachia）及其他若干区域中，我们可以找到一些村的共有社会的遗迹。

二百四十八、欧洲古代的情形

在瑞士古代，"共同财产"或市区财产包括森林、牧场及耕地。如欲有权享受此市区财产的部分，至少须为该市区的居民，须享有政治上的公民权，并须其祖先自年代不可考之时起或至少一世纪前即已享有此公民权。此市区财产制，在德意志南部，其历史尚早于共有土地制，包括森林、牧场及耕地，其用益权则归于家族中的个人。在阿姆斯特丹（Amsterdam）亦可找到部族的土地或"界地"共有制度的存在。至于同族制度，则有瑞典的"公地"、挪威的"村地"及苏格兰的"镇地"，它们承认土地的共有，其中某些部分的分配，及房屋与场围的私有。在比利时及法国，共有财产制度转变为形形色色的零碎不全的土地集体状态。依于此种形态，土地为一群公民所占领，不受私人专用的拘束，仅供团体一般需要或其团员特种需要之用。委内稷安（Venezian）于其著作《意大利共有财产的遗迹》中曾谓，最早的共有财产制，当存在于初期的家族或部落团体中，其时他们开始以稼穑代牧畜为活。在牧畜社会中，牧场依某种周期的土地分配方法而为更番的使用，森林与共有土地公民享有特种权利，于此足有为古代财产制存在的明证。此种古代财产制，于今日葡萄牙的多处地方及西班牙与意大利的不少地方，犹可见之，凡此事实，现代著作中颇有述及之者。

在意大利仍有一种"采地"制度，与瑞士的集体财产制亦即"共同财产制"极为相似。它们叫做"共有产"、"社团财产"、"家属共有产"，是属于"采地"制度的，据发楞替（Valenti）于其《哀比尼地的集体财产制》中所云，甚至在罗马时代以前即已存在。在佛鲁利亚（Fruilia）及摩德拿（Modena）古公国，我们仍可见到古代财产共有制度的普遍的遗迹。此外，在意大利半岛各处，尚可见到古代的在公有财产上设定捕鱼、售草泥、播种及采柴的地役权的遗风。依若干学者的见解，在南部省份中尚有"使用权利"的痕迹。我们须要知道，这种"使用权利"，当时不但可以适用于王室领地之上，即在一切私有土地称为自主地者，亦有其适用。属于王室的财产，种类颇多，事实上在意大利中古时期，王室土地每赐为采邑，或为诸侯封土，或为教会的或公有的财产。凡此各别的所有权，均受"使用权利"的支配，而此所有权如为君主所赐予，则便成为一个不能让与或取消的权利，甚至可谓"即国王亦不能取去之者"。关于此种权利的历史上的形成，学者曾有过不少高深的研究；依着此种制度，一个财产在充分的私人管理之下，因了罗马法的影响，仿佛一个"公共财产"，隶属于巨数的权利之下，庶可以"生活上的必要帮助"给予公民。那不勒斯民法学者，则一致认此土地所有权为自然权利，为公民的使用而设，"以免公民养成懒惰的生活，并以免他们饥饿而死"。那不勒斯学者的所谓此种财产，显因罗马帝国灭亡时私人财产的抛弃而产生，所以它们与其谓为罗马时代的遗物，毋宁谓为回复于古代共有制度的结果。

二百四十九、从坡里内西亚发现一个原则的例外

在美拉尼西亚（Melanesia）及坡里内西亚（Polynesia），虽差不多尚未脱离部落社会时代，我们却可找到土地私有的事实。在澳大利亚、新喀利多尼亚（New Caledonia），在费提（Viti）及塔希提，社会状态尚在幼稚时期，文化程度并未有长足的进步，以供私有财产制发育之地。但事实上此种制度业已存在，而成为古代社会定则的一个显著的例外。共有的原则，适用于土地，而不适用于个人性格首为显著的动产或房屋与场围。但在一部落所盘踞的地域，如果并无禽兽，以供长途追逐的行猎，而仅富于出产爬行动物、昆虫、鱼及植物时，上述的原则亦不能有其适用。于此场合，既无行猎之事，则广大土地的公有，自非必要，为权宜之计，不如使个人保持其各自部分的土地，至其所有权则仍归部落享有，由其首领行使之，如前述的诸国然。因了此种土地收用权的存在，故上述原则的不能适用于此种土地之上，

不能谓为含有绝对性质。

　　人在过着行猎、捕鱼及采集野果的生活的时期，把亲手获得的物视为己有，却不曾想到把土地专用的一回事。当牧畜时期，土地所有权开始存在，惟以部落中羊群所占据的地域为限。就是在农业时期，土地私有的观念仍未发生；其时土地的所有权仍归于部落所享有；耕地、牧场及森林以共力经营之。其后耕地以抽签之法分给各家族，复由其给予各个个人以暂时使用权，全部土地仍保存其部落集体财产的特性，按时交还部落而重行分配之。历时既久，各个家族继续保留其分得部分的土地，且常保留其原有部分的土地。土地共有及按期分配的制度，因渐废而不用，各部分的土地渐次成为一家族的可以遗传而不可让与的财产。其后农人渐知利用肥料，耕作方法亦有进步，土地渐见肥沃，休耕时期自亦随之缩短。起初每个家族的土地，三年分配一次，于此三年期中，耕者可以工作于其所分得的田地上，加以改良，而留下其优良的成绩；但欲各家族与其土地分离，常非易事，于是按期分配仍不得不改以六年、九年或十年为限。其后重行分配之举渐不多见，而从耕者手里取去其施用劳力与资本因而增加其价值的土地，亦愈见不公。土地按期分配的制度，所以终告废止，我们于此可以找到一个经济上的动机。在此演变之中，进化律亦在活动，工作分野或专门化渐见显著，由部落不成形的纯一性，倾向于家族显著的庞杂性。家长不能自由处分其世袭的财产，因为这常是属于一家族所有的，但他们对于自己的积储及劳力所获之物，则保其所有权。妇女对于土地不能享有所有权，因为要不然一经结婚她所有的土地势必由一个家族移转于另一个家族。不过她们可从私人财产中取得奁资。在有几个享有贵族地位的家族中，设有家族信托制度，此外也有以家族财产交与年长者管理的。在这种场合，占有者及其"长子"，视为有使用此不可让与及分割的家族财产之权。

二百五十、古代的家族社会

家族社会，始于印度人及闪族人。印度的家族，常为一个亲属的大团体，历无穷世代而不替，以同居共财、耕植田地及保存祭祀为其目的。它以长房的"长子"为之长；如果此人能力未充，则另选亲属中的一人任之。族长并非"家父"或"家主"，仅系管理上的首脑而已。恺撒于叙述日耳曼人时，曾谓人不能以土地据为己有，而由首领或族长按年分配之于各家族。日耳曼人的家族中，有所谓"联合财产权"的共同所有权者，此家族乃由于亲族自动的与被动的结合而产生（此于私斗或近亲复仇的义务，及支付赔款于被害人的一切亲属的事例中可以见之）。此种结合，于"共护产"及遗传占有的习俗中，尤为显著，由于这种习俗的存在，因有所谓"死者赐地于生者"的格言。一切亲属既均为所有者，这就含着共同的占有的意义。当"保护人"死后，在其下者或晋为一族之主，或仍为此新"保护人"的属下，此时"共护产"亦即时移转于此新"保护人"之手，这种团体的分子，共举一人为其首长，依各分子的意见治理全族，并行使行政上的权力。"主人"或族长之外，尚有"内主"，亦由族中选出，专以治理族内的经济。在爱尔兰，有所谓"村社"，亦为一种亲属团体，以农工业为其基本，依于土地的占领而存在，与印度的家族制度极为相似。此"村社"的族人，非因紧急必要，并经全体同意，不得把其世袭部分出让于人，惟于工作所得则可自由处分。此亦为印度及俄罗斯家族的定则。

在爱尔兰，对于户的绝对管理，乃借重于"界地"制度，盖以其地一部分为家族团体所占领，耕地因短时分配而时易其主，而牧场则为公有。在苏格兰高原居民中，亦可找到同样的租地制度。在爱尔兰，世袭农地乃受"男子均分继承未立遗嘱而死者的财产的习惯"的支配，依此习惯，此为"村社"一部分财产的农地所有者死亡后，族长即把全族的土地重行分配，在各家应享有的部分外，另加死者的世袭财产。此种办法，在按期分配制度存在时期，各所有人间可以保持相当的平等状态。在斯洛文尼亚（Slavonia）、克洛的亚（Croatia）、塞尔维亚（Serbia）、沿海国家（Coastal States）、波斯尼亚（Bosnia）、保加利亚（Bulgaria）、达尔马提亚（Dalmatia）及赫塞哥维那（Herzegovina），我们仍可见到此种共有制度遗迹的存在，在日耳曼人称为"hauskomunion"，在斯拉夫人则称为"zadruga"或"druzina"。斯拉夫人的族长称"酋长"或"村长"，由团体中的团员所推举，有执行权，惟立法权则仍属于团体本身；他是未成年人的监护者，且对外及在法庭上代表家族。有妇女一人助理之，亦由团员推举之，其职责在于指导家事的处理。家族是一个法人，它的财产不能分割。因此，不动产是不能继承的，但族中各人得置有家畜，故动产则可继承，子对于土地的出产物，可享有其一部分的权利，此非由于继承的作用，而是因为他对于共有财产享有一部分的权利，或为参加工作的结果。凡族中尚有一人存在时，以买卖或遗嘱处分土地的权利是不容许行使的。女儿可得陪嫁之资，但无权请求不动产的一部分。

即在意大利今日，尚有此种土地制度的遗迹存在，不过如查细尼（Jacini）所云，已与租地与人收取租米的制度相混合而已。在意大利北部，特别是在伦巴底（Lombardy）此种团体的构成分子，为四、五个家庭，在一片广大土地上，集居一屋，以谋生活。他们公认"族长"及"内主"权力。"族长"依着团员的意见，经理买卖事务，投资经营一切，并指导工作的进行；一切家事，则交付于"内主"之手。在这里，我们还须提及"宅地"及"永续土地"两种制度。前者创始于一八三九年的德克萨斯

（Texas）地方，其后渐次推行合众国大多数州中，这是一种法律，禁止债权人扣押家族实际作为住宅的农场及其建筑物，因为这是法律予以保护的居住之所。在这里须具备一个条件，就是此宅地须确有住屋且有人居住其中者。另一种定则，为德、奥两地采用，规定继承财产中必须划出一部分土地，称为家族继承财产，由一个特定的继承人承受其全部。这两种制度，发生一个同样的效果，就是保存家产的一部分，由族长宣布之，由法律及第三者承认之，并保证一个家族的持续不替。

二百五十一、集体财产先在说的否认

培罗（Belot）颇欲证实（特别在其反对拉夫雷之说时）土地私有制先于共有制而存在。他不认财产由部落传之家族，由家族传之个人，而以为家族乃个人的结合，部落则为家族的结合。集体财产仅系个人财产扩张而为或大或小的家族所有的结果。一家的父，犹之首脑或专制君主然，本来就是居屋及场围的所有者。此财产乃为防卫家族及保存家庭信仰所必需。宗族及村落（家族的产物）占有一个共同的财产，乃以祖先原来的私人财产为其存在前提。在南塔开特（Nantucket）岛上，我们可以看到，曾有移民二十七人，彼此把建筑房屋及设置场围所必需的土地各自分得，仅留下牧场与耕地以为公有。这种办法，在古代必然盛行。中古时期农业社会的集体财产制，乃由于私有财产存在的结果。俄罗斯的农业社会，乃发端于贵族的认可；其结果集居一村的农奴团体继私有财产而存在。培罗在说及财产与家族之点上，其意见实与进化律相违反，其立论亦不切实。

奥科克（Aucoc）于其《古代不动产的集体性质》中曾谓，培罗所举之例，已远在古代之后，其时土地私人管理制度已臻稳定，与他所说及的农业团体几为同一时期。培罗并不曾研究中古时期农业团体的起源，也不曾把逃避死亡税的农奴社会与自由人社会加以区别。要是他能仔细加以区别，关于这两种团体的集体财产制，必可发现不同的起源。他无疑地已看出南塔开特（Nantucket）移民在该岛所创设的私有与集体财产，非为他们所发明，仅系袭用苏格兰的旧有习惯，此种习惯，依梅因之见，乃为非常古远的习惯。梅因与培罗均云，此种习惯，乃为日耳曼财产与耕作最古的采用方式。但若谓日耳曼人在塔西佗遇到的时候，称其邻地的人并无兵器、马匹、房屋及农业，这时期以前的一个很早的时期，不曾经历过游牧的生活，这是难以置信的。然则此班人民及日耳曼人，如何由游牧时期经历而来？要是培罗曾研究过阿尔及利亚（Algeria）地方阿拉伯部落的财产状况的话，这种变迁就可明了。若干阿拉伯部落中，目前尚在过着游牧时期的生活，以其牛马散放于广漠的土地上。也有仅为一种游牧民族，占有有限的地域，兼以牧牛与耕作为活，但住于幕屋，而迁居靡定。其他较近城市的部落，则已略知耕作与灌溉改进之道。他们筑有固定的住屋，部落内与共有土地并存的，尚有所谓"家产"与"公地"，前者是一种私有财产，含有家族的性质，因为家族的一员可补偿外来购主的损失，而宣告出售行为无效。后者则占较大部分，有很久时候，此项土地，部落享有一个单纯的享用权。这些事实，有着同时可以存在，及可以存在于差不多尚停留在原始状态的社会中的双重利益，并显示古代人民如何由流浪生活进入于定着生活，以及部落财产如何逐渐转变而入于家族及个人之手。

二百五十二、基督教培养个性

基督教以上帝的偶像显示个人的价值，提倡工作，此乃生产的源泉，并奖励祭祀，此为节俭之本，亦为利害共通中经济方面表现的博爱精神之母。基督教义第一爱惜贫困，并择行慈善事业，这是不错的；它视财富为行善与布施的工具，以倾向于财产的自然的共有，这也是不错的，但我们不得不承认此新教在信奉邪教的世界不能获得众多的信徒，因此它最初憎恶一切与过去时期的尘心与肉欲有所关连，足以触犯其清净原则的事物。其时基督教以灵魂法则对抗肉体法则，以超人美德对抗世俗智慧，以圣城对抗尘世，以博爱及自然的共有对抗罗马地主的自利主义。因了此种对抗名称的接触之功，基督教的憎恶态度渐见消失，世界成了基督教化，以至于基督教变为过于世俗的东西。野蛮时代的个人主义，对于上述的转变及基督教奉为神圣的人格的发育，其功亦非浅显，正如基佐（Guizot）所云，它防止社会于异教徒自利主义的狂热之后，从共产主义的苦修精神中，在无限制否认的情况下，丧失其本来的面目。

二百五十三、封建制度为个人主义的

封建制度，实为属人主义的放射体，它渊源于公职、土地管辖及领主权的置诸私法领域亦即财产、家族与继承诸律之下的结果。土地受让人对于土地取得管理权；此管理权起初是暂时性质的，其后乃变成可以继承的，最后始获得家族占有的性质，可以让与权及分封权移转于他人。封建制度中最重要者，为让与人及受让人，因此而发生含有管辖意义的私人财产权。于此制度中，一切社会因素均有介入，甚至较抽象的亦然；宗教观念亦因此故，于教会的俗事中，其俗念颇有增加，现则长成为一个完整的有力的教阶制度。封建制度就是一个广大的阶级组织，它从事于纠正欧洲人民的错误生活，给以一个固定的秩序，并助长在他们产业及城堡中的个人力量，以加强家族的联系。此阶级组织，虽犹否认自由与平等原则，其力已足以建立一限制之链于君主的权力之上。维科谓封建制度乃一种反流，并有一个永久不变的封土法律。在许多人之意，此种观念似乎是错误的，因为前进与反动足以破坏历史（这并不以连续而以易变为前提），而不足以显示动作与制度适当而真实的特征。封建制度，存在于中古世纪，已往不曾有过，将来也不会再见到，这是当然之理。封建制度，就它的全体及其历史上的演进迹象看来，并不是一个反动，只是它的基本因素可见之于极远的古代，尤其在古代雅利安人的习俗中而已。在这一点上，维科的见解是不错的。它的观念，纵以分析方法加以开发，并广藉比较的批评的历史之助，仿佛只是一个大的直觉，在我们这时期差不多已难于显露其整个的真面目了。

梅因在一切现代哲学家中，其见解与这位那不勒斯哲学家最为接近（他对于这位古代学者并未提到过，或者还不知道他呢）。依这位英国学者的意见，封建制度创始于罗马时代的永佃权、边境营地、庇护主及原始时代的风俗而由日耳曼人传入欧洲者。大贵族拥有广大的田地，由大队奴隶于别的奴隶或自由人监督下垦植之。这一种制度有害于意大利市区的利益，此种市区的代表，因为时常更换的缘故，无法照顾到此广大土地耕植之事。市区当局因此渐改以土地永远租给自由农，而由他们支付一笔固定的租金，履行某种条件。此法当为私人地主所效尤，于是受让人便享有几与所有权相等的权利。大队奴隶就这样地转变为殖民或农奴，他们有交付其收获物的一部分于庇护主的义务。沿着莱因（Rhine）河与多瑙（Danube）河岸的大森林中，有过一种边境营地，由一班罗马老兵占有，他们以永佃权的方式受之于国家，而以应募入伍为其义务。庇护关系的存在，有赖于知恩尊敬与援助，此实为家臣对于其主人所负的义务。

二百五十四、封土制度乃渊源于农村社会

在日耳曼人的风俗与制度中，社会的划分为组织坚固的家族与阶级，是一件显著的事。家族由年龄最长的一员或推选出来的人治理之。阶级则由最有势力家族中的一员治理之。塔西佗谓日耳曼人中的酋长，自国王处取得家畜与谷物，以为酬报。酋长的

伴侣与之同居，取得一马及武器，此在今日南非洲卡斐（Caffirs）酋长的宫廷犹然。酋长富于家畜，此或因战争使然，但并无充分的牧场。而在另一方面，人民则缺乏资本以垦植田地，于是不得不向酋长取得家畜，成为他的家人，于支付租金外，并须为之操役，而执臣下之礼。资本的缺乏，使我们了然于远古时期一切事物所以必须依赖于寡头执政的缘故。在雅典，人民做了债的奴隶。在罗马，平民呻吟于贵族的重负之下。在德意志，骑士团的势力与债务人的数量同时增加。但在这一种不幸状态之下，却有着一个反适应作用的不易的定律，也就是产生封建制度的原因之一。

"封建"这一个名词，乃渊源于一个古代的字 fihu 或 fiu，其意义为家畜，专为古时财富的主要来源。母牛在印度视为神圣，在罗马视为"要式交易物"。资本这一个名词，来自"角兽"（caput），其意义为有角兽之以头计数者。其后人口繁殖，征服之区渐广，向之以家畜或武器为授受之物者，至是渐以土地代之，于是人之观念亦由动产的让与而及于土地。以前，封土的性质，涉及国家者多，而涉及所有权者少。领主就是"酋长"，亦即国王，自由民则组成"元老会"，元老院议员或顾问，自由农则代表着民众，其下置有奴隶。领主法庭为农村中的古时会议，其主要任务为裁判事务的处理。其他涉及一般利益的问题，则由领主与诸侯主持之下商讨之。自由农则以庶民资格，参与会议。贡税起初含着赋税的性质，以替代古时小的村社会向国王支付的特别税。大领主对于封土负责，且为管理与统治之人。土地仅部分地属他所有，他并由各等级的领主收取租金。他的手下有着自由的领主，他们为他服兵役及尊敬上的职务，并有随往战场的义务。大部分的土地，由自由农占用着，他们须为领主担任一切的劳务，未经他的许可不得放弃其土地或继承权。法律在理论上，予领主以自由农的动产的所有权。整个的组织体，虽已多所变更，但在其主要之点，仍具备村社会的形式。封土与此种社会的主要区别，乃在以私人权力替代共同权力。凡村长及长者会议所能为者，领主均得为之。村长及长者须对村社会负责，但领主则自成为土地的主人。

二百五十五、属人主义经宗教革命恢复原来地位后又遭倾覆

宗教革命推翻了教阶制度，容许人与上帝之间直接修好，承认个人得以解释神语，并回复于精神人格的权利的状态。宗教革命反对教阶的所有权制度，它是居间者与教阶的敌人，而采纳个人人格主义的精神。于此反对的壁垒中，它深得罗马法之助，该法于土地除承认所有者自由处分的权利外，否认其他权利的存在。封建制度曾以国王为至高无上的领主，法学者乃求直于罗马法的遗传惯例，侈言王权的意义，并变易之为君主的土地收用权，藉以摧毁封土的联系。嗣后，在君主的专制政治与旧制度的另一斗争中，土地收用权一变而属诸国家。财产改以属人主义为基础，并为实施经法国革命宣布的此种原则起见，于民法中明白规定之，此一原则，发现于宗教革命，证明于自然法，并显示于罗马法关于真实权利部分的研究中。终且因创设动产的工业劳动而益增强其力量。"遗产信托"及嫡长继承的限制，已经解除。土地收用权的迹象，已不复可见；民田行猎权，已被取消；关于耕植与收获的规则，已被铲除；使用权及牧畜权，亦即古代共有制度的最后遗迹，至亦是已渐次废止。特权的存在渐不多见。地产已加分割。共同继承人请求分割遗产之权，已被承认。动产与不动产平等继承的原则，已见实行。土地变为民主性质。但立法尚未能完成此项工作，亦未能适用民主原则于一切种类的财产，动产即其一例，以视土地，依重农学派的主张，此固较为次要，依此派之说，能供给净生产者，仅农业一项而已，其他实业则概目为非生产的事业。动产使人趋于密接，加强其团结，促进博爱精神及密切关系，供养不能依土地为生的人，并予个人以一种保障，因为自此他可携其有体动产出境，以趋避国家的无理干涉。土地的所有权则反之，它把人束缚于土地之上，强迫他工作于其上，给以居屋，使与外界隔离，且为从属与服从的表征。

与个人发生最密切明显关系的有体动产，最初仅以可触知者为限，例如武器、衣服及其他用具。它们乃先于土地财产权而存在，在日耳曼人中间颇称发达，他们颇以个人自治自豪，其采纳此种原则，乃根据于一个格言，就是"现实占有在法律上可有九分胜利"。此格言的意思是说，一物由非物之所有人自由授予他人，而是出于善意的，此人即取得其物之所有权。历史提示着，自由城市在艺术、制造及商业上有着极大的进步，使动产的种类有着显著的增加；此外，十字军回去时，携有大批商品及珍贵物件（并纠正他们欲从一坟墓中搜寻神物的错觉），此于动产种类的增加，亦有不少助力。一世纪后，生产事业，得助于机械的发达及工作的自由，有了长足的进步，于是动产亦大增。依洛西的见解，动产实构成高度变化的与任意性质的财富，并倾向于成为最重要的财富。有体动产，其发展的情形虽为无规则的，其水准业已提高，且将更见提高。我们的社会环境所要求的，乃是工业、商业、运输及信用制度能有着一个强固的审慎的组织。正和一切的革命相似，这些事实，本身有着益处，也有着害处；政论家、经济学家及立法如果注意它们，其未来的幸运是不可限量的，要是忽略了它们，那末其日后的祸患就不堪设想了。

二百五十六、现代的个人主义

财产的演进，与圆满的个性有着联系，此圆满的个性，如果听其自然，而不加以必要的改善，则便趋于利己主义之途，其结果非陷于野蛮的贫困的毁灭之境而不已。个人如果成为一切事物的始终，国家就变为渺小之物，仅是个人防御的工具，且为他的附属物。正犹古代的社会吸收个人，现代的个人，在某种程度之下，也已吸收了社会。但在今日，个人主义已形成一种抛物线，而成了强弩之末。一个新的学说，以政治的原则为其基础，乃致力于调和社会团体的古代意念，与个人自由的现代主义间的异点。此理论此团体，因此亦认家族与国家，为伦理组织体，一个包含于另一个之内，于此，部分过着全体的生活，但仍保有其一己的价值与人格。基于此种理论，人于其抽象的与具体的立场，成为原因与结果、相互的手段与目的；个人、家族及国家，就其中间的性质，有着义务，而就其终极的性质，却有着权利。此概念如予采纳，纵在财产的场合，原子论显须加以急视。原子论的失势，非即个人人格之遭否认，因为此人格一经发育而退出社会后，势力再度加入，回复其原有地位，并承认其一己对于为全体的组织体的从属关系。我们必须重予申述，真正的进化并不只是个性化而已，却还包含着相互关系的发展，因此财产就其私有的地位，并非利己主义的，而须在符合于人类的历史条件的合理限制之下，服从社会的目的。个人主义者及社会主义者的理想，均失之于片面而错误的，因为前者仅注意到演进过程中一种前进的特性的理想的趋势，后者则忽视了物质世界中演进的各别现象，而仅着眼于此全体的目的及各部分间组织上的相互关系。

二百五十七、财产取得的古法

在古代社会，取得的方法，非常困难而繁杂，因为创设的机会并不是在个人之间，而是在有组织的社会团体之间，在存在于部落中的各别团体之间。其时一个个人，并不为自己，而以一社会或一家族的领袖，获得权利与义务。因为心生活于感觉及想像中的缘故，所以取得的方法以礼仪与记号为形式，并需要巨数证人的在场。固有的困难次第受到克服。梅因说明的方法，是很正确而精当的。解决此项困难的第一种方法，就是财产的分类。最先知道的财产，为高级的财产；其后习知的，则为低级的财产。凡高级的财产，须以繁琐而郑重的方法获得之。这是"要式交易物"、"衡器交易式"适用及之。另一种低级财产，则为"非要式交易物"，得以自然的简易的"引渡"之法移转之。第二类财产的取得方法，简便而适于用，因此不久便推用于高级的财产。当查士丁尼时期，"引渡"之法已足以移转"要式交易物"的所有权。在这里，我们必须放弃后期罗马民法学者的错觉，他们仅从自己的时期观察，而相信"引渡"先于"衡器交易式"而存在，实则"引渡"之法只在"衡器交易式"失势后，始崛起而居于优越地位。盖尤斯曾云："我们依着自然理性上尽人遵守的万民法的规定，获得某些东西的财产权，更依着市民法的规定，获得其他东西的财产权。万民法因与人类同时开始存在，所以我们先须加以讨论"。

财产的区别，除分类外，尚有另一种方法，其发生较迟。在印度，父欲让与继承动产于人，须得子的同意，其于自己经营所得的动产，则可自由处分之。在罗马，子从军所获进益，得自由处分之。在日耳曼人中，自由与自主的土地，让与甚为不易。自主土地之后，封建土地接踵而起，于是为罗马法所承认的区别，仅土地与动产而已，此种区别，自不如有体物与无体物间的区别的重要。当中古时期，土地较动产易为人所注意，迨财富变为包括动产后，动产便取得极重要的地位，关于动产的法律也就渐见详备。

二百五十八、现代关于土地与动产的区别方法

现代立法，视土地与动产的区分，至为重要，但我们必须推究此种区分，是否为理性的法律所容许。萨卡赖亚（Zacharia）认为此种区分，完全存在于成文法中，因为他以理性的法律为包

入主观的唯理主义的领域，此唯理主义从思想的范畴中演绎一切事物，并使之与表面分离。此种界限一经克服，并以立基于客观的唯理主义的自然法原理为出发点，我们便得到一个不同的结论，因为正如洛斯米尼所云，客体乃促进官能的动作，此动作并终结于此客体而告静止。每个权利就是支配一个客体的能力，其范围乃视其性质而定，客体的性质，为权利互异的基础，正犹人的天性差异为人格差异的基础然。浦克塔谓法律从一切外界事物中撷取其共通之点，此为各种事物的要素，而受法律的支配者。支配一物的权利，其所支配者无论为土地，为动物，为植物，或为其他任何事物，其本身则是同一的。但此天然的差异，并非无关于法律，法律区别着土地与动产、乡区财产与市区财产、野畜与家畜等等。当此理论上的建议提出时，现代的区分方法为原始的抑附随的，为主要的抑非主要的，这问题就发生了。我们必须承认，理性的法律，宁取罗马的分类，分物体为有体物与无体物二种，因为土地与动产都是属于有体物的。罗马的分类是客观的也是现代的，同时还具有着论理的原始性的特点，且不谈此个或彼个的实际的或法理学上的价值。它把实体物，不论是不动产或动产，放在一边，而把权利放在另一边，此类权利亦为有用的可交换的外界物体，含有经济上的价值。所发生问题者，就是所谓无体的，常不免与心的或人格的内在混淆不分。须知所谓无体，并非内在或与自我不可分离者。例如，特许专卖权，当然是无体的，但不是内在的，它是财产的一部分，且可为交易的客体。

二百五十九、其他使取得更为简易的方法

克服取得古法的固有困难，尚有其他的方法，如时效、衡平法及民事诉讼。时效的利益，在以年时的经历，补救取得权利的缺陷，并使占有与所有权重行结合。其后衡平法院与普通法院创设另一种重要的利益。"依贵族法取得的权利"的所有者，可利

用"保护所有权"的方法，以防卫其占有。通常诉讼程序注重形式，迂缓而郑重；历时既久，简易程序渐觉需要，占有人终得以"令状"防护其权利，此"令状"原为适用于"占有财产"者。程序的纯洁因此受到损害，但社会却从此可以得到一个迅速而简易的保护方法。"拟诉弃权"是一种拟制的买卖，类似于普通法上的先租后买之产业割让法，使财产的移转更见便利，因为旧所有人对于受买人与"执行判决物"的法官之间进行的买卖行为，不能提出抗辩。

末了我们还须注意一点，就是古时的财产移转方法，是公开的，因为其时的土地乃属于部落、村团体或家族所有，此种地主为集体的组织坚强的机构。甚至到了土地可为个人所有的时候，社会仍保留着重要的权利（财产让与核准权即其一种），因为他常需拒绝外人移居境内。古时的"衡器交易式"，即为取得的原始公开的明证。自主土地的让与，亦采公开的方式。数世纪后，公开原则重复出现，为用更广，其所根据的理由则属迥异，就是，第三者权利的保护。

第六章 土地的财产权

二百六十、集体所有因工作的发展归于消灭

财产权的概念，在较不开化的人民中间，并不怎样发达，他们所以把武器、衣服及装饰品认为私有，乃因工作使此种物品产生价值，至于原料的价值则搁置不谈。以行猎为生的部落，大致承认，凡杀伤动物者，取得其所有权。在度着半游牧生活的民族，土地为集体所有。其出产物则归耕者独得。当社会渐次趋于文明的时候，由于人类行动结果的私有财产原则，其适用渐见显著而扩展。此时，团体或个人活动的产物，如通用共产主义的理论，实与正义的最基本的观念相背驰。

二百六十一、土地所有亦受动产适用的同一理性法的支配

有些学者，以为凡关动产私有的一切经济的与法律的理由，不能适用于土地。此班学者，乃隶属于地域集体主义学派，其所持主张亦颇不一致，有否认住屋的私有权者，亦有限制其理论之适用于土地者。例如，发格纳并不赞同住屋的私有，且宁舍财产国家管理概念，而取吸收概念。他开端就认私有财产为国家放给个人管理的一种债务，当租金增高时，国家有重行征用之权。依发格纳之说，市区与乡区财产之间，有着两种重要的区别；市房一经筑就，所有人不用再耗费任何人工，且可多年不再有所支出，而在乡人，则须年年投以人工和资本，特定区域中，如果发生人口过剩的现象，屋主所获的意外利益，亦远较最肥沃田地所有人的利润为可观。发格纳指出这两点差异，是不错的；但他误认私有财产为国家放给人民的债，而否认个人的权利，实则个人对于物体自具有其特征，并使之成为自身的投影。国家可以甚至应当限制个人的权利，但不能吸收之，因为如果是吸收了，那它就无异否认个人的人的本质，而把他降格于一种单纯的手段的地位。诚然，资本是市区财产中的活动因素，但资本是过去的工作，而工作则是未来的资本，资本中实含有人的活动在内。就因为资本是此种活动的产物，所以应受尊重。国家遇到租金有着过当的增加，可以减低租税，或用各种方法督促新屋的起造，甚至可以己力建筑之，最要者，如遇必要，尚有专用之权，但专用权的行使决不应如所有权般的普通，也不应与国家放债说的错误观念有所关涉。

在这里，我们必须审慎，不要把截然不同的两件事，混为一谈，就是不公允的专利，和不能源源增加的物的占有。前者是对于生产自由所加的一种人为的不合理的限制，应予废止；后者与真正的专利毫不相涉，因为它所供给的报酬，乃视价值的升降而定，非以个人意志为转移。这是很明白的，凡可自由而源源增加的财产，其常态的价值乃视生产费用而定，因为生产结果的获利如果超出其费用，市场的竞争就会使售价渐进地减低下去，如果生产费用大于其价值，市场的供给就会减少，因为谁都不肯做蚀本生意的。但数量有着限度的财产，例如房屋与土地，其常态的价值则视供求的关系而定；房屋与土地，其数量是不能无限制增加的。如果生产费用代表着它的真正的最低价值，如发格纳于研究其假定的例中所云，则此类财产获利常大于其价值，有时且远过之。但我们不能谓它们的占有有着一个虚拟的价值，以便强迫收用的实施，正犹之它是个人在实体与精神上，与自由或合法取得的物之间合法关系的结果一般。换句话说，私有财产概念及自然的限制法则之间，并无矛盾现象的存在，此于下一节中可以见到。

二百六十二、斯宾塞的集体主义

斯宾塞于其《社会统计学》中曾云，土地私有，是一件不公允的事。他说，假定有着一群人，他们对于各自意趣的圆满发展机会，享有平等的权利，更假定有着一个世界，专以满足他们的需要，我们不难推知，他们每个人都有一个享用此世界中优良的物的权利。如果每个人可以任所欲为，只要他并不侵害他人的自由的话，他就可以自由取得自然的赐物以满足其需要，只要他能尊重其俦类的同一的权利。再把命题转换过来，那就是说，人如果使用土地，以致妨阻他人为同等的使用，这是不许可的。斯宾塞因于其结论中云，所以正义不能承认土地的私有。如果我们承认土地的一部分可为一个人的所有，则其他部分亦可为他人以同一的名义占有之，如此则地球的全部面积，将落入几个个人的手里。其余的人类将于独占地主的容许或好意中讨其生活。

斯宾塞的议论，与一班主张领土的完全的集体主义的学者见解，大致相同，可归纳于斐希德的命题，亦犯着同样的毛病。一切的人有着一个享有财产的固有权利，且物乃为供给全体的需要而制成，此为不争的事实。社会与国家在其责任上无疑应该承认并保护这类人的固有权利，使得充分发挥，但此享有财产的固有权利，只是一种单纯的可能状态，所以必须使之转变而实现为财产权。每个人固然有权利用自然的赐物、物理的力量及土地，但对于外界不能有着一个特殊的权利，除非他曾实施活动力于其上。如果他不曾成就过什么，如果他不曾有所行为，以除去抽象的平等，而创设一个特种法律上特权的理由，则国家不应为他有所主张而创设一个特权上的理由，因为人的固有权利须赖其本身的动作而取得，而他的权力与性能此时尚在疑问之中。一个个

人，可以在土地上，在制造、工业或商业中，有所行为，以行使
其天然的所有权利。国家对于个人仅负着保证供给可以发挥其活
动力的环境的责任，而决无供给必需工具以扶掖之的义务。我们
不应遗忘，土地的面积是有限的，曾有一个时期土地不足以供全
体人类的需要，而谋生之道并不限于土地一种，从艺术、工业与
商业中也一般可以解决生存的问题。最后，斯宾塞还自相矛盾的
说过，工业制度促进私有财产制的发展，而当工业制度达到它发
达的最高峰的时候，土地共有的制度必将重行出现。工业制度，
与军事统系居于相反的地位，既然含蓄着前进的分化作用，及个
性、契约与自动合作的现象，则上述的理论，如何能够成为事
实？

斯宾塞也曾看到自己见解的矛盾之处，所以他又说，工业制
度尚未切实达于确定的地位；又我们将要置身于另一个局面，于
此土地私有的制度将归消灭。过去曾有数世纪之久，一个人对于
他人的所有权既然是容许的，只因其后文化的进展而被否认，所
以将来工业制度负着更广大的发展的时候，土地的私有权亦必归
于消灭。但斯宾塞在他最后所写的《正义》中，虽尚主张人类
的集合为土地的所有者，却已不坚持其原来的信念。他相信军事
统系常足以剥夺个人自由，鼓励奴隶制度，甚至破坏集体财产制
度。他又云，在军事信念失势与工业制度发展的同时，他看到个
人自由渐臻强固，我们不久即将被迫分割土地。如欲把土地重行
变为公有，并补偿实际占有的私人的损害，实为正义所要求。此
班占有人，并非都是最初占领者与僭取者的后裔，他们中有许多
人乃藉传授取得的方法获到占有，同时尚有不少的无产阶级中
人，其祖先是土地的僭取者。社会诚然有权取回土地，一如古代
然，但不能把占有人耗费劳力与资本以耕耘、改良与垦植历数世
纪之久的田地，一旦加以专用，我们必须支付巨额金钱，以为补

偿，其结果我们必致因了补偿而蒙受较土地价值更大的损失。补偿金额之外，我们尚须负担一笔地主扶助农民所用去的费用，因为此笔费用实代表着此所谓私有土地的出产物的一部分。土地重归社会所有，必将发生一种情况，较之政治领袖管理及国家监督下的实际情形，更为恶劣，而从经济的立场观察，且为恶劣之尤。斯宾塞于其结论中乃谓，对于议论加以较深刻研究的结果，使他不得不改采一种见解，认维持土地私有而仅由国家保留其统治权的制度，较为得计。这位英国哲学家有此改变立场之举，是非常可以注意的。

二百六十三、私有财产合于经济的原理

如果承认私有财产，乃立基于属人主义之上，经济的科学就表露了此私有财产的效用所在。我们很应记住，有用之为物，在法律上并非是不经见的，因为它是实体的构成部分。财富的分配，乃以财产权为其基础，亦即其惟一的基础，以显示资本与劳力间的关连，而此所谓财产权，即系涉及资本与土地财产的利息、利润及租金者。要是没有稳固的私人财产，人对于生产与积蓄的兴奋力必致大减，因为他既不能必然地享受到工作结果的利益，也难保此利益必能遗传于他死后继承他的人格的人，他一定不能感到工作的兴趣。农业乃以土地的绝对占有为其前提，至少从播种到收获的时期如此，这是不待论的，因为某个人播种了后，而让另一个人去收获，这在情理上是说不过去的。轮流收获的方法，为培养地力所必需，是"长期经营"的一个要件，需要长期的占有。凡是最有为的农人，必投下巨额的资本，仅以博得蝇头微利。要是未来不可必，这就不可能了。欲知土地的收获，到了何时，便成了高利的进益，这是不可能的，因为在农事中，犹之日常生活中然，今日乃是昨日的连续，而是明日的开始，生产的周期因每次新资本的积储而重行开始。正如兰姆潘特

柯 Lampertico 于其《所有权论》中所云，土地的绝对的与继续的占有，为文化与遗传的最早定律，而是社会组织体中联结组织的形态。有了私有财产制度的创设，我们对于生产的增加，必不会有所失望；因了财富有着量的增加，国家便获得一个经济上的大推动力，然后能够更妥善而充分地顾及社会的福利。私有财产制有利于消费者，使生产者之间有所竞争，此在集体财产制下，非不存在，即有所限制。

二百六十四、社会主义派的共产主义

不数年前，社会主义者曾谓土地的所有，乃行猎、牧畜与耕植的权利僭窃的结果，今日他们则以另一方式，重致其非难之词，谓土地、矿藏与野兽不应归属任何人所有，因为它们并不是人工的结果。在物尚无真正价值，人未施人工于其上，以及未加个性的标记于其上的时候，这是千真万确的，但物一经有此特征以后，价值即已存在，便不能不发生所有权的作用。生产并非就是创造，就是马克思他也在其《资本论》中长篇大论地引证未利（Verri）的话，谓宇宙间的一切现象，并不予吾人以创造的概念，而为物体变形的概念，并且人只能把自然的物质合并与分离。实则此所谓最初占领者的僭取，并未取去土地，却把土地分给他人，因为它以农业的方式使一家生活所依赖的土地面积，较之狩猎与游牧时期为小。集产主义者认为土地私有制使人类仅附属于少数享有特权的人，他们乃为人类的利益起见希望集体势力与机械留给劳工阶级去享受。但据我们看来，在以生产物换取生产物的场合，纳贡的痕迹是不会有的，因为纳贡乃是并无一个对价的价值。以工业品易取农业品的结果，并非一种纳贡的行为。所以，如果主张集体势力与机械应专属劳工阶级所有，是无异于高唱人类、社会、集产主义等等之时，自白其破坏的倾向及偏颇的希望。

二百六十五、地租因工作延展于土地而发生

地租为地主不费劳力及资本而取得的利润，社会主义者反对财产所有制，即以地租为其立论的基础。他们之意，此种盈余，乃是上帝所赐予，为并无代价之物，不应视为个人专有的客体。依此见解，财产权乃是一种强盗行为，地租则为一种垄断的事实。有不少位经济学者，以巴斯提阿为其领袖，欲使受此攻击的财产原因臻于确实，坚决否认地租权，主张土地的自然力的合作为无代价的，且在财产制度中长保其无代价，因为它并不归入消费者付与所有者的价格的范畴。因了此种支付，他取得他耗费资本及劳力于土地结果的报酬，此外则无所获。财产只因其为限量中的部分，才始获得经济上的特征，社会主义者及经济学者却不曾见到这点。财富的真正来源，为满足需要，而可以交换并让与者，可以让与的特性，须具备下列的条件：物须为让与人身外的，须为人所可获得的，且其数量须为有限制的。因为物要是不能与人身份离，或不能为人占有，交换便成为不可能；其在数量并无限制，人人随时可以不费劳力取得的物亦然。

限制的定律，科萨（Cossa）于其《经济学原理》及传记中，曾有说及，在一切生产的门类中多少总有存在，因为自然势力的分配并不平均，而在质与量上有所出入，而且资本与劳力亦颇有雄厚与贫乏之别；固定资本与流动资本之间的关系，以及用力与用脑之间的关系，在其变化之中，决定了每种工业的特性。如谓某种货物可以无限制的增加，这绝不是已忽视了限制的定律，因为这只是在与数量较有限制的他种货物比较之下，视其数量为能有相对的无限制增加而已。制造品的增加，以视水、空气、煤或风为有限制的，但较农产物的增加为迅速，所以可以说是属于第一类的。就因了这类限制的质与量的种种参合的结果，便发生一般的价格升降特别是地租涨落的现象。地租的涨落，从

耕地及工场之类的产业中，较可明白见到，因为它们对于限制的定律，显示较为明晰。此于过度供给的现象中常可见之，而此过度供给，初非由于资本与劳力的关系，而由于需要不同生产费用的同类设备并存的缘故。当较低廉的生产物不足以供给需要的时候，最高价的生产物便显示着平均的价值。地租为生产者的盈余，其生产费用最为低微。它渊源于自然的与人为的因素。此后一种的因素，可结合于物体中，例如结合于土地中，以至于不独立构成一种资本。土地的地段与地力，为自然的因素，但人工与文化并非与之绝不关涉，因为地段的适中有赖于交通的发达，地力则赖科学之功而得复原，生产力藉人工而得增加。于此场合，所有者的劳力已失去其独立性，而结合于土地之中。地租并非全然是自然力或人力的结果，代表着平均优劣的准则，此与人的本性中与生俱来及受之教育的现象，正复相似。凡不信人与人间有着天性的差异而存有为同一的偏见者，必认地租为一种不公允的现象。

兰姆潘特柯曾引证巴西尼（Pasini）之语云，一个人拥有较大的资本，或占有较好的地段，并具有进行工作较为有利的能力，这是常见的事。在经济的与法律的观点，资本及劳力的所有权与土地的所有权，实等量而齐观。耕地者进行较有限的计划，运用较小的资本，因而其所得亦微，我们决不能谓耕地者如给以资本，以备较有利的发展，而遂把差额记入他的借方。地租制度，非不公允，尚有其另一个理由。这是一种过分的代价，因了生产基金过去与未来的变动，而成为一个补偿。这是一种保险，并不是对等的，也不是国家的，而是所有者对待其自己的。地租因生产的增加而降低，而生产的增加则由于私有财产制的结果，这在前面已经说过。私有并非是地租发生的原因，地租随生产费用而有所异；私有实相伴地租而存在，使之仅成为所有者的属性；所以，私有制度纵不存在，为满足人口的需要起见，地租制度仍不会消灭，而其耕植的费用亦仍相等。

二百六十六、亨利·佐治（Henry George）的学说

我们为欲以经济的立场，研究土地私有的问题，姑且先来讨论一下晚近的两个重要学说，那就是亨利·佐治的学说和罗利阿的学说。法律哲学，决不应忽视了社会行为的具体的真正的特性，——是一些事实，它们经济的结构，实为法律关系与社会制度天然的前提。亨利·佐治，乃科学的美洲社会主义的代表，在其《进化和贫困》一书中，误把私有同财产藉以完整保全的管理及其吸收，并为一谈。他问，在进化程度最高的地方，贫困的现象何以也越是闹得厉害？在生产能力增加后，工资何以反趋于最低之点？现代的政治经济——他称谓此经典的学说如此——的答案是，工资乃视劳动者的人数及资本支付劳动的部分多寡而定，其所以会发生减低的现象，实由于劳动者人数的增加，较资本增加为速的缘故。他认这一种解答，乃基于两个错误的理论而发生，就是工资说与马尔萨斯说。工资并非由资本支付之，乃发生于生产的劳动。并非雇主先于劳动，而是劳动先于雇主。如果每个劳动者供给工资所由支付的基金，则工资必不因劳动者人数的增加而有所减低，只要是工作效能亦随劳动者的人数而增加的话。如果一切情形均无变更，劳动者人数越多，工资当必随之增高。统计的方法告诉我们，较高的国家，并不是天性较为奢侈的国家，而是以较生产的劳动情形为表征的国家，而且有了人口的增加，财富的中间生产亦必随之有着同样的增加。

在一班较前进的哲学家之意，工资减低与贫困增加的原因，并非由于生产率而是由于分配律所致。地租无论如何，并不表示给予生产的一个助力，而仅仅是保证所有者以享有生产结果的一部分的权力。关于地租现象的法律，于李嘉图（Ricardo）的学

说中可以见之，亨利·佐治则以较广泛的方式述而出之。财产（他说）就其生产的自然因素而论，系专享所施劳力与资本产生的财富之权，此种财富乃超出于生产力较弱的职业中耗去同数量的劳力与资本所得的报酬额者，专享权得自由支配之。因此，生产者的利润与劳动者的工资，胥视耕植的程度而定。耕植的限度接近，地租就要增加，耕植的限度增大，地租也就会减低。耕植的限度接近，利润与工资就要减低，耕植的限度升高，利润与工资也就增加。地租的涨落是递进的，而工资与利润则不然。地租有时因人口的增加，因艺术与商业的进步，及因投机事业而增加。所以，地租之所得，正是工资与利润之所失；工资与利润，并非仰给于劳力与资本的出产物，而依赖于地租之外者。换言之，工资与利润乃仰给于无须支付地租的可能的生产，也就是最贫瘠的耕地的生产。所以，生产力尽管有着怎样的增加，如果地租也有着并行的增加，则工资与利润便不能有所增加，其结果地主变成富裕，其他一切的人则日趋贫乏。此种不公允的现象，其惟一补救方法，只有采用可以全部吸取地租的单一税，把地租实行没收。此种没收地租的政策，实大有助于土地国有以及承认尽人对集体占有的土地享有平等权利的最终目的之实现。这样就赅括地说明了亨利·佐治的学说。

二百六十七、亨利·佐治学说的批评

此学说大部分乃立基于不存在的事实，事实上它毫无依据可言。因了社会的进步，贫苦的人便越变贫苦，其人数亦必增加，这话是绝对不确的（累在他《当代的社会主义》一书中曾看到这点）。凡是有文化而进步的地域，穷人的人数必然减少，赈济事业大见发达，生活方法增多，生存期间亦必增长。在大城市中，贫苦阶级的人似乎很多，但在各乡村区域又何尝不是如此？这是天然的，凡是在巨量财富与豪华集中的地方，贫苦的人便越

显得贫苦，甚于他们实在的情况。生活必需品的数量有了限制，取得它们的方法视前艰难，这才是贫乏程度增加的真正表征。经验告诉我们，在社会经济进展之中，我们所不能否认的需要，其数量渐见增加，就使没有例外的情形，人们取得此种需要的方法亦必视前容易。今日的劳动者，有着许多的东西，这已成为司空见惯的事，要是在一百年前，他要想得到这些东西，简直是痴人做梦。此种文化之果的生活享有上的转变，应与工资有关，因为工资减低，这固然是不会有的，而事实上因了各方面需要增加的结果，工资已有增加。

我们只要比较一下五十年以前的情形，就可看到，商品与货币的价值纵有变更，工资还是有着真正的增高的。工资既然没有一般的减低事实，那末亨利·佐治所称持久的贫乏现象就不会存在了。此外，他还该注意到贫困的其他一切原因——无先见、纵酒、耗费、意外之灾、疾病及死亡。工资的减少谓由于自然吸收社会进益大部分的地租的不断增加，这是不确的，正犹之我们不能说凡有地租增加的地方，农民工资亦有增加，统计的工作告诉我们，今日地租所占国家财富与农产的成分，并不视前增加，工资的成分亦未减少。亨利·佐治所主张以替代早已废弃的工资渊源说的学说，是错误的，因为工资常取自生产而劳动者先于雇主的理论初非事实。事实上，在大多数的例子中，工人所生产以易取工资的价值，其在商务上的雇主，除非在出品售去以后，并不是一个真正的交易。有时，隔了几年，雇主从原料与工资两次耗费已巨的出品中，仍未获得分文的补偿。亨利·佐治关于人口问题的另一个理论，因其立基于地球生产能力无限制的不确实的假设上，也犯着同样的毛病。地租的增加，与工资的减低，其间并无因果关系的存在。依常例，地租与工资，有着同样的有利与不利的情形。我们甚至可以说，地租有了增加，利润与工资各有增加，地租如果减少，利润与工资亦必低降。至谓社会进益继续增加的部分，常为地租吸收以去，这种见解只是一个空想，因为地租因人口的增加而有增高的趋势，此足以督促人们去垦植较贫瘠的土地；此外，因了农业技术上的进步，可使土地增肥，并其自然力增加，地租亦不足以为社会进益的真正吸收的因素。不但如此，现代财富，其大部分并不在于地主的掌握，此财富的增加亦非纯由于地租之力。工业与商业，在此现代财富实际的异常发展之中，无疑是强有力的因素。

二百六十八、农地并非是上帝所赐予

资本家与承办者，享有利息与利润，他们把握着今日社会财富的最大部分，此一阶级实为一个有力的因素，亨利·佐治却忽略了这一个事实。他称工资为利润，而欲把后者置于工资法律之下，实则它们乃由不同的法律规定之，而此不同的法律常立于相反的地位。它们之间的差异，谁都不会看不出来的。依李嘉图的见解，工资与利息支付在先，其次乃及于地租的拔出，这是一种溢出的利润，代表着工资与利息支付后剩余的利益。亨利·佐治则谓工资与利润乃取决于地租，而地租则以劳力或资本为成立要件。累（Rae）氏谓依李嘉图之说，地租对于面包的价格毫不发生影响；地租的增加，并非物价高涨的原因，而面包价格的提高，倒是地租增加的原因。面包价格的增高并非以地主的意志为其原因，乃人口增加与收获减少的必然结果。亨利·佐治受着荒谬观念的影响，他以为人口增加的结果，出售的食料必随之增多，兼收之事亦不致常遇，因为物料是无限量的。此与生产限制律适相背驰，显然已把物质不灭与土地生产力无限制混为一谈。物质不灭，其能力则有限制。这两个概念，在逻辑上，并不是排他的。亨利·佐治以为未经专用的土地如果尚多的话，地租必低而工资必高，因为此时购地既不需多值，谁都不愿为他人耕植，以取得较少于自购地中收获的报酬。但纵然假定这种选择力能够存在，因而影响于雇主付给工人的工资，工资的增加足以损及财产，这是无疑的。在这种假想的例子中，利润的增加是不能想像的，因为矛盾的事实不容许如此。

我们知道，依着亨利·佐治的理想，凡是未垦的土地很多的地方，地租必然很低，工资以及他认为资本自然的合法的产生物的利益，必然很高，但我们不要忘却，他是想把这些不同的名称置于同一的定律之下，以为攻击地租的工具。他所建议的以单一税没收地租的补救方法，并不切于实际，因为它不曾说出一个具体的办法，使农场中地租的要素与劳力及资本的要素划分。土地的国有，不足以使土地的生产力量增加，这从美国有数州的州政府拥有广大耕地者的经济情况，与其他数州私有农场的经济情况比较中，就可明了。在此拥有广大土地可以自由处分的数州中，贫困的现象也就最甚最普遍。亨利·佐治对于此种事实，并不否认，但尚欲有以自圆其说。他和其他许多学者，抱着一个同样的错误见解，视农地为上帝的赐予，而忘记了土地仅因人们施以播种、壅料及耕植的工作，使之成为生产的因素，而始获得其价值。耕地之为人的真正生产，与个人活动所寄的任何事物同。亨利·佐治承认一切事物的私有，甚至对于在大城市中的获利厚于农场的工厂，亦承认其私有权的存在，但对于非上帝赐予的土地，除人工的生产物而外，却否认其私有权的存在，这是很可讶异的事。他意欲没收地租，故建议一个等于吸收土地所有权的管理制度。他所以主张没收地租，是欲为土地国有亦即没收私有财产的政策，打通一条道路。土地得为所有权客体，正与其他任何事物同，并能自居于人的器官、投影或被覆的地位。它受自然限制律的支配较为深刻，而且并不列入可以无限制增加的货物的门类中，此其异于其他事物之点。它的最大的生产能力，乃以私有制度为其存在的必要条件。在这一点上，社会经济与法律相合致，因为法律管理土地私有权的宗旨，实在予个人及社会以最大的利益。

二百六十九、罗利阿的学说

罗利阿于其《土地及社会制度》书中，把关于经济制度的一切学说归纳为三大类；因为有些学说乃以人为经济现象的基础，有些学说从一个技术制度中推寻经济现象的源流，还有些学说则从自然界的表面，或者更普通些从土地的领域中，觅取经济现象的痕迹。以经济现象与人为关连的学说，乃纯正科学的信条。它确认此种现象的规律，乃人的本性及其从不远离的利益的必然的不变的产物。此理论并不能说明各时代的历史关系的错综性，及社会组织的奇特的演进，因为人的利益在各时代中永不变易，且亦不受历史的改造作用的影响。第二类的学说，则认社会关系为优越的技术制度的产物，可分为社会主义派的学说与商事的学说两种。前者使生产制度，及支配生活与社会的一切行为的特殊经济关系，适应于一个特定的生产手段的情状。但生产方法的演进，使技术手段经历着一个剧烈的变化，并使此生产与经济学的先行制度，成为不可能。于是此陈旧的经济组织为一次社会革命所摧毁，另一个较适应于生产手段新形态的组织，即取而代之。这般的新陈代谢，先后凡四次，并有同类的经济关系的形式适应之——亚细亚式的、古代的、封建的及中等阶级的经济学。生产手段的不断进步，不久就使此经济组织不适于用，而代以一个较圆满的组织，包括土地与生产方法的集体所有。后一种的学说，则从经济关系，与交易情况及商业组织之中，寻绎其关连之处。此第二类中的两种学说，都不足取，因为技术手段的本身须有一个原因，须依赖于某个先在要素而存在，且它亦非完整无缺，而须与彼新的优良的经济组织有着关连，社会主义者却不曾看到这点。在手段尚未发达的时期，何以有着奴隶制度的存在，在机器时代，工资制何以取代了集体财产制，社会主义派的学说并未说明其理由的所在。商事的学说则不曾想到交易的情形乃是传来的事实——乃是经济制度的结果，而不是它的真正的原因。

二百七十、罗利阿的结论

依罗利阿之说，土地为社会关系的基本要素及最初原因。土地，以为生产的要素，乃经济事实的最初原因，以与为传来现象的技术手段相别，并为一个移动原因，以与在结构与强度上不变的人的利益相别。土地是经济制度的基础。这是政治经济的最高原则，仅为土地与财产的分析中自然的推论。土地的理论，包括法律的法律，因为它认社会组织体为有实体上的不同，此社会组织体在历史上相继存在，并提示着一度治理此种组织体的不同的历史上法律的最初原因。这最高的法律，为运动的法则伴有其客体的占领与生产力不断变更的状态，而非人的变更状态，后者乃深受其性格与意向上不变性的凝结。土地所有权的分析，就其一般的效果而论，可从罗利阿的话中得到说明：要是土地是自由地，要是每个人能够并且差不多需要占领一部分的土地，耗费劳力与资本以图谋其自己的利益的话，所有权就成为不可能，因为此时已没有一个工人肯为一个资本家的利益而耗费其精力。如果土地的生产力有了增加，生产者并不需要交往而限制其自恃性，其结果独立生产者的各自孤立，就成为必然的经济现象；反之，要是土地的生产力有了减少，生产者便被迫互相联络，以增加其工作的生产力，在此情况下，社会的经济状态，于生产者密切合作，把土地分为平均部分，而协力工作，以及生产者与单纯工人合作，而平均分配其生产物，二者之间，必居其一。

无论如何，要是土地自由的话，欲把社会划分为非劳动者的资本家与非资本家的劳动者两个阶级，是不可能的，因为这时资本家如欲不劳而获，是事实所不许可的。在人口稀少、土地不能尽行占领的区域，对于自由土地须加强力的压制，此种不劳而获的局面始能存在。但人口不断的在增加着，全部的土地也终于被开发净尽，这时工人便立即丧失其选择权，此为他们对于资本的剥削的最大保障，而被迫放弃其劳力收获物的最大部分于资本家，至此，土地的专有，从劳动阶级手里夺去了他们的选择权，便毫不勉强的，而且自然的，产生了利润这一种制度。资本主义的所有权，常以自由土地的压制及摈斥工人于土地财产外的现象，为其基础。反过来说，自由土地乃以资本主义的所有权的破坏为其要件。因了前进的人类的再接再厉的要求，建筑于土地财产上面的经济束缚，便为社会所不堪忍受，于是自由土地制度必须重行确立，或者农田所有自由的现象必须予以创设，而承认每个人有占领能以己力耕植的地面之权。在这土地所有自由的制度之上，资本家与工人因得联合，而社会的均衡的局面亦得实现。

二百七十一、罗利阿学说的批评

罗利阿对于各派学说所下的评语，并不尽然，就是他自己的主张，在我们看来，也无可取。如果社会是抽象的人，如果为政治经济客体的财富是人的工作的结果，而以人发动满足欲望的生产的需要、目的及活动为其要件，则罗利阿对于以人性为社会与经济关系基础的学说，以何理由而得加以反对？财富的概念，与个人及社会人的概念，绝对不能分离。人的概念乃包含着人的本质，并非一个静止的原则，乃为一个常在继续与前进的内部运动所鞭策，于此人性乃得逐步达于理想之境。此种运动，附以外界事实的行动，便构成了历史的部分；要是没有人性发展园地的历史，人性是不能了解的，它从不曾丧失其主要的特征，而此特征乃特别地把它对照分别出来。尽管不同时期的历史关系是如何的变化多端，尽管社会形态有着异常的演变，人终究是人，对于其俦类的一番同情心，有着多少带些个人主义色彩的意向和或强或弱的情感冲动。自我的意念与社会的意念，为人性的主要形态，此种形态虽在不同时期中表现着各种的姿势，并常以不同的方法互相结合，要不能谓其不存在的。

人的历史，就是此类嬗变现象的历史；人的进化就是它们的发展。如谓个人的利益一成不变，亦不受历史的改造作用的影响，这是不确的，因为正如斯宾塞所云，它乃尾随情绪的变迁与意向的发展之后，而此变迁与发展则使个人的利益由盲目的原始的利己主义进化而为利他主义。个性并未遭受破坏，仅经历着一个改造的过程，所以我们对于某些直接表明它的特征的元素，承认其永久存在，并未有背情理。政治经济与法律，由人性所产生，应认为个人的利益的权力。政治经济，应以个人的利益为其主要基础，一方则亦不忘却其他的个人意向及社会意向，它们对于财富有着一种影响力，这在前面曾经说过。私法应以个人人格的观念为其重要基础，但一方尚须承认它与社会间所存在的自然联系。但此私法不能全受社会观念的控制，要不然它就不成其为私的性质了。社会主义实足以压抑经济学与法律中的个性，而忽视了人性的存在。如果把个人利益的意向视为一成不变，这是不合逻辑的，因为集体的利益亦可视为具备同一的特质。如果承认不变性的意义，就是一物藉以别于他物的必要表征的持久性，那末我们应该下一结论，谓社会的利益亦系一成不变的，它常保存其一己的本性，并无论何时以一般的利益为其客体。

关于罗利阿对第二类的两个学说所下的批评，特别是对于社会主义的批评，我们必须注意到此制度的第一原则，事实上并不至基于技术手段之上。社会主义曾吐露了甚至夸说了技术手段与经济关系的组织之间的关连。一个不完整的技术手段能与一个卓越的经济组织相联合，这是它不会看到的，在手段不发达的时

期，奴隶制度与工资何以会得存在，这理由它也不会去仔细研究
到的；但要否认社会主义以一个技术制度的观念为其基础，并寻
求人性为其基础，这也是不对的。社会主义在各方面看来，乃发
自抽象的人的概念，并常敌视个人的自由。它曾从抽象方面，亦
即从尽人平等的基本能力方面以及从它人性理论的与终极的权力
（罗马诺西称之如此）上，观察人性，而不曾充分了解到渊源于
个人的不同性格或不同活动的获得能力与实际权力的价值。这些
实际权力，因行为而变成为终极的权力，并代表一个个性化的完
善程序，于此，个人天然的与人为的一切形态尽行表露，并从客
观的变化中显出了差异之点。社会主义仅观察到人的平等能力，
及感觉界的共通动力，而整个遗忘了实际权力的中间界，怪不得
它要把生产工具的集体占有，替代了私有制度。

二百七十二、人为经济关系之原

生产的动力及财富学上的前提，要是不加以改造，土地决不
能如罗利阿所云，成为经济关系真正的根本的。资本与自然力是
生产的手段，一是传来的，一是原始的，但二者均以人为要件。
如果没有人，便不会有资本与土地，以为生产的因素。其时此因
素仅有着物理的存在，而无经济的存在。人并不只是生产的协力
者，而是它的主体，它的创造者与限界。土地如果没有人工作其
上，而予以价值，便不能成为运动的原因。它的演进，不是物理
的，而是经济的；工作加以改造使它更足以满足人的需要的时
候，它在运动着，个人的利益生产的本能，及地球面积与生产力
的限制，这三个经济的大前提中，若谓前二者历久不变，仅土地
变化多端，有关枝节的发展，这是不确的。个人的利益，因与利
他主义的情绪及一般利益不同的结合而有所变动。生产的本能，
亦或多或少，因外界阻力与心智发展而受限制。

要是个人利益与生产本能的不变性说，乃因人常为己牟利并

倾向于增殖之故而发，则谓第三前提之同具此不变性，亦非无理由可言，因为地球的面积与生产力有限制这句话永不会不对的。自然律则反对之。土地的占领与蕃生的共通情状，乃有赖于人，并不构成一个最高的原则。罗利阿坚持甚烈的此土地自由的同一概念，其主要部分实包括人在其个人的及社会中的关系。土地是自由的，但这是对谁而说的呢？土地为经济关系的创造者之说，既是错误的，则其当然的结论就是，它也不能视为较复杂的社会事实的渊源。如果此说不足以说明关于财富的事实，则它何能说明社会的演进？经济的因素，在社会学中，并不占着绝对的优越地位，此于讨论工业财产的一章时，当可知其详情。

二百七十三、罗利阿学说中的矛盾之点

罗利阿的自由土地说，实在包括着两个混合一起的概念，因为他一方面完全否认了关于土地的财产权，此财产权乃资本家的与不生产的财产的渊源及基础，另一方面则又采纳了耕地占领权，基于此占领权的作用，在土地财产权自由的状态下，人人可以占有他所能耕作的土地，国家对之应加保护。我们所不能明白的，就是在土地私有制被否认了，所有权归诸公家后，用益权是否得为每个人的权利，或者土地财产权的残余是否尚有留存，就是这每个人自食其力所必需的土地上的权利。在上述的两个情形中，此学说并不新鲜，且与集产主义或某种社会主义混为一谈，而此社会主义，固视土地所有为尽人权利而由工作实现之者。此学说对于国家干涉问题的两个理论，均无异议，因为或把土地全部专有。就视人类的需要与各人工作的情形而加制限于土地的管理，此问题可就上述二法，择一以解决之。因此，在此自由土地（或如罗利阿所云土地的自由所有权的假设例中），就发生地租或盈余的现象，因为耕植费用之中，常有差额的存在。地租当归谁所有？此受让人所应支付地租，是否当由国家以抽税方法没收之，或由劳力所有者或组合享有之？

我们知道，如果地租归资本或资本与劳力的所有者或组合享有，则于土地为尽人所必需或土地为上帝所赐予的原则，其性质与自由土地原则相反者，当然为所承认。此相反原则的必然结果，就是非产生于劳力或资本的普通自然力的绝对专有。如果土地属于每个人的，如果这不是人的创造物，如果它必须是自由的，那末一个个人或组合，如何能够从此上帝的恩物中获得盈余？如果耕地自由所有的基础，乃非地租所由产生的劳力，则地租专有如何能视为公平之道？罗利阿谓在每个人能够并且差不多不需占领他的土地而耗费劳力与资本于其上的制度中，吸收出产物大部分致有害于工人的所有，是不可能的；这资本主义的所有，这时，或占有自己的土地，或在他人土地工作，二者之间，工人可任意选择之。所以，亨利·佐治提出自由农地富有的假设例，并述及予工人以此种选择权，谓能如此，则地租必然低落，工资必然升高。但尽管亨利·佐治是这样的主张着，我们仍可以说，此种选择权，对于工人，并不是一个顶好的方法，因为欲使土地具有价值，资本是必需的，它能得到收获，也须经过相当的时间。这一个短短的批评，也可用之于罗利阿的学说，因为在这点上，它与亨利·佐治的见解并无重大的差异。这是很明显的，罗利阿的所谓资本主义的所有，与马克思同；而且此所有不是工作的收获。依马克思之说，凡是土地及一切生产工具的所有，必然发生资本主义所有的现象，因此在他的心目中，铲除此种所有现象的工作，不但土地，即生产工具亦包括在内，这在下一章中可以见到。

第七章 森林与矿的财产权

二百七十四、森林与矿不是土地

法律并不是一个抽象的公式，却是一个具体的原则。它在生活中构成而发展着，依其所关涉的客体的本性而采取种种不同的姿态。如果土地不能与矿及森林视为一物，则适用于土地财产权的法律，不能适用于矿及森林，这是很明显的事。

二百七十五、森林的利益

有了上述的前提，再让我们把一个森林的特殊功用，简单地说明一下，它的这种功用有四。它的第一个功用是，森林可供给木料，以备普通与军事的建筑之用，并供艺术上的日常应用。它可以防止山崩、雪崩，并避免植物泥土受到冲洗及雨水逾量蒸发。它保护泥土，以避免强烈的日光，使水分多量储藏，使风势变为缓和，并使空气较为清洁。此外，我们必须注意劳力与资本，在木材工业中，其活动范围，实较在农业中为小。森林可借落叶而享受肥料的利益，且是多年生的。自然似乎意欲保护其自己，以免人类专断的处分。

二百七十六、森林是否需要公家的管理

凡是森林事业的一切可能制度的代表者，对于森林的特种性质与功用，多少均予承认，他们有拥护绝对自由者，有主张管理者。前者坚信社会利益与森林所有者利益之间的调和，乃系致力于有价值财产生产的活动力自由发展的自然结果，故国家不应加

以干涉。经济制度中，各私人利益，为全民的幸福起见，可有自然的不知不觉的本能的调和。上述的理论，乃以此概括的信念为其基础，似乎是毫无可疑的。但这一种基础是错误的，前文已经说过。人的利益，不是盲目的自然势力，曾受到震动、动摇与变动，却是伦理势力，不甚需要自由之助，此为历史的有效原则。它包含着自然加诸人心的影响，但还包含着人心对于自然的节节胜利，此种胜利常为较重要而彻底的。在这一种的解放作用中，自由，套着维科的语气来说，表现了它神圣的本质或起源。

二百七十七、就发展的现状看来制限是必要的

在我们目前所持的议论中，所有人的利润与公共的利益，显相反对。假定有这么一个社会，因为当地的物理状态，需要森林地的永久保存。此森林地的所有人，为依从一般的需要起见，应欣然限制其行为，只砍伐一些已死去和将死去的树木，并随时修复为风雪摧残结果的损伤。如果木材可以大量生产，他和他的继承者须情情愿愿地静待着他们资本缓缓的重造，尽管它往往是不可恃的，纵然一次不可预见的意外事故或将摧毁大量的木材，他们仍须守候六十年以至一百二十年，以待每一棵树有着长足的发育。在这种情形之下，一个私人对于所投资本，势必不得不放弃其迅速而优厚的报酬的念头，赔累多而获利则微。我们是否可作此想？我们是否等待着任何机会，使利己心侥幸得以常态地转变为英雄气概或利他心，一如孔德的门徒所云？我们是否不需要比较上人为的锁链，或者如果有着不需要此种锁链的理由，那末是否不需要一个建筑于自然亦可谓"自然的医药"之上的经济制度？我们是否可以这般公然地忽视了人的个性的特质与趋向？

二百七十八、制限是拙劣的但常需要如此

贝卡利亚于其著名的讲义《公共经济的要素》中，曾谓一个工业的管理必须是自由的，各种的利益听其自主，并任其自然发展，于此过程中它们必趋向于合一与平衡；但他又云，如果我们发觉某个私人利益并不或迟迟加入公共利益，或者欺诈行为的发觉迟缓而不易，则威压性的立法的规律便成必要。撇去了此原则，并了解森林问题中利益的不调和，他变成了控制政策的热烈拥护者，并攻讦破坏自由的危险。此种自由，门哥替（Mengotti）与罗马诺西亦曾加以抨击。门哥替谓，法律不但应禁止犯罪行为，即轻率与愚妄行为足以损害他人者，亦应加以取缔。放火焚烧自己的房屋，如果其可能的结果足以延烧邻屋或竟全城，则此种行为能否算是正当？如果一个人不能赞同麻风、鼠疫与狂犬病发现于通衢中，或一个产业的所有人设立绳厂或米厂于其贴邻，则禁止森林所有人为其自己的利益起见摧毁其林木或铲除其在峻岭上的土地的草泥，也是很应当的。罗马诺西也不曾想到，不干涉主义，自动地或被动地，须适用于山崩与雪崩的场合，他认为私人的营利心应藉公力就社会的利益而控制之。他说，你既然为私人管业的运河制定规则，使街道不至被淹毁坏，那末在意外的危险可以顷刻毁灭全境或使受洪水之患的多山区域中，制定规则以防止山崩，不是更有理由了吗？

二百七十九、制限须是保守性的

公力约束，不能仅视假设理由或未经证明的意见而定，却须根据十足显示有害于社会的事实，因为这是一个限制个人的自由所有的问题。制限既以此种事实为其着眼点，则其力必须足以防阻通常因采伐森林或铲除草泥而发生的洪水之患，以避免农业、垦植、地理的或土地的坚固性上发生损害。森林有助于泉源的持久与有节，极有裨益于农业与垦植，这是谁也不能否认的。森林对于地理上持久性的影响，也是谁都不会置疑的。洪保德（Humboldt）谓树木有助于泉源的丰富，并非由于它对于空气中水蒸气的特殊吸收力，一如一般人久所置信者然，却是由于它的保护地土的功用，使其不致受到强烈日光的照射，而减少雨水的蒸发作用。河床在一年中的有些时候变成干涸，但当高地多雨的时季，则河水不免暴涨为患，这就是破坏森林的恶果之一。在山岭的高处，如果没有青草与树根，苔藓也干枯了，则雨水降落后，必不复能循其常道，注流于业已饱含水分的田野，于是洪水突发，四乡受其糜烂。森林的毁坏，常久泉源的缺乏，以及激流的频繁，乃是三个有着密切关连的现象。

马许（Marsh）于其《人与自然》一书中曾谓，森林毁去后，水量变成不规则的，降落的雨雪不复有多孔的疏松的植物泥土予以吸收，奔越冻结的地面，取道流域而入海，不复浸润一部分有湿气保持力的泥土，以供给为四季不断的泉源所必需的湿度。泥土因失去了落叶的覆盖，黎锄之下，成为碎粉，这是因为它并无纤维小根为之维系的当然结果。因了日晒风吹，泥土干燥，变为尘埃。地面不再像具有吸收作用的海绵，而变成一片尘埃；雨雪所致的山洪，沿着山坡下降，携走大量泥质，因此增加水流的机械力与侵蚀作用。此大量的泥质，从山崩中加入散沙与碎石的补充，填满河床，迫水流注入新的流道，而妨阻其入海之路。小的溪流，缺乏了它们原来的正常的供给，并失去了树阴的保障，夏天因过度蒸发而溪水干涸，春秋雨季中则又涨溢为患。因了上述的原因，高地不断受到侵蚀，河川湖沼的床身则日见显著的填高。列可侣（Reclus）看到浓密的林木，实为避免一切雪崩顶好的方法，其结论是，凡没有树木的地方，便没有人烟；樵夫手中的斧，无异战胜者身畔的剑，曾使整个的人类，其生存为之破坏，其人口为之大减。

二百八十、意大利学者置信于森林地的管理

森林需要管理，以保存泉源与泥质的理由，从意大利学者的著作中，可以充分表现出来。例如，门哥替谓因了人的粗忽而在

未能征服自然以前，自然依其一己的自由意志，于高原、横岭及山腹等地，为其自己覆盖了各种有叶的植物。当然这是它所采用的最有效方法，以妨阻并留住雨雪，使之不致立时注入流域，而造成湍流涌急的河流。一个大森林，可凭借着树根、残株、树皮、桠枝、树叶及植物所具备的一切奇异作用，容留巨量的水分。树叶的繁茂，松树枞树的球果，从树梢到树根躯干渐粗的层层列列的不计其数的桠枝，粗厚的有时尚附以鳞状物与罅隙的树皮，以及富有粘性的树液，凡此种种，都适宜于予水流以一些障碍。

斯托柏尼（Stoppani）认山崩乃完全由于地下水泉浸润与流动之所致。林木第一可借树根的交叉作用使松散的泥土附结一起，第二可使雨水不致直接落于地面，而须迂缓的经历到滤水器的作用。而在相反的情形之下，侵蚀作用的得势，实为当然的结果。美塞达格利亚（Messadaglia）从同类地域观察与具体研究的结果，获得几个因砍伐森林而发生的不易令人置信的恶果。依于某种的情形，这种恶果为分水界的冲毁、泉源的闭塞、湍流的形成、暴雨下急流的改道及河床的填高。如果就特定地域说明此种结果，我们必须知道对于此地域的本身以及此地域在类似与不同情形下与其他地域及此地域的过去情状之间不甚易易的比较，应加以深切注意的观察。于是以此地域为出发点，我们便得依据气象上与水路测量上的情形，把此议论推用于广大的地域。此问题在其根源上，非常错杂，胥视各地种种特殊情形而定。这些设问的解答，不能充分加以确定，更不易归纳于一个一般的原则。含着蒸发作用的广大流域的密迩、温度的高下、风的势力以及地面的地形上的结构，凡此种种现象，如果不予注意，则欲明确判断森林对于雨水的数量与其按年分配的影响，是不可能的。森林的影响力，会受其他因素的支配，这也是很可能。至于要知道某年中或大致从某一时期至另一时期内森林对于雨量分配的作用，我们还须注意到其他的决定原因，例如温度、风、泥土的性质以及地理上纬度的不同。至于水流的速度，则地土的情形，树木繁茂的还是草木全无的，却是一个支配的因素；树木可以改变泥土的水分吸收力，并减低水流的速度，特别是在沿分水界的地域，达于比较上很显著的程度。总之，森林的几何作用，也就是它对于雨水的分量与调节的影响力，只含着改造的补助的性质，特别是在与其他这些基本的一般的原因相提并论的时候，因为后者乃与雨水的主要条件有关。森林的浸润作用是比较的有力，有时且是很彻底的，但在这里我们也须注意到不要犯着议论过于笼统和绝对的毛病。

二百八十一、管理的规定是不容易的

为调节与保留水分，并使土地适宜起见，我们姑且承认，对于山边的森林，应设立管理制度，但对于平原上的森林，为气象学上与卫生学上的理由，是否也需要此种制度的设立，而且也需要此同一的管理程度与一般组织，这却是个问题。洪保德（Humboldt）相信森林具着冷藏器的作用，正如吾人所云，它保护地面，以避免烈日的熏蒸，增加草类的生长力，因了树叶的浓密，使此生长力更因烈日的炙灼而增加。阿剌各（Arago）谓森林在某些场合，可使气候较为温和，而在其他情形之下，却产生相反的结果。该·律萨克（Gay – Lussac）谓林木对于一地气候的真正影响，我们不能得到肯定的结论，此一问题，其性质至为复杂，欲求解答似不可能，或至少极为困难。部桑哥（Boussingault）曾在中美洲地方，观察过在同一的纬度，在距离海面同一的高度，以及在地理上同一的情形之下，森林使气候变成阴凉的作用颇不一致。培克累尔（Becqueral）引证同一事实，并说明之，一如部桑哥所云，谓森林对于气候的广大影响，须视森林所

占的面积，树木的性质及其高度，树叶所具有的蒸发力，它们感受冷热的难易，以及泥土与下层土物理状态中的固有性质如何而定。又云，森林构成一个低风的屏障；此一屏障的功用当然乃以树木的高度为准。我们可以指明一点，就是带有瘴气的潮湿的风，于吹过一个树木后，此种瘴气就会消失不见。利哥·得·利尔（Rigaud de Lille）谓在意大利某些区域，林木的屏障使热病绝迹，其在未有遮蔽的地方，则易受传染病的袭击。马许（Marsh）于其时砍伐森林在气象学上的影响作有力的批评时，初未忽视其很大的不确定性，但又云，夹有冰雹的暴风雨，必常引起雹流故障者，其在林木减少之处，发生必较频繁而猛烈。在这意见分歧之中，美塞达格利亚（Messadaglia）因作聪明的结论，谓从科学的观点，森林在寒暖计上的影响如何，尚成悬案。诚然，阿剌各、该·律萨克、培克累尔及马许的见解，如上所云，其距绝对与肯定的解决之途，为期尚远。在疑问尚存之时，因了气候寒暖的不同，聪明的立法者决不能遽为管理制度，树立一个一般的固定的标准，仅能视特殊情形的研究成绩，因地而异其推行之法。他处置此制度，一如其向日应付稻田问题者然。换言之，他如欲完成其任务，对于推行管理制度不能专门且一成不变的地方，非为地域性的易变因素，预留一个充分的伸缩余地不可。

二百八十二、管理不能以工业为目的

有不少的人相信，森林地不管它坐落何处，为保障木材工业起见其管理是需要的。此种见解，对于十七世纪以后的法律，颇有影响，及至今日，因林木大批砍伐的结果，使供给燃热与建筑之用的林木，日有匮乏之虞，此见解仍能维持于不替。但我们并不想到，以工业保护的动机为基础的管理，是很正当的。我们对于无拘无束的自由意志，固然明白表示反对，却也仇视国家过分

的管理。如果个人为图谋其一己利益起见，显然忽视了保证社会永存不替的利益相关性，这时我们才希望国家出而加以干涉。但在木材的生产上，此种情形并不存在，而且不能存在，因为竞业与自由，应用于一个工业的时候，才是获得最大生产的惟一方法。社会需要木材，私人的事业心，将以森林的充分与专心的培植，供给此种需要。林产的价值一天增大一天，使林业不但在其固定工业的特性上得了一个保证，且获得了一个继长增高的推动力。诚然，各地木材市场的变动，并不一致，其涨落的现象亦常不依同一的方向，乃须视当地易变的情况而定，但谓林产价值有着显著的增加，则亦有其同一的确实性。时至今日，世界各处的森林地，几均有显著的减少，因此经营林业以谋木材的出口贸易，虽有时因运费过巨及他国竞争的结果，使利润大为减少，却绝不是无利可图的。但若平原森林的管理一旦撤去，则木材的运费，充其极亦必不如林木运自山地的成为严重的问题，此事也值得我们去研究的。

我们试设想着，个人利益与自由的制度纵然存在，木材供给的缺乏，仍然是难免的。例如，在工厂中，白煤、褐炭或泥炭取代了木料，它们供作实用，而取费极少，试问我们能把此种材料摈于工厂之外吗？它也不能满足广大的国家利益的需要，例如国营的航政、铁路与电报，因为现代的国家于废止"采伐"的地役权后，使其森林的一部分变为不能让与，而使之专供社会与军事之用。人们有时认为这种保留，在人类生活中的某些场合，并不充分，但余下的私有林产，不问其坐落于国境内也好，或国境外也好，若谓不能或多或少地供给此假想上的缺乏，这是不能想像的。

二百八十三、基于物理损害动机的管理并不发生损害赔偿责任的问题

诚如贝卡利亚所云，在某种场合，如果个人利益绝不会或很不易与公共利益调和，国家就应加以干预，则其必然的结论就是，基于经济制度的条件的管理，已无其他逻辑上的存在理由可言。森林材料不断的大量供给，为威尼斯参议院议员马科·巴尔比（Marco Balbi）所述及者，当限制森林财产，只以防止水道、工业、农业、地理构造及在有些地方居民健康，因砍伐森林所受的损害为度。至于其他的一切限制，如非必要，就是破坏了个人对物的自由。凡是必要的合理的限制规定，不致发生任何损害赔偿责任的问题，因为它并不妨碍所有人的使用，而仅禁止其滥用，以免损及他人的权利与利益。管理纯粹是一种消极的办法，其设置的目的，仅在阻止所有人在其坐落于山边的土地上，以砍伐林木或铲除草泥的行为，为害于社会，在这种事实条件之下，此损害赔偿的概念当不能与任何法律原则相合。

二百八十四、矿业的特殊情形需要特殊的法律

矿业法，依于此种采掘工业的特性而制定者，须与实际情形相合，并随工业本身的发展而为修订，这是天经地义的事。当矿藏尚为地下孔穴的时候，其所有权仅视为土地产业的一部分，但当矿床需要深的矿穴、横坑、竖坑及隧道等网状组织时，它就逐渐变成与地面分离的财产。起初工业尚未发达，罗马法规定矿坑属于地主所有；其后当君士坦丁（Constantine）朝，社会略见进步，特别是在大理石矿区域，法律允许从他人土地中采掘大理石。

二百八十五、矿业法的历史

在罗马帝国灭亡后的时期中，矿业与矿业法上显然发生同样的趋势。有过一个时期，其时矿业尚在幼稚的与全然浅薄的阶段。在此时期，土地所有人的权利，绝对支配了此种工业。其后此工业开始需要雄厚的资本，土地所有人才承认了矿的独立，而维持开发的管理权，并保留探矿与监督的权利。再后，这些权

利，渐归诸侯所有；地面所有人则除取得矿口采得物的一部分外，尚可享有矿床产物的一部分。嗣后王室又取诸侯的地位而代之，矿藏至是乃成为王产的一部分；国家享有全境土地收用权，赐给矿的开采权，监督其业务的进行，并课以矿税。在此时期，地主享有权利，与受自封建立法者同。随后矿业又有转变，现代化的矿开始出现，于此地下世界，有大批工人被雇工作，至是矿乃得以独立存在。矿的权利，归属于发现者与开采者，而使土地所有人不受损害，则为他们的义务。至是，国家不复能行使其王国特权；它对于矿产，不复如前之插足其间，仅以法律与积极承认的方法决定利害关系人的权利，并于开采时出而维护秩序、计划、正义与文化。从矿业与矿业法历史发展中的这种嬗变迹象看来，矿产物从土地得到解放的事实是很显然的。其次我们应当注意，这一种历史中演化的趋势，是否合于情理。

二百八十六、对于解放矿产权的异议

主张矿产应归地主所有的人，第一点表示异议的就是，下层土所掩盖的地方，是一个单纯的几何学上的地面；适于耕种的土地，不以植物土的最上地层为限，应属于农人所有，而矿物则为耕地的部分。欲答复这一个异议，并不是一件难事。地面与下层土并不分离，也不是有长宽而无高度的平面。这里的所谓地面，指的是某些下层土，堪以有用于所有人，且可成为他的实际利益上的材料者。我们承认地面与下层土绝对分离的不可能，但欲某人为地面与第一层土的所有人，另一人为第二层地壳的所有者，并非为逻辑上所不容许之事。这种现象，可以契约或意思设定之，亦可由成文法承认地主享有矿产管理权以创立之。另一方面，我们必须记住，地面的境界常不是矿的境界，因为依地质学者之说，矿床所占地位不规则而奇特，其矿脉有着无量数的分支。至于科学，亦常较有助于矿产权之与土地管理权分离，此于古今开矿时所用各种方法中，可以见之：古法尚浅，今日则有时采深掘法。他们反对两个区域划分的第二个理由是，任何人无权进入他人的土地，且地主可依占有权取得矿产。关于此点异议的前段意见，我们所可说明的就是，进入他人土地以探矿与开采之权，可藉地役权的设定以取得之，一方则予地主以公允的补偿。而在有些场合，实施探矿工作，无须进入他人土地，仅须从自己的地下，向距离他人地面若干深下的地方，例如一千英尺以下的地方探索。至于此点异议的后段意见，我们可以说，取得的原始与传来方法，常以知悉与意思为要件。取得的方式，是一个"权力"的方法，而此权力则需要"意思"，意思则需要"认识"。然则就占有这一个名称的真正意义而论，土地所有人何能占有一个他所未知的矿？不知与不定物的管领，其合理的可能性是不会有的。

二百八十七、矿产的权利不是添附物

反对分离主义的人次乃引证现代法律所规定的亦即最广义解释的添附权及埋藏物原则，以为土地所有人声援。矿产不是一种果实，添附的理论却忽视了这一点，这并不是自己永存的东西。就土地的使用关系而论，从矿产中也找不到一个任何添附物对于其主物所必具的关系。还有，矿产的价值，超过土地价值甚巨，所以若以土地为主物，很可使人生疑。关于埋藏物的理论，其与矿产之间，我们亦不能找出一个强有力的类似性，因为埋藏物是动产，矿物则否，埋藏物仅在偶然觅得的场合，法律才把它的所有权划分为相等部分，以归属于不同的人，矿产的发现，则非偶然，且事实上亦恒非出诸偶然，乃不断的研究与长期的实验有以致之。

二百八十八、矿产的权利非可以罗马法的拟制证之

有许多人引证罗马法所采的原则，依于此说，注释者谓土地的所有人，就是上自天堂下迄地狱的所有人，但这种论调实为基诺·达·彼斯托雅（Gino da Pistoia）所发明的夸张法，在罗马法的根源上则一无所据，因为罗马法仅涉及关于土地上下所有权的各种限制。例如，《查士丁尼法典》规定房屋所有人于建筑房屋时，应注意不得妨阻风势达于邻人之打谷场。铜矿于土地出卖后发现者，应属于发现人所有。君士坦丁（Constantine）承认大理石矿的自由权，其他君主亦承认一个完全的权利，以有利于土地所有人。换言之，开矿者可支付损害的赔偿金额，而不承认地面所有人的权利。在罗马民法学者之意，权利仅伸展及于有用的领域，一旦效用失去，权利即行终止。邻人的树枝，如果在十五英尺以上的空间内，伸入我的土地，我可迫令邻人刈除之。我可行使权利，在我的地内开掘一井，虽足以阻断供给邻地的水流，亦所不愿，但我不能任意将水放去，使成浪费。土地所有人固得从其自己的土地，追迹金属矿的矿脉，而取得其所有权，但此乃占有权的行使有以致之，而非土地所有权所使然。

二百八十九、上空所有权

气界的空间，与土壤及下层土同，亦为私产权的客体，这是无可疑义的，因为除非土地所有人有权享有地面以上的空间，土地的用益是不可能的。我们绝对不能说气界的空间是没有形体的，也不是一个物，因此并不构成可供财产所有的物质，因为它赋有具体空间的形体，并且因此具有有用而有价值的客观的实在性。若谓大气为一公用物，不宜以为私有的客体，这是不然的，因为公用物的全部归于独占的私有，固所不许，而其各部分属于私人所有，并非不可的。海洋是公用物，但其近岸部分仍可为私有的客体。

二百九十、财产权不应受实际利益的限制

下层土不适于公众之用，谓为公用物，这也是不对的。它毋

宁视为无主物，就此点论也是宜于为所有权客体的。一般的通则就是：空间与下壤土的所有权，与地面所有权，乃为一物。谁取得土地所有权，谁便取得地面以上空间与地面以下壤土的所有权。这二者并不需要特殊的占有。但空间与下层土的所有权，与其他所有权同，须受社会共存的需要及人类的活动与一般利益的限制。私有权须以法律的利益为其前提，并须受此观念的判断。维科说过，要是一个主张的权利是过分的，或包含着行使上不必要的成分，或与聪明分配货物与理性适度的概念不合，上述的目的便不能达到。这显示着私有的社会限制，它是一种活动，发展而为另一个人的主体的实际利益。人的活动，不能与善的、有用的及有利益的相分离，因为这些东西没有活动便不能为人了解，它们乃是活动的名称。

耶林明白称道土地所有人对于上空与地下的实际利益。他对于上空的实际利益就是，他人不能剥夺他的土地上的空气、光线或雨水，不能阻止他盖造房屋，或因含毒的气味、烟气及尘埃的侵入而放弃他对于土地的地位，但他无权阻止飞鸟与气球通过其土地的上空。罗马民法学者对于人生的事实有着敏锐的感觉，他们从不夸言所有人的权利，而基于实际利益以维持之，对于此种实际利益他们有着奇妙的觉知。实际利益亦为所有人对于下层土的权利的限制，因此在无损于自己的范围内，他无权阻止他人从他的下层土中取得任何与该他人有利的效用。此种效用，无关于土地的实在的继续的通常的效用，亦无关于它的耕植及正常使用，而在它的所有人实际利益的范围之外。若以技术与工业方法的现状为基础，而认一个迥异的享有的可能性为实际利益，这是不合理的，因为在这样一个假定的条件之下，土地所有人只要利用着现有的科学的与技术的方法，在大多数情形，就能享有矿产，发现者势将难于取得开采权了。依着这样界说的实际利益，就不是需要广义解释的发现者的原因，而毋宁是土地所有人的原因。

现在有一个强有力的主张，以为予发现者以矿产所有权较为公允。就劳力说或就人格之点看来，凡经发现的矿，不应属于土地所有人所有。依劳力说，个人活动所在，所有权始随之存在，土地所有人既未有所活动，故不能为矿的所有人。矿的发现，端赖发现者的活动，故其所有权应归属之。至于个人的人格，则反映于物，并遗留其标记于其上，以此人格概念为出发点，亦可得到同样的结论，因为活动于矿者，为发现者而非土地所有人。

二百九十一、经济学赞成矿的自由

至于目前理论的经济上的理由，我们可以看到，敦诺雅（Danoyer）在他的《工作的自由》中，有着矛盾的见解。他认矿业为与农业分离独立的工业，一方却又以之归属于土地所有人。塞拉（Sella）是一位有资格的权威，他表示矿的开发，需要一个概念的严格的统一，因此矿不能划分如土地然。矿业在矿床散布各处，需要挖掘深的坑道的场合，常遇到种种经济上的困难。坑道的深度增加，费用亦须增加；所以在较大的矿产中，纵然以智慧与经济的方法经营之，其赢利亦终不如一般工业的丰厚。如果再加上土地所有人对于矿的股份的主张，这样必然减少了矿的深度，而忽视了矿业未来的命运。

此外，经验告诉我们，在矿的独立制度未经承认的国家，土地所有人代表国家的主张，他们的财富较为大宗的假定，他们进取心的缺乏，以及他们对于摧毁土地生产力的恐惧心理，在足以妨阻矿业的发达。我们亦不盼望此种障碍，可因矿主的组合而大为减除，因为此种组合常不免遭遇重大的实际困难，而且欲藉个人的才能克服此种阻力，亦属于事无补。此种观念，确系实情，且与矿业发展的特殊情形相针对，因此才有今日国家干涉政策的出现。于此干涉原则之下，国家应除去矿业的障碍，奖励矿的发现，以地理上的研究工作扶助矿业，制订法律禁止今世的人把所有矿藏开采罄尽，管理矿场中女工童工的雇用，设立矿工学校，限制矿工的工作日，厉行安全与卫生上的预防设施以避免气体与爆裂物的有害作用，赞助工人间慈善与年金组织，并便利矿产物的运输。但除保护矿业与制订技术规则的工作外，国家不应更有所作为。它应解决矿产权上的问题，但它虽负有此项任务，却不能创设一个所有权，而仅限于承认并界说之，正犹之奥地利法典的继承法令承认并界说一个已存在的法律然。

第八章 工业财产权

二百九十二、工业财产权的重要性

工业财产权发生于制造工业中。它以财产权的主要基础，亦即人格原则，为其辩护的理由。它值得我们专章加以研究，不仅因为它在今日所获得的极大重要性，更因为它是严重反对与批评私有制度者的攻击对象。在这里，与在同类讨论中同，为欲就法律之点明了并研究事实起见，我们必须记住不少个艰奥的经济学说。法律常为一个比率，一个规则，一个量器，依所适用的客体的性质而异其态样。在本问题中，以经济方面为主要着眼点。

二百九十三、资本与劳力的利益根本为一物

一个制造工业，以劳动及其工具为其条件。劳动的工具，有原始的与传来的两种：前者就是自然的力，后者则包括于资本中。在劳动与资本之间，并无也不能有一个原来的自然的敌对形势，因为前者是明日的资本，后者则是昨日的劳动，这个道理我们已不止说过一次。所以，在理想上，劳力和资本作对，就是同其自己作对，如谓劳力是资本的创造者，那末也可说资本培养劳力，而变为它的恩人与指导者。在具体上，需要劳力的人，其利益在能以最低代价获得之，而供给劳力的人，其利益在能以最善价出售之。于是彼此间发生争执，其情形颇类于消费者与生产者间的交易，因为一个只愿出最低的价格，一个却索取最高的价格。不但如此，交易的条件，可以有利于订约之一造，而不利于

另一造。最有害于劳方的原因，倒不是资本家的利己心，而是工人的穷困，他们须养赡一个人口众多的家属，而积蓄有限，甚至毫无积蓄。供给劳力者竞争的结果，使它的价格低落，而工资的减低，对于工人的生活状况，便发生极不利的影响。但劳力的出卖，尚有异于他种买卖之点，即劳力的卖主与其货物有着密切的连结，而他种货物的卖主则与其货物相分离。因了这个缘故，所以劳力的价格直接影响于工人，它如果有所减少，他的生计就要受到紧缩，反之，如果它一旦上升，他的生计也就跟着宽裕起来。它的力量，足以减少或促进他的生活与道德的发展，单就这一点的关系，工人常受劳力之累。他不能成为主人人格的手段或一部分，如旧日的信念然。不但如此，工人，至少就其个人而非同盟的立场，遇到紧急时期，并不能撤回其劳力的供给，以待市价的升高，因为如果他并不工作，便得枵腹待毙。而在另一方面，平常的卖主，遇到这种困难时期，却可减少、停止或甚至放弃生产，而不致受到那样严重的打击。

二百九十四、劳力是商品

有些学者，不承认劳力是一个交易的客体，他们以为它只是生产的动力，包括人的活动，而不是可以积聚的出产物。他们认劳工的雇用缺少真正契约的特征，因为工人如果不欲冻饿，便不得不出卖其劳力，而资本家则雇用工人与否，可以自由裁量。他们却不曾想到生产动力的概念，大致与交易客体的概念，并不互相背驰。总之，资本与生产动力，都是商品。劳力并不当然是人的一部分，而是人的活动力对于自然力的运动，受制于最小阻力律，这是实物的一般趋向，以最小的代价完成最大的效果。人并不是生产的工具或协力者，却是主体与目的。自然是客体，劳力则为人与外界之间的一个有生命的联系。劳力，就人的活动的立场而论，其实并不是商品。它变成商品，并非由于它的可能性与内部作用，而是由于其自身以独自动作及特定目的发展与表现的结果。依此意义，劳力有着交易的价值。它可以化为金钱，而变成一个人产业的一部分。在一点上，不能积聚的，也不只劳力而已，此外尚有其他物体，与劳力有着同样的情形，例如，一个鲜蛋或莓实，从没有人会否认其商品的特征。一个资本家诚然可以自己做主，而不需要劳工，但须以不利用其资本为条件；如果他欲将本求利，非有工人不可，——只是资本家比较上好整以暇，不似工人的亟于谋生而已。

二百九十五、劳力的价格是二重的——时价与自然价格

劳力的价格是二重的，为时价与平均价格。时价由供求关系决定之，平均价格则为另一端的摆动所倾向之点，代表生活的方针，亦即满足的总和，其间就有着资本的积聚，此积聚的工作劳工阶级实熟习之，拒绝此种工作而于他们可无影响，他们从不曾存过这种念头。生活的方针与时俱进，包含着新的利益，工人认为不能获致者。时下工资，渐达于平均数，此因竞争关系，不能升至过高的缘故。它也不能降至最低工资之下，否则工人便无法维持其生活。若谓工人的增加必然地发生工资减低的结果，这也是不足置信的，因为工人的增加常与工业的猛进相呼应，于此就发生工人与工资同时增加的现象。而在另一方面，因了经济与社会的进步，道德节制的效能较为人所重视，这也是不能否认的；此道德节制，具有一种预防的效力，由于一种心智能力的作用，其发展与生殖力并不成为正比例。统计学上告诉我们，在比较前进的国家，财富较多，人口较众，物价也较高。在我们的今日，物价诚然已经增加，但工资也何尝不较过去为增高。著名的工资铁律，欲把工资减低到劳力生产的单纯代价，此固异于拉萨尔（Lassalle）及其后社会主义者所称的工资铁律。物价的准则与生产的准则相联系，工资的准则视劳力的需要而定，劳力的需要则

视资本的数量而定。资本的数量，有赖于出品的积聚与其需要，而生产的数量，则以中间的劳工生产力为其根源。生产有了增加，工资必上升而不低降。在今日工会组织的局面下，工资铁律不复能肆其威力，原来此种组织不但阻止工资的减低，甚且要求在目前的经济情况中，工人应给以最大可能的进益。

我们不应忘却，生产的增加，对于雇主与工人双方，均有莫大的利益。第一点应该明了的，就是高的工资，可以保持工人的体力，并觉醒其心智上的特长，其结果必使工作有所改进。第二点应该记住的，就是限制生产，对于工人大为有害，因为劳力的需要减少，工资亦必低降。而在另一方面，如果工作的生产力强，换言之，工作较为紧张而敏捷，生产必然增加，劳力的需要也就增高。同时，工作既较紧张，工作日就决不会短缩的，工资有了增加，工人生活必然有所改善，其结果定必继以生产上一般与显著的增加。工人的组织，大有助于工资的增加，而在生产趋向于增加的时候，最为有益。如果生产并不增加，工资的增加当然是不可能的，因为资本家的雇主必须保有其最低限度的利润，低于此他们是不愿意的。这时，工会便不能完成它们的任务，并对工人的利益大为有害。在这里，还有一点值得我们注意的，就是一件出品的需要常不与劳力的需要成为正比，例如某种出品早已完成，又如某种奢侈品的需要中止或减少，而另一种出品的需要发生或增加。在此最后的情形中，资本必舍此工业而就彼，于此我们不能推断而谓工作增加与否。

二百九十六、劳力含有财产的性质

就法律之点而论，工作常是一种财产。如果从它以为人的活动的可能性，从事于财富的生产这一点看来，它是一种原始的财产，因为一个人是他自身及他的能力与关系的主人翁。它是人的行为中一个获得的财产，因为制就某物，其性质异于其他可出卖的物品。工作在人与其所有物不可侵犯的原则中，亦自有其地位，工作契约应受尊重，正与有关财产使用的其他契约同。因为如果它以善意订立，且亦无背于契约自由，便是有效的契约。经济上的供求律，在理论上显示着，它决定劳力的时价，并使与平均价相接近；于是乃有交易的充分知识与自由，也就是公平的原则。公平的意义，就是比率、平等与均分——此一概念，可得之于经济定律的理想中。一言以蔽之，需要显示着物的效用。出售代表取得的权力，二者合一之点，就是它们天秤上的中心，它们的平等与均分。

在劳力方面，我们也可看到这个合一之点。在劳力大量供给的场合，不能有一个仅堪温饱的生活，也不能有这班工人最大急需的满足，但生活的一切需要，不断在增加中。关于此点，丢哥（Turgot）甚至李嘉图，曾给予我们一个很明白的观念。劳力在每一种有报酬的制度中，常是一种财产，即在以抽签的最简单的方法分配产物的渔猎时代亦然。其后工资制度出现，这才是工人与资本家间的真正交易，前者希望安全与直接给付，后者则但求其时间的自由。工资制度有着两个缺点。它是立基于时间制度上，不依劳力的量与质而为给付。因此它离间了工人与投资者。工作，以成就的数量为准，此在一致动作与可分产物的情形是可能的，如此足以刺激工人的活动，而有益于事业。这是最完善的计划，但只在工作与固定资本比较下占着极重要地位的工业中，实施时始不见多大困难。法律应先认识了一切的情形，然后才能扶助并奖励最适宜的有报酬的制度。

二百九十七、工会组织乃以劳力的财产权为基础

工作含有财产性质的概念，既如上述，我们便很合于逻辑的再来讨论工人结合的权利。他们以和平的方法互相结合，无损于他人的自由，并协力合作以提高他们的工资。工人的罢工与同

盟，形成一种劳力的一致行动，因为工人信赖于普通的结社权，此时一致退出供给市场，停止劳力的出卖，以静待提高工资的时机到来。在这种情形，工人的所为，正与每个商人所为以最高价格出售其商品于需用的人的行为同。国际职工协会承认罢工违反经济原则，增加劳资双方的仇视，但也相信在现存社会组织之下，这实在是便宜的方法，以救济工人的报偿，庶免资本暴政的凌虐，并以刺戟贫苦阶级改革法律与社会制度。我们必须记住，"国际"曾有一个自新的计划，可藉著名的社会清算方法以完成之，如果不灌输无产阶级以嫌恶社会之念，这计划便无法实现；计划的完成，有赖于骚扰、苦痛与穷困的发生，这就是罢工的必然的惟一的结果。在这点上，同盟，不问是工会也好，"同业公会"也好，其所以异于"国际"之处，因为工会通常并无哲学或经济的革新计划。它们虽向资本斗争，但初不欲破坏它，并取代人为的结合，仅欲有以改善工人的生活。工会所采取的方法，并不违反法律，只是互助与同盟，先是自卫，其次乃取攻势。

二百九十八、工会史

罢工是工会的效果之一。在上古希腊与罗马时代，除了商务上的专断外，工会是找不到的，因为其时一切劳役均由奴隶任之，在艺术与工业中工资是无分的。及至中古时期，劳役开始解放，于是工业联盟有存在的可能性，罗马法施诸商务专断的刑罚，于此联盟亦适用之，使工业成为国家事业的一部分，并使物价与工资的决定不操于个人之手。其后又一新时代开始，学徒制的废止继以劳力的解放，使不复为政府所有物，而自成一自然权利。因了劳力的解放，工会组织乃为法律所承认，而自此不复被视为犯罪行为。但法国革命却戒惧于每种结社，因为它深怕"基尔特"与其他独占组织的重见。因此它并不视工人同盟为一种权利。从那时起，工人的罪名，非以公力的僭窃，而以工会或同盟组织为根据。但经过相当时期后，此种恐惧心理终于全部消失，而变为信任的态度，因为国家一方终于明了时代的进步已使"基尔特"制度的重建为不可能，一方更把结社的精神加以转变，使产生巨大的裨益。在今日差不多任何文明国家中，此一概念，已使我们目前讨论的工人行动，从犯罪境界中解放出来。

二百九十九、工会组织是合法的

一个工会，并非不合法的，因为人的暂时结社的行动，本身就不是一个犯罪行为；利用这种工具以提高工资率的权利，也不能是违法的。欲持反对之说，我们势须证明每个同盟组织，不问其寿命如何短暂，是违反法律的，并证明劳力并不含有财产性质，这样不啻全部否认了现代文化的进步。但反对工会自由的人会这样说，这一种犯罪的真正基础，并非在于各别观察下的它的要素，而是这些要素的总和及其结果。这种结果，大致是道德上的要挟、供求律的扰乱及社会秩序的失常。很可奇异的就是蒲鲁东（Proudhon）也抱着这样的见解，他确认工会是以暴力危害社会自由与破坏国家经济保障的一种结社。但上述的所谓要挟，意欲限制他人权利者，其实并不存在，因为工会准许工人的行动，并无因此而禁止顾主自由行动之处。工人同盟之旁，留有雇主同盟的隙地，这样自由也算得是圆满的了。于此场合，我们可以见到权利的真正平等。

还有一点的反对，谓自由同盟足以扰乱供求市场的正常变动，往后我们可以看到，这也是不对的，工人的同盟，常施影响力于人口或资本，以达其提高工资的目的。在施影响力于人口的场合，它们便得致力于限制劳力的供给，但这个计划，非以威吓、暴行或欺诈，是不能实现的，在这点上自须受法律严厉的取缔。工会与"国际会议"常予我们以这种暴行的例子。在施影响力于投资的场合，它们决不致破坏物价的定律，一方资本仍得增加而不中止或妨阻工业的发展，一方物价也得接近于分配上的公允。但工人的生活状况，常足以影响流动资本，由他物价格增加的结果使工资亦有所增加。于此情形，工资的增加，由消费者负担之，经济的定律并不受到破坏，因为物价低廉的希望，乃来自生产力耗费的减少，而非来自工资的受到限制。不但如此，物价的决定，尚有着其他的原因，此种原因常与供求原则无关，工人同盟自无法控制之，习惯即其一例。我们必须注意的，就是工人同盟如果不能达其目的，供求律便无所变动，并反抗其不合理的主张，正如得尔·归提司（Del Guidice）于其《工业同盟》中所云。

三百、工会组织不能以其有非法行动的倾向而加以取缔

讲到扰乱秩序的问题，罢工之举，对于社会全体常发生最不幸的结果，尤其是在大规模与长时期的罢工中，关于这点，我们不欲加以否认。只要看到英国曾发生过的几次罢工情形，特别是其中的一次，结果引起雇主的同盟休业，就会使我们深切痛恨于罢工之举。但纵然承认了因罢工而发生的损害，我们仍须考虑着，一个工会是否仅因其有引致损害的可能，而遂得宣布其为非法的组织。在我们看来，这问题是很容易答复的，因为刑罚显然须以违反法律的行为为其根据，而如上所述，工人同盟的本身，初未有何违法性的存在。罢工如果不以暴行出之，我们也不能径斥之为危害治安之举，而应保留此罪名（刑法学者告诉我们如此），应用于实施威吓与暴行的场合。如果罢工之举，继以胁迫行为，致有加暴行于不愿罢工者或雇主情事，则刑法即有其适用。工人如有欺诈情事，亦应予以惩罚。但在我们之意，干涉与妨碍行为，如果并无真正暴行的性质，而仅据为间接势力者，应不予以惩罚。但在我们之意，干涉与妨碍行为，如果并无真正暴行的性质，而仅据为间接势力者，应不予处罚，因为此种事实既无从正确断定，且果绳之以法，则同盟自由的效果等诸泡影。雇主与雇员间一旦发生纠纷，雇员因为人数众多，当然不虑受到雇主的暴行；雇主则常不免受到劳方的要挟，因之常会发生一种胁迫行为，此时国家便应临之以法，以阻遏之。此外，法律对于一个雇主与其工人间议定的任何刑罚条款，应否认其合法的效力，以保证工会契约的遵守，因为任何人如认一个结社与其自身利益相违反时，有权脱离之。

三百零一、工业法理学

结社自由，与工业法理学有着密切的关连。雇主与工人间的争议，为什么不由工业专门法官而由普通法院解决之，这是没有理由的，因为普通法院常不免为迟缓的诉讼程序及严格审理的习惯所拘束。此种争议，常由于一时的误会或激怒而起，因此，只须有一个委员会从中调停，即可和平解决。此委员会可以组织一个特殊管辖的法院，可以行使一个简略的行政裁判于双方同意提交的案件，而不影响于普通法院的管辖权，或者更可以自居于忠告地位，而保留起诉权于普通法院。

三百零二、工业裁判权的划区

委员由工人与雇主推选之，惟须以无利害关系的第三者为主席，此第三者最好由政府选任之。还有一个妥善的方法，就是工人的代表由雇主推选之，雇主的代表则由工人推选之，使此劳资两阶级间树立一个较密切的关系。但争议的性质，应予辨别，因为它有时涉及劳资间所订契约的履行问题，有时则涉及含有经济的而非法律的性质的目的与条件。仲裁与调解方法的适用，前者的场合较宜于后者。一个裁判，常失之偏颇与苛刻，因为它原仅具备对于特种事件的管辖权，今乃课以一般的条件，而此一般条件则需要对环境充分的认识。工作与资本自由的原则，根本为这种裁判所否认着，这种裁判，相等于物价、工资与利益的法律上决定，有着同样的缺陷。工业仲裁，如果能为工人大团体所赞同，而为制定法所认可，日后必可有重大的发展。在此情形，委员会有着巨大的权限，因为它调停此含有经济性质的争议的任务，实为一般信任的效果。法国的工业审理会，与英国的衡平法院，二者的任务实有着重大的区别，前者调停并阐明特殊的争议，后者则调停并阐明一般的争议。

三百零三、利润犹如租金

利润为资本的报酬，犹之工资为机械劳力的报酬然。利润是属于投资者所有的部分，他以自有的或贷得的资本，投于一个工业，而冒险经营之。这就是资本家雇主的租金。工资与利息，可由在先的合意决定之，利润则不然。工人与债主不能被迫以其工资与利息提供赔偿损害之用。而在雇主，则遇事业失败时，决不能主张其资本报酬的权利，以背弃其与第三者所订立的契约。利润也是一种财产，因为这是创立与经营事业者的工作的代价。它补偿他储蓄上的损失，且为他冒险的报酬。在这里，我们可以找到人运用活动物的效果，所有权也就因而创设起来。利润是流动的或平均的。前者由资本家雇主的供求律决定之，后者则为以金钱投资经营工业者勤劳与冒险的适当报酬。利息与利润，乃取决于社会效用的原则。累氏认利息是一件公平的事，因为资本对于社会是有用的，资本所有者投之于生产事业，即为社会服务，服务的价值可以其社会的效用为准。资本家对于生产事业的服务，其为社会所必需，与工人的服务同，利息制度的理由，其所依据与工资制度所依据者同。工人不能无材料与工具而仅藉劳力以生产，正犹资本家不能无劳力而生产。资本家需要一个报酬，以鼓励他们的积蓄精神，正犹工人需要它，俾有工作的决意。雇主运用一个社会的职能，因为他联合并支配生产的要素，以满足消费者的需要。他供献工作的方法，创设国际的关系，并预见足以阻碍生产的一切情事，而及时预防之。他对于社会的服务，是无价可估的。国家居于他的地位，试问能够成就些什么？在国营事业中，企业心与多方经济的兴味，是缺乏的。资本家冒险与经济的才干，实胜于公家官吏。事业如由公营，社会主义者所欲打倒的寄生虫与居间者，其人数必将视今倍蓰。不但如此，生产必将减少而迟缓，积蓄精神亦将大为衰退，因为人决不愿为他人的利益而牺牲其自己的。

三百零四、社会主义者与私有

现代社会主义者，攻击资本私有制度不遗余力，并认资本的利润为有罪而不公允。在他们中间，马克思的思想尤为人所注意，因为他对于资本，曾有过一番顶有力而有条理的批评。拉萨尔（Lassalle）的经济原则，异于马克思，他只就德国的情形讨论本问题，马克思则就一个较高的亦即国际的观点研究之。马克思、拉萨尔二人的思想，较之法国社会主义者如蒲鲁东、勃朗（Blane）之辈，大相迥异，他们并不自陷于少下科学发现的功夫的空幻理想主义的肤浅而抽象的理论。德意志社会主义，有着论理学上的特色，以事实与理论的最晚近分析为其基础，以博学与现代科学上的一切方法为其武器。

马克思隶属于黑格尔派的左翼，并信奉费尔巴哈（Feuerbach）[1] 的学说，费尔巴哈把绝对的理想主义变形为人生主义，排除一切超出普通思想及经验以外的原则，及人的本质上空想的投影。费尔巴哈的人生主义，是唯物论的，因为一切事物之原的人，其本质除躯体外，便一无所有。主义固然是似神之物，但必须依从人的命运，容许他有绝对的自由，因为它们是他的创造

---

[1]　原书译为"福儿巴黑"，即 L. A. Feuerbach（1804 – 1872）。——勘
　　校者注

物。在思想领域中神学溶解为人类学，与在政治场合中君主政体变形为民主政体，合而为一。国家必须赋以人性，它是每个人幸福的工具。人之上并无一物，既没有超人的物，也没有升至圣列的人，更没有一个有所多于人或少于人的人格。人生主义绝不能适合于集合主义，因为只有社会人是真正的人的本质，个人必须低首于社会人之前，止如累（Rae）氏所云。马克思认人生主义为政治与工业改组的开端，当一般的无产阶级变为一个难于抵抗的势力的时候，此改组工作即为完成。拉萨尔亦隶属于黑格尔派，并与马克思同，有意于承认自然历史进化的定律，法兰西乌托邦主义者对之是丝毫不加注意。

三百零五、社会主义的旧理论

我们现在所讨论的马克思学说，与集合主义及相互依赖主义，有着密切的关连。集合主义者与相依论者，谓在常被视为物质世界最后的认识阶段的社会中，经济问题的发展，曾经常为，并且继续为哲学、宗教、社会学与政治学上一切制度的确定基础，正犹在自然界中，无机物体（机械的、物理的或化学的）为有机物体（植物、动物或脑的）的基础然。在他们的见解，今日的社会可分为两个阶级：一个是压迫者的阶级，他们过着西巴科斯（Sybarites）人的生活，有权利而无义务；另一个是被压迫者亦即可怜的无产者所构成的阶级，他们命中注定了应该长期操作而无报酬，亦无依法取得报酬的希望，只受种种束缚的包围，美其名曰义务。一世纪以前的革命，已使武士的权力为黄金的权力所取代，旧的封建的贵族政治为新的但并不稍见公平的中等阶级的压迫势力所取代。我们必须推翻资本的暴政，并保证劳力的胜利，但欲达此目的，非使农工团体一致团结起来，以与现存奴隶制度搏击不可，而此奴隶制度的壁垒即为婚姻与法律。此农工大团结将宣布无政府制度，并把社会依着两个新的基础而加以改造——一个是工作工具的集体所有，一个是职能的绝对而一般的均等。耕地、森林、石坑、矿山、运河、船只、铁道、电报、工厂与工场，应受集体管理，因为它们都是经济活动的工具。职能的均等应与产物的交易同时存在，而产物的交易则受生产所必需的原料的成本与价值的支配，因为服务既属均等，当然应该是无代价的。生产者间的利润，并无差异，而以互赖互助为原则。但欲完成此社会清算的事功，便须有许多的结合，及严重而大规模的罢工，以致力于国家特征的废止，这样势必引起工人的大团结。而在另一方面，欲促进个人间的平等，则不分性别的完善而普及的强迫义务教育，亦属必需。这是社会主义者在一两年以前计划。

三百零六、社会主义者今日的理论

谢富勒（Schäffle）于其近年著就的《社会主义的要点》中，告诉我们学派与学派间及党派与党派间次要的区别。谁都知道，社会主义的内部意见极不一致，其情景与任何其他制度正复相似。整个社会主义运动的目的，乃为实际社会经济的根本改造。它的惟一观念，就是一切生产工具的由私有变为公有；此所谓生产工具，即农地、森林、工厂与工场。其他的主要目的，则为劳力的社会化编制以取代原来的资本主义集团，集合组织体的创设与生产的社会监督，以社会工作原料的共有为基础的劳力的公家区划，以及劳动者间依其各自活动的数量与价值而为各种出产物的重行分配。依此理想之说，生产者将为工人而非资本家，因为其时资本已为集体所有，生产者利用为社会所有的工具而工作，无雇主与雇员之分，而仅有一班职业工人，对于为他们发薪员的社会负着同等的义务。其结果，盈余之类的私人进益不复存在，而代以由于工作结果并以其质量为标准的报酬。凡为社会服务而有最大效用者，如法官之辈，以及受雇于公家者，教授、艺术家与思想家，视其工作的功用而享受国家生产的一部分。凡为一种生产事业所必需的工具，应由一管理委员会决定之。社会工业，应由公共组织体的决意支配之。生产物的偶然减少与过剩，应需要一个生产力的保留或社会货栈的储藏。

三百零七、卡尔·马克思（Karl Marx）

马克思于其《资本论》[1]一书中，以最抽象经济学者的经济原则为出发点。加利阿尼谓工作为使任何事物产生价值的惟一原因，价值视工作的费用而定，而一件出产物的价值乃相等于工人在生产时期中所耗费的食料。贝卡利亚亦谓价值乃以工作为标准。其后亚当·斯密与李嘉图二人，均认工作为价值的惟一渊源与标准。洛克以及差不多全体的经济学者，均以劳力为财产的起源。巴斯提阿谓服务可与服务相交换。马克思就先假定正统经济学派的这些概念为绝对正确，随后以最伟大的推理法观察其结果。他的体系据为基础的根本要件乃是：在每一次出卖中，有着一个效用与交易的价值。效用的价值，就是出产物注定以满足的需要；交易的价值，相等于出产物的交换，也相等于它们的取得能力。在古代社会中，盛行效用的价值，而在进步到以劳力分野为基础的社会中，则交易的价值占着优势。劳力创设了交易的价值，但此交易的价值中，仍含有一些效用的价值。劳力亦即人力的使用，相伴着神经、筋肉与脑的耗费，它是一切价值中所共通的，并且是交易价值的标准。劳力，也就是价值的创造者，为社会所必需，而社会亦须有以补偿之。

马克思就凭着这种观念，以实行亚当·斯密与李嘉图的理论。如果汽力纺织机，在同一的时间内，完成三十倍于一个职工的丝织物，则此织工势必工作一个月，以完成此仅值一日工作的

---

〔1〕　原书译为"《资本》"。——勘校者注

价值的出品。工作的估量是很容易的一件事，只须以其久暂为标准，因此，在两种行业中，如果工作的时间相等，其报酬亦应相等。但此交易的价值，理应归属于谁呢？生产与出卖的人，需要报偿。他主张因了他的勤勉，已创造了一个真正的价值的多余。此价值的真正多余，乃是工作的效果，因为工作实具有创造一个大于物体单独赋有的交易价值的功用。资本并不创造价值；工厂把它破坏的价值重行产生；机器亦不生产价值，只藉工作之力，把它自己的价值移转于它所制造的物体。如果工作并不能产生一个价值的真正多余，那就没有人愿意去工作了。但在独立工人常为一个新价值的渊源者，对于工资工人，却并未予以同样的报酬。他对于自己劳力的所有权，已被偷窃以去。资本家从雇员身上取得价值，而以生产的简单开支补偿之，此种补偿，当然少于工作的效用。工人的有用的劳力，仅以其紧张的程度及其功用决定之，并相等于工人及其家属生活所需的食料的费用，资本家给以一些代价后，即享有全部剩余的价值。他从工人十二小时的工作中，享到六小时的利益，因为他们原只须工作六小时以博取足以赡家的工资。工人出卖他们的精力，以产生六小时的继续工作，此六小时的工作就有着一元的价值，但为取得此一元的代价，他们却须工作十二小时。这其间，就隐藏着资本异常增加的秘密，伴以不公允的事实与暴政。社会除非废止了私有制度，并创设一个以工作分野为基础的集合主义，对于此种不公允与暴政的现象，是无法避免的。

三百零八、共产主义是极端各别的阶级的一个生存标准

共产主义与社会主义的起因，常为极富极贫现象的同时存在，庞大中产阶级的衰败，劳资间优劣形势的悬殊使致富之术与个人劳绩适成逆比，正义观念因长期革命而受影响，以及低级民众因民主政治的觉醒而有所主张。罗射（Roscher）于其《财政

学通论》中，谓共产主义与社会主义，所以会盛行于希腊衰微时期，罗马共和国腐败时期甚至今日，都由于上述诸种情形所致。因此，我们必须过细研究目前乌托邦派理想计划的特殊性质，并慎重考虑学者曾以不实不尽的方法研究所得对于权利的知识，及宣传力的强大。而在另一方面，我们还须记住，应予废止的专制的"基尔特"，并不会把工人的利益与雇主的利益分开，而为今日无数罪恶及商业发展迟缓的原因。其时劳动占势，待遇的厚薄以技术的优劣为标准，甚于机缘，这是因为劳动者由学徒升至师傅的缘故。自公司制度因人类的利益而获得顺利发展的基础后，便有大量生产的事实，两个各别的阶级亦因以出现，一个供给生产的工具亦即资本，另一个阶级则其必需生活的权利有时亦被剥夺以去，并深切感到贫乏的痛苦。像这样利益享用的悬殊，其不免引起此两大阶级间的猜忌，而终至发生多少含有激烈性质的反响，自属当然之事。这一种反响，就是现代社会主义的起源，其错误思想之可归因于人类生活需要不能厌足，与其他一切相类似的错误思想同。

三百零九、现代集产主义认经济学为文化的基础

现代集产主义者所鼓吹的原则，是不可信的，因为他们误把发展的简单条件的概念，与一个明确基础或诱因的较复杂概念，混为一谈。我们且来引证利特累等人的话，就是经济上的安全，固然是科学、宗教与政治上进步的必要条件，却并不是如下的历史上进步的动机：从无言时期到神话时期，从英雄时期到处处为自己打算的时期。胃纳当然是人体中不可缺少的器官，也是心与精神感觉的先决要件，但它绝不是天才奔放或豪侠事迹的原因。精神为国民与国家经济的原动力，此可以知识、信仰及政治主义对于劳动的影响证之。科学致力于渐次以自然的力量替代人的劳动，因此每天有着重要方法的发明，这是心对于物的许多次胜

利。基督教信念，启示着个人人格的原则，而此原则则与社会概念显然为经济学的基础。在一班集产主义者与社会主义者的心目中，吸收每个活动并否认每个人格的佛教，无疑地应该列于基督教之前，这虽不能说是他们全体的意见，但已可代表大多数人的立场（因为他们中间有几位是基督教徒）。著名的巴苦宁（Bakunim）因伦敦中央委员会的授意，于其致马西尼（Massini）的信函中，于接受无神论与唯物论的责难后，不是说过，我们只是些可怜的个人，仿佛是阵阵的波涛，在集合生活的大洋中涌起后，一刹那间即消失不见？最后我们还须注意的一点，就是政治的自由，立基于一个人民的风俗，而扩大其范围，它恒能助成经济的自由，但此一发展与彼一发展常非于同一时期内存在，此于晚近美、法两国法律所予吾人的经验可以证之。我们应该记住，美国是民主政体的国家，在对外贸易上却曾采取保护政策；至于法兰西第二帝国，其商业虽采自由政策，但其政府却全然是一个贵族政治的典型。

三百一十、资本与劳力并非根本不相容

劳力向资本作殊死战，是不很合理的，因为资本与劳力原本是二而一的东西。这是很明显的，资本有了增加，劳力也就可以增加起来，反之如资本一旦减少，劳力也定必遇着厄运。财富分配的现制度，使雇主日见富有，工人则继续呻吟于贫困之中，这一个严重的祸害，可藉资本与财产散布的方法以消弭之。此法实行后，工人训练而为资本的握有者，贫困问题便可得到很圆满的解决。合作制度即在以种种方法求达上项目的，惜其范围尚不甚广；集产主义者，攻讦此种制度，称之为小暴政与虚伪同情的根源，且较现行资本主义为更恶劣。他们认合作制度乃在创立一个新的阶级，一足立于中等阶级的地位，另一足则立于无产阶级的地位。合作制度，目前在工业中，还不曾得到一个良好的试验。

共同参与的制度，一定可有着极大的利益，可惜它眼前还在幼稚时期。生财的捷径是有的，但此外尚须有赖于增加劳工阶级工业投资机会的情事，例如某种的便利、信用方法、储蓄及宜于他们生活的保险制度。工会或互助社的组织，抱着纠正"工人如不欲冻饿，恒不得不俯就雇主的条件"的向来的错误观念的目的，此种有分寸而有效力的团结，如能扩大其范围，其利益是不容否认的。

累（Rae）氏指示我们，储蓄、工会的征费所得，以及耗费于饮酒与贫乏的家庭经济中的金钱，从这些数额中，可以看出握有生活资料，遇有可以利用其积储以谋生产事业之利的机会，即致力于解放自己的计划，此种工人，委实不在少数。此外尚有贤明的社会立法，以改革的尝试，致力于低层民众的改善与解放。这些改革计划，其内容为减低生活费用，注意于生产力的增加，工人体力的保存，并培养他们对于此种事态预防的知识。这些改革计划，常基于一种原则，就是国家的任务，乃在于不致掩蔽个人的创始力而代以国家的创始力的条件下，成熟扶助并保存个人的不健全的活动。它常以保障弱者的自由为其责任。至于劳动的危机与变迁，则可藉一个良好的保险制度预防之，此保险制度亦为社会立法中的一个主题。

三百一十一、现制度的不良并不如传说之甚

社会主义者言过其实的指斥现存工业制度的罪恶，谓其不断引起重大的危机，由于商业关系中技术的急剧变形与操切的转变，致劳动人口有着恒久的过剩。但经验告诉我们，因机器的使用而添雇的人，实较因而无事可为的人为多，而且劳力的需要乃随生产的增加而同时增加着。今日商业与经济上的危机，视前诚较频繁，而从另一方面看来，尤其是在采行自由贸易政策的国家，此种危机的严重性与猛烈性，较之前一世纪中，已见逊色；

轻率与纯粹的投机事业的危险，常可以良好的统计设备缓和之，此种设备固为社会主义者合理而及时要求之者。私有范围的扩大及个人自由的发达，乃近世进步中两大因素。社会主义的信徒中，对于私有制度未曾增加并加速生产的见解，也无人能有以证明之。至谓国家的管理视私人的经营可较引起兴趣与鼓励，以及工人于其地位及其未来运命获有保障后其责任的减轻可以产生较良好的结果，此种见解亦不能严格加以维持。拉萨尔谓社会主义如果不能增加生产，在经济上便无以自圆其说（这话当然是不错的），而我们很有理由相信，社会主义的本质就是，它应能产生拉萨尔与一班经济学者所要求的结果，他们异口同声地认宁取的制度须具备一个要件，即于此制度之下，动产、不动产以及一般的财富能完成最大量的生产，并养活最多数的人。此种制度，恒为一个私有制度，它蕴蓄着最有力的诱因，并供给最大的生产力量。其次，社会主义也不能显示其适宜于现代进步的另一因素，即个人自由的原则，不但如此，它所表现于吾人之前的，适为其相反的结果，此系社会主义的工业政策变为活跃，而发展公共管理的权力必然的后果，此际指导与组织集合劳动的全部职责，唯此公共管理的权力是赖。

谢富勒是一位社会主义者，谓社会主义的成败，胥视生产组织与个人主义原则间合意的可能性而定。此项合意如果不能成立，社会主义即将归于失败。他说，除非承认每个个人为其自己的私人利益积极参加劳动与在现制度中同，遇有过失与疏忽应受刑罚并依其工作成绩分别等次，并利用私人的利益而非出于强迫以指挥巨数的劳动力增加生产，只在这几个条件之下，社会主义才能制胜。谢富勒又云，他深信社会主义可与自由相调和，但自认眼前它并不能显示产生此种合意的必要保证。事实上在我们看来，社会主义的本质如果一如谢富勒所云，它就永远不能供给这种保证。社会主义，如果主张以集体所有取代私有，生产的编制，公的劳动分野，及一切集合产物的分配于劳动者，试问它如何能与个人自由的原则相调和？社会主义，以其酷爱平等，当然舍弃了为差异与不平等来源的自由。一言以蔽之，社会主义，如果谢富勒界说得不错的话，它便根本不能与个人人格的原则相调和。如果它的内容不止如此，那末且让我们听听这是怎样的一件东西，而且包括了些什么，然后我们可以知道它如何能与此原则相一致。

三百一十二、社会主义与前进

社会主义者与集合主义者，很凭借着一个模糊而不明确的前进观念，以为他们立论的依据，那就是运动。伽利略认运动不能无实体、无主体的承受，所以，运动常由运动主体的性质决定之。有了这一个教训，我们就可明白，前进除非就其受支配于前进物体的事实观察之，其意义是不能明了的，人的历史上运动，如果不兼注意于人的足以影响其行为的较大情绪与理性冲动力，其性质也是不能领悟的。亚里士多德谓引起人欲望的原因有二，——所有的意思与爱好的感觉，——又谓如果没有财产，生活与良好的生活均不可能。现代集合主义者的所谓前进，就属于这一类，因为它认宗教、爱国心及个人主义原则，为残忍的利己主义的观念，而远离之。上帝只因受人崇拜，宗教只因受官场的全体，官吏、贵族与一切特权阶级，受债权所有者与商人、大小政客，受一切公务员、警察与清道夫，受教士、牧师与异教徒的祈祷，而便加以否认，此无异（玛志尼 Mazzini 于其致意大利国人反对"国际"的信函中曾这样说过）因空气有足以致死的病菌充满于中而遂加以排斥。我们不能因为有许多对于上帝的崇拜行为出于虚伪，而遂抹杀了一切真诚的信念。所以，以一般自治替代国家制度的念头，使人回想起从共产状态进步到国家制度的人民的幼稚生活。一切改革计划所从事的，以及社会主义倾全力以求实现的，乃是一种博爱精神，但若舍弃了爱国心，则我们欲在各种社会结合中，觅取此种精神，便非易事。理论的与实际的心，除非先经历着种种较小的普通概念，便无从接近较大的普通概念。社会主义，于置其自身于较广大的普通概念的境界并克服国家的局面后，却遇着一个事实，就是一个民众是埋藏丰富的土地的所有主，另一个民众却栖居于荒地之上。土地不是人类的共同遗产吗？一个民众与另一个民众间的占有，和人与人间的占有不是一样的不公平吗？国家的取得行为，与私人的取得行为，不是一样的有着强暴与欺诈的情事吗？

三百一十三、社会不是一个自然组织体

论理组织体的概念，本身是具体的，因为它包括此社会人或统一体，此统一体须视为一个有意识的主体。这一个概念，诞生于某个成熟时期，并代表两个互相仇视已久的敌对要素间的调和，这两个要素，一个是政治的，另一个则是个人的。其始，国家占着优势，个人显着毫无价值。随后个人占着优势，国家降为惯例的东西，仅成为一个保护个人的简单工具。如今集产主义者与相依论者，却采取一个后退的步调，带回了旧时的吸收一切的社会的观念，这是一个自然组织体的幻影，于此组织体中，部分只是一个单纯的手段，并无个性可言。此旧观念，为现代社会主义者所提倡，而披以工业性富于政治性的外衣，在他们的心目中，为劳动的自然分配者。我们只要记住，依此制度的信徒之意，经济为科学、宗教与政治发展的决定基础，则上述革新的观念是不难领悟的。在这一种制度中，个人的自由，认为一个抽象而概括的东西，并没有自然的差别，且与它所涉及的事物完全分离。但像这样概括化而孤立的自由，是没法维持的，也不能不影响于有名的事实上平等（在道德领域内如果如此，那末在经济

领域内也当然如此），有背情理的劳动工具集体所有，及同样荒谬的能力绝对并一般相等的理论上推断。

三百一十四、马克思学说的批评

马克思的主要错误，乃从加利阿尼、亚当·斯密及李嘉图的理论发生——就是，价值仅有赖于工作。效用同样是一个因素。在冬天，为欲维持一个特定的温度，我们便不得不消耗较夏天更多的煤，如果在这两季中劳动的数量是一样的话，那末煤的金钱价值在冬天必然较高。拉夫雷（Laveleye）于其《当代的社会主义》中说过，一日行猎的结果，费了同样的辛苦，捕获牝鹿与狐狸各一，但前者可以供给五天的食料，后者则仅足供一日之需，因此牝鹿有着较大的效用，其价值自较狐狸为大。效用为价值中不能否认的要素，此可于马克思关于社会必需的工作的理论中见之。例如，汽力织机一天工作所得的丝织物，手工织工须费一个月的功夫以完成之。购者对于操作一个月的工人，仅将给以与汽力织机所有者一日出产物相同的价格，因为他给付的多寡，非以该工人一月中所耗精力为标准，而以他所供献服务的数量为标准，换言之，他的给付，乃与所产生的效用为比例。

加利阿尼（Galiani）看到价值的这两个因素，而称之为珍物与效用，珍物即吾人今日所谓取得的权力。他夸言两者的功效，认价值的升降，胥以此珍物与效用为标准。但出产物的价格（就是金钱上的价值），并不常因需要（相当于效用）的增加，而步步上升，也并不常因供给（相当于珍物）的增加，而步步下跌，因为价格乃受出产物的花色、意见、评价、欲望与忧虑等多方面的影响。马克思并不遵奉加利阿尼此说，但在平均价值的研究中接受了它的概念，而把交易价值的标准易以劳力，因此便犯了一个错误。出产物不但需要耗费于其上的劳力，且亦需要一个人的行动，他对于听其处分的财富，或仅避免不生产的使用，或宁舍立时发生的效果而着眼于较远的后果。我们已经知道，加利阿尼、亚当·斯密斯、李嘉图及马克思的理论，并不能适用于有许多重要的经济现象。工资的一般上升，乃是出产物价值的效果，于此生产事业中诚然雇用着大量的劳力。于此场合，价值的增加，并无生产所需劳力数量的任何增加为其前因。马克思的主张如果不错的话，则需要较长时间较繁杂工作的生产物，必有着较大的价值。但实际并不如此。事实上且常得相反的结果。一个司阍者的进款，少于一个教员，但他的职务远较辛苦，其工作时间亦较冗长。一个政府阁员的进款，当然厚于一个教员，但他须有较多的时间，以从事准备与训练。使报酬发生差异的，不是工作时间的长短，也不是耗费于准备工作的时间的长短，而是服务的社会效用的不同。

如果承认了马克思的主张，我们对于有着固定资本的某些工业的经营成绩，也无法说明其理由所在。这些工业，其获利理应少于其他几乎全以工资为资本的工业，因为价值的增加是和所耗劳力的数量成为正比例的。但经验告诉我们，事实上常不如此。原来一个资本家并不给工人以出产物的全部价值，因为他必须支付资本的利息、土地的租金，他也必须获得一些利润，以为其活动、牺牲及所冒危险的补偿。如果工人就是资本家，那末事情就会两样，争论与诉讼也就不会发生。但在工人的工作时间方面，过去常有一个主张，即未来亦将如此，以有利于供给生产必需物品的人，因为地租是出于自然的，利息也是不可缺少且非不合理的东西。封·西培尔（Von Sybel）说过，假定有一个制造者，在其他订约者支付一元工资的平常情形中，某天给付二元的工资，依马克思之意，此举是很正当的，因为此位制造者对于十二小时的工作，是应该支付这样代价的。但事实上，这位制造者所以愿把工资增加一倍，是因为他已看到自己的事业有着顺利的气象，而不欲失去他的熟练工人。在此假设的例中，如果顺利的可能性成为事实，则此制造者致富之由，便不是他的工人的工作，而是他自己的智慧与市面变化的结果。此时盈余的价值，差不多可说全是这种智慧与物价变动的结果。马克思把机械劳动认为过于重要，并视工具为原动力而给以寄生物的名号，这种见解是很不对的，一方他却又谓资本家指挥与运用生产力的结果，使生产成为可能。此外他还犯着另一个错误，因为他相信工资的功用仅以维持工人的生活，此点误解我们可留在下一节里加以讨论。

三百一十五、马克思的设想是不确实的

马克思的理论，乃以几个假想的例为其基础，前面说过，他的信徒已把这几个例认为事实而接受之，这几个假想颇可使人怀疑，因为它们与事实并不相符。第一个假定，认一天的工作包括十二小时，但依晚近政府的公报看来，工人的每天工作大概是十小时，其在有些工业中，仅以九小时甚至八小时为度。第二个假定，认一个工人由其六小时工作所得，已足以养赡其家室，此点与事实更相背驰。第三个假定，认工人被迫工作十二小时，而订约者仅给以六小时的报酬，如果不能生产多于必需的利益，即有被辞退的危险。我们只须陈述这些假定，即足以暴露其武断的弱点。

三百一十六、资本与劳力的财产权

从上述详尽的分析研究的结果，可知资本及利润的权利，与工作及其报酬的权利，同样是合法的。资本的权利，与结社及工业的自由，乃来自雇主团结并彼此合意的权利。制造者的结合，而不伴以欺诈、恐吓或暴行，便不是犯罪行为，此与工人同盟及罢工之为合法正同。在今日，除有工资问题的工人同盟外，尚有限制生产与提高物价的结社。这一种同盟组织，在德国称"kartell"，在法国称"cartel"或"syndicate"，在英国称"ring"或

"trust"，在美国称"pool"或"corner"。它们的种类各别，胥视其组织的宗旨而定，或为调节每个会员在特定时期内的生产数额，或为订定一个出产物的最低价格以资全体会员的信守或分配营业区域。这一切的计划，全是资本权利与结社自由的合法结果，且丝毫不以欺诈或暴行为其实行要件。如果生产者出于己愿，以限制其生产，并与其他生产者议定价格与营业区域，换言之，加入商业社会的同盟或联合，这是否不许可的？在这里，权利的行使，与工人藉以组织工会者同，而国家不欲一视同仁则已，否则对于资本家这个权利，便不能不承认其存在。于此场合，消费者固须受到损害，因为他对于出产物因此须支付较高的价钱，但他应该记住，此种企业组合，足以预防重要国家工业的崩坏，因此大有助于工人。工人就消费者的立场，固然受到相当的损失，但就其生产者的立场，他却是获利的。

第九章 商业产权

——著作权、发明权

三百一十七、商业产权的意义

商业产权，是商业的产物。以性质论它是一种居间者，因为它以贸易交换及运输的方法，使生产者与消费者互相接近。商业有国内的及国际的二种，以是否在一国境内完成，为其分别的标准。它的内容是物品的整批买卖或零星买卖，就这点论，它的作用是在分配。它又与运输及栈存有关，它以一地的产物送至另一地，以供消费，它在物品丰足的时候，收贮物品，以备缺乏的时候的需要，它包括一切可以转让的财物，不论哪一种财物，凡足为经营商业的资料的，无不包括在内。各种动产、现金、票据等，及无体财产如信用牌号等，均属于商业产权。不动产也可包括在内，只要它是营业的对象。任何财物，一经成为商业的标的，即具有一种新的价值，应归属于冒险投资的人，及加工于生产者的人。商业免去生产者与消费者直接交涉的劳费。它使他们节省不少的时间，它加速资本的周转，它办理运输，存贮货物，担负货物因各种事由而不能出卖的危险，并为生产者与消费者二方的媒介。由此可见，商业产权是正当的产权是可用其他各种产权所根据的同一原则来说明的。

三百一十八、营业自由

承认了私有产权及劳动自由，则承认营业自由或营业竞争，即为其当然的效果。所有人对于他的所有物，只要他享有完全的支配力，自得享有充分的权利，尽其所能而为最有利的交易。如果个人选择其业务，从事一种或多种业务，与其所愿意的人交接，概可以依照自己意思，并自己认为妥善而进行，则别人当然也得跟踪追迹与他竞争。罗马诺西说得很对，交易是私法及公法上一个不容否认的原则，它是私法上的原则，实无疑问的余地。它与私有产权有密切的关系，很显明地表示它是私有产权的当然效果。这一个真理，在罗马诺西之前，已为丢哥所发现并阐述。自由贸易是近代公法上的原则，因为它建立在国家间分工合作之上，以避免他们生产力的浪费。它是物产改良而价格减低的原因。它鼓励竞争，增进知识，它使人们的关系加多，使较远的利益安全，它是和平及友爱的表象。但我们不可以这些抽象的理论为限，我们还须作具体的研究。

极端主张自由贸易的学说，见诸讨论政治经济的著作，为新的著作家所不愿倾听，因为它所根据的两个观念，在主张者以为与事实完全符合，而实则不尽符合，而且它把仅属理论的倾向，看作实际的情事。这学说以二项前提为其出发点，———一是主张商品不分国家界域，一是假定工人为所有人。其实一国或数国的毁灭，有时固可造成整个世界的福利，但这些国家也有维护它们自己的安全的权利义务，尤其是那些国家，自己具备着有利于某种实业发达的各项条件，可排除外来的竞争。在另一方面，工人以其消费者的资格而论，固可因自由贸易而得益，但就其为工人而言，则自由贸易对于他们有极大的损害。他们会感到显著的损失，因为他们通常并不是所有人，他们从自由贸易所得的利益，远少于他们因自由贸易的采行而蒙受的损害。所以我们必须使这原则与国内工业的特殊状况调和，缓缓的进行。通商条约，较易废止，较优于一般的税则，统制可因此确立，这原则也可藉以逐渐采行，至于经营实业或国外贸易的自由，则可让诸领事的协定，以谋实现。这自由一经承认，我们即应废弃从前准许贸易公司享有专利的制度，已往限制营业的办法，及一切阻碍自由经商的制度，如地方税关、通行税卡及法定价格等等。

三百一十九、竞争的权利

个人的营业竞争，虽有损于同业者的利益，也不失为一种权利。任何人不能因行使其自己合理的或合法的权力，而损害他人，这是法律上一个不容否认的原则。故认许竞争这个权利的法律，不能酿成损害。这种损害他人的行为，发生赔偿的义务，因为它构成私权的侵害，有损于财产权的利益。这种侵权行为，法学者称之为不正当竞争。任何人得利用正当的方法，以招来顾客，这样的竞争是公正的，也是法律所承认的。如果他采取冒牌或伪造等方法，那就成为不正的竞争了。不正竞争的方法，种类不一。有些用小册子及说明书，公然贬仰他人的货物，有些冒用他人的商号或商标。这些都是商人用以诱骗顾客的方法。此外还有种种不正的竞争，例如与他人订立契约，负有不与他人竞争的义务，却把这种契约关系破坏；又如工人在工厂中服务，因而知悉营业上的秘密，却把这种秘密泄漏。这些不正竞争的方法，侵害他人的信誉，即侵害法兰西及比利时著作家所说的"顾客好感"的利益。这种利益，有很大的经济价值，是一种真正的商业财产，因为它是可以转让的，是生财的资源。商号商标，与"顾客好感"有关，它们代表制造业者及商人的价值，在商业及工业方面构成一种特殊的财产。

三百二十、商法的历史

如果我们把近代关于商业及商业产权的观念，与科奈提·

得·马提斯在《经济演进的古代方式》中所概述的古代的方式，比较一下，我们定会感觉惊奇。那些可信的探险者所述的故事，告诉我们，世界上有些野蛮民族，缺乏交易的观念，他们收受别人给予他们的东西，却不知以自己的东西报酬别人。未开化的人，犹如小孩，不论什么东西都要，凡是他们所喜欢的，他们都想攫取，因为他们是自私的，为强烈的冲动所支配。交易的制度必须经过长时期的发展之后，他们才能习惯，在这种制度开始的时候，野蛮人的自私及贪婪，变为恶意及奸诈。他们把外国商人看作敌人，这一个观念，使他们的恶意变本加厉，交易最初在静默中进行，以中立的地域为交易的地点，交易者双方不相见面，或不相交谈，在那些地点来往，而从事于商品的买卖，这样就确定了"相互的交易"。其后在这些中立的地域，渐有交易的设备，以习惯为交易准则的继续永久的市集，也在那些地域成立。酋长对于双方交易者，有绝对的权力。市集之后，有负贩及旅行货车，负贩及旅行货车之后，有经商的海军远征队及贸易企业，这些是腓尼基人所曾实行的。

希腊人及罗马人轻视劳作，把劳作交给奴隶，他们深信闲暇是参与政治的公民，所应有的生活状况。色诺芬（Xenophon）、柏拉图、亚里士多德及西塞罗等，甚至蔑弃工艺基于同一的理由，希腊人及罗马人憎恶商业，并设法使国家不受外国贸易的影响。这种倾向，我们可在古代的习俗中看出。事实上外国贸易，确能改变本地长老圣贤所定的规例，好像把社会根本破坏。那时，商法与民法不分。古代的民法，如罗马法，包括若干关于商事的规则，并规律商业产权。其后乃有民商综合的立法。到了中世纪，旧法规以新意义解释，同时又产生了许多新的商业方式。例如，有限责任的合伙及支票，在那时创立，汇票、合伙、契约及代理法等，也在那时扩大其范围，并确定其内容。这些关系，最初以习惯为准，其后才由成文法规定。它们是斯特雷沙、卡萨累基斯及安萨尔多等学派精深研究的事项。关于这些事项的法典，以法兰西一六七三年的总条例,[1]　及一六八一年的海军令,[2]　开其端绪。新的商事法典及新的特别法规，参照动产在各方面的发达，及不动产有限制的商业化，扩大并增强产权的保护，以商业组合及交贸的自由，为其根据。近代的立法，差不多完全脱离了贸易均衡制度、保护贸易、专利事业等所借重的偏见的支配。在商法方面，有一种很强的国际统一的倾向，为任何其他法律所不及，因为商业的利益，是混杂的、错综的，不容有国界的划分。

三百二十一、发明权

现在我们讨论著作人或发明人的权利，首先我们必须知道，在印刷术发明之前，著作人享有的经济利益，只是著作物所有人的利益，所以，如得尔·朱代斯在《百科全书》中所说，当时没有特殊法律保护的需要。原稿的复制，是件很难的事。书业的经营，也只有很小的范围。印刷术发明之后，复制成为易事，书业范围大增，于是产生了一种特殊的保护，这种保护自始即以重版复印的特权为其对象。在十八世纪中，一切特权争求承认，著作权是其中之一。因为罗马法或原有的成文法上，没有特殊适用于该项问题的规定，于是不能不仰助于一切财产权所共通的根据。著作人或发明人的权利，是属于文学艺术及工业财产的权利，狄德罗、斐希特、黑格尔及叔本华等哲学家的著作、法学家的著作，及法兰西的法律，都是这样主张的。我们必须承认，书籍、艺术作品，及工业技术的新发明，含有二个成分：一是普通

---

〔1〕　现一般译为"商事条例"。——勘校者注
〔2〕　现一般译为"海事条例"。——勘校者注

的，一是特殊的。前一成分是一般的思想，是属于一切人的真理；不论哪一个著作人或发明人，都是吸收自古以来积聚，而构成人类心智的集合遗产的思想的。后一成分，是著作人或发明人的研究及智力的活动，就一般的思想，作新的推敲，造成一种前所未有的结构。这种结构，表现于印刷、绢帛、云石、图案、音响、配合或制作方法中，并划定致力于该项结构的人所应有的权利范围。社会应该承认并保护这种新的劳力，确认著作人或发明人的权利，但他们的权利，不可妨碍人类全体的利益，因为社会愈进步，新的思想、新的发明也就愈因广为流传，而成为任何人都可利用的资料。

三百二十二、这种权利是经济的

有些人以为，法律不应用强制的方法，为著作人及发明人广开门路使他们得以自己的条件，而出卖他们的著作物及发明物。著作物或发明物，一经出卖，买受人即有完全的权利，出卖人无权加以任何限制。但我们细细一想，就会知道，这种理论不能有多大的力量，这种理论，事实上只能适用于一般的出品人，他们也许不幸而不能出卖他们的出品，但他们至少仍得保有他们的出品。在著作人及发明人则不然，著作物一经印行，发明物一经制造，他们就什么都丧失了。我们可以说，工业产物的价值，完全存在出品之上，故只须实施通常赋予于财产的保护，至于精神的产物，则作品只是思想的表象，价值很少，故仅就作品实施保护，还不足以尽保护的能事。在这种需要一种特殊的保护，社会必须确保著作人有重制及发行的专属权利，发明人有使用其发明物的专属权利。有些人以为一个人把一本书出卖之后，买受人即可为其自己的计算而把它翻印，这话是不对的，因为这样的行为，将侵犯著作人的权利，不费心力毫无代价，而把属于别人的一种特殊的利益，据为己有了。一个人买了一本书，可阅读、出借、搁置，可吸收一切可能的知识，如果愿意的话，也可把它焚毁，但此外不能取得什么权利。

三百二十三、发明权是财产权

严格说来，著作人或发明人的权利，不是财产所有权，因为财产所有权的性质是永续的、可以世袭的，而这些权利，并没有这样的性质。而且，社会也不能任听著作物及发明物永远留在继承人手中，这般继承人，也许无知无识、自私自利，常与那些改良原作的人争吵。在必要的享有专属权利的存续期间内，著作人或发明人所费的心力，已可得到充分的补偿，这期间一过，所谓智慧的产物，就应自由流传。把著作人或发明人的权利，看作所有权，一方面足以酿成紊乱，使发明人与改良或自以为改良发明物的人，时起争讼，他方面足以酿成人类全体的利益，为继承人的自私自利所抑压（如维科所说）。所有权是使人类福利的法则得以实现的，如果所有权酿成紊乱，违背公道，并阻碍智力的进步而使人类生命停滞这就显然不是合于理性的所有权了，可是，著作人或发明人的权利，也不可看作人身权，因为它毕竟是一种直接存于人与物间的关系，即直接存于著作人或发明人，与著作物或发明物间的关系。在著作人或发明人的权利中，人身的成分，是从属于经济的成分的，因为有这样的从属关系，所以这种权利，得以生前行为或遗嘱行为，而为转让。这从属关系，说明工业或文艺的作品，何以看作经济的利益，而不看作一种重要的产生荣誉的精神产物。

著作人或发明人的权利，包含他从智力的结晶中所能获得的利益，至于表现于声名的无形财产，则并不包括在内，关于真理法则或现象，有所阐明的人，可享荣誉，但这种荣誉，不是法律保护的对象，只在博学多识者的意见中有其存在。这种无形的财产，可为文艺、科学及技术上论究的事项，但除有抄袭等情事之外，决不成为诉讼的标的，它的意义是与著作人或发明人的权利截然不同的。我们必须牢记，这种无形的财产，不可与重制及发行的权利混淆，否则，前者将随同后者的消灭而消灭，因而无须有特殊的承认了。有些人以为，上述的从属关系是不确的，因为在科学及文艺的作品中，不能有所谓经济的成分，实则我们所讨论的，不是事实问题，而是权利问题。为著作人权利的保护，只要著作物有经济利益的可能性就够了，关于法律的承认，此外不再需要什么。著作人的权利，具有经济的性质，这是它可以转让的真正理由，因为纯粹属于人身的权利，是不能转让的。把著作人或发明人的权利，当作财产所有权及人身权的二种说法，我们认为均有未当而加以排斥，但我们以为此外还有一种可能性，即这种权利，具有类似于用益权的财产权的性质及形式。著作人或发明人作品的价值，与其所得的补偿之间，因这使用收益的权利，而有了适当的比率，这种补偿又不致妨碍思想的流传及发明的传播。这使用收益的权利，使著作人或发明人所应享有不容否认的权利，与社会的需要，得有均等的调和，而无二者牺牲其一的弊害。我们主张，法律可规定这种权利于著作人死亡后，在其剩余的有效期间内，由代表著作人身份的继承人承受。有些人也许要说，用益权建立于所有权之上，是不能移转于继承人的。这疑问我们不难答复，因为这是一种与社会有密切关系的财产，而且这权利，是一种性质特殊的用益权，它的存续期间，虽很短促，但可在若干年内移转的继承人。

三百二十四、专用权

发明大都以专用权保护之，这原是英国的制度，即以一种权利，给予发明人，使他在若干年期内，专用其发明物。专用权通常并不保证发明的真实及效用，因为国家不能从事技术上的论究，它只保护那基于发明的性质而生的权利。有不少的人，反对这个制度，他们以为专用权的期限很短，故有害于发明人，它又常常引起讼争，按专用权确有这种弊病，但在实业法中，我们现在还不能找到较好的保护发明人权利的方法。谁都知道，凡事有利也有弊，我们的目的是要使利多于弊，因为我们无法把弊完全消除。我们须知专用权的侵害，是我们曾在前面论述的那些不正竞争的实例之一。著作人或发明人的权利，具有排斥一切竞争的性质，竞争者构成侵权行为，负损害赔偿之责。

第十章　各种物权

三百二十五、债权与物权

物权是直接存于人与物间的关系。它们可归纳为二大类：所有权及限制物权。存于他人所有权上的权利，并非把所有权的内容分解，而只是对于所有权的行使加以限制，因为所有权总是完全的权力，如果它的成分可以分割，他就不是完全的权力了。这种分割，将不仅是量的变更，无关重要，它的结果将为质的变更，因为所有权的本质，是一切属性的支配。法律认许限制物权的理由，在于物可以种种的使用及收益，虽然它们是特定人的权利，但不仅有利于关系人，而且有利于一般社会。因为这些物权是直接存于人与物间的关系，所以它们犹如所有权，具有独立的权利的性质，而与契约权利所加于所有权的那些限制，完全不同。享有契约权利的人（例如租赁权人），只能行使所有人所授予的一部分物权，因为债权是直接存于人与人间的关系。限制物权与契约权利所以有这样的差异，是因为物权与债权的性质不同，限制物权是与所有人分离而独立的。所以我们可以说，"役权非以作为为标的"这罗马的格言，并非只能适用于役权，而实能适用于任何其他的限制物权。限制物权的权利人，对于他人的所有物，享有特定的权力，无须向所有人有所请求而才能成立。如果限制物权所由发生的关系，是一种债的关系，而与所有物本身无关，则须由所有人履行"作为"的义务。"作为"，是契约权利的标的，是与物权的性质不相容的。限制物权，有些着眼于用益，有些着眼于权利的保障。役权、永借权、观望权等，是属于一种的限制物权；质权、抵押权等，是属于后一种的限制物权。

三百二十六、役权

役权是限制物权中最古的一种。从前曾有一时，限制物权只有役权一种。役权可依其作用在增加产权抑在减少产权，而从积极方面或消极方面观察。从积极方面观察，即从因其设定而得便益的人或物的见地而为观察，役权是存于他人所有物上的权利，这所有人因这役权的设定，对于应得便益的人或物，负容忍或不作为的义务。从消极方面观察，即从役权所关涉的物的见地而为观察，役权是为他人或另一土地的便益而加于土地的负担。我们可从这个定义，看出役权可依其设定的目标是人抑是物，而分为人役权与地役权二类。就役权的客体而论，一切役权，不论其为人役权或为地役权，本质上都是属于物权的权利，因为役权是存于物上或土地上的权利而不是存于人身上的权利。地役权中的需役地，不能看作法人，因为凡是缺乏意志的，均不能为权利的主体。需役地固有一种权利，可由任何占有人行使，但主体是没有的。比喻毕竟不是实事，事物的表象毕竟不是事物的概念。人役权与地役权有许多异点。人役权无所谓需役地及供役地，它们是依附于人而存在的，所以不像地役权那样有永久的性质，以需役地及供役地的存续期间为其存续期间，又人役权得存于动产之上，而地役权则只能存于大地之上。衣服及金钱的用益，就是存于动产之上的人役权的一个实例。

三百二十七、人役权

人役权有三种：用益权、使用权及居住权。"用益权是不损害他人物件的本质，而为使用及收益的权利"。用益权人行使使用收益的权利，就尽善良家父的注意，一如所有人本人，保持其物质的内容及形式。所谓物质的保持，与价值的保持不一样，因为价值的减低，并不影响于物的本质，而只与其交换能力有关。用益权人享有使用及收益的权利。他可使用其物，收取其物的孳息并以之充他自己及家属的需要。他又有无偿或有偿把用益权转让于第三人的权利。在用益权人与标的物所有人之间，数律确定一种适当的关系，以保障所有人的利益，在用益权存续期间，用益权人可为完全的使用收益，但不得有损坏标的物的行为。只要参照用益二字的含义，我们即可知道，用益权不能对消费物行使。

罗马帝国时代的法律，采取一种比类的方法，承认消费物可设定"准用益权"。准用益权极似典质，因为消费物的用益权人，取得其物的所有权，只须在用益权存续期间届满时，返还同种类同品质的物。但我们不能说，准用益权是一种债权而不是物权。准用益权一旦成立，标的物因用益权人行使其权力，而成为用益权人的所有物。故消费物的用益权，并非仅仅是债权，而是以返还同种类同品质的物为条件的所有权，用益权与使用权及居住权不同，我们必须把它们分别清楚。依照近代的法典使用权是一种有限制的用益权，即其用益，以供用益权人本人及其家属的需要为限。居住权是使用房屋的权利。溯诸罗马法，则使用权的意义，原有相当定限，因为依照当时的规则，它只有使用的权利，而没有收益的权利。如果标的物纵无孳息亦属有用的物，使用权人就只能使用其物，而不能收取其孳息；但标的物如无孳息即属无用者，使用权人得收取孳息，以供其本人及家属的需要。使用权不得出租，也不得出卖，因为出租或出卖的结果，可使使用权变更并扩张，而有害于所有人。

三百二十八、地役权

古代，地役权分为二种，一是田野地役权，一是市府地役权，这是因为乡村与城市的需要大不相同的缘故，因此，地役权人分为关于地田的地役权，及关于房屋的地役权二种。我们可以说，虽有不少地役权，既适用于乡村，也适用于城市，但自古迄今，有许多地役权，纵非绝对着眼于农事的需要，至少以农事的需要为其主要的目标，更有许多地役权，则具有合于城市的显著特质。关于用水及道路的权利，是属于前一种的地役权；关于支柱隔墙及光线的权利，是属于后一种的地役权。地役权更可依其作用在容许或在禁止，而分为积极的与消极的二种；依其行使是否需要人的行为，而分为继续的与不继续的二种；依其有无外形可为我们察见，而分为表现的与非表现的二种。一般人常谓这些区别，没有什么实益，实则它们与地役权取得及行使的原则，有密切的关系，地役权取得及行使的方法，是必须与它们的性质符合的。所有权及限制物权，都是物权；所有权涉及有体物，所有人对于物有直接的完全的权力；地役权则涉及无体物。占有系存于人与物间的关系，是与物权相联系的，故其范围能及于无体物的地役权。地役权可基于法律规定而设定，也可基于人的行为而设定。法律设定地役权，是为公共及私人的利益；法定地役权，是因个人或社会的演进，而随时增多的。

依照罗马法，隔墙的地役权，仅以私人契约为其设定原因，但在今日，这种权利在法律上已有明文规定。罗马法所认许的通行权，系以便利前往祖先坟墓者为限；近代的法律，则为土地的耕种及其便宜使用的地役权，均所认许。罗马法因当时有导水的必要，故认许敷设沟渠为地役权。这种导水权，沿用于今日，是因为农艺及实业的利益、不可为地主的自私心所左右。罗马法以凿井的权利，赋予土地所有人，即使妨碍邻人的用水供给，亦所不禁，而且不属于同一人的井与井间，不设一定的距离。近代的法律，则规定相当的距离，可于必要时增加之（由司法机关决定其远近），以免妨害相邻的土地、水源及原有的沟渠。在这些例子中，我们可以看清楚，为了社会的目的，加于财产权的限制，日益增多，在无害于财产权的特质的范围内，财产权不准为损人利己的使用。罗马诺西所指示的那些经济原则，将来当有更大的成功。

三百二十九、基于人的行为而设定的地役权

人为的地役权，以继续而又表现者为限，可因让与指定或时效而取得，其非继续并表现者，仅得因让与而取得。这里的问题，是这种地役权取得的方法，是实现法上武断的规定呢，还是合于理性法的呢？按照我们的见解，如果我们依据理性，承认地役可为占有的标的物（或如罗马法学家所说，可为"准占有"的标的物），并承认继续而不间断的占有，要是确实并公然的话，可构成时效的权利，那末，我们必须断定，现实法所定的取得方法，是以合于理性的原则为根据的。我们知道，继续而又表现的地役权，实有确实并公然的占有，故可依时效而取得。所谓指定，是相邻的二地，原属一人所有，他使一地从属于另一地，因它们为其一人所独有，故无所谓地役权，但当它们归属于二人时，地役权即因以发生了。惟有继续而又表现的地役权，能基于指定而成立，指定不能成立不继续及非表现的地役权。这种不继续及非表现的地役权，不能依时效或指定。而取得，因为它们欠缺合法占有的要件，地役权行使的方法，以它们取得方法为准。如果它们是基于让与而发生的，让与的内容，决定它们的行使方法；如果它们是基于指定或时效而发生的，则其行使方法，须依照原所有人所定的状态，及适用"时效的利益以占有状况为准"这个原则。地役权因混同而消灭，需役地或供役地的状况，有所

变更，因而前者不复能利用后者时，地役权也归于消灭。此外，地役权并可因需役地所有人的抛弃、疆界的连接及时效等原因而消灭。时效虽不能为一切地役权发生的原因，却具有消灭一切地役权的能力，这是因为社会看重所有权的完全自由。不受丝毫限制，由一人的意思做主的所有权，利用较能敏捷，因而生产也较能丰饶。

三百三十、建筑权

关于近代的建筑权，以罗马人的观念，最为正确，最合真相。依照罗马法，当时适用的原则，是"地上物属于土地"。享有这种权利的人，虽依大法官法事实上享有所有权人的权利，但毕竟不是这样看待，而是以限制物权的立体看待的。依照事实的真相，在他人土地上取得建筑权的人，丝毫没有使房屋所有人成为土地所有人的意思。后者是土地的所有人，他可以把他的及于土地上层的权利加以限制，允许他人在土地上建筑而为其建筑物的所有人，至于土地则仍为他所有。这种情形，与民法典上的推定，在法律上实非不可相容。

所谓民法典上的推定，就是土地上的任何房屋、收获物或工作物，如无相反事实的证明，如无他人给付代价而取得"地上权"的事实的证明，即应认为土地所有人以自己的费用所作成而属于他所有。就土地所有人与房屋所有人相互的关系而论，在他人土地上建筑，得以对抗任何占有人的权利，实为物权无疑。如卢西（Lucci）在其所著《地上权的性质》一书中所说，在未有房屋之前，它决不能成为所有权。但就这权利与房屋所有人间的关系而论，这权利却是所有权的权利，具有特殊的性质。科维罗（Civiello）在其专论《地上权》中，曾作这种产权，不以其本身为限，而以其所适用的目的为限。这种建筑的产权，不可以房屋所有权混淆。房屋所有人的权利，及于房屋的上下，以其实际利益所及的范围为范围。建筑权的所有人，则只有空间的产权，只有地面上的权利。

我们必须知道，这权利是与土地所有权相伴随的，故其范围，必须取决于土地上有建筑的，必要的或利用其已有建筑的必要，超过这必要的限度，就是超过其所有人权利的范围。私人基于政府的特许，而在公地上所有的建筑，是可以取消的产权，土地仍属公有。坟墓及墓碑，具有同样的性质，它们是私人在公地上所有的建筑。私人有权把雕像拆除，把祠堂或墓碑毁坏，而把它们置于新墓地内。科维罗曾谓，铁道的权利，是一真正的物权。土地是公有的，但铁道公司享有建造车站、栈房、办公处、待车室、轨道，以及其他种种设备的专属权利。他如电车道、戏院中的包箱、教堂中的座席，也是这样。

三百三十一、永借权

役权之外，还有一种以用益权为内容的限制物权，这就是永借权。永借权含有许多权力，与所有权很近似，为其他限制物权所不及，它是使用土地，收取其孳息，并得以遗嘱或契据把它转让于他人的权利，但有二项义务：一是按年向土地所有人给付租金；一是不可损坏土地。如果地上权人急于履行这些义务，土地即应归还所有人。芝诺（Zeno）的宪法，赋予永借权以一种特殊的性质，解决了永借权为一租赁抑为一转让的问题，并确认永借权为一限制物权。注释学派认永借权为所有权的分割，所有人享有管领权利，永借权人享有使用权利。这种分割的说法，我们不以为然，因为在永借权的关系中，有两个意志：其一对于土地行使一种有实效的差不多完全的权力；另一是抽象的，距离标的物较远的意志，只能在收取租金及土地损坏而归还时才表现的意志。前一意志，实际上不啻是所有权人的意志，因为它享有差不多完全的物权。后一意志，只是享有极少权利的人的意志。永借权人的权利，除了他必须履行其所负的二项义务之外，别无拘束；土地所有人的权利，则较近于债权，而有异于寻常的物权的形相。

在德意志，永借权看作一种分割所有权而来的物权；在法兰西，永借权与封建制度有很密切的关联，故法典中没有把它规定。意大利民法典，有承认永借权的明文，并为土地所有人的利益，规定一种回赎的权利，这是合于经济的原则的，因为荒废的土地很多，永借权是极有用的。所有人如用出让或长期出租的方法，很难从他的荒废的土地，得到什么利益，但设定永借权的结果，他就可收取一定数额的租金。在另一方面，永借权人可勤慎耕作，而有很好的收获，并可依据特免法律的优待，而得到确实的不容废止的产权。

三百三十二、质权及抵押权

质权及抵押权，是二种担保债务的限制物权。债务人的财产，是他的债权人的共同担保，除债权人中有合法的原因，应得优先者外，这些财产的价值，应由债权人依比例而分配。惟债权人虽有这种一般的担保，债务人仍得任意处分其财产，不过这种权利的行使，不得以恶意出之，债务人不得于事后处分其财产，以欺诈债权人。有些人一点危险都不肯冒，要求债务人设定质权，把质物移交于他们手中，但质物并不构成他们财产的一部分，也不构成他们用益的标的物。质物人的权利，是在债权未获清偿时，收取质物的价金。质权实非限制物权，它与它们不同，它并不赋予质权人以部分的物权，也不赋予以任何用益的权利。债权人于债权未获清偿时，不得径行处分其质物，而必须取得法院的命令，才能收受其估定的价值，或把它拍卖。有时债务人与债权人约定，允许债权人可不照法定的条件，而取得并处分质物，这种约定应属无效，因为它是一种基于债务人急迫及轻率而作得不诚实打算的结果，而且它把担保债权的权利变更，而成为将来生效的所有权。

Pignus 一字，在罗马曾有一时，含义很广，把给与债权人的各种担保权，一概包括在内，即包括不动产、动产的质权，收取质物孳息以代利息的收益抵偿权，及意义狭隘适用于动产的抵押权。奥地利法典，把这字用作包括严格意义的质权及抵押权的总称，但它仍把这二种权利分别清楚。法兰西法典，把收益抵偿权包括于质权中，与罗马法以不动产或动产出质而不附收益抵偿权的制度不同。收益抵偿权，在当时是附加于质权契约的一种约定，予债权人以享用质物的权利，收取其孳息以代替利息。收益抵偿权，原是一种债权而不是质权，它在质物上并不设定特权，或足以对抗第三人的物权。法兰西法典，一面把收益抵偿权，看作不动产质，一面却又不以特权赋予债权人，于是陷于显而易见的矛盾。罗马法虽也没有认许这种特权，但它是不矛盾的，因为它没有把收益抵偿权，包含于质权内。意大利法典，最能表明上述三种权利的性质，为其他法典所不及，这三种权利虽非尽属物权，却都是担保的方法。按意大利法典，对于这三种权利，予以不同的法律特征，不用一定的条文而分别加以阐明。

三百三十三、收益抵偿权——质权及抵押权——登记

质权及抵押权，都是担保物权，前者适用于动产，后者适用于不动产。收益抵偿权，是另外的契约，债权人得就债务人的不动产，收取孳息，但须以其孳息抵偿利息及原本，这契约在当事人间成立一种债权关系。收益抵偿权契约的效力，以及于当事人为限，这是很适当的，因为法律已以抵押权这个物权，予债权人以对抗债务人恶意的利器。而且社会经济，也不能充分容许收益抵偿权；债权人所注意的，是要在债务人的财产上，收取最大的孳息，而支出最少的费用。只要债务人予债权人以收益权就足够

了，无须另予他以优先权。

此外，我们更可以说，收益抵偿权，尤其是长期借款的收益抵偿权，易于发生重利的结果，因为孳息的数额是不确定的，而今日施行的惟一取缔方法，即公示制度，又不足以制止重利。教会法及奥地利的法律，不承认收益抵偿权及质物用益权，就是为了这个缘故。如果债权人不能取得质物的占有，他可对债务人提起移交的诉讼。但他在质物上不能享有物权，因为物权是直接存于人与物间的关系，可是质权是没有这样的关系的。质物的交付，与抵押的登记，作用相同。质物的交付，有实际的与形式的分别。抵押权的内容，在古时的论著中所述者，与近代法律所定者相同，但罗马的制度，差不多完全注重抵押权人的利益，而尤特别注重第一抵押权人的利益，现今的法律，则根据公示及确定这二个经济原则。公示的方法，是记录及注册：记录适用于可以转让的不动产，是一种不影响于不动产的处分的权利；注册适用于抵押权。注册是一种公的交付，这是罗马人所没有的，因为他们注重实物的交付。公示制度，是为保护第三人的利益，使他们知道谁是财产的所有人，及财产上有怎样的负担。第三人可因注册而知道抵押的事实，并得正确估定抵押物的价值。至于上述确定的原则，只与债务有关，它有双重意义，即抵押权是对于一定的财物而设定，又是为了一定的金额而设定的。这原则的目的，是在警告第三人，使他们不致误会债务人的经济状况，与这原则相反的制度，久已为人唾弃，很不利于交易的发展，在今日实无存在的可能。

三百三十四、船舶

船舶可设定质权，抑可设定抵押权，这是历来聚讼的问题。学者意见纷岐，法律规定也不一致。就性质论，船舶实应列入动产，罗马法及意大利学派，也把它看作动产，与中世纪的几种法律不同。不过，船舶是一种异乎寻常的动产，法律鉴于它的特殊重要性，并为保护及增进海商起见，不得不把船舶的处置与不动产等量齐观，并予以确定的地位，不列为动产的一种。如果仅以动产看待船舶，设定质权，而仍由债务人管领使用，则表示占有移转的手续，即指定受托人的手续，即属必要；但如果我们把船舶看作一种特殊的动产，这种特殊的动产，在某种法律的观点上，应认为不动产，俾使债务人不丧失占有，并无须有指定受托人的手续，则以认许抵押权，如法兰西法律所规定的那样，实较合理。

三百三十五、留置权

担保债权的另一特殊方法，是留置权。留置权是一种合法的权力，基于一种物权或债权，而占有债务人财产的债权人，在债权未受清偿前得继续占有其物。瓜拉西诺（Guarracino）在其所著《留置权》一书中，曾下一完善的定义。严格地说，留置权的含义，是承认他人对于留置物享有权利，而只着眼于保障债务的清偿，故因债务不履行而扣留他人物件的情形，尤其是依法得提起未履行债务的抗辩的那些情形，不成为留置权。留置权，也不可与约定的占有混淆，约定的占有是质权或收益抵偿权的成分，留置权并不以这些契约为其成立的条件。又留置权是一种特殊的从权利，与其他各种物权及债权根本不同。它不类限制物权，因为它并不发生任何用益的效力，如役权及永借权那样，它的标的物及其价格并非用以清偿债务，如质权及抵押权那样。在另一方面，它又不是债权，因为债权人并不主张留置物是对方基于双方债的关系而欠他的，如瓜拉西诺所说。它可算是一种债的关系，但意义不同，这债的关系，是为债务人的利益的，因为他可以主张留置物的转让或返还。留置权为各国立法所采取，只在范围上有广狭的不同，它是建立于公道之上的，不许为移转的请求，而使转让人丧失债务的清偿。当事人间的对等地位，不可变更，俾免为了他人的财产而支出费用的人，蒙受损害及烦累。

第十一章　占　有

三百三十六、占有

占有的权利是一事，占有权是另一事。前者是所有权的效力，是所有权内容的直接的实现；后者与所有权不同，构成另一制度。我们可在罗马法上找出这个区别，因为那里有这样的两句话，"占有与所有是分离的"、"占有与所有不是一样的"，这二个制度是毫无同点的。罗马法最古的法源，说明占有是一种特殊的权利，是一种特殊制度的内容，这些法源确认"占有人比诸非占有者享有较大权利"。

三百三十七、占有为权利

占有权或合法的占有，是人与物间的直接关系，故为物权。但如布朗斯在其所著的《罗马法与近代法上的占有》中所说，它与其他各种权利不同。它具有特殊的性质，它是一种相对的权利，因为支配物件的意志，并非对于无主的物件而行使，它不成为绝对的所有权，当所有权出现时，它必须屈服于所有权之下。合法的占有，以具备二个要素而构成，其一是对于某一物件有事实上的权力，另一是保持这物件而以为利用的意思。"实际占有有体物，以为利用"，这话是表示前一要素。"为自己而保有其物的意思，即所有的意思"，这话是指后一要素而言。除了物件及对于物件的事实上权力之外，占有人须有享用这物件或行使这权力的意识这一个条件。萨维尼曾在《占有权论》中表明，并为布朗斯及温得舍特二人承认，它适用于占有的开始，但尤其适用于占有的继续，因为占有在最初取得的时候，需要积极的活动，由于这活动而在人与物间发生新关系。在占有的继续中，所谓意识不可与消极的占据混淆，它必须是实行的、积极的。它必须在事实上权力的部分行使中表现出来。保持并利用物件的意思，是占有的一个特征，也是它别于单纯握有的一个概念。握有人是没有为自己或为自己的利益，而保持物件的意思的，他以别人的名义而占有，他自己并不是占有人，而是这别人的代理人。占有人自己不直接行使其权力，而由另一人为他的利益以他的名义而代为行使，他并不因此丧失其占有的权利。占有既是人与物间的直接关系，它的界限，自不能及于债权及家属权（布朗斯有这样的主张），而应以物权的范围为其界限。但不是一切物权都可占有，可占有的物权，只是那些以继续及表现的利用为根据的物权，为永借权、用益权、继续并表现的地役权。故抵押权虽是物权却不能为占有的客体，因为抵押权是因它的利用，即土地的出卖，而归于消灭的。

由此可见，占有可有两种方式，以占有适用于有体物抑适用于权利，为其区别的标准。有体物的占有，相当于物权的行使；权利的占有，相当于无体物权的行使。萨维尼、蒂堡（Thibant）及温得舍特（Windscheid）等人，认"准占有"为占有的例外，但依照布朗斯的见解，则"准占有"是占有的正常方式，不是占有的特例。

三百三十八、占有的历史

占有的起源，很难稽考，它是论者聚讼的问题。如果占有是一种相对的所有权，它自然不能在个人财产未有之前发生。占有是人与物间的直接关系，只在所有权面前低头，要克服占有，须先证明所有权。只要就这占有的观念着想，即可知道占有之前，必先有私有财产的存在。菲罗谟西·归尔非引用罗克洛斯的一项法律，以说明当时对于占有加以独立的卫护的需要，有时形成所有权的演进。波里比阿为我们保存下来的罗克洛斯的法律，在一定期间保护系争物的占有，不受强力的妨碍，以待法律裁判的宣告。亚里士多德曾谓，在裁判宣告之前，予占有人以袒护，实是公平的原则。依照浦克塔所说，即在罗马，遇有卖买案件占有不确定的情事，也采用这办法，这办法并用以解决产权问题，使占有成为不依所有权而独自存在的制度。

奈柏（Neibuhr）（在他的《罗马史》中）及萨维尼认占有的保护，与"公地"有关。人民对于公地，只有用益的权利，他们感觉这权利并不包括于私有财产的法律中，有特定保护方法的需要。这保护方法，后以裁判官令状行之，最初只适用于贡地，嗣因其有很大的实益，乃扩大范围而推行于私有财产。沙约拉（Sciajola）赞同浦克塔的见解，认保护占有的办法确是初步的程序，但他不信这些规定即是占有的起源，他以为占有是"公地"的产物。凡未忒不以浦克塔的见解为然，他设法证明浦克塔所凭借的证据，只表示当时需要一种禁止，以待占有问题的解决。而所谓占有问题，实即所有权问题，奈柏及萨维尼的见解，与事实不符，在古代的法律上，并没有关于公地的占有禁令的幻影，当时的保护方法，是一种特殊的"享用公地"的禁令。耶林企图说明，占有禁令的原因及目的，是为了所有权诉讼初步程序的必要。但在"Vindieiae"及"Manus Concertae"中有这必要，早经萨维尼注意。布朗斯在其所著的《中世纪及现代的占有法》中，阐明这些禁令的目的，是在保护占有的权利。

三百三十九、罗马法上的占有

维科曾谓事物的性质，只是它们在发生的当时，所具有特征，如果这话是不错的，那末，近代关于占有的学说，如同其他各种学说一样，惟有探索其最初的因素，才能明了。这些因素，可藉稽考罗马法、普通法及教会法而得知之。（Milone）在他的研究中，没有这样稽考，罗马法把占有分为自然的占有或单纯的据有，及法定的占有，法定占有是根据正当名义及善意，可因时效而成立所有权的占有。古时法律典籍上，有这样一句话："占有须具备意思及其物体"。依照凡未忒及迈隆二人所说，所谓占有的意思，包括所有的意思，或根据物权的占有，或根据其他权利的占有。这种意思，在代替别人保护物件的代理人，是没有的。保管人、受寄人及质权人，也没有这种意思，他们占有物件，并非基于任何物权，而是基于契约。"权利的准占有"，包括那些基于人役权及地役权的占有。罗马法并以下列几种人为占有人，即典当权人、永借权人、地上权人、受寄人（限于当事人约定由受寄人取得占有，以防阻时效权利）及容假占有人。按诸条理，这五种占有中，只有三种是正常的，即前三种与物权有关系的占有，后两种占有，即寄托占有及容假占有，在法律哲学上实是特例，因为它们不在物权范围之内。卫护占有的方法，是很特殊的，有些是禁令，有些是一般的诉讼。

三百四十、近代法上的占有

教会法、普通法及封建法，这三种法律，把占有的权利，适用于官职、特免及赋税等新权利。公务与私权混淆，显非合理。但把这些公职看作"物权"而适用占有权，却不是在理论上说不通的。教会法没有什么革新，只扩张了罗马法上"暴力侵犯不动产占有"令状的范围，使其适用于新发生的动产。普通法采取上手应使下手安全的原则，认物件经自由交付之后，虽交付者非物件的所有人，如受交付的第三人系属善意，财产权即应归属于该第三人。法兰西法律，采用这原则而扩张之，凡非被窃或遗失的物件，不准行使追及权。故关于这类物件，无所谓占有的诉讼，惟就动产而言，占有与所有具有同等效力，这原则仍属绝对。这是为便利交易所必要，以动产的普通性为理由。古时的法兰西法律，对于占有的侵扰，设有"诉请禁止"的救济，对于物件的窃盗，设有"诉请回复"的救济：前一救济方法，以罗马法上侵权行为之前已有一年一日的合法占有这个条件，为其前提；后一救济方法，不以一年一日的占有，为其要件，依照注释派学者的意见，这救济方法，即握有人也得援用。

这里的问题是：一年一日的条件，谓为来自罗马法，这话是否合理？侵夺占有之诉，即握有人也得提起，这是否符合原理？首先我们应该注意，在有些情形，罗马法以权利在令状颁发前的一年内曾经行使为必要，这种权利，须以那时所为的行为为根据，或以涉及自由转让的动产的行为为根据，但罗马法上的时效期间，实与权利的取得无关，它是指令状的存续期间而言的。所谓一年一日的占有（法兰西法律上的 Saisine）实与德意志的 Gewere 关联。这 Gewere 的权利，系基于一年一日继续占有未为对方间断而成立，它以这对方的始终静默为其根据。它使原占有人丧失占有，只须后占有人证实其占有的取得，但宣誓以明其占有的正当，仍属必要。Saisine 原与这 Gewere 相同，因为它们基于同样的方法而取得，即同样基于实行占有或继承而取得，它们又都是相等于以用益为根据的占有，但 Saisine 有一优点，是 Gewere 所没有的。因为 Saisine 摆脱了它的封建的成分，它的根据乃建立于抛弃的观念之上，以一年一日的静默，为其证明，并建立于所有权推定的观念之上。这样，占有变成暂定的所有权，在法兰西法律上构成一种推定，改变了罗马法或教会法所认许的保护方法。占有不复就其本身而为观察，而是其与所有权的关系而为观察。它虽仍维持古时的防卫方法，但已改变了它的基础。

由此可见，Saisine 实已乖离罗马法上的原则，因为依照罗马法上的原则，占有是一独立而与所有权各别的制度，这点费提曾在他的《民事诉讼法典诠释》中，阐述明白。至于认许握有人得援用窃盗物回复之诉，这实是不适当的，因为这诉讼本质上是占有的诉讼，这可参考它的历史渊源而知，原来这诉讼是"暴力侵犯不动产占有"令状的扩张，以法定占有为其要件。但如果我们像法兰西著作家那样，只承认二种占有，即法定占有及自然占有，则握有人得提起回复之诉的权利，自属不能否认。法定占有须具备一切要件，而自然占有则任何要件都不须具备。因而法定占有与握有混淆，结果我们也就必须认许握有人得提起回复之诉。然而我们不可忘记，在理论上占有至少有三种，——握有、法定占有及时效的占有。握有与法定占有的区别，是在保持物件的意思一点上。时效的占有，通常以正当名义及善意，为其特质，但有时它可无须有这种要素，而只须表明公然、和平、继续等特征。如果我们接受这定义，则回复之诉，只能由具有法定占有的人援用。

三百四十一、理性法上的占有——相对说

现在让我们讨论这制度的哲学根据。学者说法不一，但如耶林所说，它们可分为相对说与绝对说二类，以它们是否认占有成立的因素，系内在抑外来，为它们区别的标准。第一个相对说，是萨维尼的说法。他以为侵害占有权，即是侵害人身，故占有的禁令，类似侵权行为的诉讼。卡发利埃利（Cavalierl）在他的《罗马法论》中，谓占有权的诉讼，系为避免私人争斗而设。鲁道夫（Rudorf）在他对于萨维尼的补遗中，及塞拉非尼（Serafini）在他的《罗马法》中，申述占有的侵犯，是公安的破坏。蒂堡谓占有权的保护，系为维持原状，根据于法律的推定。阿楞斯以如无反证，"推定其为善意并正当"这个原则，作为占有的根基。干斯（Gans）（在《罗马私法论》中）及特楞得楞堡，认

占有为所有权的表象。罗马诺西及萨卡赖亚（在《法兰西民法要论》中）、牟楞堡（Mühlenbruch）（在《罗马法原理》中）、特罗普朗（Troplong）及得克累盛索（在《罗马私法论》中），主张占有的基础，是所有权的确定。耶林把占有看作所有权的前卫，认占有权的保护，与所有权的保护，同样必要。

三百四十二、占有的绝对说

绝对说中，以干斯的学说为最早，浦克塔、摩利托（Molitor）、布朗斯、朗大诸人的学说继之。依照干斯的见解，对于某物的权利，基于个别意志及普遍意志或法律者，是为所有权，享有某物只基于个别意志者，是为占有；所谓个别意志，是有实质的东西，在法律上应受保护。浦克塔及窝尔忒（Walter），认占有为权利，以占有人自身为其发生原因。摩利托阐述占有的特质，谓凡非基于意志的事实，仍属事实而不成为权利，意志是权利的因素，依据"占有的意思"而形成"占有权"。布朗斯以为人基于其人格而对于物件有支配力，这思想就是占有的保护所根据的。占有物件为自己所有的意志，如果对于无主的某物，实行支配，这就构成绝对的权利，即构成所有权；但如支配的某物并非无主，则其构成的权利，仅于有所有权的证明时，屈服于所有权。在这证明没有提出之前，占有人的支配，不容侵犯，故"占有人比诸非占有者，享有较大的权利"。朗大以为于这意志既实现，纵非正当，也应有权在法庭上辩护。

三百四十三、绝对说及相对说的批评

对于这些绝对说及相对说，加以深切的考虑及周密的检讨之后，我们可以说，它们有一相同的根本观念，只是它们的推论互有所异而已。这根本观念，就是个人在与其物件的关系上，不容侵犯。让我们先把萨维尼的相对说与干斯的绝对说，比较一下，我们作一精确的批判的分析之后，就会觉察这共同的原理，如培

柏所阐明的那样。萨维尼驳斥干斯的说法，这是的确的，因为后者没有看出个别意志，有时不正不又何以能演成权利。干斯驳斥萨维尼的说法，这也是的确的，因为占有权决不能以占有权的侵害为其发生原因，必先有这权利的存在。但我们不能否认，萨维尼实以占有人与占有物间的密切关系，为占有的最后根据。故占有的事实，依照萨维尼所说，也许不是权利，但对之加以侵犯，实为不法变更占有人的地位，得以回复侵犯前的原状，为其救济方法。

占有人不容侵犯这个观念，在这二位哲学家的学说里，都可看出，二者的异点只是：在萨维尼的学说里，这观念取消极的方式；在干斯的学说里，它是积极的，极类康德所主张的关于占有哲理根据的著名的学说。其他以公安的根据诚良的学说，及不论何人非经反证均应推定为善良推定，我们也可认为属于这同一的观念，因为公安的根本，是尊重个人及集体的人格。此外，以占有为所有权的屏障的学说，归根结底也可纳入这个观念，即纳入财产为不容侵犯的个人的射影这个观念。我们也不能否认，这原则是一切权利的渊源，故不能看作占有权所特有的根据，因为法律的哲学家，应首先看清，占有是否仅为所特有的根据，因为法律的哲学家，应首先看清，占有是否仅为所特有的相对物件所特有所特有权利。须知从事这种研究，不可不参当初的本事实，抑可成为权利。在另一方面，这原则又是无主物的绝对支配所特有的根据，也是对于虽属有主而未经证明的物件的相对权利所特有的根据。这布朗斯的解释，实际上并不与干斯的学说完全的或或完全的支配，也是个别的支配，也是个别意志实现的结果，这个占有及法律所承认的支配的意志。同样，构成占有的相对的权利，也是由于个人的意志而来意志。同样，这个人的意志，如同共同意志一样，也受保护，除有所有权的，这个人的意志，如同共同意志一样，也是由于个人的意志而来的，这个人的意志，如同共同意志一样，除有所有权的证明外，相等于绝对的支配。对于干斯的的证明外，相等于绝对的支配。对于干斯的学说，如果我们予以认识的考察，我们只能作这样的解释。如谓普遍意志只与所有权有关，而与占有无关，我们就不能说明何以于占有以保护了。

三百四十四，占有为权利

格老秀斯谓"占有是现实法上的权利"，我们不难知道这话是多么的不正确。卢哲利（Ruggieri）在他的《占有论》中，重又主张这个见解，以为占有的保护，并非基于它本于它的性质而来，并非基于它的绝对的价值而来，而是现实法鉴于事物的现状，系而没定的，以为（在可疑的事件中）最好维持事物的现势，而让占有人继续占有。他以为占有是事实，为了方便事物的情势，的理由，它才令状的保护，并能成立时效的权利。我们觉得，我们在上面所为的论述，是对于把这制度作这样看法的最直接的评语。

三百四十五，意思的必要

那林在其最近的著作《占有意思论》中，关于"所有的意思"，发表一种新的客观说，攻击萨维尼的主观说，但他没有改变他关于占有的根本思想。他遵循其所阐发的原则，研究这可有法律效果的事实状态。萨维尼认意思为合法占有的一项要件，但那林谓他占有乃一事实。占有的外表，即占有的"体素"，有只与客观的事实有关，这原则是无可摇动的，除非有某种特殊为单纯的事实，或事实上无从为实质的占有，或经证明有某种特殊的情事，其实，撇开意思的证明问题不论，那林也显然认意思为构成他占有的要素，并表示据有与占有的异点。他以为意思不能因某项"占有原因"的存在而认为表明，但这不是说意思乃非占有的要件，依法得据起占有的见解，意思乃存于占有之诉的人，以具有这事实的或推定的意思说来，依法得据起占有的见解，意思乃存于占有之诉中，大体者为限。耶林自己也曾说过，有些人不以个人实在的具体的意志为占有的根据，而以推定的意志，即占有人所应有的意志，为占有的根据，这种见解实与客观说相同，以占有原因为区别握有与占有的标准。但如果占有原因。使合法的占有，有别于事实的占有，则非有推定的意志，即不能成立合法的占有，自不待言。仅有占有事实，还不足以表示其为合法的占有。它是一个两可的事实，因为它或许伴有或许不伴有占有人所应有的意思。这样，我们又如何能根据占有体素的事实，而假定其有实际的意志或推定的意志？这困难耶林没有解决。同时，他又不承认。没有意思或无从实行占有物件时，惟现实法认许其为真正的占有。就这点论，他的学说，实与格老秀斯及卢哲利二人的相合。

第十二章　债权债务

三百四十六、债的定义

人的财产，不仅以对物的权利为限，对人的权利如债权等，也包括在内。对人的权利，是"对人权，即对人行使的权利"，故涉及"不能触觉的无体物"，至于对物的权利则是"对物权"，涉及"可能触觉的有体物"。债的意义，有人解为法律的拘束，当事人因这拘束而负给付的义务。如果引用于对物的权利，或引用于其他对人的权利，这定义就另有一种意义了。惟就这见地而观察，债权实是对物的权利的扩张。债权就其构成财产的一项而论，实是以物质利益为主要目的的权利，或如一般人所说，是具有经济意义的权利。罗马法学家，着重于这种权利的原因，谓"债权是具有金钱价值的权利"。至于斯塔尔及阿楞斯二人称为伦理法律的债务，如夫妇贞操义务等，则完全以道德为根基，非我们所得任意变更，绝不能成为我们的财产，因为它们本身并没有经济的价值。将伦理法律的债务，与具有经济价值的债务，彼此区分的原理，是在人类能力的有限，"一人等于无人"，为求达我们的目的，我们必须与他人合作。我们必须经由这种关系，才能自足，而达到亚里士多德所说的独断专裁的目的。人类企图发展的倾向，促使各人从事于相互的交换。各人因此而增加其力量，而整个社会的力量的增加，也即寓于个人力量的增加中。

三百四十七、债的要件

债的成立，至少须有二人，即债权人及债务人。债权债务是一人与另一人间的一种直接关系，故只能拘束它的当事人，而不能拘束第三人。债权并非对于债务人的身体有什么权力，它只是在某个方面对于债务人的自由加以一时的限制而已。古书上有这样一句话，表示这个观念，"债权的本质，并非支配他人的身体，而是对于他人的一种行为的请求权"。债的标的必须在物理、道德及法律三方面，均属可能；换句话说，债必须合于自然及自由的法则。不论什么人，如果有所允约，必其允约在物理上可能履行，否则所立契约，即非合法，缔约人破坏了自由的自然法了。同样，他们不可约为违背道德或法律的行为，否则构成自由法则的破坏，因为自由是应以信实及正义来获取的。没有信实及正义，即不能有自由，而只有任性及放肆。又债的标的具有经济价值，构成财产的一种，必须能以金钱计算。违反债务者，须受损害赔偿的制裁。损害指财产的减少及丧失的利益二者而言，损害赔偿的理论，可直接适用于具有经济价值的债权关系，也可准用于另一种类的债权关系，如由于身体的伤害或卑劣的行为而发生的债权等。

布朗斯曾谓，侵害他人肉体或精神的行为，实非定立赔偿方法，即足填补损害的结果，但以金钱为赔偿，俾使受害人获得另一新的利益，也不是不适当的办法。我们赞同耶林及温得舍特的意见，认为司法保护的范围，应该推及理想的利益，认为利益的意义，应该是完满的相对的，包括一切人的生活必需物，因时代、地域及种族的不同而有异；如耶林所说："我们不可否认，金钱的赔偿，除有制裁的作用外，每能填补损害，在有些侵权行为的事件中，被害人提起赔偿的诉讼，法院判令加害人以金钱填补损害，我们不可因此而谓债的标的是商业的；我们只可说，凡能影响于财产的债，通常均可直接以金钱来估定其价值，虽然有时也有些标的价值，不能以金钱来精确估定，因为人的感情是无法权衡的，但精确的估价虽不可能，我们仍能作一间接的或近似的估价，对于那些伦理法律的债权，这种估价并非以金钱表示它们的标的，而实为一种制裁及补救的方法，虽然它们的标的原与财产毫无关系，但基于这种估价而赔偿的金钱，成为财产的一部"。总之，不论哪一种债，都有它的目的，虽有直接与非直接、固有与非固有之分，但其为目的则一，至于内在及主观的动机如何，则属另一问题，这点我们还要在下面说明。

三百四十八、债的发生原因

依照近代的法学家，债的发生原因有五——契约、准契约、侵权行为、准侵权行为及法规。罗马法学家，只承认四种原因："债权的发生，或由于契约，或由于侵权行为，或由于法规，或由于各种类似的原因"。所谓"各种类似的原因"，在罗马典籍上，系指"准契约及准侵权行为"。法律哲学，可把这些原因归纳为二——人类的意志及自然的法律秩序，——因为一切债务（除由于契约而发生者外）都不是基于自由意志而负担，如下所述，它们都是直接或间接为理性法则所课责的。准契约实由于当事人一方的合法行为而成立，这一方对他方负责事前并没有明确的合意。准契约与侵权行为不同，因为准契约是以当事人一方的意志为其渊源的契约。票据的承兑、第三人债务的清偿及共有等，都是准契约的实例。它的根据，是法律所假定的（拉萨利曾论及的）人类普通意志，也可说是与公道原则相符的推定同意。票据的承兑，可成立准契约，这话并无不合，我们可以假定本人的同意。凡有所望于目的者，亦必有所望于其手段，故可推定其人负有偿还的义务。

依照洛斯米尼的看法，准契约一词，是一妄谬的名称，他不能想像一种介于契约与非契约之间的东西。他以为法律在所谓准契约中设想了一个同意，而实际上则并没有什么同意，他以为基于不完全的契约而发生的债，可用公道的原则来释明。但他不承认债的一般要素是意志，他没有了解人类普通意志的意义，他以为这意志，即是个人具体的变动的意志。他说，推定的同意是不确实的，不能产生确实的权利义务的，因为所谓本人有时因精神病或未成年，而无表示同意的能力。其实，普通意志是与理性相合的，它是一个人待人接物所应具的意志，是心神健全人的意志。这样的一个意志，总是确确实实的，如果精神病人不患精神病而是一个神志清明人的话，如果未成年人不是未成年而是一个成年人的话，这样的意志，也可在他们身上找出。除此以外，没有别的意志，可认为法律的原则，可认为理性的表现。由此可见，准契约中的债，以推定同意，以意志为其发生的直接原因，而以意志为根据的法规，为其发生的间接原因。

三百四十九、债与侵权行为

因欺诈或过失而生的债，是由于自然的法律秩序这个观念而来的。秩序一经侵犯，法律一经破坏，恢复的必要即随之而起，恢复的方法，是惩罚及赔偿损害。侵权行为是欺诈或损伤的结果。过失是一种准侵权行为，因违反相当注意，而酿成某种损害。过失与意外不同，过失是能注意而未注意，意外是不能注意而未注意。在现代，侵权行为及准侵权行为的效果，第一是惩罚，其次是赔偿义务。罗马法上原有一种私人惩罚的制度，即被告得以一定金额给付原告，这制度后来废止了，另外又成立了一个原则，认惩罚是社会正义的要求，是公法上的制度，于是以侵权行为及准侵权行为为根据的主要的债务，对于罗马人不复构成私法的一部，而只有一种着眼于被害利益的从属的债务。但由于自然的法律秩序，直接发生了几种有关金钱问题的债务。有些人以为以法规为根源的一切债务，均属于公法，这话是不对的，因为法规可为私人的利益而设定各种债务。

三百五十、以主体为标准的债的分类

债可依其主体、客体、拘束力及诉讼而作种种的分类（这里不再讨论债的发生原因，如依发生原因而论，债可分为自愿的与非自愿的二类）。债的主体，或为债务人债权人各一人，或为债务人数人而债权人一人，或为债权人数人而债务人一人，或为债务人债权人各数人。多数主体的债，或为分别的债，或为联合的债。在分别的债中，债权人与债务人互有权利互负义务。但它不是单一的，而是依照当事者的人数，分为许多部分。联合的债，是单一的，每一债权人，有要求债务人为全部给付的权利，每一债务人有为债务人履行全部债务的义务。罗马法把联合的债，分为共同的债与连带的债二种，共同的债务是债务人数人共同的，连带的债务是债务人数人各负有履行全部债务的义务。在共同债务中，一债务人履行债务后，他债务人同免责任，他没有要求他债务人偿还其分担部分的权利，这是与连带债务不同的；又对于一债务人的判决确定后，他债务人也同免责任，这效果有时也是连带债务所没有的。有些法学家，也作类似于此的分类，他们依从摩利尼奥（Molineo）的学说，谓有共同的债与连带的债的分别。前者以当事人明示的或推定的契约为根据，后者系基于事实或法规而发生，并不推定其当事人间有何契约。这二种债所同有的效果，是"全部债务"，但在共同的债中，一债权人或一债务人的时效利益，得由其他各人据为抗辩的根据，又对于一人所为的停止诉讼程序的抗辩，对于他人也有效力，这些在连带的债都是不适用的。这二种债，所以有这些不同的效果，是因为在共同的债，推定其当事人间有合意，而在连带的债，则不能有这推定。

三百五十一、以客体为标准的债的分类

以客体为标准，债可有可分的、不可分的、选择的及任意的几种。给付在物理上或法律上可能分割者，是为可分的债；物或行为，性质上不能分割者（例如约定给付马一匹），或性质上虽能分割，而当事人没有这种意思者（例如约定建筑一所房屋），是为不可分的债。债的不可分，是客体的单一，对于多数的继承人，也有其适用。在这一点上，它与联合不同，后者是随同主体而消灭的。依从摩利尼奥的那些著作家，往往把不可分的债，分为完全不可分的与非完全不可分的二种。前者系由于债的性质及契约而发生的，故有"个别的全部债务"，它必须是"个别的"，因为当事人并不组成一个单一体，如同共同的债那样，但它仍须基于"同一事由"。在完全不可分的债中，对于一债务人有所请求时，这债务人所为的抗辩，对于全体债权人均有效力，因为一债权人不能对于债权保全其自己的应有部分，而同时不保全其他债权人的应有部分。非完全不可分的债，是为避免"不适当的给付"而成立的，即它的作用，是要避免划分给付所能发生的损害。它只能存在于债务人的继承人间，而不能存在于债权人的继承人间，这一点，足以证明事实上不能有完全"不可分的给付"。选择的债，是债务人在数宗特定的给付中，只须择一为之，这选择权，由债务人行使。任意的债，是标的物非所注重，债务人得依其所愿，而为任何给付。

三百五十二、债的拘束力的种类

就拘束力而论，契约可分为单纯的、附条件的、模范的及附罚则的四种。关于给付的方法，没有任何特别规定者，是为单纯的契约。条件是指拘束力须视将来的或不确定的事实而定。条件可依这种事实的性质、条件所能发生的效果及其方式而分为数种。就事实的性质而论，条件有积极的、消极的、随意的、偶成

的及混合的分别：积极的条件，是条件的成就为契约的要件；消极的条件，是条件的不成就为契约的要件；随意的条件，是条件的成就与否，以债权人或债务人的意志而定；偶成的条件，是条件的成就与否，系于自然的事实；混合的条件，是条件的成就与否，一部分系于第三人的意志，一部分系于自然的事实。这类条件，在物理上、道德上及法律上，有可能与不可能的分别，可不待言。

附随意条件的契约，即仅以债务人"愿意"为条件的契约，不能有拘束力，又仅以债务人的一种无关重要的、与所谓"愿意"无甚区别的行为为条件的契约，也不能有拘束力，例如"如果你注视我面，我给你百金"。契约所附的条件，如果在物理上、道德上及法律上均属不可能，其契约应为无效，但如果所附的条件，是不为一种不可能的行为，则其契约为有效。消极的不道德的条件，是法律所认许的，因为法律对于为使对方不为有害的行为而接受的允约，不能不加以重视。积极的不道德的条件，如果它是偶成的条件，则就债务人言，应认为合法，因为这条件的成就与否，系于第三人的行为，这条件对于他实与任何其他条件，并无区别。就条件的效果而论，条件可分为停止的条件及解除的条件二种。前者使拘束力于条件成就前，停止发生。条件成就时，拘束力不看作基于条件的成就而发生，而看作基于契约而发生，如果条件不成就，则契约义务，看作从未存在。后者并不使拘束力延不发生，但条件成就时，拘束力看作从未存在，债权人应返还其所受领的一切。就条件的方式而论，条件有明示的、默示的、含蓄的分别。如果契约的标的，系于将来确定的事实，这与拘束力无关，而仅迟延其履行。契约中的罚则，是关于赔偿数额的一种预定。契约附有罚则，是缔约人为欲确保契约的履行，而约定于怠于履行或迟延履行时，为一定的给付。这种罚则，是附从的约定，故契约归于无效时，罚则也归于无效。

三百五十三、现实法上的债与自然法上的债

就诉讼而论，债可分为法定的与自然的二种。法定的债，当然与自然的债一样，系以自然法为其根据（现实法是依自然法而造成的），对于这种法定的债，法规加以充分的承认，并赋予诉权。自然的债，也是以现实法为根据的，不过现实法虽予它们以承认，却不予以完全的效力，仅在理性法为它们直接的渊源时，才予以保护。自然债务，与道德的义务不同，道德的义务只基于道德而有其效力。站在现实法的见地上看来，自然的债是不完全的债，并非绝对没有效力，在某种关系中，它们法律上的效果，仍有承认的必要，但基于许多有关社会利益的理由，它们不能享有诉权。在自然的债中，我们可以承认古代罗马法所说的"衡平的债务"及"自然的债务"，约言的实践，不看作道德义务的履行，而看作"自然债务"的法律义务的履行。故债务人所为的给付，不得请求返还。这"衡平的债务"，在法律哲学上，就是"法律的债务"，须由现实法纳入一定的范围，即以人格而论，欲使其成为有效力的权利义务的主体，实有在现实法上加以规定的必要。以这种承认，赋予自然的债，实是无足为奇的，这不是表示这种债除了现实法以外，别无根据。

理性法非经法规认定，不能有实际的效力，但这不是说，法律及人格，是法规的产物。自然的债，系渊源于"条理"而来，这"条理"，表现于我们的法规中，但非由于法规而发生，就这意义而论，自然的债，是在现实法之外另有其根据的。这表示自然的债，有一较高的渊源，但这渊源，并非绝对外来、绝对超越，因为自然法是在现实法中发展，并与现实法相关联的，正如与真确互相贯通一样。在另一方面，自然的债，又是存在于现实法中的。它以法规为其根据，因为它在例外的情形之下，可有更

大的价值。温得舍特以为自然的债，代表法律体系中无机的部分，从历史的见地上看来，这话是很对的。古时，"市民法"的范围很狭小很严格，把许多实际上确属法律范围的关系，置诸不顾。这些关系，后来渐渐被人注意，最初为"万民法"或"自然法"规律，最后构成"市民法"的一部分。但温得舍特的话，就其本身而论，不能算作原则，因为自然的债所具的不完全性，是基于它自己的作用及性质而来的。我们可以说，它的不完全性，是在它的渊源有缺乏，由于它的渊源有缺点，故它与法定的债不能并驾齐驱。

三百五十四、债的消灭

（甲）清偿。债的消灭方法，计有十种。第一种是清偿，即依照债务的内容而为给付。为增进交易的利益，并为对于应为给付以解脱契约拘束的债务人，易于追偿起见，法律采取代位清偿的制度，即以一种拟制的方法，使债务因第三人的清偿而消灭，但仍为这第三人的利益而视为存续，这第三人得行使契约上的一切权利，以收回其所为的给付。

（乙）更改。消灭契约的第二种方法，是更改。更改是旧债务改为新债务的意思。更改有涉及契约的主体者，是为主观的更改，有涉及契约的客体者，是为客观的更改。主观的更改，有两种情形：一是新债务人代替了旧债务人，债权人对于旧债务人，不再有何拘束；一是新债权人代替了旧债权人，旧债权人脱离关系。前一情形，须有原债权人及新债务人的同意，它与债务根本消灭的情形不同，债务的根本消灭，只须经债权人与债务人同意即可，不生更改的结果。后一情形，有委任及抵充两种方法。委任须有债务人及新旧债权人的同意，抵充则只须有债务人及新债权人的同意。当事人的更改，以有同意为要件，这原则的作用，是要保护当事人合理的利益，以免因这更改而受到损害。客观的更改，是一种新的客体代替了原来的客体，而改变了契约的方式。

（丙）免除。第三种消灭方法，是债务的免除，即债权的无偿抛弃。实际上，它是一种赠与，故须经双方同意。

（丁）抵消。第四种消灭方法，是抵消。"债权与债务，互相交替"双方给付，须种类相同，又双方给付，须均届清偿期；换句话说，数量及期限均须确定，不附有任何条件。抵消在现代占有极重要的地位，在大都市中成为消灭债权债务的最重要的方法。文明国家曾经过三个时期，它们最初采取金属货币，其后采取混合币制，当它们充分发达之后，它们又限制纸币的发行，而采取大规模信用的制度。卢乍提曾作一种很适当的比喻，他把近代的货币经济，比诸金字塔，以硬币为其底基，银行券为其顶尖，而其躯干，则为商业证券、存款及抵消等。银行券有使用硬币减用的倾向，但其他各种信用在这方面的倾向，特别是由于抵消制度的采取，比银行券的倾向，力量更大，它们利用期票的流通，由清算所或交易所结算其金额。巴忒松、巴佐特及巴尔格累夫，曾以统计说明英国贸易的信用，由银行券而进于抵消。一八四四年内，清算所发出的数目，还不超过纸币总额的四十倍。到了一八七二年，它达到纸币总额的一百三十倍。可是英国及美国，还是曾经滥发纸币的两个国家。

（戊）混同。第五种消灭方法，是混同，二个互相抵触的资格，即债权人与债务人的资格，归于一人。

（已）给付不能。债务人并无过失，应行给付的物，归于灭失，或使契约履行成为不可能的情事发生，而其情事又使契约的标的绝对破毁，这是第六种消灭方法。这消灭方法，不适用于标的不特定的契约，因为不特定的标的是不消灭的。这方法系以契约标的陷于不能为其根据。

（庚）解约。第七种方法是撤销或解约。撤销以契约自始存有瑕疵为原因。解约以契约不履行为原因。债权债务，因撤销而完全消灭。解约的效果，或使债权债务完全消灭，或使已到期的部分仍为给付。

（辛）履行。第八种消灭方法，是履行。

（壬）时效。第九种消灭方法，是消灭时效。

（癸）债务人死亡。第十种也就是最后一种的消灭方法，是债务人未履行其债务而死亡，这种债务，须其债务人以基于个人事由的关系，而负作为或不作为的义务。在以物的给付为标的的契约，债务人死亡，不成为消灭的原因，因为该物可由其继承人给付。与死者本人有极密切连系的那些关系，固因其死亡而完全结束，但仅涉财产的那些关系，仍然存续。

第十三章　契约及其方式

三百五十五、契约的渊源

契约乃由于自愿负责而发生，包括私法中称为"任意法"的全部。契约显然与所有权相关，因为所有人的意志，得不受限制，任意处分其所有物，得以契约把它保持，或把它抛弃，或把它移转于承受人。契约系出于自由意志，存于生活利益的交换。它的原理，是在人类赋性的限制及独断专裁的倾向。这也可证明，较高一级的伦理关系，虽非与意志绝对无关，但毕竟不能以契约说明，因为契约具有任意及偶然的因素，并为实利所左右。

三百五十六、契约的定义

依照罗马的法学家，契约是"二人或数人意思的合致"。但我们必须注意，二人可在学理上合意，却仍不成为契约。故海内克齐乌斯对这定义所加的字句，是很对的，即二人或数人"关于物或作为或不作为"意思的合致，近代的著作家，把契约解为二人或二人以上，为某项有经济价值的合法目的而成立的合意。洛斯米尼是这些著作家中之一，他把契约看作二人相对行为的合致及法律效力，其中一人是权利的所有人，自愿（附条件或不附条件）脱离法律连锁，俾使他一人基于自愿而成为它的所有人；他一人表示适当的承诺，如有条件则更履行条件，而将权利取为己有。故契约是一种已经承诺的应允，未经承诺的应允，只是作为或不作为的志愿。依照罗马法，应允是未经承诺的

"要约"，"契约是二人同意的合约，要约则是一种应允的诺言"。有三种情形，"要约"已足使应允人受其拘束，这是由于法律对于某种制度所赋予的特惠；这些要约，就是赠与妆奁的应允，有利于地方政府的应允，及为宗教的原因而为的应允。

三百五十七、契约的历史

古时契约没有而且也不能有今日那样的重要性。古代法律的本质是强行的，因为它不能不强迫人民服从法规，那时人民最仇视法规。因此，它有施用强力的需要。基于历史的必要，在千百年个人自由的时代之前，有千百年束缚的时代，古时法律制度的根基，是社会而非个人。个人并不设定自己的权利义务，他以部落、村社、或家庭的首长的资格，而设定权利义务。契约只在村社的首长间发生效力。契约是不容易成立的，它们须符合许多方式，因为那时的人心，深印着感情及幻想，而缺乏实际的观念，这是我们在前面曾经说过的。方式，是绝对的要件，它们有极大的重要性，因为它们增强诺言的力量，或表明同意的有无。梅因说过，善意在那时没有多大势力，在荷马的诗中，攸利西兹的机诈，如同阿基利的豪侠，一样受十足的赞美。我们必须知道，如果在今日恶意占优势，这是由于近代的社会生活范围扩大及性质复杂，及恶意的对象及机会增多。

三百五十八、契约在历史上的各种形态

此外，梅因更说明契约的三种形态，即契约观念与产权移转混淆，契约与简约分离，及契约为合意吸收。罗马人最初称契约为"Nexum"，"Nexum"涉及"对物权"，是移转产权的方法，其后，"Nexum"成为只指契约而言，而以"Mancipatio"适用于物权。这一个变迁，影响了"Nexum"及"家父权"的含义，家父权这词所包含的权力，原以子、妻及财产三者为对象，其后范围缩小，而使用"Mancipium"及"Manus"。契约与产权移转

分离后，契约看作伴有债务的合约，而别于不伴有债务的简约。在罗马法上的四类契约中，最古的一类是口头的，以"要式口约"为其代表，由能为承诺的一方作问辞，并由对方作答辞而成立。书面契约发生在后，将欠数记入帐簿而成立，要物契约，发生更在其后，基于正义的理由，因一方的履行而他方负履行义务。最后的一类是合意契约，即质物契约、合伙契约、买卖契约及租赁契约。合意契约是属于"万民法"的，是在罗马商业成为普遍并正常后才发达的。但罗马的法学家，以为这种契约自古已有，因为他们深信自然法的历史较早。在这里我们必须注意，凡是抽象的概括的事物，必在其他事物之后，而决不能在其他事物之前，这可以人类千古不变的历史为证。在第三时期中，简约也享有了诉权，这种简约是有约因而无契约形式的，这时，"自然债务"，作为例外而承认并保护之。到了中世纪，这第三时期的罗马观念，益臻显明，简约与契约间的区别，归于消灭，尤以适用兰哥巴尔代人法律之后为然，"裸体简约之诉"，即是由于这法律的适用而发生的。一切契约，均认为出于善意，而诈欺使契约无效，也成通说。

三百五十九、遵守契约的义务

遵守契约，不但是道德上的义务，且是法律上的义务。违反契约，即是违反诚意，并有害于既得利权。受约人既以其产权移转于立约人，基于权义相互关系，自得要求立约人履行其义务。而立约人也得享受受约人的产权，这产权，因二人意志的合致，而归他所有。古哲有言，如果立约人悔约，即无异欲以依法属于他人的权益，攫为己有，如果受约人悔约，即不啻强使立约人背于己意而取得权益，这都是显违正义的事。斐希德曾谓履行契约的义务，是在一方着手依契约而有所行为时，才发生的。其实他说这话的时候，采取了一种错误的学说，以为债的义务是完全道德上的事，而非法律上的事。契约的拘束力，实由当事人的合意而来。什勒斯曼（Schlossmann）在《契约论》中反对这见解，他以为这拘束力，并不是意志的产物，因为在有些情形中，立约人所为的表示与他的真意不符，他并没有受其拘束的意思。例如，为谐谑表示的人，如其表示使相对人信为认真的立约，即仍须受其拘束。又如，为心里保留的表示，或在他人备妥的字据上不稍阅读而遽行签名的人，也是这样。其实，缔结契约一经合意，即构成一个共同的意志，这共同的意志，即是当事人间的法律，什勒斯曼对于这点，没有加以熟思。立约人不能破坏其受契约拘束的意志，因为既经铸成的连锁，非经相互同意，是不能解除的。虽然关于契约的事项，有些义务，完全出于法律的规定，以适合正义的原则，而非出于当事人的自愿，但我们不能因此而谓，其他一切义务的渊源及效力，也非出于当事人的意志。

在什勒斯曼所举的事例中，义务乃由于立约人或签名人的轻率或恶意而发生："任何人不能以自己的过咎，为负责的理由"，上述的这种信念，是与那关于法律行为的较广泛而不正确的学说，有密切的关系，法律行为中，有许多是契约行为。我们知道，法律行为是以发生变更或消灭法律关系为目的的意思表示，可是有些人竟谓行为发生法律效果，并非基于私人的意志，而是基于法律。他们以为行为是一种事实，对于这种事实，法律予以一定的效果，不问行为人的意思怎样，因而也不问其目的是否合法。法律系参照自然因果及社会功用的标准而承认并规律人类的行为及其法律的效果。就这点论，这些人的说法，确有相当理由。但法律自己是不能创造法律效果的，正如它们不能创造意思能力及由于意思能力而来的行为，它们的本分，只在承认及制裁而已。有些行为是法律容许的，有些行为是法律禁止的，因有合法行为与不法行为的区别，在规律这些行为的时候，法律常以它们的自然因果及社会功用为标准，而认许当事人所欲望的某种效果，否认其所欲望的某种效果，并另外附加其他的效果。法律倾向于使当事人的意志实现，但有时当事人所预期的效果，在法律上是不可能的。例如在易于腐败的物上设定用益权，在罗马法上，是不许的，故用益权人取得该物的所有权，但须负交还该物或其代替物的义务。我们可以看出，这里的法律效果，是用益权设定人所未认识的效果，是非其所预期的效果。

三百六十、契约的要件

遵守契约的义务，因契约具备四个要件而确定，这四个要件就是：意思的能力、意思的自由、履行的可能及约因的存在。缔约人必须具有充分运用其理智及适当表示其意思的能力，故精神病人、酗酒人、未成年人及一般必须以他人意志支配自己意志的人，没有缔约的能力意思表示必须确定，即必须是出让权利或取得权利的决心的表示。它必须当事人双方合致，否则无所谓"合意"，无所谓相互关系了。故当事人的意思，必须同时契合。如果当事人表示不相同的意思，他们中间就没有真正的合意，例如受要约人先作拒绝要约的答复，嗣又改变意思而作认可要约的答复；在这例子中，究竟要约人是否仍愿维持其要约的效力，是无从知道的，故第二次认可要约的答复，须经要约人接受，才能成立契约。事后的认可只有一种新要约的效力。事后的认可，具有这样的效力，是事理所当然，并非基于任何法定的原则。又意思不论其为明示或为默示，均须显著。此外，依照洛斯米尼及托雷密的见解，意思表示，固须确定、合致、相互、同时及显著，但如果意思不自由，在法律上仍不能有效。所谓意思自由，就是意思的活动没有妨阻它运用的障碍，如错误、诈欺及胁迫等。自由一辞，在这里是有极广泛极概括的意义的。

三百六十一、要约及承诺

同时表示这个要件，引起了一个问题，即要约与承诺二个意思，不能同时表示时，契约究于何时成立？契约成立的时候，以承诺的意思表示的时候为准？还是以承诺的通知，达到要约人的时候为准？依照我们的见解，契约系从承诺为要约人所知的时候起，发生拘束力。合意是二人意思的合致。这合致，并不是盲目的偶然的暗合，而是非出于意识不可的契合。意思的相合，必须存于二人的意识中，这二人有使他们意思相合的愿望，并以一定行为表示这愿望。如果在同一处所的当事人，因对话并互相了解而成立契约，则对于隔地的要约人，以信函或电报所为的承诺，自应于要约人收到后才成立契约。譬如，有二人当面立约，要约人因为生理上的缺陷，不能了解受要约人的答语，在这里我们可以确信无疑，在未设法使要约人了解之前，契约无从成立。同样，如果要约人没有收到承诺的通知，事实上即只有一种不生义务的提议。要约人所发出的信函或电报，毕竟是没有生命的东西，不能认为要约人的代理人，而可收取并承认受要约人的承诺。契约当事人的一方，还没有知道他方的承诺，因而还没有认识他自己的义务，我们决不能说，这时契约已成立。要约及承诺，也应于要约人知悉后，才有效力，对于契约当事人二方，实无采取相异原则的必要，无须使要约人一开头就受拘束，而让受要约人，对于要约得以随意接受或拒绝。我们主张的制度，是维持正义的，因为要约人在要约未经受要约人知悉之前，得撤回其要约，而受要约人也得在承诺未达到要约人之前，撤回其承诺。但承诺的通知，一经到达要约人，二人的意思，即行合致，而契约也于以成立，因为二人的意思，既已融合，我们没有理由要求要约人予受要约人以另一通知，而使往来通知相续不绝。

不过，关于契约于承诺为要约人所知时成立这一原则，我们还须说明几个为事理所当然的例外。第一，要约人明示或默示在接到承诺通知前即愿负责，我们知道，在这种情形之下，上述的原则是不适用的。依照学理，在片务契约中，我们必须推定要约人有这样的一种意思。在消费借贷或寄托契约中，对于送来的物件不加以拒绝而收受并保留时，即表示已经承诺。但在委任及代理等合意契约，是不能这样推定的，即使受要约人立即实行其义务，也不能看作已经承诺。又在商业上某种紧急的事件中，基于习惯上的理由，上述的原则也不适用。此外，利用电话缔结的契约，不成为隔地的契约，因为缔约者间虽有距离，却仍以直接的工具而通话。所谓缔约当事人双方到场一语，不可严格解释，以为他们必须彼此见面，而互相碰头，因为只要在缔结契约时二人意思合致就够了。

三百六十二、诈欺及错误

错误是一种关于契约的误信，系缔约人自己不注意而发生的；诈欺则为他人的奸诈或欺骗所造成的错误。依照古时学者的说法，诈欺与错误的区别，只在来源的差异，根本上是相同的，二者的结果都是误信。如果错误涉及标的物的性质，或涉及当事人认为契约要素的事项，或涉及人的资格，即缔约人非有这人即不会缔约，则依照罗马的格言，契约应为无效，所谓罗马的格言，即"凡陷于错误者不能认为有所同意"。如果错误涉及无关紧要的事项（当事人不认为契约的要素），则契约并不因而无效，但发生赔偿损害的责任，其赔偿额以契约所定与契约履行时的所得二者间的差额为准，因为任何人不得自己受益而使他人受害。诈欺或为契约当事人的一方行使，或为第三人行使而为其所知，如果诈欺的目的，在诱致契约成立，则其契约的应属无效，更有强有力的理由，因为这样的契约而认为有效，将与正义显相违背了。受诈欺的一方，得要求契约归于无效，并要求所受损害的赔偿。行使诈欺的一方，则不得有这种要求，否则二方将置于同样的法律地位，显失衡平这个法律的本质了。

三百六十三、胁迫

胁迫有实质的与精神的分别：前者使人屈服犹如机械，无所谓意思的合致，因为行使胁迫者的意志，是绝对占优势的；后者的行使，能剥夺被胁迫者理智及其自由意志的运用，因而使他不能作健全的意思表示。如果胁迫所引起的恐怖，并不破坏被胁迫者理智及其自由意志的运用，他的意思表示，应认为有效，但在这情形之下，行使胁迫企图契约成立的一方，实有不当，故应许他方有撤销或履行契约的选择权。恐怖必须是实在的，它必须能强使一个有相当理解力的人，不得不缔结契约。罗马法对于屈服于强暴之下而缔结契约的人，最初不予以任何救济方法。其后才有大法官法所定的"基于胁迫原因的抗辩"，以资救济。我们以为，法律应十分慎重，采取中庸之道，即一面不应激励妄施势力，一面也不应激励懦怯。

三百六十四、契约是意思的合致

上述关于错误、诈欺及胁迫的概念，在这里再略为阐释，也许是有益的事。有若干德意志法学家，如什勒斯曼及培尔等，主张契约的效力，完全以缔约者的表示行为为准，他们反对国家能行使否认契约效力的权利，因为在他人看来凭以发生法律现象者，不是那表示出来的意思本身，而是那看得见或听得到的表示行为，发生法律现象的意思，是否存在，在他人是全凭这表示行为而才能知道的。温特舍特，不赞同这些法学家的见解，他说明当事人意思的表示，是外表的。我们不能说，当事人互相缔约，只是制造声浪，或互相会晤，只是察见光波，而不是互相了解并设定权利义务。他们固能动作、说话或书写，但他们的举动、言语或表情，是他们思想及意志的记号，权利的得丧变更，由是而确定。培尔以为缔约的一方，虽陷于错误，也会知道他方将以其所言为准，故应认其对于所言的外表的意义，有所同意。他着重善意及交易的重要，所以在他看来，即使受诈欺而为签名的人，也应负责。他又谓在某种情形之下（如在心里保留的情形之下），与意思不符的表示，应属有效。

其实，培尔没有注意到，陷于错误的缔约人，并没有作这不符其真实意志的表示的意思，他的意思是要对方以其所信为合于真意的表示为准，他丝毫没有同意于其实际所作的表示。善意与交易利益，固须看重，但不能违背法律，法律（为保护善意债务人的利益）对于在收条或商业票据上被伪造签名的人，不承认其有何责任。受让人可得的权利，不能较大于让与人原有的权利，这合理的原则与培尔主张的学说，是不能相容的。善意的受让人，不能享有较大于过失的让与人的权利，换句话说，他不能享有什么权利，错误的表示不能有何效力。在法律上，心里保留不能有什么效果，因为它是一种完全内在的未经发表的意思。它可以看作"有与无等"这话的一个实例，因为意志决不能自相矛盾。表示是意志的行为，它是表现于一定形态的意志，它决不能与打消这行为的心里保留并存。

三百六十五、无效与可以撤销的契约

法兰西的法学家，把错误分为二种：其一是不发生合意的错误，称为"ostative"；另一是打消合意的错误。罗马法学家，认错误有标的物的错误与物质的错误的分别，前者是一物误为他物，后者是标的物质料的错误。依照乌尔比安所说，这二种错误，都使契约归于无效，标的物的错误，相当于法兰西的"ostative"，物质的错误，相当于打消合意的错误，在法律哲学上，这种仅有理论上或智力上价值的分类，是没有什么意义的。因为这二种错误，可归纳为一种关于契约标的物的根本的错误，当事人依这标的物而运用他们的意志，要是没有这标的物，他们就不会合意，这不是以标的物的本身而为客观的观察，而是以缔约人的意志所设想者为准。这种错误，当然不能使合意成立。（合意是知识及自由意志的结果），因而也不能使契约成立。这种根本的错误的性质，不论它可想或不可想，总应有这样的效果，因为实际上并没有合意；不过不可想的错误，使对方享有较强的请求赔偿的权利而已。我们在前面说过，诈欺与错误，只在他们的来源方面有所不同，二者根本的基础，同为误信。诈欺的构成，须一人因他人的奸诈或欺骗而发生误信，它在民法上不需有其他要件。它的根据，是损害的意思及可能，因为诈欺与极易与它混淆的错误，发生同样的效果。

三百六十六、胁迫的程度

关于胁迫，我们须知舍利曼（Schliemann）的说法是不正确的，这说法的出发点，是认定因受胁迫而为的表示，不是真正自由的表示，而是与内心不符的表示。依照舍利曼的见解，在这样的情形之下，无所谓同意，故契约应属无效。按舍利曼的说法，可适用于二种情形：一是"绝对强制"的情形，即受胁迫者成为行使胁迫者手中的工具；一是"威吓强制"的情形，即使受胁迫者一时丧失理智及自由。在这二种情形之下，外形上受胁迫者的表示似出于自由意志，而实际上则并无所谓意志及同意。但如果胁迫所引起的恐怖程度，还不至于蒙蔽理智，完全破坏正常的意识，那就不能再说同意并不存在，不过契约仍得撤销，这是因为胁迫行为妨碍了自由的运用，权利是不能由是发生。对于这样的情形，所谓同意不存在的说法，是不适用的，这里所能适用的，是不法侵害他人自由的原则。

三百六十七、契约必须可能

如前所述，契约实行的可能性有三种：物理的可能性、道德的可能性及法律的可能性。关于物理的可能性，我们必须牢记"凡无能为力之事任何人不负其责"这个古谚。法律是含有增进福利的意义的，所以我们必须牢记罗马法学家的意见："有玷声誉的契约，是不能有什么力量的"。任何契约，凡以不道德行为或以违背义务为其标的者，均属无效，因为道德即使没有包括法律的全部，却也包括法律的一大部分。所谓实行契约的法律的可能性，含有二个要件：一是权利须得以割让；一是处分权利的人须有权能。人的基本权利，是不能割让或移转的，因为这些权利，即是权利人本人是他的不能传授与他人的财产。洛斯米尼说过，要把权利传授于他人，我们必须能够把使这权利与我们连系的联锁解放，但我们决不能打破我们自己本身权利的联锁，因为我们不能自己毁灭自己。这原则可适用于全部权能的行使，或一部权能的永远行使，因为它们的丧失，无异人格的消灭。惟有那些基本权利所生的权利，可能传授但也只能为一时的传授。基于同一的原则，他人的权利，即使他表示同意，也不得由允约者为自己获得利益，而有所允约。如果所为的允约绝对而无条件，则允约未能履行时，纵使由于第三人的拒绝，也须负损害赔偿的责任。

三百六十八、约因

基于因果关系，原因是契约的要件，也是一般债务关系的要件。对于并无约因而有所允约的人，不能加以法律的拘束，契约中虽无须把约因说明，但约因总是契约成立的直接因素，故必为法律上的要件。在法律上，所谓约因，是指允约与允约间的关系。在双务契约中，约因是一方的允约对于他方的允约的关系。在片务契约中，一方的约因是在恩惠，他方的约因则在恩惠的施与。有人说过，说得很对：就允约作相对的观察，是为约因，就允约作绝对的观察，则为目的，这就是约因与目的的异点。约因须属善意，因为法律关系不能建立于虚伪或不道德之上。约因这个要件，能帮助我们看出缔约人有无欺诈。正如洛斯米尼所说，我们不能把它看作足以妨害诚实人缔约的障碍，因为他们以诚实的动机而缔约，对于他们动机的表明，不会有何嫌忌。对于欺诈的行为不加以制裁，实有流弊，对于诚实人的感情加以伤害，也有流弊，但法律不可在这二害之间犹豫不决，宁使后者感受不便，实较妥善得多。不过，法律不妨采取一个原则，推定约因存在，而使当事人无须再为约因存在的证明，这样一来，较微的弊害即可避免。事实上，以约因为要件的那些国家中如法兰西及意大利等，关于这点未闻有人倡言改革。奥地利的立法，采取相反的原则，但这种立法例，似无仿行的必要。

三百六十九、契约的解释

就契约事项作更进一步的讨论，我们须有一言，述及解释契约的法则，及契约的重要分类。解释契约的法则，系以明了当事人的意思，为其目的。按这些法则中的第一个法则（如同其他法则一样），系以罗马法学家的学问为根源，这些法学家，可说是法律的逻辑学家及几何学家。这法则就是：如果缔约人的意思不显明，契约用语的含义，可参照上下文而求得之。如果契约用语的含义仍不分明，法院应解释之。如果法院不能确定其含义，则应考虑缔约人的目的，如果目的模糊不清，下列的法则，可用以释明契约："我们常常依从已往缔结的契约，故我们应以该地习用的意义为准"。此外托雷密又加添了另一法则：（他的主张很对，这是没有疑义的）如果依照上述的方法，契约用语的含义仍不能求得，则应以其可有相当合理效果的意义，作为该项用语的含义。

三百七十、契约的分类

就契约作哲理的分类的，以康德为第一人，有许多著作家依从他的分类方法，其中最著名的，是黑格尔及阿楞斯二人。这分类方法，系以契约的内容为根据，依主要的类别标准而推演，不像一般立法者所采取的分类那样，有不相关联及任意决定的缺点。依照康德的见解，契约或以单方的利益（无偿契约）或双方的利益（有偿契约）为目的，或以担保为目的。无偿契约，包括寄托、保存、使用借贷及赠与等。有偿契约，包括交易及租赁。交易依其最广泛的含义而言，可分为严格意义的交易、买卖及消费借贷等；租赁包括保管契约在内，其内容为场所或名义的替代，如果它的内容，只在场所的替代而不在名义的替代，则它的性质，具有商业的意义，而成为有偿契约。以担保为目的的契约，有三种方式，即典质、信托及提供保证。上述康德的分类，虽有其辩证上的价值，但没有实益，因为它未能包容重要的契约，如合伙契约等。它还有一点错误，即紊乱了租赁契约。

三百七十一、特楞得楞堡的分类

比较完备而同样以契约内容为论据的分类，是特楞得楞堡的分类，它不把担保契约作为第三类，而依其性质，分别列入无偿契约及有偿契约。特楞得楞堡以为契约可依照它们的方式，分为口头的、书面的及推定的三种。最简单的方式，是应用那些合于谨严定式的言词所表示的合意。书面契约，基于司法的分类，得有很大的力量。在推定的契约中，合意是以行为来表示的。默示的契约，不论其以言词或行为来表示的合意如何轻微，要必有所表示，故应归属于上述类别之一。随后，特楞得楞堡又讨论契约的内容，他以为契约的目的，或在力量的增加，或在权利不确定状态的除去。概括说来，前者的契约是赠与、交易或合伙，它们构成一串先后相续而顺次向上的连环，由片务的关系而进于双务的关系，更由双务的关系而进于共同的关系，这共同的关系，是因协议进行复杂的业务，以求共同的利益而成立的。一方为允约，他方为相对的允约，这样的契约，在顺次上较低于共同经营事业的合意，这是显而易见的。赠与的契约，是片务的无偿的契约，因为当事人只有一方负担债务。这种契约，有些涉及产权的赠送，构成严格意义的"赠与契约"，有些涉及财物使用利益的赠送（使用寄存契约），有些涉及无偿劳务的赠送（保管契约）。交易的契约，是双务的不是无偿的契约，因为当事人双方互相负担债务。交易契约中主要的几种，计有严格意义的交易，商品与商品是互赠，商品与金钱多换的买卖物件的交换或工作的交换（财产或劳力的使用，不论其为有形的或为无形的，因为它们都是价值的表象），及借贷（以金钱换取金钱的使用）。我们并须把保险契约，列入双务契约，因为当事人双方在一定条件之下，互相负担债务。合伙契约，不以二方相对行为为限，范围自较广泛，因为它着眼于共同的目的，而以多数的共同行为，为求达目的的手段。合伙契约，彼此也有分别，因为有些能成立与合伙人各别的个体，有些则否。和解的内容，是当事人双方互相让步，使原来不确定的权利关系，臻于确定，这种契约，表示力量的划分，而非表示力量的增加，故中断了上述先后相续而顺次向上的连环。

三百七十二、特楞得楞堡的分类是详尽的

在上述的分类中，所有主要的各种契约，均经论及。佃权及租赁，还没有列入这些分类，这固然是无可讳言的，但我们不能否认，这二种都是双务契约，不难使其属于最广义的交易这个概念中。所谓佃权，就是田地的永远租借或一定时期的租借，租借人负每年给付租金或物品的义务。租赁及借贷，是以不动产供人用益，或以金钱供人消费，而收取租金或按年收取物品或其他报酬。其他一切双务契约，以交易为目的者（可归入"给与与给与交易"、"给与与劳力交易"、"劳力与给予交易"或"劳力与劳力交易"），在特楞得楞堡的分类中，均可占一地位。特楞得楞堡虽没有举示担保契约，但他曾述及典质及保证。这种契约可列入信托、典质及抵押。特楞得楞堡的分类，与康德的分类类似，但辩证上的价值则较少。又特楞得楞堡自己承认，以增加力量为目的的那些主要的契约，系由片务而进于双务，更由双务而进于合伙的共同意志。和解契约，则表示力量的划分，中断了该项前进的程序。

但我们对于特楞得楞堡的分类，加以精密的研究之后，我们一定能够看出，所谓和解契约划分力量的意义，实指它就原来不确定的权利立定界限，我们须知原来不确定的权利，立定了界限之后，足以增加力量。混乱的、不确定的及无界限的权利，只是表面而无实用的权利；真正的力量，乃由于界限分明范围确定而来。和解契约，铲除障碍、避免损失并确定权利，使当事人更为自由更为安心，因契约的成立，而感觉满意、感觉愉快。我们须知，力量的增加，足以造成愉快的情绪，而力量的欠缺，则足以引起困恼或痛苦。和解契约，是一种基于相互关系的双务契约，故必须列在合伙契约之前、片务契约之后。这样，主要的契约，就构成了先后相续顺次向上的连环。由此可见，一切契约，就其内容而论，均以力量的增加为目的。此外，吾们不可忘记，任何契约，无不与倾向独断专裁的感情关联。我们以为，有了上述的补充，特楞得楞堡的分类，似已可认为完备而合于哲理。

第十四章 契约自由与
劳动契约

三百七十三、契约自由不可成为放肆

现在让我们进而讨论若干特殊契约的性质，这些契约现今在经济法律界中引起不少困难的审判及评论。契约是"任意法"及个人自由的最明确的表现。如果个人是自由的，如果他可依照他所认为最便宜的方法，而处分他所享有的东西，那么，他当然得以任意作关于物件或劳务的允诺，而与他人发生关系。法律固应尊重契约自由，但仍须有其限度，契约自由成为放肆，并违反理性、道德、正义及以个人为构成分子的社会的真实利益时，就不应再受法律的尊重了，如前所述，契约自由这个观念（它是私有财产及个人自由的产物），为其他更重要的观念所限制，后者是增进社会生活所代表的整个伦理组织的幸福及需要的。受这样的限制的，不仅为缔结契约的权利，且为财产、家庭及继承等方面的权利。实际上私法是不能不处于次要的地位的，故归根结底说来，私法是"任意法"。不过，个人意志，在私法上较在公法上占优势，而在私法的物权及契约上，又较在私法的亲属关系上占优势，这也是显而易见的。但谁也不会认真主张，在契约的范围内，比个人自由更重要的观念所加的限制，不应受人尊重。个人自由，随着时代的进步而发达而扩展，占有可应属于它的全部地盘，排除了不正当的压制的支配。但同时却又产生了范围更

大、意义更真实更具体的各种义务，它们要求适当的条件，俾能生存、活动。

三百七十四、契约自由应受法律保护

对于自由的合理的限制，正在滋长，而自由本身，也增强其力量，不复有名无实。这不是说宇宙有什么改变。从前自由必在法律予它以相当的条件，并予它以发展的保障时，才能表现它的真相。现代则建立一种具体的真实的自由，而非抽象的名义的自由。确定条件及保障的法律，并不根据于组织的问题，即并不根据于贯彻全体以求达一般的目的，这些法律只在它们的管辖范围内，设法保护现存的自由。这保护，不可解为只是二个意志合致的效力，它应认为双方契约自由的保证。近代的契约法，惟有根据下列二点而修改，方为正当：一，其理由须为现代特殊化及个别化的加甚，显示条件相互关系的加甚；二，其目的须为增进自由的实际条件。祁克[1]所说的一切私法的社会使命，惟有在这二个原则的进行之下，才能成功，因为私法的基础，是常为更重要的社会自由所限制的个人自由。如果个人自由没有保障，如果集体意志取个人自由的地位而代之，则个人以他们所择方法，期达特种目的的各项关系，势将完全消灭了。

私法的社会主义化，是私法的致命伤，因为凡属私法，必有个人自由活动的余地。我们也不能有一种私法典，专为保护贫穷阶级，对抗中等阶级的权力，如德意志的门革（Menger）及意大利的萨尔淮利（Salvioli）所表示的意见那样。要是这样的规定，订入法典，它的本质，将成为特权阶级的立法了。在不存偏见的人心中，它不能占有地位，它将违反正义，不成其为法律

---

[1] 原书译为"基尔克"，即 O. F. von Gierke（1841－1921）。——勘校者注

了。"各得其应得"是正义的口号，故专为贫穷阶级利益的民法，是要不得的，尤其在公法中宣告人民一律平等的时候，更不许有这样的民法。我们不能假定，贫穷阶级，一面被认为具有参与公共生活的能力，一面却又是没有经验的人，纯洁率真的可怜者，在民事生活的各种关系方面，几乎无不受富有阶级的贪婪所牺牲。这样的法典，足使自由为人类物质平等而牺牲。须知自由与物质平等，是二个各别的观念，吾们没有把它们混淆的必要。法律应置个人于一种地位，使他能够真实而且有效地行使他的自由，无须以别人的财产及别人的勤劳所得，给他享有。

三百七十五、契约自由不是绝对的

契约自由，从来没有认作一种绝对的原则，在真正个人主义的法典中，它也是受道德的理由、公共的秩序或社会的正义的限制的。契约自由受正义限制的实例很多：一方违反契约的，他方得诉请解约；标的物出卖后经过五年，可不再受买回权契约的拘束；代理人及债权人就财产收益、取偿利息的契约，可由债务人撤销；关于运送牲畜的契约，由于偶然的事故，而非由于运送人的过失，牲畜消失时，运送人须负一半以上的责任，或其分担的损失超过他所得的利益，对于这种契约，法律也加以各种禁止。法律在这些情形中所定的限制，是要保护自由，使它不受那些要某种情事中予它以胁迫的危险。一个农夫，依照租赁契约的规定，抛弃其免付租金的权利，不论事变的发生，是否不可预见，即使他未能从租赁物取得一些利益，他也应照付租金；又依照租赁契约的规定，遇有事故承租人须把租赁物交还时，放弃其改良租赁物的增益费的偿还请求权。基于上述的同一理由，这种契约条款，得宣告为无效。詹屠哥（Gianturco）在《契约法上的个人主义与社会主义》（Del Diritto Contrattuade）一书中，曾谓这二种限制，实际上与那些已经法律承认的限制，即我们在上面例举的那些限制，具有同一的目的。

三百七十六、劳动契约中的经济压迫

任何人都承认，在劳动契约方面，法律有重大的缺点。这一种重要的契约，是严烈批评的目标，现在适用于这种契约的法律，仍是一部分渊源于罗马法，不适应近代新状况的几个规则。劳动契约的双方当事人，当然不是站在平等的地位，因为一方面是雇主拥有许多资本，能减少甚或停止工作，他方面则是工人，是劳动的出卖者，不能停止不工作，不能在急要时拒绝工作，也不能久候工作机会，他必须为工资而工作，工资可维持他的生活，却不必予他以任何剩余。前者往往刚愎自用，后者竭力挣扎，以免冻饿。即使工资相当的高，他能享相当的生活，但雇主终究是较强者。故对于劳动契约双方当事人的状况，有尽量加以均衡的必要。均衡的方法，不是把不属于工人的东西，给予工人，不是降低资本的权利，或降低调合并管理生产要素的人的权利，也不是由公共机关以命令确定合理的工资，而是予工人的自由以保护，并予工人以发展的机会。在这种方法中，我们可以举出的，例如禁止物品工资制，即禁止给付物品以代工资，而使工资减损的制度，又如确定雇主工人双方相互的规则及义务，以便适用于契约未有规定的事项。关于房屋或其他不动产的租赁，如果租赁期限契约未有订定，法律即以推定的方法，规定租赁期限的长度；但关于数千工人的劳动，缔结的契约，如果没有期限的订定，则法律毫无补充的明文，于是契约也就无期有效了。另一方法，是限制雇主加于工人的惩罚。此外，关于童工、女工、星期日休假、灾变、工人保险及工厂规则等的法律，对于劳动有显著的影响，表示一连串合于正义的限制。

三百七十七、雇主的责任必须加重

依照现行的法律现今采行的原则，是工业灾害的发生，雇主

如有过失应负责任。这原则有详论的必要。在灾害中受伤的工人，负证明雇主有过失的举证责任。工人所受的确属工业危险的意外损害，应由雇主负赔偿之责，至少在某范围内负赔偿之责。雇主是工业的主脑，故取得一切利益，至于工人，则为雇主的利益而工作，只收受一定的工资。利益既属于雇主，则与生产不能分离的损害，自应由雇主担任。别人既为他工作而受到伤害，他就不应因而反得利益。"享有利益者应负其责任"，这格言我们应该牢记。这些意外的损害，与不可避免的事变不同。意外的损害，是事业所固有的。不可避免的事变，则非事业的管理所固有，也非对于通常情形所为的设备所能预防。我们不难看出，凡是与事业的管理没有关系的事件，你把雇主看作损害的造成者也好，把他看作事业的主脑也好，但决不能使雇主负什么责任；还有，由于工人自己的过失而发生的损害，也不能使雇主负责，工人出于自己的自由意志，置身于危险的地位而受到了伤害；这伤害不但影响了他自己，而且影响了别人，影响了资本。上述雇主责任的加重，应由法律规定，不得以契约抛弃，实无疑义。这样的制度，并不移转举证责任，因为雇主欲以工人与有过失或以事变不可避免，为免责理由，自当提出证明方法。

三百七十八、移转举证责任不足以解决雇主责任问题

有一种方法，希望不变更现行的法律，而仅以举证责任的移转，实现正义的原则。依照现行的法律，灾害的发生，须证明雇主有过失，他才负责任。举证责任移转之后，即推定雇主有过失，他须证明无过失，才能免责。但这种方法，减损了普通法的效力。普通法所根据的原则，是提出有利于自己的陈述者，须为证明，一如受契约拘束的人，须把使他脱离拘束的事实证明。而且，这种方法是不公正的，因为雇主不易证明他无过失，工人在工厂中是继续不停的工作的。孚西拿托（Fusinato）在其所著的

专论《劳工的不幸》中，曾谓雇主有过失的推定，与实际不符，他引用统计，以说明大多数的工业灾害，系由于无从断定其原因的偶然事故而发生，关于位置及物件的情状，常因灾害的发生而有很大的变动，以致无从辨认。原能证实过失问题的人，死的死了，不死的，如果不是诉讼当事人，也就处于不便证实的地位。在这种情形之下，雇主是无法得到证据的（在现行的制度下，工人经过几个月束手无策，而他的工友恐怕失业，不为他助，他也会陷于同样的窘境，这当然也是无可讳言的）。我们不能仅仅因为雇主富有而认许雇主有过失的推定，这是很显明的，推定雇主有过失，实非公正，因为工人是在事业中服务的，与火车上的旅客完全不同。移转举证责任的方法，根本改变了现行的法律，不但把由于雇主自己的过失而发生的损害，课责于雇主，且把由于不可知的原因而发生的损害，也课责于雇主。

三百七十九、雇主责任非出于契约

除了移转举证责任这个方法之外，还有一个方法，以契约为雇主责任的根据，雇主须依契约而为一切必要的注意，以保护工人。这契约使工人处于从属的关系，而以雇主担任保护，为其相对的义务。依照主张这方法者的见解，雇主的责任，非由于过失而由于契约。遇有灾害时，工人只须证明契约；雇主则必须证明他没有过失。现在我们且把这方法的根本思想，置诸不论，我们必须证明的，是雇主固须依契约而为一切必要的处置，以保护工人的生命及健康，但他的义务，也只如此而已。如果雇主把这些处置一一照办，而灾害仍然发生时，对于不知来源的灾害，他就可不负其责，就可无须赔偿损害了。从雇主义务在契约上的性质着眼，举证责任并不移转，因为契约的目的，不在工人人身的租赁，而在他的工作，他不能看作一架机器那样，承租者必须保持机器的原状，而于使用后送还于出租人，如有毁损，并须赔偿。

雇主没有回复工人身体原状的义务，工人也没有回复他身体原状的要求，他所希望者，是工资的支付，他以契约为其权利的证明。在租赁、运送及寄托契约中，物的所有人要求其物的交付，负有交付义务的人，须证明其免责的事由，但在劳动契约中，遇有灾害时不生返还工人人身的要求。

三百八十、雇主责任问题可以强制保险解决

基于正义上的理由，雇主应负完全责任，这制度所根据的原则，纵经接受，它们也没有什么重大理由，去反对雇主实行工人的强制灾害保险，因为他既取得事业中的一切利益，自当担负偶然事故或工业危险所生的损失。法律有权力，去强迫那些经营工业的人，实行保险，俾在工作进行中，因灾害的发生而致工人死伤时，支付一定金额的赔偿。如果灾害系由于雇主的恶意或过失而发生，则工人不但有权取得保险金额，且有权依普通法上的规定，而要求补偿损害的必要金额。如果灾害系由于工人的恶意或过失而发生，或由于不可避免的事变而发生，则工人即不应取得赔偿。实行保险之后，危险即由多数人分担，发生灾害时，雇主即无须支出巨额金钱，也无须与工人涉讼。责任问题在雇主与工人间引起战争状态，保险则造成和平景象。强制保险，在生产费中表示一项新开支，使物品价格增高，故大部分由消费者负担，而多少有一部分由生产者自己负担。关于这点，我们必定没有什么妄想。法律于规定雇主为保险所须支付的赔偿金额时，对于国内生产及工业的实际状况，应加以正确的考虑。最重要的事，是必须注意这种义务是否可以课责，并注意这义务在各个特别情形之下，应有怎样的范围。有些人恐怕强制保险，会使雇主忽略，而不为工人采行各种设备，但这种顾虑是没有多大根据的，因为如腓拉利斯（Ferraris）在其所著关于这问题的书中所说，保险公司在未能确信灾害的发生，雇主并不于有过失之前，决不愿支

付赔偿金额。

三百八十一、关于雇主责任的法律应预防与救济兼具

法律不应以救济损害为限，它更应未雨绸缪，预防损害，订立一般原则，以为特殊法规的根据，规定必要的设施，以确保工人的生命身体，并防止灾害的发生。故法律的职责有二：预防灾害的酿成，及保证损害发生时的补救。

第十五章　重利盘剥

三百八十二、利息的正当性

利息是以原本借与他人而得的收益，它历来被人以偏颇的见地观察，由于历史的原因及道德、哲学、宗教的偏见，它被人轻视。在《威尼斯商人》中所描写的《十二表法》的严酷，还不是利息被人蔑弃的最大原因。借款于富人使他们鸩于奢侈放荡的生活，及借款于穷人以取得金钱，这在野蛮人蹂躏的时期为尤甚；这种情事，以及《旧约》、《新约》中规定救助穷人及禁止利息的慈善的教义，在一般人民及立法者的心上，发生很大的影响，除了情感的冲动、友爱的呼声之外，又有亚里士多德的著名理论所代表的科学威力，他的理论，说明金钱没有自然的生产力，为罗马法学家所采取。这些法学家，最初主张，"利息是属于交易的收益"，但终于确认"利息并不是收益"，因为利息非由"物本身"得来，而由金钱本身得来。

三百八十三、利息正当性的承认

生活需要的趋于复杂，贸易的发达，商业的增进，及自然经济的渐次进展，于金融经济，使当铺以及由于商人营业借贷而生的利息，取得了法律的承认。那时形成了一种主张利息正当的理论，这不是基于它本身具有什么价值，而是根据"实际损失"及"停止收益"的观念，把它看作原本不使用的补偿。对于判决所定的利息，不以同样的畏惧眼光看待。国王以国内高利贷款的专利权，出卖于希伯来人及罗姆巴提人，但一经人民对于重利盘剥者提出反对，即把他们的财产没收，于是得到了双重的利益。

三百八十四、利息在法律上获得完全的承认

最后例外成为原则，利息旋为法律认许，其时借贷的目的，不是保藏或消耗金钱，而是把它作为资本而投放，于是种子与果实有了分别。以商品论，金钱有其种子的价值，即是造币的费用；其果实的价值，则与金钱用作资本关联。这分别表示利息的正当性，不只在资本的数量上。例如，金矿的发现，能减少金钱的价格，同时利息也能因资本的不足而增高。在今日，物产丰饶的意义，与经济生产力的意义不同，因此，我们可以看到，金钱虽不能产生物体，却有经济的生产力。利息（即法定孳息）为经济法律的理由上无可否认的原则所认可，因为它是使用他人原本的补偿。它又是承担危险的代价。原本的返还，是尊重所有财产的直接结果。这是不容有所怀疑的。

三百八十五、重利盘剥的禁止

但在那时利息虽经认许，重利盘剥却仍受禁止。换句话说，过重的利息，仍所不许。限制利息的法律，为仁慈的精神所推动，企图取缔过重的利息：这种过重的利息，使人数最多、幸运最坏的债务者阶级，深受其累，它代表人类交通极难、各国法律互异的时代，但利率一经限制，资本也受了一种它所不应受的限制。它的活动范围，因而缩小，不具备今日自治的特质，按资本在今日差不多均可因信用的往来，而与其所有人分离。交通发达及各国法律的差异减少之后，商业发展及资本的数量及流动增大之后，限制利息的法律，就不复能实施了（现在已为大多数进步的国家所废弃）。一种新的原则，似正在形成中。虽然它还欠明显，可是它已在进行，把限制利息的观念，贬入曲解诡辩的监

狱。真正的完全的自由，随同贸易自由而成为事实。金钱是商品，正如其他货物一样，应不受最大限度法则的限制。旧派的法律学家，为国家限制利息的权利辩护，以为金钱是一种特殊的财产，因为它是交易的工具。他们说，如果国家确定价值的单位名称，而以交易工具的合法性质，赋予金钱，则国家自得限制它的使用，并不妨碍货币，因为它是买卖的标的物。其实他们没有了解金钱的性质及国家造币的义务，而且他们没有把创造与认定二事，分别清楚。国家虽铸造货币，但它并没有创造金钱的价值，金钱的价值，是内在的先在的。国家只是认定其品质及重量，俾使其承认为通用的交易工具。国家不能放弃造币的职务而诿诸私人竞争，因为这样一来，格累沙姆（Gresham）的法则，会立即表现，即劣币较良币易于流通，并把良币逐出市场。关于这方面的法律规定，其理由只是如此而已。国家并没有创造的功绩，故这些法学家的理论，是不适用的。我们也不能说，利息的最高限度，能于事前决定，因为金钱所能产生的果实是最易变化的，须视许多事实的相互关系为断，其中为我们必须注意的，是借款期限、担保、及危险的性质及分量。

三百八十六、限制利息的法律的废止

许多近代的国家，废止了限制利息的法律之后，重利盘剥得以自由活动而不为它们的法典惩罚。它的活动，比以往更为普遍，更不道德，驯至成为一切时代一切地方的可怕的灾害。它所以能有这样广大的范围及极度的腐化，实由于经济生活为所支配的各种发展。进化的意义，即是货物数量的增多、信用的发达、需要的增进，及知识的进步。有些人把进化与近代的文明混淆，其实文明虽可于上述那些经济状况中见之，却不一定能大有裨益于进步及道德。事实告诉吾们，智力虽前进很快，而道德却故步自封，很少变动。简要地说，经济生活所含的新方式愈多，它的

内容愈复杂，它造成的关系愈密切；重利盘剥也就愈活跃，具有新的吸引力、新的资料及更大的活动范围，同时也就愈缜密愈奸诈。于是，不论何时不论何地要求防止重利盘剥的公共意见，陷于一种可怕的狼狈境地，一面是重利盘剥的不受法律惩罚，一面是这可怖的灾害的变本加厉。

三百八十七、利息是经济的

上述那种为一般人所悲痛的两相矛盾的情形，究竟是否实在呢？重利盘剥除了不道德之外，究竟是否违反法律呢？关于这点，我们必须牢记，法律的实质是幸福主义的，其大部分是经济的。依照经济，借款是应该得到一种利益的。如果借款人不把所借的原本实行投资，不能由投资获得利息及原本，那末，他因这借款而受到损失。不论借款人愿意不愿意，借款的结果，总是使借款人受贷款人的拘束，但如果他能相当灵巧把借款善为利用，他也很容易得到解除这拘束的方法，而变更其地位。只要借款是实在的而非虚伪的，这样的有利的结果，为借款所能发生，实属显然，按诸理性法，任何债务均应有其对待的代价。这原则是几种诉讼的渊源，如"欠缺约因请求返还给付物之诉"，"约因不完成请求返还给付物之诉"，"第三人擅取给付物请求返还之诉"，"未受金钱的抗辩"，及"给付超过对价之诉"等。这些诉讼，却是以对待代价的欠缺或不足为前提的。法律必须以事理及经济关系的实际，为其根据。不然的话，它就不成其为法律，而成为法律的反面，成为不法了；我们也不能说，这样的法律观，与应为法律本质的理性，不相适合，因为事理及经济关系的实际是包涵于理性中的。

三百八十八、重利盘剥的方法

重利盘剥或为单纯的行为，或为乘机取利的惯行，即乘债务人愚昧、无经验、急迫或轻率，依其经济状况，缔结条件更苛刻期限更短促的新约，使原属小数且合理的债务，扩大而成为巨额的借款。重利盘剥的债权人，靠高利率的贷款而致富，他并不投放相当数的款项，却因借款的返还而增多其原本。他所得债务人工作的薪资，后者永远不能脱离其奴隶地位，这地位如斯坦因所说，是以自由的名义而成立的。债权人用高利的方法，得到比他所贷原本更多的收入，一面却又迫使债务人继续向他借款，以为给付利息之用；从某时交付的一百元中，他可每年收受二十元的利息，三四年后，他也许会得到一千元的原本。这还只是利息的盘剥而已。此外还有原本的盘剥，因为放债者还能取利于债务人的产业、友谊及情爱，这种种，在急迫的时候，也能有金钱的价值。放债者，除了收受高重的可耻的二、三倍于原本的利息之外，还要以老实的债权人为牺牲而获取利益，因为只有他能够知道并择定最相宜的强制执行的时机，于是他又可以恶意得到好处了。

三百八十九、重利盘剥的二种方式

重利盘剥，有些是单纯的，有些是隐秘的或诱惑的，但即在单纯的重利盘剥，债务非用种种奸计而引起，它也总是一种没有相对借款的债务，或与借款极不相称的债务，使堕入其圈套中的人，无法积聚原本，丧失进益及财产，牺牲自由及经济独立，并损坏名誉。这是因为，即属单纯的重利盘剥，也先以恶意，考察债务人的能力、性格及地位，包藏着渐渐毁灭他的财富的祸根。它利用高的利率，原本的继续增大及恶意的时机，获取三、四倍于借款的利益，正如诈欺的重利盘剥一样。它运用压迫及威吓的方法，也正如诈欺的重利盘剥一样。起初，它对于穷苦的债务人，假装温和的模样，等到它把他牢牢握住，它就显出冷酷的面相，最后则本色毕露了。重利盘剥排斥仁慈，正犹仁慈排斥重利盘剥；没有兽性，没有野兽的残忍性的人，绝不会成为重利盘剥的人。不论哪一种重利盘剥，总是贪鄙的凶暴的打算。不论是单纯的或是隐秘的，重利盘剥的特征，大体相同；二者都假作借款出于第三人的好意，期限短促，并以工资的转让、抵押的提供，财产或田中收获物，或收获期前产物的出卖为条件，实则所谓第三人，是与重利盘剥者私下串通的。斯坦因曾谓今日的重利盘剥，似无不倾向于隐秘的方式，采取合于它的本质的一切形态及活动。它从城市扩展到乡村，这种现象的原因，是我们曾在前面说过的近代经济关系的演进。

三百九十、重利盘剥不可与高利混淆

重利盘剥，既是没有相当借款的债务，可见它与利率没有关系，利率只是承担危险及资本缺少的效果。虽然重利盘剥总是没有担保的借款，但危险大的借款，不一定就是重利盘剥。前者是实在的借款，是商业的活动及事业利益的计算。后者是没有借款的债务，在债权人方面没有什么活动，他只热切地期待着债务人的破产。斯坦因很确切地把高利比诸要求巨额诊费的医生，重利盘剥则类似经济场上的野兽。由此可见，立法者如欲取缔重利盘剥，不可拾取限制利率的旧方法，因为利息自由是真正经济及法律原则的效果。今日我们所闻所见的关于重利盘剥法律的评论，大多以这些限制利率的法律为对象，而不以任何特殊的取缔重利盘剥本身的民法或刑法为对象。

三百九十一、重利盘剥的取缔方法

从上面所说的看来，我们不难知道，单纯的及诱惑的重利盘剥，二者都是不法的，因为法律应建立于经济关系的实际之上。在这里有一点似无疑义，即这种不法行为，是一种民事上的侵害行为，其在法律上主要的对抗方法，是"请求返还不当得利之诉"或"未受金钱的抗辩"。这种特殊的诉讼及抗辩，足以打击重利盘剥的核心，尤其在实行给付时提起者为更有力。我们很易

看到，法律不欲使这些对抗方法有效则已，否则必须认许推定及言辞及间接的证据。这样也许会使善意的债权人，受到不利的影响，证据制度，会有很大的变更，这是我们应该坦白承认的。把证据制度改变，不问这改变对于信用有何损害，俾得惩罚重利盘剥的事件，或听任重利盘剥自由活动，以免改变证据的法则，或妨碍公共的信用，这二种办法，容以前者为合宜呢？还是以后者为妥当呢？实际的问题始终一样，但因各国道德条件的差异，它可以得到不同的解答。

我们很可承认，世界上没有一种制度，能完善完美，绝无流弊。有时，欺骗享受了赋予诚实的保护，在法律的保护之下，免受制裁，而现在则诚实为取缔欺骗的规定所害。在这里，如同在社会科学及法律科学的其他部门一样，我们就可看出，重心究竟侧在哪边，换句话说，我们很可看出，利益与弊害比例怎样，而定其取舍。如果法律准许债务人采用这种对抗方法，则对于诚实的债权人，当然也不能不准他采用，否则重利盘剥者，将利用金钱，以脱避重利盘剥的借款之责了。重利盘剥的事实，一经证明，重利盘剥者最后的不道德且不公正的特权，即由于交保而生的优先权，就无从成立。这时，破产程序就用不着再采取（这是斯坦因所主张的，他的用意，是要剥夺重利盘剥者的一种强索暴敛的方法），在这程序中，一切债权人联合起来，债务人的财产不再归属债务人而交付于破产管财人。为了债务而实施监禁的制度，既已废止，则使可怜的善意债务人，由于个人的艰困而丧失一切的破产程序，在今日自无存在的理由。薪给及年金的应免扣押，是法律上对抗重利盘剥的另一救济方法。我们可把斯坦因所主张的其他救济方法置诸不论，如收获期前产物的出卖，应属无效，膳费或宿费的第一次帐目还没有付清之前，第二次帐目的承认，应受禁止等。前者不妨归入取消重利盘剥契约效力的方法中，这是合于论理的，但它有碍于营业自由。后者虽在若干国家中常为重利盘剥的初步，但这方法有碍于信用自由。

三百九十二、重利盘剥是否构成犯罪行为

现在我们所要讨论的问题是：重利盘剥只是民事上的损害行为呢，还是它还可认作犯罪行为呢？喀拉拉这样说过，近代的刑法学说，在强行立法的基础上，奠立一个严重的原则，以为人类的行为，苟非不道德，也不破坏权利，即不应受刑罚，这种学说，在保护社会这方面，不是采取积极的态度的。依这标准而论，则重利盘剥不应认作犯罪行为，因为给付过度的股息，系出于债务人自由的同意，凡做不做任人自由的事，国家没有权利去推翻或处罚。现在我们不想深论刑罚的基本原理，不过我们总觉得，社会安全的学说，就其本身而论，并不反对把重利盘剥认作犯罪行为，因为重利盘剥妨碍资本的积聚及发展，所以于社会的损害，实属重大，且如我们前面所说，它使恶意的企图，更为虚伪，更为奸诈，并破坏个人的经济自由及经济独立。债务人由于无经验或生活的急迫，不得不接受苛刻的契约，在这时候，他是不会有同意的自由的。重利盘剥的灾害，使民众心悸，他们要求重利盘剥的惩罚，这似乎在今日是这样，在从前也是这样。工人及农夫，兵士及牧师，地主及贵族，无不恐惧重利盘剥，其恐惧实有相当理由。我们必须承认，这些阶级的恐惧，实是日常所得可惨的经验的结果。在自杀事件的增多中，重利盘剥不是一个无关重要的因素，而且重利盘剥加害于无产阶级，使他们奉成一种敌视资本的仇恨成为真正的社会危险。

三百九十三、重利盘剥的分为二类

斯坦因企图说明，债务人出于自己自由的意志，向债权人借款，债权人乘债务人经济紊乱、贫穷、浪费或欠缺远虑，而取得不相称的利益，在这情形之下，他犯了单纯重利盘剥的行为，应

受民法的制裁。如果债权人用一种方法，恶意地促成债务，以求他自己的利益，而使债务人经济紊乱，那末，他是犯了一种强索暴敛的重利盘剥的罪名。这种重利盘剥，威胁并强迫被害人，使他陷入经济败落的境地，以便取得不正当的利益。这种重利盘剥是一种强索暴敛，意图使债务人对于没有相当借款的债务，加以承认，其所用的方法，是缩短期限，如债务人未能给付，则以公诸社会相胁迫，并利用债务人的社会地位。

我们的见解，如同安德累阿尼（Andreani）在《法律限制重利论》中发表的见解一样，觉得斯坦因把重利盘剥分为二种的说法，是没有根据的，因为不论哪一种重利盘剥，都包含着诈欺及损害。即属单纯的重利盘剥，也含有奸诈，因为它必有利用债务人非常的地位，以取得不法利益的意思，债务人系被迫而担负一种没有相当借款的债务，或担负一种与借款绝不相称的债务，他因无经验、急迫或轻率而表示了同意并承受了不幸的契约，使他自己的道德及经济陷于万劫不复的境地，这是一种恶魔的契约，其缔结的原因，不是愚昧就是急迫。基于一种虚构的借款而获取利益，这种不正行为实是犯罪行为的因素，债务人的倾败，是其效果。如果我们根据斯坦因所下的犯罪定义而论，我们可以断定，单纯的重利盘剥，也具有强索暴敛的特征。以将来发生不幸事件相威胁，而从中取利，被害人不得不立刻有所给付，或以即时发生不幸事件相威胁，而迫使被害人有所应允，这时就有所谓强索暴敛了。强索暴敛的目的，是以重大损害的发生为威胁，而取得不正当的利益。在这意义上，重利盘剥者是无不为强索暴敛的行为的，不论是否债务人系出于他自己的自由意志而借款，还是重利盘剥者用狡猾的方法，促成债务，而造成债务人经济窘迫的原因。即在单纯的重利盘剥，债权人为获得金钱，以细末的不幸事件为威胁，迫使债务人交出某种财产，以供抵质或出卖，或以实际的不幸事件为威胁，用恐吓破产等等，逼迫债务人，以求从债务人取得新的诺言及新的更不法的利益。即使他不促使债务人成立债务，他也想从没有借款的债务中，取得不正当的利益。他用合理而实不确的话，引起重大而不正的恐惧。单纯的重利盘剥，决不能看作单纯的侵权行为，或看作法律所宽容的哄骗，如商品价值的夸大，及没有欺诈意思的说谎等。

重利盘剥，决不仅止那些情形而已，因为善意与重利盘剥者之间，绝对不会有何合致。侵权行为人的行为，是善意的，重利盘剥者的行为，则总是恶意的，单纯的重利盘剥的债权人，即使没有引起债务人经济的紊乱，但往往大大地增甚了这种紊乱，加速了债务人的倾败，而这倾败，又是他在债务人最初与他接近的时候，所已预见的。至于怂惠的诱惑的重利盘剥，则被害人为债权人看中的时候，原与债权人没有什么关系。债权人用邪恶的机诈，设法把他引诱，在那时候，他的倾败，已在债权人预料中了。

三百九十四、欠缺对价的债务是重利盘剥的要素，诈欺及强索暴敛是它的偶素

有些人的意见，以为重利盘剥，与诈欺相关联时，才可认作犯罪行为。所谓诈欺，是意图迷惑他人的行为，及有害他人的不法利益的取得。依照他们的意见，重利盘剥者，以企图禁止不法利益的民法为烟幕，利用种种机谋，以保护他们自己。这样的重利盘剥，才构成犯罪行为。这是《托斯卡纳刑法典》（Tuscan Penal Code）所采的主义，这刑法所惩罚者，是那些含有诈欺的重利盘剥，例如债务人申明他收到多少多少现金，而实际上，他只收到其中的一部分，其余则以证券抵充，而这些证券，虽经约定应有某种价值，而实则毫无价值。我们在前面已经说明，凡是重利盘剥，无不具有犯罪奸诈及损害的成分。不论其为单纯的，

或为怂愿的，它总与民事上的损害行为不同。又不论其有无运用机谋，它总是诱惑的。即使它并没有欺骗债务人，并没有采取人生最可悲痛时的残酷的方式，但它总不失为一种犯罪行为，因为它的出发点，是意图乘债务人的非常地位，而获得不法利益，这债务人系由于无经验或急迫，而应允负担那没有借款的债务，并承受那足以使他自己倾败的行为。在这种情形之下，重利盘剥，基于各种理由，应认为一种特殊的犯罪，它比较上与强索暴敛有密切的关系，但重利盘剥的特质，既非强索暴敛一观念所能包括，也非诈欺一观念所能包括。我们可以说，重利盘剥无不利用强索暴敛，但不一定利用诈欺，它有它自己的特点，它在经济及法律方面，令人憎恶。按诸理性，这样的一种犯罪行为，不能像法兰西法律所规定的那样，以惯行为其要件，因为在单独一次的重利盘剥的行为中，我们也能见到债权人因债务人无经验或急需，造成一种没有借款的债务，从中取得不正当的利益。它的续行，只是它的加甚罢了。

三百九十五、重利盘剥是侵害财产权的犯罪

重利盘剥这犯罪的特征，与侵害经济生活的犯罪相关，而尤与那些涉及交易及信用的犯罪相关，因为重利盘剥的内容，是没有相当借款的债务或与借款很不相称的债务，并因为信用是包容财产的，而重利盘剥则破坏财产，所以，吾们可以说，重利盘剥是与侵害财产的犯罪，直接而非间接相关的。就重利盘剥的性质而论，它总是一种犯罪行为，不论其当事人是否为商人。从道德法律方面观察，其行为是否属于商业，实一毫无关系的事。在这里，我们必须注意，如果刑法的规定，不适用于商业事项，则重利盘剥，会放弃它向来民事的方式，而采取商业的态度。在这一点上，适用于商人及商业事项的德意志法律，实较优于不注意商人的奥地利法律。有谓在商业中，合法利益的终点与不法利益的

起点，很难正确决定，这是实在的话。但这种困难，在民事生活中也能碰到，不过程度较低而已。精密的计算，总是一件难能做到的事，这在商业中是这样，在一切人事中也是这样，因为它们在性质上是很复杂的。如果商人业务发达手续自由，则商业中的重利盘剥，所应据以判断的标准，自当粗略，而不能像民事生活中的标准那样细密，但我们对于重利盘剥所下的定义，在实质上当无所异。

三百九十六、重利盘剥绝非法律所能铲除

具有种种原因的重利盘剥，绝不是法律所能消灭的。重利盘剥的凭借，是社会的经济状况，尤其是资本的缺少，及信用发达的不充分。他的存在，有赖于习俗，在习俗中有不少恶意的成分。它又得力于人类的本性，按人类的本性，具有欺瞒及自私的倾向，并表现愚昧、轻率及一时的兴奋。教育及法律，固能抑制、变更及纠正这些，有时显著有时模糊的倾向，但决不能把它们根本铲除。这是确实无疑的，因为重利盘剥不论在它受禁止及惩罚的时候，或在它可以自由活动的时候，总是进行不已。但我们是否必须因此不再努力呢？立法者是否应该袖手旁观，坐待那些吾们常有所闻的社会和谐自然发展呢？要是这样的话，他将等候许多年许多年才能看到这个灾害有减少或准备补救的一天，因为现在资本还没有充分的生产力，信用也还没有普遍及完善的组织，我们无从预测重利盘剥失其势力的日期的到来。须知刑罚系随同经济及政治的进步而发生，它曾在许多情形之下，减少并限制了重利盘剥。在私人关系中，恐惧的心理，往往是立法的基础，对于重利盘剥规定刑罚的法律，在已往是最重要的。

今日的民法，比诸古代的刑法，范围较前更大，但恐惧刑罚的心理，对于人类行为的约束，仍能发生有益的影响。有谓重利盘剥，被法律威吓之后，将寻取更好的隐避方法，在许多情形之

下，也许能脱避惩罚。这是的确的话。但在民事及刑事方面所采取的攻势，必能对抗破坏法律所运用的力量，这就是我们在本章所以要主张民事救济及刑事惩罚的制度。这制度须好好发展，务使不妨害真实的信用及善意，它须为贤明的经济立法政策所推动。总之，取缔重利盘剥的刑事法规，即使它们由于一切刑事法规均所不免的缺陷，而不能绝对地并有效地把违犯者处罚，至少也能发生二个不是无关重要的利益，在一方面，它们能使意图犯罪者不敢尝试，在另一方面，它们能保持司法的尊严，不再强迫司法者保护那些含有不道德性质并违反舆论的契约。

第十六章　合伙、汇票、运输及各种射幸契约

三百九十七、合伙的三大类

合伙的意义，通常解为二人或二人以上，为求获得利益，而共同处理某种事务的契约。民事合伙，求达有关民事生活的目的；商事合伙，从事商行为而求取利益。商事合伙，是特殊的而非完全的合伙，因为它们常有很显著的目的，这些合伙，可依它们对于第三人负责的程度，分为三种：第一种是无限合伙，各合伙人负完全无限的责任，以担保合伙债务的清偿；第二种是两合合伙，由无限合伙人的完全无限责任，及有限合伙人的出资，担保合伙债务的清偿；第三种是有限合伙或股份组合，各合伙人只以出资为限而负责。

三百九十八、其他各种合伙

无限合伙，对于第三人提供的担保最大，鼓励合伙人努力活动，适宜于同时在各处需要各合伙人管理的那些实业。在这种合伙中，合伙人间须有无限的信任，所容的人数不多。规模大而危险多的事业，只能采用两合合伙或有限合伙，这二种合伙较能集合巨额的资本，这在无限责任的合伙是不可能的。此外还有别种合伙，彼此不同，但不出上述的三大类。例如，《意大利商法典》，承认相互保险的合伙。它把这些合伙，看作集体，别于组

成它们的个人，但关于经理人的责任、合伙章程的发布、破产、更换执照及帐目等事项，它们必须符合有限合伙的要件。合作社也是这样，关于它们章则的发布及董事的责任等，这法典适用与有限合伙同样的规定。德意志法典上的合伙，相当于意大利的隐名合伙，不能归入上述的三大类。有隐名合伙人的合伙，不是与其构成分子各别的个体，如同别种合伙那样，而是一种商业结合，由一人或多人就一部或全部营业，分享利益及分担损失。

三百九十九、合伙非法人

合伙乃多数意志关于一定目的合致而构成，它以一个共同的意志为前提。依有机体这一词的广义解释而言，合伙实是一种伦理的有机体。但这共同意志，虽不难与其所由来的各别意志区分，却终究不能构成公司那样确实并自立的统一体，这是因为它的目的，并没有固定，因而不能离其组成分子的志愿而独立。合伙着眼于组成分子的利益；公司则求达其自己的目的。合伙因组成分子的死亡，或基于组成分子的意思而解散；公司则不因这些情事而解散。合伙人是所有人，合伙解散时，他们可把财物分配。公司的构成分子，则非公司财产的所有人，公司解散时，他们不能把它分配。故严格说来，合伙不像公司那样，是一个法人或无形人。

可是合伙的性质，也不只是组成分子的集合，或各别意志的总和而已，因为它是建立于一个共同意志之上的，这样的一种意志，是一自然的原素，可于远古的意大利法学家的格言中见之。"团体是一事，团体的组成分子是另一事"。罗马法上的实例，很能阐明这个格言，它承认某种合伙为个体，与其组成分子各别。共同意志是构成法律人格的原理，法律以之为第三人与合伙人发生关系的媒介，这些合伙人事实上是权利义务的主体。就某一合伙人的股份提起诉讼，事实上即是就这人在公同共有的团体财产中的应有部分，提起诉讼。如果耶林的学说，不承认无形人，它却很可适用于合伙。我们不可忘记，依照无形人一词的广义解释，无形人的条件有二，——意思能力及国家认可。非经认可不能成立完全的人格，这点我们曾在前面说明。故浦芬多夫及特罗普朗二人，谓合伙本身能构成法律上人格，无庸国家认可，他们以为这种认可，只在公法人有其需要，这见解是错误的。认可必须由国家行之，否则不生效力。现实法可承认民事合伙及商事合伙的人格，或只承认从事商业的合伙的人格，或商事民事兼具而以商业团体为组织方式的合伙的人格。这全视各种动因及一般利益而定，立法者的决定，不一其例，但在法律哲学上，则各种合伙，无论是民事的或是商事的，都有置于法人地位的价值。现实法往往不认民事合伙为集体，因为它们不一定像商事合伙那样，建立于与第三人的关系之上，并因为它们不像后者那样，有确定及显明的目的。民事合伙，可在许多不知不觉的或不甚明显的情形中发展，而达到推定承认的境地。反之，商事合伙并不遭遇这些障碍，故法律承认它们为集体法律并容许民事合伙取商事合伙的组织形式，不因而失其本质，因为它们的性质，不因它们的形式而有所转移。在这情形之下，它们取得法律人格，因为这时它们已建立于与第三人的关系之上，如耶林所说，其间须设一媒介，以为沟通。

四百、古今合伙之异

特罗普朗以为关于合伙一事，无须有新的立法，因为组合之事自古有之。罗马的历史，的确告诉我们，除了著名的私法上组合之外，还有一类征收赋税的合伙，在中世纪，有佛罗棱家族的组合，更有罗姆巴提家族的组合，散处世界各地，但始终为它们国王的债主。十七及十八两世纪的历史，充满着经商及殖民的海事公司。可是特罗普朗虽正确地叙述了与人类历史同其古远的组合的精神，却毕竟没有了解古今商业团体的重大区别。从前的组合，系由少数人组织，建立于专利之上，需求奴隶的劳工，近今的组合，则在自由制度之下生存并发展其权能。谁不知道，罗马的骑士阶级，享有出借税赋的特权？美洲发现之后，特种公司在远地的事业，不就是一种政府的行动吗？东印度公司，在其区域内，不是享有独占商业的可惊的特权吗？我们不可忘记，这公司成为广袤的土地的所有者。

四百零一、合作社

法兰西革命，爱护劳动自由，侧目于一切工人的组合，深恐在一种认可团体的烟幕之下，发生革命的组织。由于这种疑惧，酿成了工人的孤立，深为后人痛惜，采行了伟大的互助原则之后，才得部分的改善。互助原则是合作的真正基础，其成功乃有需于人类最高的悟性及德性。合作事业主要地涉及消费信用及生产。借用维科的话，我们可以说，应用于消费及信用的合作事业，自己制造其所需的资料。在合作事业中，交织着伦理、经济及政治，因为在互助的组织之下，个人不再自私，获取较大的利益，并成为社会的因素。事实上，在消费的合作社中，相互作用与个人责任的情操，以及家庭之爱，完全联合起来。它们得到公道的价格，优良的品质，正确的分量。家庭之爱，常因合作社的组织，而发达并臻于稳固。当一个工人得到了适中的家庭，可安置他的妻以及子女的时候，使他养成旅馆生活的恶习惯的诱因，就可消灭，犯罪行为就可减少，而有益的成家立业的情绪，也得发现，工人储蓄的真正基础，也得确立。民众的合作银行，创办个人及平民的信用贷款，因为它们不需要资本的存放，它们调和互助主义与个人主义的两个相异的目的。这二个相异的目的，构成一个问题，至今还没有得到相当解决。生产的合作事业，并不助长资本与劳工的敌对，它以资本家的工人为其因素。它也不仰赖于劳动权，它不向国家要求什么。这种组织，不能看作怪异的团体，它们并不否定个人，也不反对竞争，因为大大小小的实业，都很需要援助，以期各得其利。

四百零二、规律合作社的必要

依上所述，可知近代商事立法（不问特罗普朗的反对意见如何），必须承认并管理这些新的组织，它们是自由的自然发展的产物，自由的自然发展，决不会复兴古时经济的民事组合。但在这里必须注意一点，从一方面看来，合作社是商业团体，因为它们经营一定的事业，并以商业为其生存条件，而从另一方面看来，则它们不只是商业团体而已，因为它们倾向于把个人的愿望及利益，经由劳工阶级的发展，与社会稳定及友爱的原则，互相调和。在这意义上，合作社实为社会立法的事项。

四百零三、合伙的认可

经济自由这原则，形成了近代新式的组合，其势必使这种团体与国家间的关系，发生更普遍更显著的变更。即以现在而论，在文明国家的法典中，政府的认可权力，已趋近了它的末日。它与契约自由完全相背，私人契约（合伙是其中之一）的成立须经政府认可，至于其他各种契约，则无需于此，这不能不认为奇特。国家的行政权力，干涉个人利益的事项，实是一种变则。须知这种干涉，有悖于法律上平等的原则，只在法律定有适用于一般的规则，而非适用于特殊事件的规则时，才有其成立的余地。能了解自己行为的意义，意志很能自由的人，破坏其自身，毁灭其财产，这样的人，在今日不应受法律的保护，因为人不能永远是未成年人，而得规避那道德所利赖以进步的责任心的拘束。法律不可把国家看作希腊古志上的百眼巨人或百手巨人，因为国家的权能，不足以正确判断一项实业的经济状况，否则，人民对于国家的信心，也许因取得政府认可的事业，屡屡发生多少有些可耻的破产事件，而陷于消失的危险。历史告诉吾们，政府的认可，未能有效地阻止奸计的得售，也未能防制欺骗者及冒险者的胆大妄为，使许多人受其损害，他们以为在两合或有限合伙的组织下进行的事业，事前曾经政府检查，深信他们自己已受充分的保护。在另一方面，则可能产生极大利益的实业计划，也许反而不能得到政府幕宾的赞许，他们大都不谙实业，故每为迟疑及他们的教育所蒙蔽。在这种情形之下，政府的拒绝认可，对于社会实一无可计数的损失。

四百零四、合伙的监督

监督制度的命运，是与认可制度的命运一样，因为二者都是建立于保育政治的预虑之上的。在进步的国家中，政府监督的制度，已归消灭。关于这问题的一般意见，主张政府应避免一切直接的干涉，让那些组成合伙的人，或与合伙有利害关系的人，自己注意合伙的事务，并负其责任。遇有任何违背法律的情事，他们自会诉诸法院。政府监督与政府认可，有同样的弊害，它不足以阻止合伙的处置失当。故在一方面，它是有害于私人的利益，因为它造成一种谬误的信念，以为它们是受着审查的，在另一方面，它又有害于政府的信誉，一切失当的处置，都归咎于政府的疏误。此外，只对重要的组合，行使监督权，会形成非法的可憎的待遇失平。

四百零五、合伙业务的公示及合伙人员的负责

我们深信，商事合伙所蒙的危险，可因遵从自由的原则而避免。故法律应使合伙法令的数目及性质，充分公示，并使其实行的方法，有更大更灵活的效能。这是最重要的事。其次，关于经理人、发起人、职员以及一切在合伙中活动的那些人的义务，法律也应规定更完全更严厉的责任。最后，法律并应使那些与合伙有利害关系的人有注意合伙业务的便利，而不致以政府保护这类方法的外力，妨碍合伙的组织。以上所述的见解，对于近代法律的影响，已开其端绪，这点可于现存的法规中见之。

四百零六、组合自由的必要

营业自由这观念，是我们从经济史、现实法及一切关于这问题的最近经验，用归纳方法得到的。这观念是必要的，是可资演绎的，它是与尊重私有财产的法律也即尊重个人人格的原则的法律相关联的。它的前提，是承认个人人格，即为个人自由，产权为个人的庇护物及施用于物体的自由意志，只要不违反善良风俗、社会福利及公共秩序，个人可依其意志而处分其财产，并可就它们设定无限的负担。在前面曾经我们说过的，关于森林及矿产设定的那类限制，我们不难明了其意义，只要我们记得，伦理的有机体与自然的有机体大不相同，在前者的有机体中，全体应尊重部分的责任，部分应顾虑全体的意识的及自由的生命。

四百零七、汇票

有许多著作家，其中以法兰西的著作家占重要的地位，如同若干立法者一样，认汇票为一种输送金钱的契约的证券，当事人的一方，收受对价，而负担向他方或其指定人，在一定日期或处所，支付一定金额的义务。依这定义而言，汇票有三要件：金额由一地输送于另一地，发票人与付款人间的契约，及收受对价的表明。汇票与本票不同，因为后者是发票人自己负责，在一定日期以一定金额给付于债权人或其指定人。汇票常具商业的性质，至于本票，则惟商人签名或因商业而发行，且载有付款人并在隔地付款者，才具商业的性质。本票的付款人，即是发票人，其付款地与发票地同。按上述学说，已因科学及法律而有根本的变更；这种根本的变更，为法律哲学所认许。一个人不难利用银行，以自己为受款人而发行票据。在这种情形之下，无所谓金钱的输送，而只有一种单纯的信用证券。真正的汇票，是一种特殊的债务，须遵照各项严格的方式，以别于其他债务，并使商业更有效率，更为确切。它必为书面的债务，负责以一定金额，于到期日支付于执票人。这样看来，可见汇票并没有以金钱由一地输送于另一地的要素，而且发票人可发行对已汇票，他自己付款，无须另有付款人的参与。汇票的发行，实际上并不需要发票人与付款人间缔结契约，也不需要有收受对价的记载，这是因为汇票的契约，如图尔（Thøl）在关于这问题的著作中所说，是在实行付款的时候，才成立的。必不可少的要件，是交付及提示。汇票是对于受款人支付一定金额的诺言，付款人因承兑而负履行这诺言的责任。至于取得汇票的人，则并没有什么允诺，因为他享有权利而不负任何义务（他固须把汇票向付款人提示，以求承兑，如果付款人拒绝承兑或拒绝付款，他并须作成拒绝证书，但如马基利所说，这些只是执票人行使权利的条件，不是真正的义务）。从上面所说的汇票的性质看来，可见汇票如特楞得楞堡所述，并不是买卖的混合物，也不是使用借贷的混合物。

四百零八、运输

运输是极重要的，因为许多有价值的物件，赖运输而传播。我们可以不怕错误，敢说社会上一切商业活动，集中于运输业。在今日运输业，大都利用铁道而经营。铁道是应用汽机以为运输的。它的建筑及运用，需要巨额的资本，及集体的组织。大部分的商品，交易的标的物，赖它以运输，它使其他运输方法，与它连络。它是交通的主要原动力。故国家不得不以法律确定铁道建筑的全盘计划，并规定它的任务，因为这一种的运输工具，如同其他与它连络而赖它运行的运输工具一样，是公共业务的事物。它是有关财富流通应准专利的问题，因为自由竞争的法则，在这里不能介入。经验告诉吾们，有了一条铁道，即不能再有一条与之并旁，因为这样的一种营业竞争，是财力劳力的浪费，为政府核准的专利所不许的。有了一条铁道，通常已足连接整个邻境。铁道的计划，及国家与铁道公司的关系的确定，是行政法上的事。与铁道有关的运送人及承揽运送人的义务的规定，是商法上的问题，可是关于这一事项，它并不是任意的法律，在这特殊的运输中，它保持其公共业务的性质。运输契约，不重视各个单独的行为，不论其如何复杂，它是重视那整个事件的。各个单独行为，只是民事上的行为，而非商事上的行为。

运输所含的法律关系，有三方面：一是送出货物的人；二是货物应送与的人；三是应把货物由前者送与后者的人。得塔利奥在论述运输契约的一书中说：运输契约是很复杂的，在契约成立的时候，已含有运输人及承揽运送人等的权利义务。究竟谁是承揽运送人，这问题是无关重要的，但在契约成立的时候，必有一承揽运送人，其为何人则无须确定。在这种情形中，货物是委托运给提单持有人的。因为运送人虽不知这提单持有者是怎样一个人，却不能不说他已缔约而对某一个人负有债务。对于第一运送人而言，第二运送人是第三运送人的代理人，对于第三运送人而言，则第二运送人又是第一运送人的代理人。契约是整个的，不论相继运送的人有多少；责任是惟一的，前后相继为运输的各运送人同受其拘束。运送人承受了运输的义务，即使他必须转托其他运送人，但对于这义务的履行，他仍须负责，如同他自己的行为。

四百零九、保险与社会主义

保险是一种射幸契约，保险人负责保证被保险人不受某项危险，其代价为一约定的金额，称为保险费，依照所保危险的性质而定其多寡。保险使多数人分担危险，足以减轻不幸，依照赫尔曼（Hermann）的见解，它可看作填补损失的商业。他说，预防及制止与保险各有利弊。预防需要极大的注意，很不经济；制止所费较少，惟往往不生效力；保险所费更少，但事变难免发生。发格纳及其他拥护社会主义者，为一种错误的观念所推动（我们在前面曾加以批评，认国家职能的加增有害于私人的活动），主张大部分的私法，吸收于公法中。我们在前面曾经说过，这样一来，社会将在它已往经过的路上，向后退走，而重返于强行法的时代，那时法律规定一切，国家干预一切经济生活及政府生活的事务。这些著作家，基于同一的原则，认保险不是一种属于自由及私人经营的业务，而是一种公共的制度，即认保险为国家应负义务的履行，国家应取保险公司的地位而代之。他们说，公共机关处理交通、卫生及水电等业务，如果国家制止发生灾害的事由，它也很可担任保险业务而完成其体系。

保险公司组织很复杂，每类小形的国家，由只关心自己薪金的人管理。国家应收回保险业务，非以获利为目的，而为造福社会起见，因为它用不着作骗人的诺言，也用不着付大量佣金给掮客。私人经营的保险，在保险费与所保危险的比例方面，常有极大的不公正。农夫为其房屋投保火险，所须给付的保险费，较大于城市富翁为其宏丽家宅所须给付的数额，这是不公平的。概括说来，危险的程度，不是自由意志的效果，这不仅在上举的例子是这样，在其他许多情形也是这样。私人经营的保险，是最需要保险的人所不能接近的；正义要求保险费应以被保险人的财力为准，而国家成为保险人后，即可为贫穷人而满足这要求。

四百一十、社会主义者保险观的批评

萨兰德拉（Salandra）对于这些论述，曾作很锐利的批评。第一，吾们必须注意，近代的国家大都不欲担任经济的职务。我们说过，它把土地出卖，不再在商业方面与它的人民竞争，而以关税为其主要的收入来源。只在私人没有充分的发动力时，或在国家必须铲除专利的流弊时，或在构成改进实业的问题时，国家才为实现其保障法律的义务，为增进文化及福利，而参与经济的事业。这类的政府参与的事件，为发格纳派的社会主义者所引证的，实与公共安全及救助有关，而非以经济的目的而进行。水电、卫生及警察，是其实例。灾害原因的预防及制止，是国家的义务，因为它必须保护人民，使不受威胁大众的危险。意外事故一旦发生，重负降于生命财产时，保险的利益，就可显见。损害是必须由造成损害的人除去或填补的。而且，还有一点显然无疑，就是私人的经营，比社会的经营经济，社会的经营又比国家的经营经济，因为前二者规模较小，且其管理者，为受过训练的经理人，对于利润的获得，有利害关系，并有股东在旁监察，他们当然有直接的热切的关心，不比那些选举出来的政府或政治会议的人员，漠不注意。保险这一个实业，从事于廉价的服务，适应其会员的习性、需要及成见，总以交托私人办理较为妥善。这判断的真实性，有经验为其最强有力的证明，按经验告诉我们，国家经营保险的企图，大都归于失败。

四百一十一、保险费率的决定

我们必须知道，保险的要素，是保险费对于所保危险的比例。保险费率，乃应用数学原则而算定，不能为伦理的理由支配。没有人愿付较高于他所应付的费率，而使别人的费率减低。除去了比例的原则，保险制度就会消失。假定各人均须保险，有些人付较高的保险费，有些人付较低的保险费，则其结果势须由前者缴纳一种赋税，国家才能为后者尽一种差不多无偿的服务。这样的恩惠，也许是国家的特种义务，其为正当及便宜与否，这里无须讨论，而其非真正的保险，要属无疑。保险并不是平均财富及解决社会困难的方法。它并不像发格纳所信的那样，倾向于财富的平均分配。萨马拉诺（Zammarano）曾谓如果农夫不能用砖石造他的房屋，而须用木料来造；如果身体不健康的人，不能保险或须付较高的保险费；如果某人所有的田地，易受风潮的破坏，因而他须付较高的费率，而另一人所有的田地，比较不易受这灾害，因而他只须付较低的费率；那末，保险就没有义务，去补救社会的不平等，或以财产、气力或健康，给与那些缺乏这些东西的人。

四百一十二、保险是经济的而非伦理的

保险业务实际上并不是一种保护制度，因为它着眼于获利；慈善事业的组织，如储蓄、银行、互助社等类，是没有经济的目的的。即在相互保险的公司（一种合作社），实际上也有其经济的目的，被保险人希望因投保人数的增多，而付较少的保险费。以寿命、房屋或收取保险的人，才是可保护行为的人，至于保险公司则不然，它因而获利。保险公司在社会上占极重要的地位，把总损失分配于许多投保人。在一方面，它们减轻个人的损失，在另一方面，它们防止银行及企业等每因不测事故而蒙受的巨大损失，因而免去了收入的减少。它们所以未能发达的大障碍，是保险费率过高，这是竞争困难的结果。

萨马拉诺说过，那些人寿保险的旧公司增多捐客的佣金，以夺取那些敌对的新公司的营业，而那些新公司也迫得把它们的佣金益加提高，于是造成了过大的开支，因而收入不能与承保的危险相抵。那些损害保险的旧公司，互相连合，不许向那些不采用它们的保险费率的新公司，申请重保险。相互保险的合作社，也同样需要捐客，这些捐客要求它们给付与一般营利保险公司同样的佣金；它们不能拒绝这种要求，因为它们必须扩展它们的业务范围。有谓国家可统制保险事业，使私人企业得以竞争，以期更有效率更为经济，然而这种梦想是徒然的，因为欧洲的一切文明国家，均曾作这种企图，可是除了有种种特殊状况的德意志以外，没有一国能有所成功。如果保险公司能每年得到相当数的新

保户，则由于开支过大而造成的准备金额的不足，不至于因那些短期保险而使它破产。那些新保户，可代替旧保户，但到了新旧不接替或许多事故发生的时候，营业就不能继续进行了。这问题的要点，不外准备基金的设定，其价值的多寡，应以法律规定。我们不可忘记，保险这事是很复杂很困难，不易明了的。就是保险公司的理事，也往往不能十分明了。至于被保险人，则一些都不知道，且不在公司之内，故无从实行监督。萨马拉诺的见解，是确实的，它的推论，也是健全的。我们须以法律，将营业自由的原则，与切实保护被保险人权利的必要，互相调和。如果事实证明，这种保护非由国家出而干涉不可，则对于那些营利公司，即可成立一项合理的例外，由政府实施认可及统制的权力。须知这种例外，并不是惟一无二的，对于发行钞票的银行，国家设置银行检查委员会，没有人会怀疑这种组织的合法及正当。

四百一十三、法律须防止诈欺

法律应增进道德状况，以求社会生活的改良，并应予生产劳动以自由发展的余地。法律不应保护射幸契约；这种契约，建立于毫无顾虑及不事生产之上，一方面造成爆发的及大量的财富，他方面酿成突然的可怜的倾覆及窘迫。法律虽未能把一切赌博取缔无遗，但它能防备那些在公司运行中所能发生的诈欺。这种防备，可实施于投机行为，即实施于那些射幸契约，在契约成立时，并不实行证券的移交或金额的交付，而只在将来给付价格的差额。这行为必须具备一种特殊的知识，才能预测交易价格的上落，正如赛马及经营军火等事所需的特别知识一样。这种知识，注意于价格的升降及其动向。左右其间者，并不是一种盲目的幸运，而是某种事实，须有深切的研究及长期的经验，才能预见。

第十七章　古代的家庭

——家庭为国家的雏形

四百一十四、古代的家庭——家庭为国家的雏形

个人以财产而扩张，以互相行为而发展，相互行为是共同的意志向一定有益的目的的进行而得的结果。他的发展，系自家庭关系始，家庭关系是最密切最初的一种社会。家庭乃一伦理机体，有许多意识交感，有许多意志相合，构成共同的意识、共同的精神及意志。它是密切的自然的结合，以感情为基础，以特定需要为目的。在伦理法律的结构的演进中，它影响于个人财产及义务，而向前进展，因为人不复仅是个人，而是伦理机体的构成分子。具体的个人，经由家庭组织而成为抽象的人，这抽象的人，在文明中，在国家中，在国际中，表现尤为充分。如果家庭是一真正结合，则文明及国家，是人类以利益及理性的原则为基础的集团。

四百一十五、动物的家庭

人类婚姻及家庭的形态，可在某种动物的性交及同居的方式中，找得到它们的雏形。乱交是满足生育本能的最低级最普通的方式。大多数动物的性生活，都是盲目的顺从机能的冲动，没有什么相当于选择及忠实的特爱或依恋。合群生活的动物，雌多于雄者，实行一夫多妻。一妻多夫，是极少的，因为雌的不如雄的强壮，不能抑制雄的纵欲。有些动物，分布各处，很多实行一夫一妻，它们一对一对的生活，这或因觅取食物的困难，或因它们不喜群居的性质。有些动物，厉行一夫一妻，一方的死亡，往往发生使他方也死亡的结果。还有几种动物，生育的本能已失其原来自私的特质。在蚂蚁中，生育按照分工的制度，有一定的分配。但下等动物不很注意子嗣，让它们自生自灭，故在下等动物中，我们不能看到任何家庭生活。爬行动物，由雌的照顾其卵，而由雄的为雌的觅食。爱护子嗣的心，雌的先发生，雄的后发生，而且不如雌的那样深切。这爱护心，在雌雄二方，一到子嗣能自己觅食的时期均归消失，所以即在实行一夫一妻的动物中，家庭关系的存续期间，也是很短的。孝亲的爱情，是完全例外的事。较大的猴类，有一种家庭组织，在一定期间内亲子同居。家长由长大的雄的充任，它维持它的权力，直至它被自己的子嗣遗弃或杀害时为止。家属服从的基础，是强力，父的命令有无拘束力，要看它能否对不服从者加以惩罚而定。一般说来，在哺乳动物中雌的是构成家庭的中心。如果雄的愿留为家庭的一员，这是因为那雌的具有吸引力，而不是因为恋爱子嗣。

四百一十六、关于人类家庭的前人的见解

现在我们研究人类婚姻及家庭关系的各种形态。现今我们在讨论人类及人类制度的种种科学中，见到从前存在的一切事物，仍可见之现仍生存的种族中。有不少的形态，许多年来均认为原始的形态，现已证明其为其后发生的形态。同样，有些社会的制度，虽似创始的制度，但经其后研究的结果，证实其尚有所本而为前一制度的产物。这些制度之一，是父权家庭，在最近以前，它被人看作最初的自然团体，自有人类以来即已存在，以一父一妻或多妻及他们的子女组成。亲属关系，以父为中心而确定，他是妻、子女及财产的绝对所有主。父权家庭逐渐扩大，构成宗族或氏族等团体。这些团体增多的结果，产生了部落；政治社会，由是构成。

四百一十七、关于人类家庭起源的近代的见解

近人对于古代记录的研究，及对于近代野蛮人传说及习俗的深刻的稽考，得到一个结论，认父权家庭，并不是社会的肇始。这些研究及稽考，表明最初有游牧民群，不知个人的亲属关系为何物，因为它的构成分子，并不认作特定人的子女，而当作团体中一切的父一切的母的子女。这民群到后来才分裂而成若干较小的团体，开始营各别的生活。从这时起，才能看到婚姻起源的痕迹，或两性间双方人数或多或少、稳固程度或高或低的结合的起源的痕迹，以及家庭起源的痕迹。原始的家庭，系建立于母方的亲属关系之上，这是因为当时的习俗，不能确定谁为子女的父，它们的家系，系以妇女为中心。它们与父权家庭不同，父权家庭是以父的确定为前提而发展的。

四百一十八、母系家庭先于父系家庭而存在

家庭发展的途径，既如上述，可知在妇女共有的古时，游牧民群的权利，必认为自然的权利，其后这自然的权利，成为母的权利，死者姊妹的子，继承其财物及复仇的义务，有时更继承其政治的职位或祭司的任务。我们很易明了，时代缓缓而不息的前进，使父的权利，成为自然的权利。

四百一十九、学者稽考家庭起源的历史

据说，这种研究，在十七世纪，已经拉非托（Lafitau）在他的《美洲野蛮人的习俗》中着手，在十九世纪，有得肯斯坦因（D'Eckenstein）、培科芬（在他的《古迹简记》中）、马克楞南（Mclennan）（在《血亲关系的起源及古时的婚姻状况》中）、摩尔根（Morgan）（在《血亲与姻亲的制度》中）、拉布克（在《文明的起源及古代人类的状况》中）、基拉德他隆（Girard –

Teulon）（在《婚姻及家庭的起源》中）、斯宾塞（在他的《社会学原理》中），及雷图尔诺（在《人种学后社会学》中）诸人，继起作更为广泛更有系统的研究。在这里，我们可以说，拉非托、得肯斯坦因及雷图尔诺三人，只供给材料及特殊的事实，其他各人则就一般哲学的与历史的发现，作综合的工夫。至于维科则被忘却了，他在上述的几位著作家之前，已发表他的学说，几与近代的理论完全相同，我们将在下节里说明。又琉克利喜阿斯也被忽视，他在其不朽的诗《自然界》的第五篇中，曾描写原始时代，及其后较为进步的时代的特征。

四百二十、家族的历史——维科的学说

依照维科的见解，在民族肇始的时候，体格强大的人，栖息在高山峻岭之上，犹如野兽一般。大洪水之后，第一声雷鸣，把他们吓得逃入山洞，使他们降服于一个优越的势力，这势力他们称为主神佐夫。他们虽很自负很残酷，但在他们惊惶恐惧中，也就贬抑他们自己，而屈辱于天神之前。在那时的情况之下，神圣的天道，只有采取这样的办法，以纠正这些森林荒野间的人的兽性，而开辟人类文明的途径。共同生活的团体，于是成立，以一人为领袖，受"至尊"的指挥。他们相信那些雷震，就是这"至尊"抛掷的，在雷光闪闪中，他们察觉了人类的主宰、天帝的意旨。一切事物，都受天帝支配。他们以为他们的领袖是神圣的。他们受领袖的节制，认领袖为天帝的代表，畏惧领袖，尊敬领袖。兽欲与充满恐怖的迷信交战，使他们心烦意乱，他们又感觉天的形象，万分可怕，禁止他们滥用爱情，于是他们抑止肉欲的冲动。随后开始人类自由的运用，遏制情欲并指导其趋向，他们的性质改变了，他们抓住秉性不愿顺从而拒绝的妇女，把她们曳入洞中，使她们终身奴役。这些是最初的适度而严正的结合，开婚姻制度的端绪，由是子女知谁是他们的父母，父母也知谁是他们的子女，这样开始了家庭的生活。父有极大的权力，管理他们的妻子，一任他们坚强的残酷的性情。

在这样的情境之下受过训练的人，当城市国家建立之后，也就畏惧国家的敕令。经济的君主政体，于是形成，受制于性别、年龄及才德诸方面出类拔萃的家族领袖，当时的状况，可称为自然的状况，那是族长政治的时代。他们构成了最初的严正、纯洁并有约束力的国家。因为他们以自己的土地为范围，不复能像从前在野蛮时代那样游浪各地，他们必须宰杀野兽，供作他们家属的食粮。因为他们不复能四出流浪，找寻牧地，所以他们必须从事耕种，凡此种种，都是人类的野性造成的，那些由于自己作恶造孽，酿成财产、妇女共有而被逐的人，邪恶无道，不敬上帝，没有廉耻，屠弱愚蠢，荒淫无度，在原野山谷间漂泊，生命陷于危险，经过长时期之后，他们恳求父老庇护，这些父老把他们以及他们的随从者收容，置于他们保护之下，这样就扩大了家族国家的范围。

四百二十一、维科的学说的检讨

在这里，我们可把前面征引的"新科学"中的那些结论，略为申说一下。维科用极爽直的语气，叙述古时人类，在未有合度严正的结婚之前，即在父母知其子女、子女知其父母的婚姻及家庭制度还没有成立之前，财产、妇女共有，渎神、无耻及邪恶的人，度他们野蛮的生活。他说，到了他们掳掠不愿顺从而拒绝的妇女，曳入他们洞中之后，这财产妇女的共有制度，才归于消灭。那时妇女并不贞纯，但她们不愿屈从，而为男子服役。男子是孤独的君主，是经济的君主政体的首脑。按君主政治是强力控制的产物，民主政治是自由的产物，寡头政治是保护的产物。控制、自由及保护，是法律观念的三个因素，相当于知识、意志及能力。依照维科的见解，婚姻与产权有密切的关联，并不是君主政治的结果。婚姻是伴同宰杀野兽、耕种土地以供养家属的需要而来的。但维科有一点错误，他把野蛮状况的时代，突然转入人类已臻廉耻、虔诚、聪明的时代；好像继天神时代之后的英雄时代，错了方向，实则人类是经由英雄时代，而从财产、妇女共有的时代，转入廉耻虔诚的婚姻的时代，即转入族长主持的家庭的时代。不过，在维科的时候，还没有近代的各种研究，可资利用，如今日培科芬、马克楞南、摩尔根、泰勒尔、拉布克及基拉德他隆诸人所见到的或推测的那些事项，自非维科所能一一发现。可是这位伟大的新科学的作者，可以说是已把问题提出，以供后人探讨，而且他承认根据近代野蛮人的习俗而为推论的确当。他主张对于远古的未知的事物，如果我们不能确知，我们可参考已知的现代的事物，而加以推想，但在这里，我们不可忘记达尔文的箴言，即野蛮人的放纵，往往是衰微的结果。

四百二十二、妇女共有的近代实例

培科芬、马克楞南、摩尔根、拉布克、基拉德他隆诸人，与琉克利喜阿斯及维科二人的意见相同，承认原始时代的妇女共有，他们引征古时及近代作家的论述。在中国，伏羲朝代末期以前，妇女属于共有。在希腊，妇女最初也属共有，直至西克罗普斯（Cecrops）时代为止。依照希罗多德（Herodotus）及斯特累菩（Strabo）所说，马萨哲提人（Massageti）、那西摩尼孙人（Nasimonisans）及奥西安人（Auseans），不知婚姻为何物。斯特累菩及梭伦，曾谓加拉门西亚人（Garamantians）的情形，也是这样，色诺芬并谓摩西诺西亚人一些廉耻心都没有，以致引起居鲁士（Cyrus）兵士的愤慨。上述那些作家，援引许多事实，以证明新西兰、南美洲、安达曼及尼古巴群岛，有若干地域，仍行极端的妇女共有制度。这种制度，在有些黑人种类中，也可见到，他们没有姓氏，只有某种特征以称呼各人，如"长子"、

"跛子" 等。

四百二十三、历史证明妇女的共有

在我们引述的确定亲属关系的方法的许多事实中，我们必须特别注意那些属于妇女共有制度的家室状况，及几种奇特的配偶权利。摩尔根的审慎的研究，阐明那时的亲属关系，非存于个人与个人之间，而是个人与部落间的关系。小孩对于部落中的一切成年男子，均认为他们的父亲，对于凡能生产他们的一切妇女，均认为他们的母亲。例如散得维齿群岛上的居民，在上一世纪以前，只有五类亲属。第一类亲属，包括本人、本人的兄弟姐妹，及堂表兄弟姐妹；第二类亲属，包括父母、父母的兄弟姐妹，及堂表兄弟姐妹，但父母的兄弟及堂表兄弟，均以父称呼，见父母的姐妹及堂表姐妹，也均以母称呼；第三类亲属，包括祖父母、祖父母的兄弟姐妹，及堂表兄弟姐妹，这一类，均称为祖父或祖母；第四类亲属，包括子女及子女的堂表兄弟姐妹，但一律认作子女；第五类亲属，包括孙子女及孙子女的堂表兄弟姐妹，但均称为孙子或孙女。

由于这种亲属的分类，部落中各人彼此都是兄弟姐妹，伯叔舅父，把他们的侄甥，看作自己的儿子，侄甥视为他们姑母姨母的儿子。在这种以子女称呼侄甥的地方，我们可以推论，姊弟兄妹通婚，当属可能。据游历家言，在那些岛屿上，教士以贞操训诲妇女，碰到极大的困难。通奸、乱伦，为当地的习俗及宗教所容许。在这里，我们可以加说一句话，亲属相奸，在古时是通行的制度，这可从神及英雄与他们姊妹结婚这事实见之。埃及人及波斯人，仿行这种习俗。代俄多拉斯曾谓埃及国王，负有娶其姊妹的义务，柏拉图证明阿坡罗神殿的神谕，宣告这种结合在自然法上系属合法并适当。其他值得研究的事实，是在美国中部及南部区域内的住室。这些住室，长一百尺至一百五十尺，能容纳四五十家，即容纳三四百人。在哥伦比亚，印第安人的大茅屋，能容纳百人左右，那里有许多村落，以这样大小的一所或二所茅屋组成。墨西哥、犹嘎旦（Yucatan）及瓜泰马拉（Guatamala）地域内，在欧洲人未到之前，满布着这类村落，实为男女混合的有力证据。发现这些地域的早期的西班牙人，相信这些建筑物是他们的宫殿。

四百二十四、结婚仪式与乱交的形迹

我们必须研究，当一妇女为一男子专有在历史上发现的时候，这现实法上的制度是否违背称为自然法的原始法律。据说，这制度当时认为触犯自然的及宗教的法律，因为妇女的生育能力，犹如土地的出产能力，应不受限制，故当时发生一种需要，即向冒犯的天神进献贡物，并向众神恳求赎罪；进献贡物及恳求赎罪的方法，是强使行将结婚的妇女在一定期间实行乱交。旧习俗证实这种办法，奇特的污辱的仪式，为宗教维护生育能力的天神而举行。李底亚人（Lydians）、撒地尼亚人（Sadinians）及巴比伦尼亚人（Babylonians），在举行婚礼前，牺牲他们的贞操（据希罗多德及斯特累菩二人所述），在发生危险的时候，所有与出征兵士结婚的妇女，必须牺牲她们的廉耻，以表示忏悔，恳求那位因她们违背自然的婚姻法律而触怒的天神宽恕。罗克洛斯的官长，要求妇女在发生公共危险的日期，至维纳斯神庙牺牲她们的贞操。斯特累菩也曾说过，好人家的女儿，曾委身于阿奈提斯仪节者，最被人追求为妻；这种赎罪方法，在亚美尼亚及居伯罗（Cyprus）岛上的若干地域是必要的。依照希罗多德所述，色雷斯人也有这样的习俗。代俄多拉斯、西库勒斯曾谓在巴利阿利群岛（Balearic Islands）、马约喀（Majorca）及密诺卡（Minorca）等等地方，结婚之夜新娘属于一切宾客。

在《摩诃婆罗多》诗中我们看到，妇女如同牲畜，作为公

有，贵塔开盾（Cwetaketom）是最先采行私有制度的。湿婆及讫哩史那（Krishna）的女祭司，遵守同样的教规，她们道德的腐败，是著名的。在那里，没有丈夫的妇女及寡妇，可祭献于图拉发（Tulava）庙宇中的偶像，但自祭献时起，即须委身于一切的人。斯特累菩曾谓帕提亚人一个男子与一个妇女生有子女二三人后，可离弃这妇女而与另一妇女结婚。今日北美洲及南美洲的依士企摩人（Eskimos）[1] 及印第安人、坡里内西亚及澳洲的部落，非洲东部及西部的黑人，如卡斐人，在他们的妻妾中拣几个暂时给予他们的宾客。巴西的部落，有些也以妻妾，给予他们可以杀也可以吃的战时俘虏。在古时的秘鲁人及爱西屋皮亚人（Ethiopia）中，结婚后的第一夜，新娘属于一切亲戚朋友，即在今日，印度有许多土人部落及缅甸、喀什米尔、马达加斯加南部及新西兰的土人，仍通行这种习俗。在印度的有些地方，在古时的阿比西尼亚（Abyssinia）、在巴西及秘鲁的若干阶级中，这"初夜权"由酋长及祭司行使。在希腊那些与亚洲较有密切关系的原始民族，——例如哥林多（Corinth），有一种特殊的女祭司团体，以强迫同伴牺牲其贞节为宗旨。有些社会，妓女很受人尊重，因为她们继续一种为宗教所认可的旧习俗。诗文、哲学及政治的不时讨论，启发了雅典的妓女的思想及鉴赏能力。她们的住居，成为有益的消闲处所。谁不知道，苏格拉底曾与她们辩论？谁不知道，伯里克理（Pericles）常在阿斯培喜阿（Aspasia）的寓处逗留？在印度、阿比西尼亚及爪哇，她们享有好誉并受人尊敬。凡此种种事实，足以证明斯宾塞所说古代妇女共有并无法律含义，这话实属不确。

---

[1] 一译为"爱斯基摩人"。——勘校者注

四百二十五、爱情是其后发展的

原始时代的两性结合，一定无所谓情爱。它们无非是肉欲的交合，以妇女的奴役为其基础。如果我们考察近代野蛮人的结合而为论断，我们可以说，原始时代的两性结合，是临时的，是不经仪式而完成的。拉布克从各游历家收集关于这点的各种报告，并发表许多与我们的论题有很大关系的情事。霍屯督人（Hottentots）及卡斐人，冷淡薄情，使考察他们习俗的人，确信他们的两性结合没有爱情。在南美洲及北美洲有些印第安部落，没有相当于"畏惧"的用语，世上有几种语文其中没有"恋爱"这个动词。教士把《圣经》译成这些语文时，不得不造辞以表示这意思。在俄塞治人（Osages）及彻罗基人（Cherokees）中，我们不能找出一个显示爱情的诗词或乐曲。非洲中部雅里加地方的土人，结婚时满不在意，好像他们在买卖谷物那样。住在印度、浙地港区域山中的部落，把婚姻看作只是肉体的结合，看作食物可因此有人烹调的方法。澳洲的青年，以妇女服役能力的高下，而支付代价。他们待遇妇女，极度残酷，不时以枪杆打她们，以枪尖刺她们。一般游历者，曾见妇女的背上满布着伤痕。在巴拉圭及阿比西尼亚有些地方，婚姻拘束很薄弱，夫妻只须互相同意，即可分离。依照一般游历家所述，他们没有一些廉耻心。

哈孙尼雅的阿拉伯人，有一种婚姻，其存续期间只有三天，到第四天妇女即完全自由。锡兰有以五天为存续期间的试验婚，可于期满时确认或取消。在印度南部的若干部落中，十五岁至二十岁的女子，与五六岁的男孩结婚。这些女子与翁同居，或与母舅或表兄弟同居。如果生有子女，以结婚的男孩为其法律上的父亲，而这些男孩日后也与那些与别的男孩结婚的女子同居，而生育子女，这时他们自己的子女，已很长大了。野蛮人的结婚，差不多都没有相当的仪节。印度人中的巴达加斯人，住在尼尔岐利山中的刻伦巴斯部落、印度中部的开利亚人、加利福尼亚州的印第安人、美国的红皮人、南美洲的阿萨瓦克人、澳洲及巴西的土人部落、阿比西尼亚的人民、非洲西部的土人、阿香提人及霍屯督人，结婚时没有证人、长官或牧师到场，到了举行割礼及文身体的时候，才由他们参与。由此可见，孟德斯鸠谓自古至今结婚均行宗教仪式，这话是错误的。

四百二十六、乱交的演进与一夫一妻制

共有制度，大概渐为母系的亲属关系所限制，于是家庭成立，最初以母为中心，至于父则大都仍非所知。家庭经由母而开始组织。只有母的姓氏世代相传，夫仅居次要的地位。按母系制度，虽仍偏于一方，但从伦理及法律的观点上看来，毕竟较优于通括的亲属关系，存于个人与社会之间，不以家庭为一独特的团体。培科芬把共有制度进至母系制度这个过程，看作妇女的反抗，她们感觉她们所处地位的可耻，终于获得了优越的势力。他把第二时代称为实体的时代，把第三时代，即以父为生身者而以母为保育者的父权时代，称为精神的时代。我们觉得，培科芬把第二时代称为实体的时代，是很对的，因为在这时代，家庭建立于自然的基础之上，但他说第一时代改变为第二时代的原因，是妇女的反抗，我们相信这话是错的，因为我们不能相信，在那些野蛮的时候，妇女的廉耻心及团结力，非常发达，竟能决意反抗，而克服比较强有力的男子。流传很广的亚马逊人（Amazons）的稗史，大概由于妇女熟谙政事这奇特的引人心目的情事而构成的。蓬歧在他的《古代史讲义》（Lezioni di Storia Antica）中，曾谓女权家庭与男权家庭这两种不同的制度，系由前者改变为后者。一般人相信，女权时代，在男权时代之先，妇女为家庭的主脑时，并为邦国的主脑。

四百二十七、散得维齿岛上的实例

由共有制度进至母权制度，这个过程，有散得维齿群岛上的土人，为其显著的例证。这些岛上的共有制度，现在范围日益狭小，兄弟姊妹的结合，已很少见。在一方面，兄弟开始以他家的若干妇女，为他们合有的妻；在另一方面，姊妹与他家的几个男子，缔结较易解散的婚姻关系。前一世纪中曾发生的一大变更，因为以妇女的亲属关系为基础的家庭，在其时形成。以妇女为中心的亲属系统，现仍见于下列各地及人民：澳洲、拉德伦群岛、斐济、汤加及太平洋群岛的其他地方；卡罗来恩群岛，住在缅甸与暹罗交界地方的人，锡兰的若干部落，马尔代夫人，马拉巴沿海地带，印度的若干原始民族，北美洲的大多数印第安人，南美洲的阿拉瓦克人，塞内加尔，娄安勾，刚果，厄累罗人，卡斐人，几内亚沿海地带，及图阿楞人。

四百二十八、古时母权制度的实例

古时的伊比利亚人、小亚细亚的原始民族，及吕西亚人（据希罗多德所述）、罗克洛斯的居民（据波利比阿所述），及伊特拉斯康人（他们留下的墓碑，刊着母的名字而无父的名字），实行同一的制度。伊特拉斯康人的墓碑，有用二种语文的，镌刊死者的名字及他或她的母的名字，其例如下："L. Caius Canlia natus; Thania Sudernia nata"。在其他的墓碑上，则只有母的名字，而无死者的名字，例如"Perrica natus"。还有几种墓碑，另加拉丁译文，也没有父的名字。这拉丁译文的添加据科尔孙（Corssen）所说，是由于罗马的习俗，或是出于匠工个人的知识。在那不勒斯的博物院中，有一块用两种语文的伊特拉斯康人的墓碑，是属于最后一种的，上面刊着"VI Alfini Nuvi Cainal"字样。这些字样，科尔孙译为"Velvus Albinus Novius Caina（母）Nutus"。Cainal 这字，是专属于女性的名字，在其他十二块墓碑上也有这字。这墓碑的拉丁译文，如下："C. Alfius A.
F. Cainnia natus"。把这些译文写完全，则为"Caius Alfius Auli
Filius Cainnia Natus"。

希罗多德曾谓，埃及的妇女，参与公共生活，经营商业并处
理工业，男子则留居家中，从事纺织。代俄多拉斯并谓，蕃殖女
神埃西的各种利益之一，是埃及的女王，较男王更有权力，更受
尊敬，依照婚姻契约的条款，平民是他们妻的财产的一部分。埃
及有许多墓碑，只有死者的母的名字，而没有父的名字，凡有父
的名字的，必同有母的名字。按埃西是代表永生的万物的创始
的，看作伟大的赐予生命的神的，至于主神奥赛烈司虽属生育的
原素，却只是暂时而不免于死亡的。这埃西的重要性，使古代埃
及国王的妻，享有极大的权力，依照希罗多德所述，这重要性并
使子女负有扶养他们老年父母的法定义务。在昂哥拉各地，在提
曼尼亚人、库伦可斯人、苏利马斯人、埃及南部的巴最人、菩哥
斯人及伯尼阿美尔人中，也有这种两性的关系。现今在非河的大
多数部落中，酋长的妻，仍有极大的权力，酋长旁边，仍有一个
妇女，享有"makonda"的荣位，这荣位通常属于酋长的妻。依
照发禄（Varro）在圣奥古斯丁所保存的记述中所说，在古代的
雅典，子女采用母的姓名。在伊士奇的《俄累斯提斯》中，留
有古代以母为中心的祖属关系的形迹，因为代表旧法的埃林尼伊
斯，要求惩罚那杀死自己母亲的俄累斯提斯，宣述克利泰姆内斯
特拉不能再为其子的亲属拥护新法的阿坡罗，为俄累斯提斯恳求
宽恕，主张母非其子的创造者，而为放在她怀中的种子的培养
者。但埃林尼伊斯打断其论辩，并谓这年青神意图破坏旧法，也
就是意图破坏旧神。

四百二十九、母系制度下的继承

前面我们曾经说过，在实行女系制度的那些地方，一个男子

的继承人，不是他自己的子，而是他的姐妹的子。依照希罗多德
及斯特累菩二人的记述，爱西屋皮亚人的继承法，就是这样的。
摩诃婆罗多诗讲述发苏基王需要一个继承人及卫护人，这国王自
己不想娶妻，却替他的姐妹，找寻丈夫，这丈夫经众神选拔，与
新娘只同宿一夜，经过相当时期，阿斯提加这位英雄就呱呱坠
地，做了国王的继承人。这摩诃婆罗诗所述的传奇，表示印度曾
实行同样的继承法，与今日土人中所实行的相同。这种继承法，
在下列各地及人民中现仍实行：努比亚、苏丹、尼格利喜阿、新
几内亚沿海地带、非洲东部沿湖及沿河地带、三俾西沿岸、巴苏
托人、图阿楞人、厄累罗人、马达加斯加、菩哥斯人、卢那特拉
的巴塔克人、太平洋上的若干岛屿、特林基斯人从前俄属美洲的
开奈人、墨西哥、秘鲁、北美洲的印第安部落及马拉巴。在非
洲，子只能继承父的武器。在马达加斯加及图阿楞人、厄累罗人
及红皮人中，在女系的亲属制度之下，姊妹的子继承其舅父的政
治的职位，有时并继承其祭司的义务。凡实行女系制度的地方，
复仇的义务，也依照这女系而规定，非由被杀者的子担任，而由
他的甥担任。

四百三十、族内婚与族外婚

　　如果人类系由共有制度而进至女系亲属的时代，我们可以推
定，最初的亲属团体，是在妇女世代相传的制度下组成的。依照
马克楞南的见解，在极古的时候，族外婚是部落的组织原则，即
禁止属于同一图腾的男女通婚，族外婚必系由于掠夺婚而来，这
掠夺的行为，起初是实在的，其后成为形式。

　　马克楞南发觉下列各地实行族外婚：中国、西伯利亚、鞑
靼、印度、塞加西亚、南美洲、北美洲、澳洲、太平洋上的岛
屿，克里特人及苏格兰。原始人民的法律，轻视妇女，他们常把
初生的女孩杀死，把女孩看作衰弱的原因，日后有引诱邻族进攻

的可能。我们觉得，这说法足以阐释几种事实，为从前的人所未能明了的。族外婚使民族的特性，未经移民或战争，而有急速的改变，因为母是敌族的人。它使我们了解，何以红皮人等有一种习俗，把妇女的兄弟的子，称作妇女的子，把姊妹的子称作侄。中国人现仍把小孩称作他们母舅的孩子，把甥称作他们姑母的后裔。凡是实行族外婚的，乱交必受限制，这样也就发生一大进步，因为兄妹姊弟间不复能通婚，但乱交并不像一般人所争辩的那样，因而绝迹。我们极欲明悉的，是这些兄妹姊弟的通婚，实在何时归于消灭。我们以为乱伦这个观念的发生，是造成族外婚的必要的当然效果，这观念现出的形象很奇特。在锡兰，女儿达于春情发动的年龄后，父不准对她注视，母对她的子，也受同样的禁止。在亚洲古蒙人、非洲巴苏托人中，媳妇看见她的翁，必须藏匿。在阿拉瓦古人人中，女婿不准注视他的岳母。在卡斐人及红皮人中，岳母不能称呼女婿的名字。在斐济岛上，兄弟姊妹、堂表兄弟姊妹、父母及女婿媳妇等，不能在一块讲话，也不能在一块进食。澳洲、印度、婆罗洲及非洲西部，有类似的习俗。

拉布克相信掠夺婚与共有制度可并存，而且事实上确有并存的。但掠夺婚大概是个别婚的开始，从别的部落劫来的妇女，根据战胜权，成为掠夺者独有的财产。拉布克依据这点，论断族外婚为掠夺的结果，马克楞南则认族外婚为掠夺的原因。关于族外婚的动机，拉布克不以马克楞南的见解为然，因为杀死婴孩的习俗，不限于女孩，在澳洲等地方，男孩也被杀死。而且，有些部落实行掠夺婚，同时却又实行族内婚。例如，贝督英人，承认依掠夺方法结婚的权利，同时又能支付若干赔款，而与堂表姐妹结婚。基拉德他隆不信女孩的杀死是族外婚的原因，因为杀死婴孩的习俗，在各部落间，一定是相互的而使族外婚及掠夺婚成为不可能。斯宾塞谓杀死的女孩的人数，与青年男子在时常发生的战争中死亡的人数，一定均等。他们以为马克楞南所主张的学说的结果一夫多妻制，不一定伴随族外婚而发生。斯宾塞欲以战利品的说法，阐明族外婚的根据，因为妇女是可从敌人取得的主要物件的一种，而且这也是武士的目的。因为武士是社会上最重要的人，所以与外族妇女结婚，成为普遍的习惯，并得到一种宗教的认许。和平的部落，行族内婚，好战及战胜的部落，则行族外婚，但我们必须向斯宾塞质问，何以新西兰的好战的部落，实行族内婚？

不过，无论我们的看法怎样，在我们论述的那个时代，实有用掠夺的方法从别的部落获得妇女的必要，要是没有这必要，那时的男子，就不会冒极大的生命危险，从敌人那里觅取他们的妻了。在澳洲、新西兰、太平洋上的若干岛屿及南美洲等地，这种掠夺行为，最初是残酷的凶暴的。澳洲的土人，当他们发现一个没有人保护的妇女的时候，把她打晕，抓住她的头发，曳入附近的树林，等她苏醒。在锡德尼四周的乡野，在巴力及其他地方，也有这种情形。后来，掠夺行为，成为一种形式。印度、亚洲内地、马拉西亚人（Malasians）、非洲及古代的希腊人及罗马人，实行这种掠夺婚的形式。

四百三十一、母系制度是实体的，父系制度是精神的

以妇女为中心的亲属关系，系基于实体的确定而发生的，应认为自然法的制度。反之，以男子为中心的亲属关系，应认为人为法的产物，因为它须有血统关系的自由承认，须有与一种抽象的推定相关联的思考行为，才能发生。一个小孩，只能为一个妇女的小孩，却能为几个男子中任何一人的小孩。如果以男子为中心的亲属关系，需要思考行为及抽象推定，则其发生的时期，自属较后。父子关系的情操，就其起源而论，没有也绝不能有真正

伦理的性质。父子关系，最初是主奴关系，后在近代的野蛮人中，例如住在几内亚沿海地带的人中，成为获取财产的方法。常有父由己把他的子，作为奴隶出卖，而子于长成后也把父捉住，很高兴地把他出卖。在非洲南部的若干地方，把子女看作牲畜，抛给野兽当食粮，土人为防御狮子侵袭，设置陷阱，而以婴孩为饵。

四百三十二、一妻多夫制的盛行

环绕于一人四围的团体，不一定是对人的，弟兄多人合娶一妇的一妻多夫制，就是明证。又一妻多夫制，并不是贫穷的结果，因为这制度行于富有的部落，或部落中富有的人。这制度的范围虽非普遍，但就其遗迹推断，它是极广大的。例如，摩诃婆罗多诗记述的英雄，班大发五位弟兄，合娶美丽的德劳巴提为妻。依照恺撒所述，布累同人实行一妻多夫制。这一妻多夫制，现今仍见于下列各地：亚洲、西藏、布卡维亚、喜马拉雅山、喀什米尔、马拉巴沿海地带、锡兰及新西兰。在西藏的居民中，子女及财物属于家长，依长子继承权而世代相传。在托达斯人中，最先出生的子，有长子权，其次出生的子，属于次房。实行一妻多夫制，种族中的人，要是没有弟兄，须与别家的人联合，要是他不愿这样，他就终身孤独。

四百三十三、父权是所有权的产物

父权在历史上是婚姻关系个别化后出现的。父权的渊源是所有权，这有种种事实可资证明。古代雅利安语言，是这些证明中的一种。父在梵语上称作"patar"，就是所有人的意思，或称作"ganitor"，就是创造者的意思。在《吠陀经》上，这二字联合成为"pitaganita"。这二字的联合，以及后来二字含义的混淆，足证所有权在男系家庭的发展方面的影响。在这里，吾们必须注意，男子成为妇女主人的缘由有二：一为战胜权；一为买卖。在好战的部落中，从别的部落劫来的妇女，如同任何其他战利品一样，由掠夺者基于其掠夺行为，而取为己有。关于这点，我们必须注意拉布克所说的话，他以为个别的婚姻与妻的共有并存，是可能的事。在其他部落中，男系家庭，系由于买卖而构成，因为妇女是当作家产的一部分的，而且是作为可以继承的财产的一部分的。家庭只把使用权出卖，而不把妇女本身出卖。故夫须留居在妻家的小屋及村落中。在苏门答腊地方，如果婚姻系依照称为 ambel－anak 的仪式（现已不适用）而举行，夫及其后裔，成为妻家的财产。印度的科赫人、锡兰及古代的中国，也有类似的习俗。

在原始时代，贫穷是极普遍的，得妻的困难自属很多。得妻的代价，往往是暂在岳家奴役，例如雅各曾在拉班家中度日，今日亚洲、非洲及南美洲、北美洲，仍有这种情事。在美洲印第安人的若干部落中，夫必须迁住岳家，但如果他就狩猎所得进献礼物，至生一女儿时为止，他也可有自己的家。这小孩成为舅家的财产，补足其母的代价。在马科罗罗人、南方的庆奔多人、黄金海岸上的若干种族、泰蒙地方，及印度的林堡人，子女不包括在母的代价之内，父欲保有子女，必须另行购买。在几内亚沿海各地及非洲的几个部落中，法律不准父取得其子。子的生命自由，全视舅父的意思而定。我们很易看到，从母的购买包括子女在内的时候起，男系家庭就成立了。依照庆奔多人、腓拉塔斯人及方提国的制度，男子要保有他自己的妻及子女的惟一方法，是与奴隶结合。在这种结合之下，他对于妻及子女才有真正的权力，他的身份，非由正式的妻所生的子继承，而由奴隶所生的子继承，如果奴隶无子，则由收养的子继承。主奴的结合，在非洲的几种人民中，是婚姻状态重变更的一种征象。男子想支配人而不愿受人支配，这种结合的趋向很显著。原来这些种族中的妇女，是她们丈夫及子女的主人，子女用她们的姓名，她们支配丈夫的一切行动。这些不幸的丈夫，没有方法可反对他们的妻的行为，他们的妻为所欲为，行使绝对的权力。

四百三十四、父的认知

抽象的观念，不能存在于原始时代，因为理智与感觉起初不很分离，而且注意于个别的事物。故父的观念最初发生的时候，"父即为结婚的人"这个一般的推定，并不立即适用。那时所采行的方法，是一种为未开化的及不能言语的时代所特有的表象。父必须假装生产的痛苦模样，这样他算是另一母亲。斯特累苦曾谓这是伊比利亚人的习惯；阿波罗尼阿斯曾谓住在黑海四周的野蛮人，也有这种习惯；代俄多拉斯及波卢塔克曾指出这种习惯，行于科西嘉及居伯罗岛上的居民；马科罗罗曾在亚洲东部见到这种习惯；即在今日，这种习惯，尚存留于南美洲及非洲西岸。在几内亚及其他几处地方，有一种合血的仪式，用以确定血亲关系，及认知父子关系。这仪式举行时，把二人皮肉割破一些，从一人血管中流出几滴血，输入另一人血管中，二人再喝一二滴血。这合血仪式，在马达加斯加称为"Fatti draha"。

四百三十五、父权家庭的各种形态

父权家庭形成的形态，不一其类；在闪族人中，形成希伯来家庭；在雅利安人中，形成联合的印度家庭；她形成希腊人的家族，罗马人的氏族家庭，克里特的家族，条顿及斯拉夫人的宗属。梅因[1]在他的《古代制度史讲话》中，关于爱尔兰家族的构成，曾作明确的阐述；在他的《论古代的法律及习惯》中，他利用菩歧斯克的重要发现，对于欧洲东部古时的家社，加以概要的说明。爱尔兰家族，分为四级，即 geilfine、deirbhfine、

---

〔1〕 原书此处为"美国"，显系笔误，故更正之。——勘校者注

irafine 及 indfine。其中 geilfine 一级的人，是年龄最小的，共有五人；其他三级，共有十二人，各有四人。当 geilfine 级中出生小孩时，其中年龄最大的一人升入 deirfine 级。其他各级，也是这样。但 indfine 级中年龄最高的一人，则退出组织，因为使与家族外离是不禁的。geilfine 一字的含义，与拉丁的"manus"、"familia"相同；deirbhfine 一字，是指真正的家庭；irafine 一字，是指其后的家庭；indfine 一字，是指最后的家庭。这种家庭，似以"父权"为其构成的原则，因为 geilfine 级中，包括父一人，及在其直接权力下的子女或养子女四人，其他三级，则包括那些解放的后裔，距离真正的家庭愈远，其权威即愈低。

这种爱尔兰家庭与罗马的家庭，同以父权为基础，但有许多重要的异点。例如，解放的制度，在爱尔兰家庭是有一定系统的，而在罗马则完全任意决定。在英格兰有类似的习俗，与父同居而为继承人的子，是幼子而非长子。幼子永不解放。他子解放后即与家庭分离，但幼子永续为家庭一员，终身依父生活。斯拉夫人的宗族，是多数有血统关系的家庭所组成的团体，它们是同一祖先的后嗣。这些本质上为父权的家庭，由年龄最高者主持；亲谊是依"大血统关系"，而不是依"小血统关系"的，即亲属关系，是男系而非女系的。按亲属以男系为准，实为男子递传制度的铁证。从一方面看来，这种宗族是自由主义的。因为每一族人都有由团体供给衣食住的权利，他在年长者主持及指挥下举行的大会中也有发言权。但从另一方面看来，它又似专制主义的，因为一切都操在族长手中。这族长或为已去世的领袖的长子，或为他的弟兄，有时也可由具有特殊才能的妇女充任。族长的选立，一部分依据亲属关系，一部分依据生活需要。联合的印度家庭，及克里特人的家族，也有这种选立办法。属于团体的一切农事及其他事业的资产，不得处分，如同罗马的"要式移转物"，构成拉丁人农地组织的基础。"特有财产"，最初是公共牧地上的几头牲畜，成为团体分解的动力，它在印度人及罗马人中有相同的影响。女儿有结婚及取得嫁奁的权利。她们享有某程度的择夫的自由，并可把她们所能取得的牲口或动产，携往她们所归的家庭。这些牲口或动产，有时基于继承的特别规则，而归属女性的继承人。限制结婚的条件极多，而且不一其类，均由于亲属关系而发生的。子女有收养的办法，此外还有种种奇特的习俗上及精神上的亲属关系。在古代，凡无血亲关系以为连系的人，不是敌人就是奴隶，这种偏见是极有势力的。

四百三十六、家庭的演进

从以上所述，我们可得二个概念，其中比较直接的一个概念，是由于父权团体，发生家父为家庭利益而管理财产的制度。斯宾塞的见解，是很正当的，他说，这种制度的存在，实与古代父有"生杀权"这个事实，不能相容。我们不能想像，自私自利、没有一些公道心或责任心的野蛮人，竟会为其家庭的利益而管理财物。而且，在父权团体中如果有许多家畜，我们就不能不承认这种团体不是原始的，因为野兽必须经过相当时期，才能成为家畜。另一概念，涉及古时财产制度的演进，及对于财产及他人的家庭权利。最初，妇女及财物均属共有。亲属关系，是个人与其团体间的关系，一切财产权均归团体所有。其后，共有范围，渐受限制，先有女系家庭，嗣有男系家庭，财产不复属于社会全体，而归诸家庭，这时才有真正的"家的所有"。其后，个人从父权及家庭下解放出来了，取得了如同今日见诸美国家庭中的宽大的自由。在美国，十五六岁的男孩，选择他们的事业，并实行他们的志愿，都很自由。女孩独自出外，独自旅行，并自由选择她们的配偶。个人自由，打破信托关系、家庭产业及其他许多为保存家庭而定立的限制，并宣告其财产权的绝对性。家庭联系的宽弛，是与个人财产的演进相并而行的。

四百三十七、倾向个别的进化

所谓进化，就是日益增甚的个别化，就是各部分间的日益密切。按亲属关系，本质上是进化的产物，因为它最初是通括的，其后渐渐特殊化，而形成古代所没有的类别。它日益趋向于意识的密切的关系，从单纯的不联络的情状，进于复杂的联络的情状。原始时代亲属关系的内涵，是完全表面的。家庭制度发生后，亲属关系的范围缩小，而类别则增多。它成为真正的合体。时代愈进，它就愈复杂愈密切。它有质的演进，因为从伦理的观点上看来，混杂的生活，实较母权家庭低劣，而母权家庭又较父权家庭低劣，归根结底说来，父权家庭的基础，是父母俩俱确定。各种亲属制度，在适者生存的竞争中新陈代谢。它们在历史上一起一落，始终是劣者淘汰，优者得势。混杂生活以及母权家庭不很利于社会的维持并发展，因为它们缺乏坚强的家庭统一、统御的力量及祖先的尊崇。子女完全交给母照顾，而母是柔弱的，不能有力地保护他们的。当父年老时，他不能得到子女或妻的扶助。一妻多夫制，虽有遏止人口过度增加的优点，但它不能持久，因为它削弱生育能力，并缺乏联络力量，而父与父间不相隶属，使子女不能得到良好的教育，致社会蒙其损害。一夫多妻制（在有些国家，它是拥有多妻以为荣誉的结果，在有些国家，它是辖有许多奴隶的利益的结果），较优于一妻多夫制。在一夫多妻制下，父与子女的联系，较为坚强，它构成历代男性祖先的系统，由于同一家庭中权力世代相传，适宜于祖先崇拜及政治稳定的发达。一夫多妻制，基于父母两方的照料，减少子女的夭殇，很迅速地补充了死于战争的人数。它的大害是妇女与子女间继续不断的冲突。

在需要部落分布于广大区域的地方，一夫一妻是必要的制

度。一夫一妻制，以财产的观念、两性人数的均等及对于这制度
的利益的经验，为其基础。这制度充分确定父母子女及其他亲属
的关系。它产生和平及联络。它完成扶养权义，改进教育方法，
除了那些男子比女子少得多的地方之外，它又比一夫多妻制更能
繁殖人口。斯宾塞曾说明一夫多妻制与黩武社会的关系，及一夫
一妻制与工业社会的关系。黩武社会，以战争为惯常，掠夺的事
不时发生，男子死于战场，以致妇女人数过多，拥有多妻劫自敌
人，可享勇武盛名，战士的暴虐的品性，为当时崇尚；至在工业
社会，则自由主义及同意合作，占优越势力。当黩武主义衰落，
工业主义发展时，两性人数，趋近均等，一夫一妻成为普遍的定
则。父的专制权力归于消灭，子女的生命成为神圣而向自由进
展。

四百三十八、亲属关系的爱情的根源

不论哪一种方式的亲属关系，都有其根源于爱情。爱情也是
受进化律的支配的。它也有它的各个时代、进步及历史。最初它
包括许多个人，并不深切。在那时，它是模糊的、表面的，但它
渐渐有力，并迅速前进。当它有力而范围限定之后，它就因特殊
化而愈形具体愈形真实。它倾向于个别化，终于个别化，而不耐
混群。它对于爱的标的，包括新的观点。它一天比一天丰富。人
类愈进展，它的类别也就愈多。一夫一妻是爱情的充分个别化。
它是人类爱情的最后选定的制度。在一夫多妻制中，一个男子并
不完全委身于一个女子，在一妻多夫制中，一个女子并不完全委
身于一个男子，在这二种制度中表现的爱情，并不臻于完全自我
实现的地步。自由恋爱，及不以有多数对象而背于忠实的爱恋，
是原始时代的事实。那末，家庭现在是否已达到它的特殊化的极
限呢？有些人以为这是可能的，他们以家庭与社会的对立为其论
证。他们说，经验告诉吾们，人类的社会性最发达最活动时，家

庭总是比较不强固不持久的结合，反之，家庭的情操，包括家庭
构成分子的一切活动时，社会为其所害，而陷于衰弱。他们又
谓，以家庭为社会根源的说法是不对的，因为性爱的本身是自私
的独占的，而且有些动物的结合，毫无家庭的意义，并不以生育
为其结合的目的。政治社会，绝不是家庭演进而成的，因为一以
理智维系，一则不然，一以按功过定赏罚为基础，一以援助无力
自活的弱者为基础。

　　我们觉得，在亲属制度方面日益增甚的个别化及密切化，绝
不能酿成家庭的倾覆。这些因素，只是表示亲属关系，将渐渐集
中于自然的限度之内，伦理机体的各部分，将有更大的自由。亲
属范围的缩小，家庭联系的增强，及个人从家长专制权力下解放
出来，都不是家庭核心毁灭的征象。虽范围愈益狭小，关系愈益
密切，但家庭核心，将永续存在。它将有更高的特价，因为它将
建立于一夫一妻的婚姻制度之上。它将充分承认各分子的自由，
但它将永远安稳，永远健全。如果这种自由越出限度，它将为权
力的原则所调节，而使家庭核心得免于破坏。特征日趋显著，符
合理性法则的伦理机体，不但不会消灭，且能耐久，依自然及理
性的指示而得有更高的调和。人类的社会与家庭，绝不是对立
的，因为古代社会的组织，系基于广泛意义的亲属关系，即不仅
基于自然的血统的亲属关系，且基于人为的拟制的亲属关系。原
始政治社会的构成分子，是以真实的或想像的血统关系而结合
的。住所或生活共同的事实，成为邦国的基础，只是最近的事。
古时宗教的及好战的团体，都有家庭的性质。古代的社会，都可
看作扩大了的家庭。人类的社会情操，是由家庭中心而发生的，
但在另一方面，我们不能否认，家庭可随时代的进展，成为独特
的团体，基于特殊的原因而有其自己的发展。

四百三十九、社会与家庭是各别的

社会与家庭，各有其使命，却不是互相排斥的，反之，它们是互相补充的。社会是政治利益的团体，构成政治的集合；家庭是以家人相爱相亲为基础的团体。前者较大较高，后者较小较低，并在各方面包容于前者之内。有家庭而无政治社会或国家，家庭将成一不完全不成熟的核心；如无家庭，国家也无由成立，因为它是发源于家庭的。人类团体的思想，是多方面发展的，以情爱是否接近利益，或利益是否符合理性为准，情爱、利益及理性，构成人类集合的三大基础，并确定其集合的方式。如果仅有规律家庭的原则，社会的组织，将很不健全，而陷于崩溃，因为在不该扶助或扶助反而有害的情形之下，也将实行扶助，基于个人弱点而生的弊害，将由于情爱而变本加厉。如果仅有规律社会的原则，即仅有按功过定赏罚的原则，则人类的一部分，非由其自己的过失而无力供给其需要者，将失殷勤的照料。社会将不能履行其使命，而完成其目的。我们以为，只要一天有个人，有关涉照料弱者及所有权的感情及观念，家庭也将一天存在。家庭与社会，是彼此合作相互为用的二词。它们在人类中是相并前进的，因为家庭的完善，足以影响于政治社会及国家的道德的发达。同样，良好的政治组织，也一定能予家庭的生命以重大的裨益。换句话说，家庭伦理的水准愈高，文明及政治的程度也必愈高；文明及国家愈趋近它们真正的目的，家庭也必愈受其利。但社会与家庭，并不失其为各别的有时且相反的二个团体。实际上有时社会吸收家庭，有时家庭吸收社会。

第十八章　夫妻关系

四百四十、家庭包括亲子及夫妻二种关系

家庭是二种关系构成的，二者密切联系，其一由另一产生，这二种关系，就是夫妻关系及亲子关系。夫妻关系是婚姻法的对象，亲子关系是亲属法的对象。依照亚里士多德的见解，一切社会及伦理的组织，都是基于二方当事人的相互联系、共同感情及彼此亲睦，而产生并维持的。而婚姻基础的爱情，是天性所触发，而与贪欲相伴的交谊。它的意义，是使我们把他人看作自己幸福的原因，感觉把自己的生命扩张于他人的愿望。在对话篇中，我们可以看到一个寓言，隐约表示这个观念，这寓言讲述古代阴阳兼具的人，一种强壮的男女二性的混合者，分而为二，并讲述二性相会自愿合而为一。苏格拉底在这《对话篇》中，曾谓爱情可说是不免于死的人类，以子女的生育而求永生。为婚姻原因的爱情，不是生着翅膀的神圣，否则婚姻关系将一瞬即逝了。它也不是美的心身产生美的结果的冲动，为柏拉图所信的那样，因为这样的话，生育子女的自然倾向，将完全消失，而且在同性的个人间，也可有爱情了。爱情实是情感的爱好，是一种深情切爱，不受理智拘束的欲望。这易逝的爱好，演为持久的感情，演为存续不变的意志，构成一种义务，而具有彼此忠实互相牺牲的性质。在这里，如同在其他地方一样，使感情的因素成为必要，并使其纯正的，是心灵。在另一点上，柏拉图也没有彻底

了解爱情的性质，因为他认许一夫多妻制，实则真正的有生气的爱情，是不能容忍这种制度的感情。在另一方面，则亚里士多德对于爱情有真知灼见，他把婚姻称作独占的、持久的及神圣的结合，由于男女二方相反的性质，互相贯通而产生。罗马法学家的心目中，都有这样的观念，他们把婚姻解为"男女二人的结合，成为终身伴侣，而为神道及人事的沟通"。黑格尔的话，是很对的，他说，康德在他的婚姻的定义中，把婚姻解为异性间仅为交换并继续保有性的愉快而成立的结合，这实是把婚姻看作无耻的关系了。

四百四十一、婚姻是两性的结合

关于这问题，洛斯米尼曾发表有力的意见。他说，人的心灵是惟一的，故在人的心灵中，发生一种继续的倾向，要使复杂化为合一。事物由复杂而化为合一，足使心灵愉快，这合一化是心灵所企求，而为心灵所认为美的。同样，感情因复杂而化为合一，足使感情愉快，这合一化称为幸福主义的幸福。复杂中的美，成为理想中的合一。洛斯米尼的美的观念，源于来布尼兹的学说，也许不能使人人满意，因为它是形式的。但即在意识及知识中，也有这种可见之于美的繁复的化为同一。真与美的区别，存于美感中，存于把概念纳入较易感觉的形式的想像中。洛斯米尼又谓，个人与其所有物的合一化，产生财产；个人与个人的合一化，产生社会及夫妻关系。我们必须记得，婚姻不是物的结合，而是人的结合。它是异性的二人间完满的自然的结合。由此可见，夫妻二人的感情，应在各方面彼此感应，俾能互相补充。精神方面的因素，应与精神方面的因素感应，肉体方面的因素，应与肉体方面的因素感应，俾男女二人间，有心、灵、体三股结成的绳索，为之联系。在"两体合一"这句话中，"两体"二字，是表示二方人格的个性，及其混合的不可能；至"合一"

两字，则表示生命的联合。在这里，我们必须注意，两性的结合，是人生所必需的结合，虽在肉体的结合中，两人的感情，似合而为一，但它毕竟不仅是肉体的结合。

四百四十二、两性结合必须是精神的、心灵的及肉体的

男女两性的结合，必须精神的及心灵的联系，先于肉体的联系，才成为真正的结合，后者只是前者的补充。当一人与另一人连结时，他必须以构成人的一切因素，来作充分的连结。如果互相结合的人，不欲使理智屈服于欲望，任何结合，要使它确定而稳固，须自人性的顶点开始，而后降及其他因素。为了这个缘故，所以纳妾行为，认为不法。法律不能承认这种行为，因为它缺乏伦理的基础。不道德的婚姻法，是建立于"强力即是权利"之上的。它建立于男子强力之上，是凌辱妇女的法律。依上所述，可见婚姻有一主要的目的，即完全的人格的结合，及一次要的目的，即子女的生育。人格的结合，是主要的目的，因为没有人格的结合，就不能有婚姻；子女的生育，是次要的目的，因为即使不能生育子女，婚姻仍可存在。在《旧约》时代，子女的生育，是主要的目的，不能生育子女的结合，必须解散。到了《新约》时代，人格的结合，成为主要的目的了。

四百四十三、婚姻的条件

婚姻的条件，可根据这些婚姻的特质而推论。第一个条件，显然是"男女结合"及"终身伴侣"所必需的年龄。婚姻须有健全的身体及成熟的精神，法律应尽其所能，以制止春情早发的或愚蠢的婚姻。第二个条件，与第一个条件互相关联，就是父母同意的必要，子女未达一定年龄，可推定其对于生活的事实及关系，未有充分的认识者，须经父母同意才得缔结婚姻。但为防止父母专断的禁止起见，子女得向法院请求核准。法律不能对于某阶级的人，例如劳工及无产阶级中的人，加以歧视，而使他们的

结婚，以取得国家的准许为必要，这样的法律，实侵犯了最神圣的个人权利，即侵犯了个人有绝对的抉择自由，以寻求其自己的满足的权利。信从古时异端的政治学说，为求减少人口的过剩，而以这种同意为必要的立法，激增了非婚生子女的人数。但服役于军事的人，为纪律及公务的一般利益计，以领得核准者为其结婚的要件，在这里，反对侵犯个人自由的主张，是不能适用的。

四百四十四、亲属间婚姻

第三个条件，是血亲关系。洛斯米尼曾经说过，人类的意见，是不容许直系亲属间的婚姻的，因为在自然所指定的性爱进行的限度中，子女是性爱活动的结果，这种活动因子女的生育不满足。如果性爱在自然命令其应行终止活动的时候，开始其活动，那就不合自然了。再就旁系亲属说，如果假定人类的本能，是完善完美的，则人类的本能，自必不许有血亲关系的二人，缔结婚姻，至少也必在他们的共同祖先，与他们相去不远，而还能追思的情形之下，不许他们缔结婚姻。这是因为在共同祖先还能记忆的时候，这祖先好似在他的子孙身上延展他的生命，在一般人的心目中，子不啻是父的化身，在这意义上，妹与兄或姊与弟结婚，宛如与父结婚了。婚姻是二人的结合，就这婚姻的性质而论，表兄弟姊妹一方的姻亲，即是他方的血亲，故他们也不得结婚。

四百四十五、收养关系与婚姻

在收养关系中，收养者有父母的情绪，负父母的义务，受收养者应把他自己看作子女。上面关系直系亲属所说的，对于这一种的法律关系也应适用。一般说来，禁止亲属间结婚的，内在理由，除了上面已经说过的那些（即理想上的婚姻，是二个相异的而非相同的因素的结合）以外，可概略地归纳为二：一是维持家庭的道德；二是避免亲属间结婚的危险，因为这种婚姻所生的子孙，往往孱弱、多病，易于痴呆，常成聋哑。丰富的经验告诉我们，这些结合能酿成这类疾病的遗传。不过，这种禁止不是绝对的，亲属关系疏远的，或有强有力的家庭必要上的理由时，也可不在这禁止之列。旁系亲属间的婚姻，也是这样，兄弟姊妹间的结婚，虽一概禁止，但有时容许同亲等亲属间的结婚。关于这类情形，家庭中一切绝对的及相对的因素，均有注意的必要。

四百四十六、杀害的企图

第四个条件，是关于杀害的企图的，犯罪人欲与某人结婚，而杀害其人的配偶。这种企图，构成婚姻的障碍，因为婚姻不能作为犯罪行为的报酬。第五个条件，是结婚的仪式，不遵守仪式者，须受婚姻无效的制裁。仪式的作用，是使婚姻臻于确实，并表示于公众。

四百四十七、婚姻的取消

婚姻的障碍，乃由于不遵守上述的那些条件而发生，这是容易明了的。这些障碍，取消婚姻的效力，或使婚姻根本无效，或使婚姻得以撤销。使婚姻绝对无效的那些障碍，即任何有关系的人都得主张的那些障碍，例如婚姻当事人不具备年龄条件，又如当事人的一方重婚。使婚姻相对无效的那些障碍，即只限于某种人得主张的那些障碍，是未曾征得同意及不能人道等情事。没有性交能力的人，不得结婚，因为欠缺了一项婚姻特有的标的。这种不能人道的欠缺，必须是显明的，换句话说，它必须是医师所能察知而认定的；它必须是不治的，而非一时的，必须在结婚前已发生，并在结婚时仍存在。有些障碍是暂时的，与婚姻本质上的条件无关。它们使婚姻不能成为完全合法，但仍容许其成立。法律禁止寡妇在夫死亡后十个月内重行结婚，这就是属于这一类的障碍。上述各种障碍的理论，与婚姻所需条件的理论相同，它们与现实法及法律哲学都有关系。

四百四十八、婚约

特楞得楞堡曾谓，订婚的习惯，是有其良好的根据的，因为婚约的作用，不但是结婚的预备，更促使未婚夫妻（他们因订婚而开始更亲密的生活），发生真确的意志，而不复仅有游移不定的信心，而且订婚之后，还能测验他们有怎样的结婚的愿望，这种愿望，不应为浪漫的情感，也不应为无情的考虑。然婚约一事虽为社会所通行，在习惯上有其势力，而得法律的认许，但婚约的违背，除了赔偿因此所生的损害以外，在法律上不能再有任何其他的效果。如果婚约在法律上有更大的效力，得强迫当事人结婚，则婚约将破坏它自己的作用了，原来婚约的作用，是要在订婚日期与结婚日期之间，留一相当期间，以便试验未婚夫妻的性情、职业，是否适于更密切的生活。

四百四十九、婚姻与伦理、宗教及法律

婚姻是一种伦理的、宗教的及法律的制度。婚姻法是教会与政府争执得很长久很强烈的问题。教会认圣礼是婚姻关系的要素，故力争以教会法及教会法庭处理婚姻事件的权利。脱伦脱会议（Council of Trent）确定结婚在教会中三位一体的宣示；它规定结婚当事人须履行一种义务，即在教士面前声明他们的意旨，并接受教士的祝福。圣托马斯之后，更承认了圣礼的仪式，根据结婚当事人的志愿而举行，但其庄严性，则由教士的祈祷而赋予。政府的行使婚姻法制定的权利，始于宗教改革的时候。民事婚姻在英国最先发现是依照克伦威尔的法律而举行的。克伦威尔赋予保安官以权力，使他们参与婚礼的举行，并管辖婚姻事件。这是密尔顿所拥护的法律，但这法律随同其他共和制度，遭了废止的命运。在信奉天主教的国家中，宗教法占势力，但由政府实施。在法兰西及那不勒斯王国，有若干国王令，开始拥护政府对于婚姻的管辖权。在法兰西，路易第十六的法律，准许基督新教

徒采用民事婚姻。大革命时期，以一七九一年宪法的规定及一七九二年立法会议的决议，把婚姻与任何其他契约，等量齐观，并厘定了一种民事的方式，一切公民都受其适用。其后的法兰西法典，在婚姻方面有一功绩，因为一七九一年及一七九二年的法律铲除了婚姻的高尚的伦理的特质，这法典使这特质恢复过来。它根据婚姻的伦理的特质，而承认婚姻的障碍；它确认民事法院管辖婚姻事件的权利，及政府制定婚姻法律的权利；它禁止宗教仪式举行于民事结婚之前。这法典的规定，曾为意大利所采取，但王政复活的结果，法律几全部回复了旧观。意大利法典，规定民事婚姻，但它在宗教仪式之前举行或在其后举行，均所不禁。

四百五十、政府管辖婚姻

国家只是非教会的权力机关，而非异端的权力机关。它对于有关宗教的事项，并无权力，故只能把婚姻看作一种特殊的民事契约，但仍承认完善的结合，是一种神圣的关系。国家对于有关宗教的事项，没有权力，这并不是由于不了解宗教或教会，也不是由于不注意那些很重要很有力的高尚的人类利益。在国家中原也包含着并发展着宗教所依据的人性，但国家只站在法律的见地，而观察人性，它必须制止教士鼓动民众从事扰乱，或使其发生宗教狂，但同时它也不应鼓励无神论的发展。故国家不可损毁宗教仪式，但不妨另加一种法律上的义务，使民事仪式成为必要条件。把婚姻看作一种民事契约，并非把婚姻贬于买卖、合伙或通常契约的地位，而认为同样具备巨大利益或交换价值的内容；它的含义，实在承认两性间的完善的结合。看作民事契约的婚姻，在其意义及目的方面，具有特殊的性质，与其他一切契约根本不同。

国家关于婚姻事件，不仅行使其保证的职能，且以伦理的权力机关、自然法的组织的资格，而干预婚姻，它显示婚姻的概念，并参照人民已往的各种需要而确定婚姻的条件。所以，国家不能像特楞得楞堡希望的那样，把婚姻事件交给教会处理，而同时却不致放弃什么权利。又民事婚姻这个制度，也不能像这位哲学家所说的那样，看作重返于国家与教会争持的时代。民事婚姻，绝对不是退步，而是合于自然法的婚姻，在自然法上国家是社会关系中有力的因素，它并没有逾越它的权力范围。基于同一理由，我们不可为洛斯米尼引入迷途，他主张法律应遵从国家所认许的宗教方式，一如信仰自由那样。要是国家真的这样办理，它不会再有它自己的婚姻方式，而须用种种不同的方法来管理婚姻事件了。为了同样的理由，任意的民事婚姻，也不可承认，而任听人民对于宗教仪式或民事仪式，加以取舍；如果选择前者的仪式，其事必须登记于国家规定的簿册。基于同一原理，宗教仪式举行于民事婚礼之前者，其当事人及参与仪式的教士，须受惩罚。因为在这种行为之中，不免有诈欺的成分。宗教仪式的结婚，就其本身而论，固非诈欺的行为，但它有成为诈欺的行为的可能，因为它会酿成破坏国法的效果，酿成夫妻关系及子女权利的否认。这种否认，一面破坏社会的道德观念，一面予双方家庭以极大的损害。

宗教仪式的结婚，完成了真正婚姻关系的一部门，它不是一种纳妾的行为，只求满足性欲，但它并不进入神圣的或世俗的关系，也不负起对于社会的义务。加俾曾谓，依宗教仪式结婚的人，希望一种精神上的结合，而无夫妻或家庭的负担，至于前途如何，则听其自然，故有许多人不注意民事婚姻，因而酿成了社会道德的堕落。在这种情形之下，婚姻制度不仅为双方当事人所破坏，且为违反国家法律而为这种结合祝福的教士所破坏。双方当事人是主要人物，故应受较重的惩罚。在这里没有诉诸政教分离学说的理由，因为这种行为是损害国家的权利或特权的。

教士们不妨反对民事婚姻，却没有理由可以反对民事婚姻须在宗教仪式之前举行的限制。在这里也不能诉诸人民自由的原则，因为这限制并没有违反这原则，它并没有把宗教仪式的结婚，贬为纳妾行为。这限制是要把男子的自私心及男子的力量易于利用的办法排除，它是合于二种仪式都需要的那些人的顾虑心的，因为他们恐怕在宗教仪式举行之后、民事仪式举行之前，也许有一方会死亡。在这种情形之下，他方会陷于狼狈的、不确定的及有害的地位。但在生命危急时举行的婚礼，似应认为这原则的例外，因为这种结婚使一个临死的人的心安静，故不应再以惩罚加诸结婚当事人或教士。如果临死的那个人恢复健康，而结婚当事人不在一定期间之内举行民事仪式，则他们仍应受惩罚。至于那位教士，其参与婚礼既无过咎，纵使结婚当事人不再举行民事仪式，自亦不能处以惩罚。国家除制定这种限制之外，并应从事于制止寡妇权利的取消，不论这种取消的结果，系由于法律行为而造成，或由于遗嘱而造成。死者希望其生存的配偶，保守夫妻信实的义务。如果生存的配偶，再与他人举行宗教仪式的婚姻，这配偶就违反了这信实的义务了。但对于不合法律的仪式，法律不能加以制裁，因为死者是信赖生存配偶的荣誉心的，在这里我们必须采取契约法上的用语，即属于个人判断及评价的事项，法律是不能过问的。

四百五十一、两性的平等

夫妻间有种种关系，其中有许多是习惯上的事项，不受法律的拘束的。法律所承认的关系，只是它能够强行的关系，例如同居的义务、忠实的义务及扶养的义务等。家庭当然要有一个首脑，以免不活动及无政府的弊病，这首脑应由法律依照理性而指定。我们无须讨论，赋以支配家庭命运的权力的首脑，应由父母充当，还是应由子女充当，这种讨论，是没有什么价值的。但是，这决定的权力，法律是否应赋予于为夫为父的人呢？关于妻的许多重要的事项，例如不动产的处分、借款及赠与等，是否须由夫与妻共同处理，夫参与于妻的事，是否合理呢？柏拉图以为男女的性质是相同的，任务的差别是天赋的，但这思想未为一般政治理论的假定所完全承认。亚里士多德则确切主张两性间禀赋的差异。他以为在夫妻的结合中，男子比他的妻强壮，较适于获取财产及保护财产的工作，妻则宁静、谨慎，善理家务，思虑周密，遇有侵害，尤其是遇有外来的侵害时，需求帮助。如果柏拉图的错误，在于着重两性的相同，而未见到他们的差异，则亚里士多德的错误，在于另一方面。色诺芬、波罗塔克二人，保持了二者的均衡，他们在演讲及辩论中，很切于实际的，发挥这均衡的见解。色诺芬曾谓，天意判定男女在社会中的自由，但女子倾向于治内，男子倾向于治外。波罗塔克一面虽承认在开创能力方面，在文章道德方面，女子的擅长，可与男子的比美，一面则不愿赞美女子，谓其与男子有任何相同，也不愿赞美男子，谓其与女子有什么类似。在罗马人中，两性性质的相同，及其权利的平等，是罗马的学说及其制度的根据。西塞罗反对福考尼亚的法律，因为这法律剥夺了女子的大部分继承权。辛尼加以为基于两性平等的理由，忠实的义务，对于男子，应如其对于女子，有同样的拘束力。可是罗马人是反对女子参政的，他们要求女子为贤母良妻。基督教主张男女性质一致的原则，宣称上帝使亚当为女子的始祖，并给予他们以同一的名称，但同时它仍承认男子有支配的权力。圣奥古斯丁，如同西塞罗一样，称福考尼亚的法律为不公正的法律，认夫的通奸如同妻的通奸，一样是重大的罪恶。

四百五十二、两性的比较

有人这样说过，说得很对，在身体方面，男子的优点是在他比较强壮，女子的优点是在她比较文雅。坚固的筋骨，强大的肺脏，丰足的脑髓，使男子始终是生活挣扎中的胜利者。女子的特质，是神经系易起兴奋。关于心神方面，我们必须赞同培南开的见解，他以为男子的特点是思想有较大较深的力量，自觉力较发达，反省力较持续，坚决、连贯及郑重等性质较显著，心神机能较复杂。反之，女子的特点，是感情强而需要回忆及想像的思虑弱；对于同伴生活及外界的观念，也占优势；她比较上不能自我分析，并欠缺理想的优点。关于重要的事物，她的直觉较为敏锐，但因突发反应，而酿成不幸。她富有适应、敏感、怯懦、温顺及勇于牺牲的性质。又女子往往喜怒猝起，爱情较能持久而有考虑。男子的心智，能很轻易地把握一般的观念。女子的心智，则须经极大的困难，才能做到。男子富有创造能力，达于天才的顶点。女子能感觉真理，却不能分析真理，她把各种事物，个别观察。在历史方面，她比较上注意于各个的人物，而不注意于一般的原因。在慈善事业方面，它比较上倾向于和缓各个苦痛事件的周济，而不倾向于预防人类苦痛的仁慈措施。在营业方面，男子较女子能冒险，获利也较多，女子则较能积储，较能管理。

四百五十三、两性的不平等

斯图亚特·穆勒是最以维护妇女解放学说著称的近代作家，他不赞同孔德（Comte）及斯宾塞（Spencer）二人的见解，他主张两性的调和，是性质相同，而仅仅器官相异的结果。他以为机体原始的及重要的差别，是可以改变的；男女间的差别，可以减少而只有器官的不同。如果只有一种音调，即不能有真正和谐的声响，因为效能的增大，有赖于多种多样的因素。斯图亚特·穆勒相信两性间心理上的差异，是教育所造成的。然而这样说来，教育不复是人力助成的自然的启发，而是反于自然的外来的灌输了。我们不可夸大教育的力量，教育超过了自然的范围，它的力量就有限了。关于这点，赫胥黎曾谓，古代合于自然的《萨利克法典》永不会废止，也永不会有变更。虽然他是一个最信奉达尔文学说的人，可是他说，他不敢断定，生活挣扎中常使女子较弱于男子的那些体质上的障碍，会因采取别种教育制度，而能铲除。斯宾塞确认，文化演进中，男子及女子的性格，有所改变，以适应较高的社会需要；尤其是在女子，某种精神上的性质，在野蛮时代为抵抗男子的强力的必要而养成者，已归于消灭；但两性的习惯及原始的活动，则并未消灭。此外，穆勒还有一点错误，他把家庭这团体，比诸营利的公司，其支配权系托付于较为干练的人，而非由于法律的决定。其实家庭是参差不等的多数人所构成的团体，它是一种伦理组织，不能与只以交易为目的的团体等量齐观，其中有夫妻关系及亲子关系，都与人生最密接的事实有关。

四百五十四、夫须有权

依上所述，可见夫权这个制度，并不抵触理性，惟须排斥女子无能的假定，俾使夫权难于滥用。近代夫权制度的基础，乃建立于家庭统一的观念之上；女子的自由受有限制，不是因为她是女子而是因为她是妻。虽然两性在民事权利方面应属平等，但在家庭中不可缺乏调和及保全的规律。要收家庭统一的效果，须予夫以优越的权力，这是因为他具有体力。应当充任家庭的领袖，并因为他具有比较广大、深刻及专注的心智。故家庭的一般统制，应属于男子。女子赋有的心智，较能把握微细事务，故家务的照料，应属于女子。这种照料的职务，应看作一种义务，不应看作一种负担，它是一块广大的园地，女子仁慈的性情、审美的能力、善于积蓄的美德，及对于家庭的虔诚，可在那里构成一个优美的整体。夫应该保护他的妻，但这种保护，要是不能制止妻浪费财产，那就不能有什么裨益了。法官的干涉，为保护妻的利益，是件必要的事，关于夫有特殊利害关系的事件，这种干涉尤属必要，法官的权力，可抑制夫的不合理的异议。有人说过，如果藉口妻的解放而废止这种干涉，则其结果将使妻成为鄙吝的或投机的夫的意志的奴隶。妻大都需求家庭的和平，即使牺牲她的金钱，亦所不惜，故往往应允夫浪费她的金钱。

在古代，夫权实际上是家主权的产物，是认定妇女卑下的思想的产物，也是日耳曼法律上自卫权的产物。在印度及罗马，妇女不得享有亲权，并须终身处于被监护的地位。在雅典的法律上，夫、父及祖父对于妇女行使的权力，具有保卫的性质，与日耳曼人的"mundium"很类似。在另一方面，罗马人的夫权（manus）及亲权（patria potestas）是 dominium 的二种方式。后来，特别是在安托奈那时代，夫权衰落，而两性在法律上平等的趋向，则开始得势。教会法牢记着女子系男子的肋骨所造成，不赞成罗马的趋向。在另一方面，则未开化民族的法律上有 mundium 这种权力，初由妇女的亲属行使，继由夫行使。在其后的转变时期中，对于未婚的妇女，适用罗马法的规定，并认这些妇女为其自己财物的所有人，享有自由处置的权利，至于已婚的妻，则适用教会法及未开化民族的法律。夫权是这样发生的，但在时代的变迁中，它的意义常有改变，并采取罗马人的人道观念。克利斯库罗（Criscuolo）在其所著的《意大利法律上的妇女地位》专论中，关于夫权的各种形态，有很明了的阐述。

四百五十五、社会主义者的两性平等说

倍伯儿曾著一书，书名《妇女与社会主义》，他的目的，显在以妇女的利益及感情，为社会主义的学说，寻求强大的助力。他引用培科芬（Bachofen）、摩尔根（Morgan）、马克楞南（Mclennan）的研究及恩格斯（Engels）[1] 的著作《国家、私有

---

[1]　原书译为"恩格尔"。——勘校者注

财产及家庭的起源》，关于各时代各民族妇女的状况，作一急促的检讨，企图说明妇女的被压迫，如同其他一切社会的压迫一样，是经济不独立及私有财产权的产物。这种经济不独立的地位，不见于原始时代，而实起于家长及父权制度的时代。妇女的奴役身份，肇始并发达于古代社会，继续至中世纪，为赞成独身及修道的基督教所推重，直到近代，才在西方国家进步的文明之下，渐见改善。

在近代社会中，妇女在不容解散的只准一夫的结婚之外，不得另有满足性欲的方法。这也是私有财产权的一种显见的方式。有产阶级中人的婚姻，是一种营业及投资，是一种生财之道；无产阶级中人的婚姻，是一种伴同着粗暴的贫穷的结合，因为财富积聚于少数人的手中，因为黩武主义，并因为两性人数的不均衡，有很多妇女未能结婚，这是尤为恶劣的情形。惟有妇女在各方面，在她的各种机会上，与男子平等，她的利益，才能受人尊重，并置于利于发展的地位。到那时候，两性的差别，归于消灭，妇女与男子站于同样的地位，她可脱离数千年来所处的从属地位。法律只是在许多裁判中反映的社会状况。夫权是以 manus 及 mundium 为根基的一种制度。妇女没有参政权，这个限制，是古时偏见的残留物。正义要求两性权利完全相同，因为他们中间原没有自然的差异。倍伯儿以为，将来会有一个时候资本主义没落，集产及平等制度，代之而兴。于是妇女在社会上、经济上独立，不再从属于男子。妇女与男子同样受教育，她能依其志趣而努力于其事业，她选择其心爱的男子为其配偶，或由男子选择，她能接受也能拒绝，完全自由。婚姻成为完全自由，无庸官吏的干预而成立，其存续期间，也只以促成婚姻的爱情消失而止。这样，人性将回复如初，达到幸福的境地，这境地是它始终企求，而在今日的社会组织中，它未能且无从达到的。婚姻是罪恶，因为它的构成原理，是私有财产。

四百五十六、社会主义者两性平等说的批评

倍伯儿与其他同时代的社会主义者，陷于同一的错误，以为整个社会进化，系出于经济因素这一个单一的原因，这错误我们已经在前面批评过了。如同其他社会主义者一样，他不了解进化的原理，因为他不知道事物日趋特殊化或个别化的作用，且把这种作用与人力的资本管理混淆。他一看到了人类个体化的形态，他就申言资本的生产及财产的私有。私有财产制固然是个人主义的产物，但这主义的各种表现，并不都与财产有关。让我们重申亚里士多德的话，个人不仅表现于产权，并且表现于爱情。以父为主的家庭，起源于以父为所有人的权利，这是不容争议的。但我们不能否认，这权利后来成为一种伦理的权力，其性质与家主权完全不同；这权力属于父及母，建立于教养他们子女的义务之上。一夫一妻这制度的根据，与财产私有的权利，绝无关系，因为这制度实是男子绝对结合的恋爱及亲密的深切要求。至于父权家庭，其本身虽与所有权有密切的关系，但究竟是亲属关系演进的结果；亲属关系最初为通括的，其后以母的实体的确实性为依归，最后则更以父的精神的确实性为根据。这些亲属关系的形态，含有经济的原因，充分表明所有权演变的各时代，但它们同时又显示了人类爱情的形态。妇女在父权时代之前的状况，是不会较优于其后的状况的，因为在兽欲及乱交的时代，妇女的命运必定全部分或大部分取决于部落的构成分子。在母权家庭的时代，乱交已被限制，但未消灭，妇女虽为家庭的中心，表面上显已自由，但仍不能勉强者暴力的侵犯。

培科芬所理想的妇女的革命及其后妇女在社会上占有优势等事，不能看作历史上的事实。妇女组织统治机关这样的一种母权制度，在原始时代是不可能的，那时她们的廉耻心及自觉力，还

没有充分发达，而强力则为一切优势的根源。基督教是妇女自由的最大仇敌，这话也是不对的，因为它提倡妇女高贵的观念。古时妇女的理想目标，是在生育子女，服侍男子，对于未达一定年龄的子女施以教育，处理厨役及女仆的事务，并留守家中。蓬歧在其《妇女与其将来》中，曾谓基督发现了妇女的精神，并明了拯救妇女的爱情。妇女爱他，跟从他，触他的衣服，期求肉体及灵魂的完全。基督宥赦了一个妇人的罪孽，这妇女对他爱极了竟至涕泪滂沱。他拒绝惩罚一个罪人，诅骂那以妇女如玩物的恶徒；他要求婚姻为灵肉的完全结合。他否认男子有弃绝其妻的权利。他很深切地爱他的母亲。他的第一次的奇迹，是在一次结婚宴会中表演。他喜欢小孩使亲近上帝。他尊崇妇女，因为他的父亲的妻，亦即他的母亲，是一个处女。在这处女的妻及母的超自然的亲念之下，产生了基督妇女的理想。于是，妇女不再满意于罗马的赞词："她织布，她守家"。她的灵魂给基督教义激励了，她成为基督教徒，她觉得基督为她所作的事，较多于为男子所作的事，因为他把她从最卑辱的地位提携起来，她觉得基督为她所作的事，是她最幸福的梦想所不及的，是希腊人或拉丁人的头脑所想像不到的。

四百五十七、社会主义者所叙事实的不确

倍伯儿关于妇女的实际状况所作的叙述，有许多谬误的色彩，与真实相去很远。富有财产者间的结婚，大都完全以经济的打算为依归。无产者间的结合，差不多都有贫穷粗暴的特征。这些话都是不确的。自私及浅见，是人类行为的准则，这固然确实无疑，但吾们不可忘记，同情及循理二种情操，也很活跃，它们随着时代的进展而发达。两性的关系，实际上还没有达到它应该有的情状。它离开完善的境地，仍然很远，但我们不能说它很败坏，也不能说它显明地并绝对地违背道德。假定社会允许在婚姻

关系之外也得发泄性欲，难道妇女就会复归于她们的正常状态吗？除了结婚以外，社会不予妇女以其他满足性欲的方法，倍伯儿认为遗憾，一若社会能够不背于男子的伦理特性而给予妇女以其他方法者然。近代的社会，容许妇女从事于某种生利的职业，这种从业的机会，特别是不结婚的那些妇女，能够享受。

有些国家，公私机关雇用妇女，为数较多，有些国家，则顾虑妇女的特性，设法节制她们的职业，以免破坏她们真正的目的，并取缔她们与男子的竞争。今日妇女已取得法律上平等的地位，大概不久她们能够充任监护人、受托人、亲属会议议员及仲裁人等。即在夫妻贞操义务方面，妇女在法律上的平等地位，也经热烈争取，不久当能获得承认。妻的行为能力受有限制，这制度并非通行于一切国家，并且为人强烈反对。亲权已为母所享有，在婚姻解散之后，仍得由母保持。我们不能说，在文明国家中，妇女离开她们参政的日期，还很遥远，因为在这些国家中，除了关于政权的一切学理上问题之外，一般的意见并不绝对反对妇女的参政。她们享有公权，例如请愿权、结社权等等。试问这种妇女所处的地位，我们可以称作奴隶的地位吗？这种地位，也许还没有臻于完善，我们也许还要申论公认的法律上平等这原则的一切当然的效果，我们也许甚至还要承认其他的原则，但无论如何，我们确实不能再说什么妇女处于奴隶地位了。

倍伯儿主张绝对的平等，因为他以一种错误的假定为出发点，他认为两性的性质，是完全相同的，他只看见两性间由于教育及环境而生的差异，在这里，他甚至与达尔文主义者的见解都不相合。依照他的意思，妇女的将来，在复归远古及自由恋爱，只有暂时的及秘密的责任。按诸德意志社会主义者的观念，爱情当毁灭它的全部历史，它在这历史中，总是日趋于个人主义及理想主义。其实爱情常力求自由，但其自由与理性掺合，使爱情高

尚并使其恒久不变。在这些时候，双方同意这个要件，并非否认
事物的本性。依照蓬歧的结论，妇女将来不复为丈夫的女仆人或
女管家，而为他的真正的助手及伴侣。妇女将更有教化，更谙世
故，但永不失其为女性。她将聪明活泼、和爱可亲、富有情感、
敏于察觉、锐于认识、慈悲乐助、虔诚、和善，如同她现在一
样，同时她更将活跃于工厂、办事处、法院及会议中，并扩展她
的心灵的宝藏，与她现在的情形不同。

四百五十八、妇女应享同等机会

斯宾塞在其最后的一书《公道》中，提出这样一个问题：
禀赋较高者的活动范围，应否较大于禀赋较低者的活动范围。体
格高大者所占的空间，既较多于体格屦小者所占的空间，则大
者、强者、优者的活动，自应有较宽广的界限，小者、弱者、劣
者的活动，自应有较狭窄的界限。但紧接着他又急急申明，这比
喻的说法，是不可直解的，因为个人的自由这件事情，非那种简
单的立方形体所能表明。禀赋较高的人，自己享有保全身体、发
展精力及收获成果的权利，并不企图侵犯弱者的身体健全、自由
发展及产权所有。弱者可得享有的活动范围，不能与强者享有的
相等，这无异以一种不利的人为的限制，加于他的天赋的缺陷，
同情心及怜悯心，迟早会使我们把这种限制铲除。同样，个人的
自由，也无从与他的能力相称，因为二者都是无法衡量的。把其
他各种动因，撇开不论，实际的事由，迫使我们对于各人的自
由，平等待遇，不问他们所能发展的程度怎样。这观念，斯宾塞
变换其用语，应用于男女权利的关系。有些女子，具有很强的智
力，为许多男子所不及。如果自由的分量，应以能力为标准
（假定这是可能的话），则我们不能再着眼于什么性的分别了。
我们以女子的体力、心力平均较低于男子为出发点，但我们仍然
不能克服困难，因为我们无法确定二者平均量的比率，而我们的

情感，迫使我们以较大的人为的利益，弥补天赋的缺陷。

即使我们毫不设法增进女子的利益，我们至少也应该不阻碍女子天赋能力的进展，这是正义所要求的。如果男子女子一律认为同一社会的独立分子，各自尽其所能以注意其需要，则依理即不应使女子在职业或其他事业方面，受到限制。女子必须与男女享受同样的自由，享受她的学识能力的产物。女子在结婚前所享有的权利，在结婚后，凡与这婚姻关系不相抵触的，例如身体福利的权利、取得财产的权利、信仰言论自由的权利等，按诸正义的要求，仍应由她保持。这些权利，除与婚姻契约冲突以外，不应受任何限制。这种限制，因时因地而异，因为缺乏确定的参考材料，我们只能说个大概。因为情形分歧不一，关于夫妻二人相互的权利，我们很难作确切的说明。我们必须顾及许多无从预见的情事，即在二人意见不一的情形，也是这样。但有一点确实无疑：权力应常偏重于男子一方，男子通常赋有较优的判断力。不过，在这种问题中，理论只有有限的力量，因为一切须看当事人的性质而定。从斯宾塞所说的话，我们可得二点结论：第一，他与吾们一样，主张女子在法律上平等的原则；第二，他符合斯图亚特·穆勒的意见，夫妻权利的范围，应以婚姻契约的性质为准，而不以法律为准。但穆勒所未承认的，似为斯宾塞所承认。夫妻意见不合时，依理论上我们应偏重于夫的意见。关于参政权，我们可以说，斯宾塞申明他反对以这种权利给予女子，因为男子负担的义务，如服兵役等，她并不负担。

四百五十九、夫妻财产制

有四种制度，适用于夫妻的财产，其中二种可称为绝对制，其余二种可称为相对制或折衷制。共同制是夫妻二人的财产，不论其在结婚前取得或在结婚后取得，一概合并，其产权为二人共有，但由夫管理之。哲学家如特楞得楞堡及洛斯米尼等，赞许这种制度，因为它是增进完美结合的理想的。其次是分别制（为法学家所赞许，法学家是主张妇女个人自由的），它的意义，就是夫妻二人的财物，完全各别，其财物在结婚前取得抑在结婚后取得，均非所问。其余的二种相对制，一是妆奁制，一是收益共同制，前者近似分别制，后者近似共同制。妆奁中的财物，由妇女于结婚后，拨充婚姻关系中某种费用的负担。夫有管理及享用的权利，但产权为妻所有。在收益共同制中，夫妻产权各别，财物的享用，则为二人所共同，夫有管理权。为防止这二种相对制中，夫行使管理权失当的流弊起见，法律定有改为分别制的救济方法。

四百六十、夫妻产权的历史

在罗马人中，缔结婚姻"有夫权合约"者，妻所有的财产，全部移转于夫，其"无夫权合约"者，妻保持其财产的自由处分权。这种合约最初是原则，其后成为例外。伴同"无夫权合约"制度演进的，是许多防止弊害的办法逐渐形成。起先禁止妆奁的供作抵押，后又确认妆奁的绝对不可处分，更由此而规定夫的财产为总担保。这种保护妻的财产的制度，曾在欧洲盛行多时，但夫妻产权共同这个原属日耳曼人民的制度，为适用法兰克普通法的那些国家所认许，且为一般人所采用。法兰西法典认许普通法上的共同制，关于妆奁的规例，也大有变更。在另一方面，则罗马的关于妆奁的规则，沿用于意大利。按妆奁中的财产，是用以担任婚姻关系中的费用的，自应不许处分。有些人的见解，以为妆奁的绝对不许处分，在理论上还须由立法者，把妆奁制度定为必要，使妻的一切财产，全部作为她的妆奁。但有必要时，或显然有利时，妆奁可由司法机关准予处分。法律固有保护子女利益的必要，同时却也有信任父母慈爱的必要。绝对的无可变通的保护子女的利益，是盲目的，有时足以发生相反的效果。

四百六十一、妆奁的历史

夫不得处分妻的财产，这制度曾为印度承认，称为"stridhan"，妻自己的财产（依照论述印度法律的最古著作之一，mitakshara 的记载），包括她受自父母、兄弟及在结婚前受自夫的财产，并包括（依照同著作的记载）基于继承分割、买受及先占而取得的财产。梅因以为这"stridhan"制度的渊源，是一种习惯，即夫于结婚的前夕，支出新娘的代价，其中一部分系付与新娘的父，作为移转权力的补偿，其余则付与新娘自己。雅利安种族大概有几种习惯，使妇女就其代价的一部分保有其所得的财物及所享的权利，这种财物及权利，曾一度看作妇女自己所得享有的惟一的财产。印度的"stridhan"与罗马的妆奁"Dos"，其间的关系，甚为显明，不过印度的"stridhan"，发达未臻成熟而已。我们知道，婆罗门教徒反对古代法律给与妇女的特权。夫死后在火葬的柴堆上，把寡妇活活烧死的习惯，在古代法律上原找不出一点痕迹。他们的态度，实受了一种见解的影响，以为死者来生的境况，可因赎罪仪式的举行而改善，他们又认继承为举行赎罪仪式的基础，所谓赎罪仪式，是一种由继承人为超度死者的灵魂而举行的忏悔或献祭。他们以为妇女体质的柔弱及退隐的生活，不适于从事祭礼，于是他们设法限制妇女自有财产的范围，这与他们把一般私有财产供作宗教服役的趋向是一致的。印度最宽大的法律学派，即孟加拉学派，主张没有子女的寡妇，得就夫的财产享有终身用益权。在印度，焚身殉夫的情事，即没有子女的寡妇以身牺牲的情事，是很普遍的。婆罗门教徒，鼓励这些寡妇在火葬的柴堆上焚身献祭，以免她们享受产权。从各方面看来，印度的"stridhan"及罗马的妆奁"Dos"，是雅利安种族的习惯，为属于这种族的一切人民所共通的。因为有各种事由的影响，有时不利于它们的发展，有时则使它们得有确实而长久的生存，故在历史上它们有不同的命运。

第十九章　婚姻与离婚

四百六十二、婚姻应不容解散

理想的婚姻是不容解散的，这是毫无疑义的事。婚姻为一男一女绝对的结合。它是两性间肉体上及精神上各种性质的完满交感。站在理性法的见地上看来，这样的一种结合，不能不有其不容解散的性质，否则不成为完美的绝对的结合了。热情的相许永远亲爱，婚礼的郑重庄严为其他契约所无，父母对于婴孩的纯净的情绪，教育子女的需要，这些子女使他们的父母，因新的更强的关系而与他们连系，凡此种种，均表示婚姻的不容解散性。还有一点，也表示婚姻的不容解散性，这就是相互的权利义务，使成年的子女，必须报答父母在他们幼年及青年时代爱护他们所费的心力。此外，婚姻的不容解散性，因两性间的不平等而有其必要，如《圣经》所说，妇女一经结婚即永不是她少年时代的妇女了。

四百六十三、道德宗教政治需要不容解散的婚姻

道德认不容解散的婚姻，有理智所约制的爱情，使情感的结合有其必要及永久的性质。情感遇到了理智，就失其盲目的强烈的肉欲成分，并因理想化而成为一种义务。有谓婚姻的不容解散，强人永远相爱，破坏自由，这是不确的话。它所破坏的，是游移不定的肉体的欲望：因为为理智所融化的爱情，并不消灭道德的自由，且为自由的根基，惟有以实际的心智，即惟有以遵循

为善之道的心智，约束冲动，才能有所谓道德的自由。借用维科的用语来说，人类的自由，系由心智得来，它是抑遏并规范肉体上贪欲的激动的。宗教把婚姻的不容解散性，奉为神圣，使婚姻成为一种圣礼，并宣称"上帝所联合者，人不得分离之"。教会以为结婚仪式是一圣礼，因为夫妻的结合，是人类参与上帝创造新生命的属性，不论他们的意思怎样，在客观上实为宗教的行为。在政治上，不容解散的婚姻，也是理想所要求的，因为国家及其各部分的稳定，有赖于所属各家庭的稳定及和平，而家庭的稳定及和平实是完美的不容解散的婚姻的结果。

四百六十四、法律上的婚姻也可不容解散

法律上婚姻这个观念，并不与婚姻不容解散这个原理，势不两立，这是教会派学者及促成一七九二年法兰西法律的学说的拥护者所主张的。婚姻是一种特殊的契约，因为它的含义，是异性的二人间的绝对结合。事实上，有一种立法，把婚姻看作一种民事契约，同时却又认婚姻不容解散，反之，有一种立法，以婚姻为宗教上的事，同时却又准许离婚。正统派的学说，认合意为契约成立的要件，而非契约存续的要件，从法律的见地看来，这学说是可取的。合意是婚姻所必须具备的先决条件，但它必须合于自然法，并须绝对而不容撤销。在这里，主观的因素，应较客观的因素为次要。即在契约法上，契约行为也不一定以有无合意为转移。罗马法学家曾经说过，如果社会或第三者，对于契约有利害关系则"同意于前者，须遵守于后"。法律上的婚姻，并不以专断的或个人主义的伦理原则为根据。它是基于政治国家及意识自由的观念而产生的。换句话说，逻辑并不阻碍法律上的婚姻，它驳斥格老秀斯、浦芬多夫及托马西乌斯的学说。格老秀斯在其婚姻的定义中，置重于肉体方面，不啻完全否认了婚姻与纳妾的区别。他以为二者的区别，只是现实法上的规定。浦芬多夫认婚

姻原是出于合意的，故应适用契约法上的一切规定。托马西乌斯
主张，婚姻的不容解散性、配偶的互守忠实义务及夫权等，都是
婚姻契约的内容，而非自然法上的效果。婚姻不容解散这个理
想，是不可漠视的，因为任何契约足生否认法律人格的结果者，
概非法律所承认，婚姻并非人格的互相抛弃，反之，它是一种新
身份的取得。即使如洛斯米尼所说，夫妻把他们的二个性质混而
为一，但他们决不能成为一人，而同时又能保持各别的不能割让
的个性。实际上他们各别的人格，是法律所保护的。不容解散的
契约，如果含有人格全部或一部割让的意义，决非法律所承认，
它所承认的，是不发生这种割让的结果，而创设较高的伦理关系
的契约。

四百六十五、赞成及反对离婚的理论

婚姻不容解散这个思想，不但为反对离婚的那派人所采取，
并为不属于那派的人所接受。但康德、斐希德、黑格尔、斯塔
尔、特楞得楞堡、洛斯米尼、乔培尔底及阿楞斯诸人，与英国人
休谟、边沁等一致加以非难。实证主义的创立者孔德及蒲鲁东二
人，同予以信任。黑格尔、特楞得楞堡及阿楞斯，对于婚姻趋向
不容解散这个思想，表示同意，但他们容许离婚；他们所根据
的，是一种旧原理；绝对的固是最高的，但相对的是较易成功
的。绝对的结合，系以爱情为基础，一旦爱情消失，结合即归于
破裂，而婚姻关系也就失其真正的基础了。人类对于某事物的尊
重，是与该事物的内在价值成正比例的，当夫妻关系的尊重归于
消失之后，支配爱情的理智，往往不能毫无矛盾，而仍足使配偶
终身维持其生气全无的情爱关系。举个例说，一方违背忠实的义
务，情节重大，如果法律以基督教徒的狭义精神，作为契约上的
义务，责之他方，那末法律与事实就不相适合了。在这类情形之
下，如果法律仍求保持婚姻关系，仍欲使理智不能维持尊重的爱

情复活，则法律的目的，只在有名无实的结合了。它就离去了事物的自然秩序了，因为尊重是爱情的前提，世无没有原因的结果；没有尊重的爱情，不是真正的爱情而是肉欲。对于实际上已不复存在的结合，法律加以维持，至多也是一种假面具。

即以极力反对离婚的洛斯米尼而论，当他说明希伯来人曾行离婚制度的时候，谓绝对的结合，理想的婚姻，须有禀赋满美的男子或女子，才能成为事实。如果他们没有这样的禀赋，借用洛斯米尼的话来说，如果他们的个性卑劣龌龊，而不配随这种结合的完善完美，则我们必须作某种宽容了。依照某哲学家的见解，这种宽容，稍稍予人以余地，它本身是不正的，但它的缺陷乃基于人性中同一缺陷而来。这宽容就是容许离婚，容许与赞成大不相同，离婚本身不是一件好事。在这里自应检讨，当日希伯来人中使离婚成为必要的残酷情事，是否真已不见于现在的世界，今日的人性是否已有很大的变更，而使完美的结合成为可能。教育曾有很大的进步，风俗已不像从前那样野蛮，现今我们的性情已较文雅，这些都是实在的事，但如果我们能就两性关系的实际情形，而为论断，则人性的缺陷，依然存留如故。有些人说，爱情是永续的，因为一人对于补足其生命的另一人，是不会停止其爱情的，但他们忘记了在不配接受爱情的时候，所谓生命的补足，也就终止了。

蒲鲁东以为正义是婚姻的基础，爱情乃从属于正义，故即使否认爱情，亦无不可。这是自相矛盾的说法，因为从属关系，在论理上必有其为所从属的标的为其前提，而依照蒲鲁东的见解，这标的是不能存在的。毁灭生命而获得者，绝不是真正的人类的正义，因为排除了情感，就不能再有什么实际的善。正义固当尊重，却不能因而让这世界毁灭。婚姻固当受正义支配，却不可抹杀爱情，爱情是绝对结合的要素。有谓实际每较理想为低，二者不必对立。从婚姻不容解散这个思想，到离婚这个补救方法，其间并没有贬降的意义。完美结合与离婚二辞，是互相排斥的。实情是这样的，当离婚实现的时候，真正的结合，已归于消灭。离婚并非对于婚姻加以激烈的破坏，它只是使事实上已不复存在的结合，依法终止。

我们既认离婚为一补救的方法，其本身并非好事，并认婚姻不容解散为我们的理想，我们就不能说离婚达到了理想。惟有真正永久的结合，合于这理想：离婚乃表示结合的终了。离婚的开始，是婚姻不容解散这个理想的终结，所以事实上前者并不与后者抵触。如果离婚与婚姻的性质相背戾，它自须认为最重大的罪恶。反之，如果把离婚看作严重的反常事件之一，这些事件是由于婚姻的缺陷而发生的，那末它就可认为一种较轻微的弊害。虽然离婚的性质不是积极的，它只是婚姻的取消，但谁也没有说它本身不是一种补救方法。所谓补救，是对于残缺了的，加以填补，对于破毁了的，加以修补；终止这个观念并不与补救绝不相容，因为在许多情形之下，行为、习惯或事件的终止，即是一种补救方法。有些补救方法，作用只在铲除弊害，有些补救方法，只有修补的功能，但大多数的补救方法，是铲除作用与修补功能兼而有之的。

四百六十六、人类有弱点，故离婚为必要

法律哲学对离婚，不应该像古时自然法那样，就其与个人的关系或就个人的见地，而加以观察，它应该就其社会的情形而加以研究，它应该权衡别居及离婚对于社会的利害得失。我们必须牢记，社会利益及习俗不应破坏个人的权利，正如后者不应优越于社会的权利。把国家看作一种伦理的有机体，可使这二种权利趋于调和。个人有其自己的个性，如果国家把个人的权利，吸收于它的卓越的权利中，国家将成为单一的自然机体了。

如果不容许离婚，而只以法律的别居代之，使婚姻关系仍旧存续，只停止同居的权益，则其流弊势必很大。别居迫使夫妻孤独生活，加深其痛苦，并蒙蔽其心智。它是奸度及增多私生子女的原因。这保存着的名义上的夫妻关系，有时增加原无过咎的一方的耻辱，因为这一方如果富有的话，须因这关系而负担一种义务，对于对方继续不断无可补救的忠实义务的违背，他仍须以义勇的态度，予以扶养。法律虽许提起通奸之诉，但这是没有什么实益的，因为提起诉讼以求一年半载的徒刑的判决，这办法谁也不愿采取，以自招讥嘲。酿成杀人结果的情事，也不乏其例；基于不成文法的抗辩而免罪者，亦所常见。更有些情形，则为不能忍受痛苦，而以自杀结束其痛苦。在别居制度之下，子女每见他们的父母与人非法结合，这种事实使子女对其生身父母应有的尊敬，陷于不能保持的危险。有谓别居制度，能使别居的夫妻重行结合，这是不确的话，因为在他们经过一番考虑，置身于司法官吏之前，以求准予别居的裁判之前，使他们分离的事由，早已使他们创重痛深。司法程序的本身，足以加强他们的分离，而在大多数情形，并妨碍和解的一切可能希望。依照一般人的观察，在较高的社会阶级中，固有少数夫妻能重行结合，但他们的重行结合，是形式的、暂时的，而且差不多都是为了别的理由而成立的。

在另一方面，我们不能不同意于反对离婚的那些人的见解，他们以为希望脱离婚姻关系的人，并非个个都想重行结婚，但不能因此就说大多数的无辜的夫及妻，都不想利用由于离婚而造成的重行结婚的机会。回想力深刻而精密，旧印像坚强而耐久，这样的人是不多的。是否重行结婚的决断，实与种种情事有关，如各种特殊的及变动的状况，兴奋性程度的强弱，对于旧印像的反应力的大小，及满美婚姻的榜样等。即使有些已达相当年龄的人，曾作婚姻的牺牲者，能把他们的本能克制，但不能说大多数人都是这样。这并不是把人类的肉欲倾向过甚其词。原始生气的冲动，虽可减弱，但仍继续不绝，并非人人都能把它们抑遏。在这目的未能达到之前，绝对别居制度的二大流弊，姘度及私生子女，将继续发生。反对离婚的人说，错误不能生权利，而事实上也显然有不少的错幻，是由于漠不关心轻于选择而发生的。但一个人在实行选择的时候，并非一定在求取真正完善的，而舍去一切不是真正完善的。

什么人都企求绝对，可是没有人能获得绝对。有时，缺陷是潜伏的，起初隐藏于胚芽中，其后始发达而显现。有时，这种缺陷，只在经过密切的经验之后，才能发现。而且，即使在选择的时候，已发现其缺陷，但仍不免有一种希望，以为这些缺陷，可因新的生活而消灭，情爱忽视缺陷难治的性质，但仍希望情爱的支配力量，能使这些缺陷归于消灭，人类宽大的本性，爱情及德性相合使人为善，但你能把它看作虚伪而拒绝承认吗？

四百六十七、离婚的弊害

但离婚实在也有它的流弊，这是我们不可否认的。第一，被离异的有过失的一方，重与第三人结婚，而这第三人就是这一方所以有过失的原因，对于这种丑事，社会往往不得不加以容忍。虽然法律上有禁止这种结婚的明文，但这是没有效用的，因为法律对这通奸的事，未有确定。第二，曾作某一男子的妻的一个女子，当这男子还活着的时候，重作另一男子的妻，或是，一个男子做了二个女人的夫，这二个女子却都活着，还有，子女除了他们本生父母之外，同时又有一个后父或后母，这种情形，实与文明民族尤其是南欧民族的情操，不相融合。不过，风俗是因时代的变更而变更的，这种不相融合的情操，也许能有显著的改变，这也是无可讳言的。第三，有些人并无理由而希图破坏婚姻拘束，**势**将预谋造成事由以达离婚目的，这并不是毫无根据的一种顾虑。他们将不惜实施严酷的不公正的虐待及遗弃的行为，而其心中则暗暗地存着迫成离婚的意思。夫为求达离婚而重行结婚的目的，将造成机会，使他们的妻陷于不忠实的罪名，这种情事也非不可能。

如果把离婚看作一种新的自由方式，可与任何其他自由方式同样利用，则上述种种流弊，势将发育滋长，而予家庭及社会以倾覆崩溃的威胁。对于离婚作这样看法的民族，将陷于道德衰颓的境地，不复了解婚姻及伦理关系的价值。离婚对于他们，将助成腐败的结果，并加速他们的毁灭。当罗马人开始利用离弃配偶的权利，以为求达他们个人欲望的工具的时候，他们是堕落了。查士丁尼甚至容许婚姻可以合意解散，无须经过司法裁判，也无须给付赡养费用。在前一世纪的法兰西，道德衰败，法律认离婚为自由原则的结果。国民议会认夫或妻以性情不洽为理由要求离婚时，应予以准许。约法则更为宽纵，取消了合意离婚宣告后一年内不得重行结婚的限制，并准许了遗弃期间满六个月即得离婚的条件。因而婚姻成为必须证实的身份关系，正如野蛮部落所行的制度；后来约法自己，也不得不取消它的酿成无数丑事的命令。反之，如果离婚并不是一种新的自由方式，而是一种促成婚姻义务的利器，则社会道德，不但不会减弱，且可因此增强。在未被腐化的时代，对于美风良俗根深蒂固的人民，离婚的恐虑，将确保婚姻义务的履行，并使离婚成为不常采用的补救方法。如前所述，离婚可与善良道德并存而不与之相悖，数百年间古罗马的实例，可资参证。英国曾在许多年间准许离婚，但离婚之事很少。一国的道德，须视许多事由而定，而离婚及别居应认为其中之一。惟在许多不同的事由相合之中，对其造成的道德状况，每一事由究有多少的影响，实也是无从确定的。

四百六十八、天主教会与离婚的历史

权衡离婚的利害得失，须以上述的事实为标准。美国、英国、德意志、瑞士、挪威、丹麦、比利时、荷兰、法兰西等国，都是容许离婚的，奥地利容许基督新教徒的离婚，现今只有意大利、西班牙及葡萄牙三国禁止离婚。因所取的观察点不同，离婚对于各国的道德状况，有不同的结果。教会始终努力于婚姻不容解散这个原则的教诲，以为这原则较合于基督教条，但它只在十一世纪里获得完全的成功。在那一世纪里，婚姻为圣礼的观念，气势达于最盛的境地，成为教会的普遍的理论及信条。教会的胜利，系与这信条的形成及其在那时的流行无阻有关。基督教义的影响，表现于君士坦丁的法律中，这些法律限制离弃配偶的权力，君士坦丁以后的皇帝则更加以扩张。日耳曼法律限制离婚，其中也可看出基督教义的影响，教会实施其原定的计划，对于日耳曼人较为成功，对于罗马人则否，这是有许多原因的：第一，罗马人没有所谓圣礼的观念；第二，日耳曼人离弃配偶的权利，惟夫有之，因其为一种夫的特权，故不为一般人所满意，其在罗马，则夫或妻均得行使之。

在待遇不平等的地方，基督教义当有较大的影响，而实际上在那些地方，它确有较大的影响。我们可以看到，教会与离婚作长时期的抗争，曾迫不得已而为不少的让步，但我们不能因此说它曾放弃它的理想。教会所做的，正是每个人所要做的，俾免不能立足于这世界，它使自身适合于习俗及时代的经验。我们必须牢记，生活是一种不断的挣扎，使主观的优胜于客观的，它是一种永续的妥协，俾与外界的事故调和。而且，我们应当知道，对于婚姻不容解散这个原则，教会所容许的例外，并非由于日耳曼的因素而来，这些例外，实出于教会自己的原理及基督信条，以灵魂的法则与肉体的法则对立，天堂与地狱对立，信仰与知识对

立，懒惰与勤劳对立。故教会鼓励独身生活，把结婚看作补救人性好色这个罪恶的方法，实属无足惊奇。教会的理想，始终是精神抵抗肉欲，精神优胜肉欲；结婚，不论出于愿意或非出于愿意，总非完善完美，因为结婚是以肉体的结合为条件的。

这教会所采取的婚姻理想，足以充分说明它何以在法兰西教士会议决议中，承认了各种例外。这些决议，是教士与非教士间协商的结果，它是在帝王苦于未能把教规改成律例这时代的立法。它承认妇女有重行结婚的权利，因为她不能遏止她的本性。它命令凡曾与岳母通奸的人，永远不得结婚，这岳母也永远不得再与其无辜的配偶同宿，这无辜的配偶则得重行结婚。如果妻与其夫兄夫弟或与其翁通奸，其夫得重行结婚，因为她必须停止一切性交。教士与其甥女间的婚姻，应属无效；教士原得结婚，他的甥女也得结婚，但因为"被教士遗弃的妇女，与另一人结合，是不可恕的"，所以他们二人间的婚姻得以取消。婚姻不容解散这个原则，由于道德规律演成法律，而成为一项信条，于是教会重又使它自身适合于生活需要。实际上，脱伦脱会议的信条，用意在使希腊教会及威尼斯共和国所辖的人，不因离婚而受损伤。这信条成立之后，教会随即感觉到，婚姻无效的事由，有增多的需要，于是继续容许了几种离婚理由。但我们不能因此说教会法是承认离婚的，因为婚姻无效的事由，先于结婚而存在，至离婚的事由，则存在于结婚之后。

四百六十九、离婚的事由——通奸

离婚事由的种类及数目，须依合于社会情状的正义原则而决定。除显有必要外，离婚事由的数目，不可增多，这样可防止风俗的破坏，至少也可不致加速风俗的破坏，但也不可过少，而使正当的迫需的事由，摈不列入，因为离婚须为一种充分的补救办法。离婚事由，通常为贤明的立法及理性所承认者，是通奸、虐待、侮辱、不名誉犯罪的宣告或无期徒刑的判处及遗弃。依照德意志语"ehebruch"一辞，通奸总是破坏婚姻的。有许多人以为男子的通奸，与女子的通奸，本身是一样的，但效果不同。因为女子通奸者，是以破坏父方的关系，而男子通奸者则不然。故法律应规定，男子通奸须合于特种情形，才成为离婚的理由，例如他把他的情妇留在家中，或公然地留在别的地方，至少他的行为，有某种情形，构成对于其妻的一种侮辱。这种理论，系主张夫的通奸与妻的通奸，具有同样不道德的性质，但发生不同的效果。如果承认这种效果上的差异，则其当然的结论，是通奸的妻，为害既较大，即应受较严厉的惩罚，可是我们不能因此认定，除有上述特种情形外，夫有权违背其对于妻所应履行的尊敬义务，因秘密通奸而妨碍或甚至破坏婚姻关系的连续，使另一妇女成为他的子女的母亲而搅乱合理的关系。正义为妇女道德及尊严的利益，要求这犯罪行为的处理，两性间须有平等的待遇，对于男子的特权，应加以铲除。

四百七十、离婚的事由——暴行、虐待及侮辱

关系暴行、虐待及侮辱，萨伏衣罗兰（Savoye – Rollin）曾在法庭前说，说得很对："试想，应该用来实行保护的手，竟用来实行殴打，说出侮辱的话来的嘴，竟潜用那爱情的音调；试想，这契约的一切条件，使被害人与加害人联系，竟为加害人破坏无余，而被害人却是完全遵守的"。不名誉罪的宣告，毁灭犯罪人的尊严及道德价值。无期徒刑也是这样，且更使婚姻的目的，无从达到。遗弃也是正当的离婚事由，惟关于它的性质的确定，法律应慎重规定，否则它将被利用，以掩护诈欺行为，有如一七九二年法兰西法律的流弊。我们无须把精神错乱、疾病或变更信仰，列为离婚事由，因为这是违反仁慈及虔诚的感情的，否则苦乐相共的最密切的结合，将因意外的不幸，为重视最卑劣的自私自利而为所破坏了。信仰的不同，并不妨碍婚姻的缔结，故结婚之后发生的信仰不同，不应作为婚姻解散的理由。所谓绝对的结合，事实上多少总有些缺陷，故这些离婚事由，似无采取的必要。

四百七十一、同意离婚

离婚可否根据当事人的合意而准许？孟德斯鸠曾谓，法律定为离婚的事由的情事，是夫妻不相投合情节极大的情事。这是确实的话，因为夫妻的不相投合，就是最显明的反对婚姻的绝对结合。在这里，合意不是婚姻解散的原因，而只是婚姻解散的标识。我们不能说，对于这一个离婚事由予于认许，就是把婚姻当作契约。家庭中的不幸及耻辱可藉这种认许而得隐秘，有时足以酿成监禁结果的诉究，可藉以防止，而外界的讥嘲，也可藉以避免。但为取缔各种种危害于婚姻的流弊起见，法律对之应为极严密的防备。它应仿效法兰西法典的规定，宣告在未满一定年龄之前或已达一定年龄之后，不得以合意而离婚，父母或祖父母的同意，必须征求，财产的半数，应给予于子女，在三年或四年之内，不许重行结婚，经过相当时间之后，方可核准离婚。至于不相投合的情事，只存于夫妻的一方而非相互者，不能作为离婚事由，这是不言可喻的，因为婚姻非契约，而为多于契约的一种事件，故非经双方同意不能解散。婚姻不能像十八世纪中在法兰西流行的那样，以一个人的喜怒为转移。

四百七十二、离婚的防止

在防止离婚的种种方法中，法兰西法典所规定的方法，是不可忽视的，这些方法，足以抑制夫妻的滥行离婚。有过失的一方，因为错误在彼，应丧失一切利益；无辜的一方应不受任何损失。为保全道德及家庭和平计，有过失的一方，不得与其共犯者结婚。其实，任何第二次的结婚，非经过相当期间，均不应准许。婚姻是件郑重的事，故夫妻不得离而复合，如在法兰西所见的那样。夫妻离婚后的子女，应与教会法上婚姻取消后的子女，或与罗马法上夫妻别居后的子女，有同样的地位。子女应由无辜的一方保有，这一方除重行结婚外，仍旧享有法律或婚姻协议所定的利益。对于重行结婚，当然不能因有子女而加以禁止。父母仍保有他们的权力，按照他们的经济能力，而担任子女的教育。为尊重自由原则计，对于天主教徒的别居，与基督教徒或非教徒的离婚，法律自当予以同等的承认。法律以他们公民的资格，而实施其效力，并给与他们以选择的自由。

第二十章　亲子关系

四百七十三、亲子关系是夫妻关系的产物

亲子关系，是由于夫妻关系因子女的出生而发生的，这种关系，最初是抽象的意义多于实质的意义，因为子女的意志及行为，最初还不能联合于父母的意志及行为，而一种组合关系的成立，通常不能没有意志及行为的联合。到了子女了解了他们的关系及目的的时候，亲子关系才成为实质的关系，从这时候起，意志的协同，成为事实。

四百七十四、亲子关系的重要

人类的本性，感觉自我扩张的需要。人因结婚而扩张其自己的感觉，而容纳另一人，这另一人与父具有同样的性质，并在情、智、意三方面永远与他联合。子女的生育，是由于情、智、意三者的合作而来的；故父与子女间，由于共同的感觉，产生共同的目的，而有密切的联络。虽在子女出生之后，有形的联合，归于解散，但目的的联合，依然存在，因为在《圣书》上，子称为父母的增殖物，称为父母的苗裔，丹第则以子女为父母的花为父母的果。洛斯米尼又谓，依上所述，可知父最初与子有因果关系，因为他创造了一个新的生命，这关系之外，又有第二个关系，就是永远不能打破的父子间感情的联络。亲子关系，是建在这双重关系之上的。在因果关系中，父母始终优越于他们的子女，能行使一种不能行使于任何他人的权力。在感情的联络中，

父母对于他们的子女，有特殊的奇异的爱情，这爱情是一种义务，正如人类其他各种真实的感情一样。亲子间的血脉相通，产生父母二方共同的血亲权利，在子女脱离家庭之前，不容破坏。这种权利，本质上是固有的、独立的，属于所有权的。

　　社会的关系，系由于血亲关系而发生，家庭权利及家属团体的权利，是社会的关系的产物，属于家长。在父母的心灵中有两种感情：其一是以有子女为父母自己的福利的感情；另一是以有子女为子女本身及其后裔的福利的感情。就父母经由子女而可得幸福而言，子女是手段而不是目的；就子女可得父母的照顾而言，子女又是目的而不是手段。父母的权利，系由于子女的手段的地位而发生，父母的义务，系由于子女的目的的地位而发生。父母所得子女的收益，这是所有主的权利，建立于生育子女为父母自己利益的感情之上；照顾子女福利的权利，系建立于生育子女为子女及其后裔的利益的感情之上。如果这二种感情，臻于完善的境地，前一种易于满足，并愿为后一种而牺牲。我们觉得，亲权是一所有主的权利，但它隶属于家属团体管理的权利之下，后一种权利，系以子女的福利为其目的。

四百七十五、洛斯米尼的学说不是自然因果的学说

　　洛斯米尼的学说，不可与从前的旧见解混淆。从前的旧见解，认亲权是因结婚或生育而得到的自然原因力的产物。这自然力，看作精神的原则及伦理的目的，俾使其成为亲权的基础。但洛斯米尼很审慎，在这因果关系之外，增一亲子间感情联络的关系，父母因这关系，对于子女有很强的爱情。他说，这种爱情同时也是义务。按爱护自己子女的义务，演成为子女获得幸福的义务，保护子女的义务，教养子女的义务，借用柏拉图的话来说，这种义务使成年人的优长，灌输于少年人，使强壮加上智慧。亲权制度，由于这种义务，而成为合理。亲权的真实的及最后的根据，须在这种义务中及生育子女的感情中求之。洛斯米尼的观念，始终涉及亲权，这只要看他把所有主的权利，隶属于家属团体管理的权利之下，就可明了。所有主的权利，是因果关系的直接产物，管理的权利，则渊源于父母的爱情，这爱情是一种义务。他所用的语句，有时意义暧昧不明，但对于那些论述亲子关系的几节，加以周密的研究，一切疑义就都可消除。管理、所有及手段这三辞，用之于人与用之于物，实有不同的意义。子女受父母管理，为父母所有，而为其幸福的手段。父母是子女的原因，故子女可称为父母的结果，在这里，我们觉得，近代立法的倾向，是把父母仅仅看作子女福利的手段。

四百七十六、理智约束下的亲权

在古代法上，亲权是由于子女消极的服从而产生的，因为父具有强力及见识。印度的宗教，劝信徒把圣书念二遍，劝他们避俗，年老后成为隐士。这不是说，子可随时或违背父的意志，而要求分割家产。按照摩奴及内拉达的规则，父权在印度人中始终是绝对的。在斯巴达，亲权的缺乏，酿成家庭的倾覆。雅典有亲权制度，不过它没有特殊名称，依照苏格拉底所述，它认许一种监护原则，以推定父具有理解力为其基础。这原则是绝对实施的，并不确保子的孝敬或服从，因为子可以自己的理解力，与父的理解力互相交量，在这交量中他也许会发现自己的理解力较高而感觉无须再处于服从的地位。到了亚里士多德的时候，这亲权的基础的薄弱，就开始为人觉察。它开始衰落，插下了国家倾覆的种子。罗马的亲权，范围很广，牺牲子女的个性。它几与所有权相同，子只在充任官吏或从事战争时，与父分离，而不受其拘束。在罗马人实施下的亲权，与国家的权利对峙，基于这差不多无限制的权力，在一自由的共和国中，另有王国的存在，使它坚强有力。可是家庭中并不缺乏家人的孝敬，反之，这种孝敬，虽在父权严烈施行之下，也很发达，且调和父权的气势。

到了中世纪，亲权具有了原为雅典人所有的属于 mundium 的防护及监督的性质。个人主义的得势，使这制度成为求取个人利益的方法。故这时不再以父为目的，而把他看作子女福利的手段，实无足奇。为尊重个人自由，乃力求削弱亲权，因为依照当时一般人的见解，自由的组织，不能与建立于强有力的权威之上的家庭并存，他们忘记了罗马及希腊的榜样，即国家随同家庭联系及父权的削弱而开始衰微。在近代，亲权已失其古时严酷的性质，而在合理的行使之下，成为更强固的权利。斯宾挪莎曾谓，真正的力量，存于理智，感情乃弱点。父权非置于理解及教育子女的义务之上，反之，它处于次要的地位，而以义务为其基础。这伦理关系，今日重臻于完满的境地，成为密切的有组织的联络。但父不再仅视为手段，且视为目的。在这里，我们可重述上面曾经说过的，个人与国家关于这手段与目的的相互关系的意见。

四百七十七、母得享有亲权

从上面所说的看来，可见亲权属于父母二方，无所差别，因为二方对于他们的子女，都有扶养教育的责任。母于子女的抚育，有重要的关系，故母应享有亲权，实属当然。惟男子有特具的禀赋及能力，这是在前面"夫权"一节里曾经讨论过的，故在婚姻关系存续中，亲权须由父行使之，俾夫运用这些男子所特具的禀赋及能力，而使家庭事权统一。夫或妻死亡后，亲权不应如法兰西法典所规定的那样，归于消灭或改为监护，它应如意大利法典所规定的那样，由生存的一方行使之。这意大利法典的创制，与自然法完全合致，因为婚姻关系存续中亲权既由夫妻共享，则一方死亡后亲权即改为监护，实无理由可说。这样的法律，无异不信任父母的判断力，可是关于家庭关系的事项，法律总是予父母的判断力以极大的信任的。关于亲权的行使，我们必须指出，对于顽抗的子，如果不再予父以把他监禁的权能，至少也应予以把他逐出家庭或送入矫正院的权能。如果亲权是严格实施的，则对于子女不能予以分产的诉权，自属显然。对于子女的特有财产，因为他们没有行为能力，故父有管理的权利，并得享用其收益。这一个权利，是为了父的自己的利益，而由父享有，它的起源是取有主的，它隶属于家庭治理权之下。所以它受有一定的限制，只能对某种财产行使之。亲权不是没有限制的，如果父母有某种重大的错误，不配行使亲权，法律有把它纠正或停止的方法。

四百七十八、监护

在亲权存续期间，没有监护的余地，因为后者包括于前者之内。但事实上有时亲权归于消灭，而家庭中仍有人，因年龄关系需要教养保护。在这种情形之下，须有监护制度，以为已消失的亲权的替代。监护是一种社会的义务，因为对于不能照料自己及其财产的人，任何人都应予以匡助。监护制度，在家庭范围内发展，并为有关家庭的私法的规定事项，不过因为它涉及上述的义务，所以它同时具有公共的及社会的性质。因此，它与国家的职能及公法的原则有关。这监护制度的公的性质，并不以监护人与被监护人间的任何关系为前提，它也不能称作亲权的替代，即在以精神衰弱为原因的监护，也是这样。但不论是未成年人的监护或是成年人的监护，总是包含着亲权的权利的，不过范围较狭而已。罗马法上的监护，系以财产的管理为内容；近代的法律，则倾向于教育职能的发展。教育这个职能，是亲权的特质，今日极为重要，善良的教育在今日是极重要的事。由上所述，可知监护制度，就其伦理的性质言之，不可与"事务管理"混为一谈，因为在一方面监护是一种家庭制度，并在某范围内包含着亲权的权利，在另一方面它是一种公的职责。实际上管理事务的人，得任意选定，至于监护人则须由父指定，或由法律规定，或由法官或亲属会议选任。遗嘱指定监护人，是最优先的方式，因为指定接替人以担任子的教育，没有人比父更适宜。如果监护人未经遗嘱指定，法律可斟酌各种情形，定一监护人，其顺序以血亲的亲属为准。如果没有亲属，则监护一职成为选任，即由法院或亲属会议选任监护人。在今日，对于精神衰弱的人，得以命令设定监护。

四百七十九、监护制度的历史

在希腊，监护有遗嘱指定及选任二种，因为当时对于监护的后继人，不能充分信任，而使其为监护人。在罗马，监护最初以遗嘱指定，其后由宗亲担任，最后成为选任。在日耳曼人中，监护是 mundium 中的一部分，只属于最近亲属。在罗姆巴提人中，监护人不论作什么重要的事情，均须经法官的准许。有许多事情，例如不动产的分割，法官须召集亲属。这种集会，是亲属会议由官员主持这个制度的滥觞。

四百八十、监护的设定

关于监护的法律，不可假定监护人必有充分的父母之爱，也不可假定受监护人必有真实的孝敬之心。它应用极大的谨慎，务使监护人能爱护并注意受监护人的需要，对于血亲关系，应予以充分的信任。如果审议须为多数人的行为，执行为一个人的行为，如果国家须监督监护权力的行使，则妥善的办法，是把审议诿诸亲属会议，而由官员主持之，把执行诿诸监护人。国家的监督，可由官员单独行使，或由官员主持的亲属会议行使。意大利法典，是采取后一种办法的。监护人与受托人不同，他是未成年人或浪费人的代理人。受托人只就财产有支配权，至于监护人，则在一定限度内享有父母的一切权利。我们必须注意，被托人非经受托人参与，不能作任何行为。还有，依照意大利法典，有些行为，他须得亲属会议的许可，有些行为，他须得法院的核准。

四百八十一、收养

我们在前面已经说过，人不但需要扩张其生命于另一人，更需要扩张其生命于他人。前者的需要，因婚姻而满足，后者的需要，因生育子孙而满足。一对夫妻，也许终身不育，有些人则因患病或有所顾虑，而不结婚。未能生育子女的夫妻，是不幸福的，因为他们没有扩张其生命于他人；因患病或有所顾虑而不结婚的那些人，则加倍的不幸福，因为他们既没有扩张其生命于他人，也没有扩张其生命于另一人。国家没有权利，使他们受孤寂及苦恼的惩罚，或者对于他们精神上的子女，拒绝予以法律上的地位。精神上的子女，是与亲生的子女，同样实在的，这是后嗣爱好心的结果。所以，有些人对于被人遗弃的或交托他们照顾的小孩，愿任扶养教育之劳，逐渐发生一种感情，与真正父母的感情，并无差异，并期望这些小孩长成之后，能以孝敬相报。人都感觉，他得享受的惟一真正的幸福，是在家庭关系及基于家庭关系而生的情爱，当他没有这种关系及情爱的时候，他就寻求最与他们切近的替代，俾免孤寂生活的苦恼。在法律承认收养关系之前，事实上已有收养关系，基于人性的需要而发生。古哲有言："收养行为，系摹仿自然，其目的在慰藉没有子女或丧失子女的人"。站在另一见地上看来，收养关系，使受到解体的威胁的一个家庭，得以保存它的动机，是在后嗣的爱好，同时它又维持了伦理的有机体，伦理的有机体是国家这个最高的较大的伦理有机体的组成分子及其中心。在历史上，家庭愈成为有组织的强有力的核心，具有宗教法律及政治的性质，则愈感觉收养的需要，使这核心加强增固而免于消灭。

四百八十二、收养的历史

收养行为，是合于古代共和政体的组织及原则的。我们知道收养系以当事人间的关系为基础，这关系既不是自然的，那就一定是人为的了。收养关系，在那时不是为了慰藉的目的而缔结，而是为了保存家庭的社会及政治的目的而缔结。罗马法上"为无子者慰藉"，这个观念，可见之于古代法律上妇女收养子女的例外情形，在近代，因为家庭仍是一个单位，收养的需要，虽不如从前那样强烈感觉，但仍然存在。现今的家庭，不如罗马的家庭那样坚强复杂，但它仍不失其存在，且亦不能失其存在，因为家庭是一个伦理的团体。罗马的家庭与现今的家庭，其间不同之点，是在前者注重于父的利益，后者注重于家庭本身的利益。了解了这点，就可知道收养是一种法律行为，使原不相识的二人间成立亲子的关系，它不能认作只有私人关系的意义，只有当事人意思满足的作用。

收养行为，有变更身份的效力，因为被收养者成为收养者的子女，除取得受收养者扶养及用收养者姓氏的权利外，并依法定继承的法律而取得继承权。身份关系，不在契约范围之内而在法律范围之内，这就是收养行为方式郑重及法院干预的理由。又收养不外是自然的摹拟，故不能断绝被收养者与其本身家庭间的血亲关系。它的原动力，是收养当事人间的情感，不过经法律特为规定而已，故其效力，应以收养者与被收养者为限，而不应扩张于二方的家庭。如果实际上并不这样而有断绝其关系或扩张其效力的情事，那是与收养的真正的观念无关的。收养的好处，是足以阻止晚婚，晚婚往往存续期间短促，且鲜有幸福者。

四百八十三、反对收养制度者的理论

收养制度，遭遇不少的反对，尤其是在法兰西，它在那里是没有历史的。法兰西的法学者，认为惟有自然能产生亲子关系，

法律不能破坏由于血统关系而生的神圣的爱情。这种见解，在意大利为彼萨内利所采取。但他们没有想到，收养制度的采行，目的并不在破坏自然的关系，也不在使拟制的关系，效力大于自然的关系。他们没有记得，它只是一种摹拟，不能有真实家庭的作用，它不能妨害真实家庭的利益，因为在有婚生子女的情形之下，它是不能存在的。它只害及旁系亲属及其他亲属，这些亲属原可在没有更近的继承人时承受遗产，可是这些亲属，严格说来，并非同属一家，为了这些亲属而使个人的自由及幸福牺牲，那也是不公道的。反对收养制度者，更进一步，谓这制度是一无用的制度，因为法律已认许遗嘱的自由，这种恩惠尽可以遗赠表示，而无须假助于任何拟制的关系。但他们没有想到，通常的恩惠，并不是收养的动机，为收养动机的恩惠，是后嗣爱好心的一部分，取着亲子的方式的。而且，对于收养，不应仅就其与为所慰藉的个人的关系，而加以观察，而更应就其与为所保存的家庭的关系而加以观察。

这些反对收养制度的人，也没有证明它是一种封建制度，因为在古代法律上，在印度、希腊、罗马，它早就发达了。它的本质不是封建的，因为封建的产权及兵器的授予，并不以个人的意志为转移。反对收养制度者最后的理论，认为它可以用来脱避法律上关于私生子收养的禁止规定。但收养不是由法院监察，以确定其并未掩护犯罪行为的吗？意大利的法学者，维格利亚尼（Vigliani）曾在上议院辩论这点，他说："如果收养者为生父这事实，已被发觉或有可疑，法院即可驳回其收养的声请，如果这事实未能发觉而被隐秘，收养亦可成立。一个不幸的孩子，没有帮助没有家庭，因被收养而帮助及家庭二者兼得，并不有辱于社会，而他本人原不知其与收养者间存有自然的关系。我们对此似无不满意的理由"。

四百八十四、非婚生子女的身份

法律是一种伦理的原则，不可鼓励不正当的结合。通奸者间，往往缺乏爱情，或其爱情为他们合法家庭的利益或礼俗所窒息，但他们在婚姻关系以外所生的子女，仍应受法律的保护。法律应以这种失当行为的一切效果，施于行为者本身，而不应施之于其他人。不过法律也不能使非婚生子女的待遇，与婚生子女的待遇完全相同，因为它必须维持道德及家庭生活的秩序。非婚生子女，有些是妾生的子女，有些是出于通奸的子女，有些是出于乱伦的子女。后两种子女系由于不法的结合而产生的。但他们父母的犯罪行为及侵权行为，应该使他们负担赔偿及刑罚的责任吗？应该使他们别于一般无辜的子女吗？洛斯米尼说过，从前曾有一时，这种子女须蒙耻辱，并丧失私法上的某种权利，那时族人须为个人的行为而一并受罚。

可是那个时代，已经过去了，由于《新约圣经》（New Testament）的影响，人性已醒悟且充分发达了。社会的见解，已有变更了。现今法律应严惩父母的罪恶，但仅以涉及他们本身的刑罚为限，它应保护无辜的人，并宣告他们不蒙丝毫耻辱，不受些微损害。正义要求那些由于通奸及乱伦而生的子女，应与妾生的子女同样看待（如奥地利法典上的规定），不应仅有出于虔诚心的生活费用。由于通奸及乱伦而生的子女，也应享有由他们父母教养的权利，他们的父母应对他们履行法律上的责任。对于这二类的子女，法律尽可予以承认，为了子女继承权的剥夺，及以乱伦为理由的取消婚姻的那种可丑的诉讼是不会因而增多的。通奸及乱伦的情事，可因他们的承认而揭发，正义因此也能实行对其破坏者加以惩罚，受害者可获得金钱上的赔偿，个人的责任因以增加，而使不法的结合大为减少。此外，对于这些子女，不可不予以有限制的继承权，因为他们是无辜的，"一身做事一身当"，父母的罪恶应由父母负责。不过，由于通奸及乱伦而生的子女，虽应与妾生的子女，有同样的权利，可是非婚生子女的权利，究不能与婚生子女的权利相等，这是因为依照自然法的意旨及文明的条件，生育子女及教养子女的使命，应如国家所定，完全属于真正的家庭。我们必须把神圣的生命权及父母的义务，与整个社会的要求，互相调和。

在历史上，当婚姻事件以习惯为准则而非以法律为准则的时候，当任何情事，均由家长统制的时候，婚生子女与非婚生子女之间，只有很少的区别。英雄时代的希腊人及父权时代的希伯来人，是其实例。在英雄时代以后的希腊法律，待遇非婚生子女很严酷。这种严酷的待遇，直到伯里克理时代才废止。伯里克理是没有婚生子的，他认证了他的妾所生的子。罗马承认妾制。纳妾所生的子对于生母及生母的家，享有继承的权利，对于父则只能取得生活必需资料。在帝政时代，这些子认作父的私生子，父有家父权，得认领他们，但没有为他们的利益而定立任何遗嘱的权力。这权力后为伐伦泰纳（Valentinus）所承认，但以一部分财产为限。查士丁尼规定，父生前未立遗嘱者或父死时无妻亦无婚生子者，如果父未以任何财产留给他们，他们有继承权。无论如何，妾生的子有享受养育的权利。但依照查士丁尼的规定，由于不法的结合而生的子，连这权利也不能享有，到了盖尤斯时代，他们才认作女系亲，列入私生子一项，而许其享有大法官法上的继承权。由于不法的结合而生的子，无权对他们的父提起诉讼，但得证明其关系，以制止或揭示乱伦的婚姻，或取消为他们的利益而定的遗赠。最后，妾制为教会法所禁止。于是在一方面发生了贵贱相合的婚姻，在结婚时提出财产的一部分作为继承权的标的物，在他方面发生秘密结合的婚姻，在法律上不生特殊的或确定的效力。至于妾制，虽经禁止，但继续存在，惟非婚生子女

（虽有时也有承袭皇位者）仍认为不能享有继承能力，充任宗教职位，只有享受养育的权能。他们死亡时所遗的财产，归属于国家。隔了许久之后，他们才得到了遗嘱的权能。法兰西革命的主张，除了通奸所生的子女之外，一切子女都有均等参与继承的权利。法兰西法典规定私生子有继承权，其应继额较少于婚生子，但通奸及乱伦所生的子，只有享受养育的权利，它把他们分为二类，即可以承认的私生子与不可承认的私生子。

四百八十五、生父的认知

如果法律以家庭中的一定地位，给予非婚生子女，他们即不应没有认知其生父并主张该地垃的方法。有些法典，如法兰西法典及意大利法典等，承认他们有证实生母的权利，但禁止他们认知生父，法兰西法典仅于有强奸情事的事件，意大利法典仅于有暴力强奸情事的事件，如果强奸行为与受胎时间相合，才许他们认知生父。这些法典，显非公允，因为它们保障诱奸女子者的可恶的特权，他们对于他们的行为，脱卸一切责任，让未经世故的好意的女子，独当巨艰，使他们残酷的自私自利的效果，毒害那些无辜的可怜的女子。认知生父的制度，不算是创举。在历史上有它存在的实据，因为它为罗马所认许，为日耳曼法及教会法所保存，并继续盛行，直至十七世纪末叶而止，对于它的易于发生的丑恶的流弊，有加以防备者，亦有未加以防备者。

在法兰西，这种流弊是可能发生的，有身份的人的荣誉，及家庭的和平，往往陷在狡猾的下贱妇女的掌握中，这些妇女有买通的证人及恶徒为助。法兰西因其酿成冤枉的事，继续不绝，废止了认知生父的诉权。自是以后，法律分为二类，其一仍从旧法，另一则从法兰西法。在采行法兰西法的国家，尤其是法兰西自己，由于比较立法的研究，对于禁止认知生父的内在价值，发生了疑问，随着又发生了反对这种禁止的反动。它被认为男子优越地位的一种显而易见的不合道理的方式。

有些人说，如果法律承认自动的认领，并认许情妇所生的子得继承未经遗嘱处分的财产，则被动地对于诱奸或一时交合所生的子予以认领，实无须看作违犯道德的事。取消了残忍的特权，并唤起了责任思想之后，当能发生有效的约束力量。这是若干法律哲学家的意见，如阿楞斯及特楞得楞堡等。洛斯米尼不以这种办法为然，因为在不法的结合中，谁是母，常能查出，而谁是父，则往往不能发觉。他说，谁是父往往未能发觉，但查出了某人是父的时候，又何以免除他的惩罚呢？吾们能在法典中找出许多缺点，都是由于想像力的未能发达而来的。最初，立法者斤斤于原则，以为能事已尽，其实这原则有时是对的，却不是无往而不对的。在这原则未能适用的情形之下，如在法律未有规定，或其规定被违反的时候，自然法吃了这些立法的苦了。所以，关于这点，要使法律臻于完善，一面须注重一般的原则，使大多数事件受其适用，一面更须注重其他的原则及特殊的规例，俾得分别处理那些异乎寻常的事件，这样自然法整个的范围，就可全部包容了。依照洛斯米尼的见解，婚礼不能认作父子关系的惟一证明方法，此外还有别的证明方法。但任何一种证明方法，有时均不够应用。婚礼只构成一种法律的推定，却不能成为一种论理的证明。故如有反证，证明子为非婚生子，法律的推定即须屈服于这事实。如果对于通奸及乱伦所生的子女，应该予以相同于私生子女的权利，则他们当然也可由生父认领，他们当然也可认知生父，只要这种认知合理进行即可。

四百八十六、父子关系的证明

有两种方法，可用以确定非婚生子女的生父，——生父的意见，及情况的证据。生父的意见，可依其本人的文书及见证人的证明，或依其与生母的关系的其他证据，而予以效力，其范围不应以正式的认领为限。在不以先有法定婚礼的举行为必要的国家，依教规所行的仪式，可资为上述的证明，且常为国家认作正式的认领。如果以子的称呼相称，以子的待遇相待，为一般信为其子者，则显然构成一种默示的认领。依情况的证据，以确定父子关系，现在只许应用于有强奸情事的事件，实则应该扩张而适用于有充分理由，需要认许这种证明方法的其他事件。例如，诱奸少女及伪作结婚的允约而诱奸诚实的妇女等，均应认为认定父子关系要件。这是正义所要求的，而其证明，亦属可能，且非绝对困难。我们必须注意，法律只可准许被诱骗的妇女作证，而不可准许暧昧关系很多的妇女作证。又事实的证明，不能仅以有被诱骗的怀孕妇女的证言即认为足够，否则有发生流弊的可能。此外更须证明惯常的密切关系的缺乏，以防免这种流弊。

四百八十七、非婚生子女的认证

法律并应规定，凡原属不合道德的情事，得于事后设法使其合于道德。故法律应准许非婚生子女的认证，以资补救，认证的方法成为事后的结婚，或为法院的裁判，后者可于无从为事后的结婚时行之，凡经认证的子女，当然与婚生子女享有同样的权利。这一个原则，及关于责任的那个原则，是与弃儿收容所的存在有关系，它增多了弃儿的人数，它是遗弃婚生子女这种事件所以发生的原因，这种事件在大都市中尤多发生。这些收容所，实是一种陈旧的盲目而不合理的慈善事业，在大多数文明国家中已不复有其存在，代之而起的组织，是收取初生儿童的各种救济院。这些组织的功绩，是防止婚生子女的遗弃，且每为这些失爱的婴孩的前途打算。有些法律，准许他们的父母不留姓名，有些法律，则要求他们的母声明姓名。后者乃以责任原则为根据，自属较合于理性。前者并不厉行正义，因为它们顾虑杀死婴儿的事件。事实上，这种顾虑并不是没有根据的，因为这是有关系全父母名誉及避免不幸事件的问题。不过，这种事情如同别的事情一样，大都要看人民的道德及习惯而定。无论如何，就弃儿收容所的停办而说，这种顾虑，并非毫无根据，因为事实上杀死婴儿的事件，发生于设有弃儿收容所的地方者较多，发生于没有这种组织的地方者较少。这不是说，弃儿收容所的有无，是这类犯行增减的有力原因。经验告诉我们，杀死婴孩的犯罪行为，通常是在为母者感觉到慈爱情绪之前犯的，并且是为了她没有可把她的小孩暂时托付的人而犯的。如果她感觉了慈爱的情绪，如果她有了可以托付的人，这小孩就得救了，至于这可以托付的人，无论是收容所，或是救济所，只要为母者无庸在分娩时声明她的姓名，那都是没有多大关系的。要防止杀死婴孩的事件，收容所的工作，必须在临产的当时进行。

第二十一章　继承的意义、历史及根据

四百八十八、继承法影响于一切生活关系

死亡消灭人的生命，并消灭他的许多关系，但他的财物及权利义务，继续存在，构成一个集体，称为他的遗产。早期的罗马法说："继承权只是承袭死者一切权利的能力"。继承人承袭被继承人的地位，代表被继承人的人格，成为死者所遗全部财产的新的主体，他是包括的继承人，应负责清偿死者的债务，并担任继承的负担，他与特别的或遗嘱的继承人不同，后者只就特定留给他的部分而为继承，只须担任该部分所附随的负担，或遗嘱所特定的负担。继承在一方面与家庭有关，因为在家庭分子分解时或组成另一家庭时，它就发生了；在他方面又与财产有关，因为它有移转遗产的效力。所以，在论理上，继承法的前提，是亲子关系及夫妻关系、亲属法及婚姻法。它可以看作亲属法的最后一局面，也可看作私法的最后一局面，因为私法关系的目的，是在个人及家庭生活。这一种法律的基础，是建在家庭团体并财产所有人自由意志之上。如果继承的法律，全部以家庭为根据，则个人将完全为集体所吸收，而失其人格；除了成文法所规定者外，它将不再承认别的任何继承。反之，如果继承的法律，完全以个人的意志为根据，则家庭将被否认，而个人将有毫无限制的权

利，以决定他自己的义务。在这情形之下，势将没有法定继承的法律，而遗嘱继承将包括一切了。所以，继承的法律，应调和家庭的权利与个人的正当要求，不可忽视继承的权利与家庭有直接的关联，足以影响于公共团体，故与国家有重大的利害关系。

四百八十九、古代人民的继承

古时社会的权利占优势，个人的权利则不重视。那时惟一盛行的权利，是表示家庭权利卓越的法定继承，而不是个人行为的遗嘱继承。在《创世纪》里，找不到真正的遗嘱继承的痕迹，不过家长有某种权利，在死亡时赐予他们的财产而已。雅典人有以收养的方式，指定继承人的制度，但以没有子女为条件。这就是表示，最初只子女得继承。遗嘱的权能原是斯巴达人所没有的，其后才由伊壁塞达人（Epithadens）的法律导入。这种权能，在从前日耳曼人中也不存在，今日仍处于古代日耳曼人状况的部落及民族，也没有这种权能。在罗马，继承起初专以成文法规定，最先承认证统继承人，其次承认旁系宗族继承人，后又承认宗统继承人。民会遗嘱那种早期的严重的方式，是一法律需要人民的同意或核准。不依法律的第一次定立遗嘱的情形，也许因为它是第一次的缘故，实已无可稽考，但总不能不受习惯的方式的限制。不过，遗嘱继承虽不是原始的制度，却也并非仅仅是现实法的产物，这一点在后面我们就要说明。发达在后的事物，不一定都是人为的；虽然事物的性质只是它们产生时所具的特征，但详细说来，这是包括产生后的发达或演化而言的。自然的事物，不以发达在前的为限。而且，还有一点，值得注意，就是自然的、合理的及普遍的事物，起初每似来自人为，而有若单纯特殊的事物。它的真性质，到了后来，如那不勒斯的伟大哲学家所说，当人心充分发展的时候，才为人认识。

严格说来，遗嘱是罗马的创制。在罗马，遗嘱人的权利，是没有限制的，这点可于《十二表法》上见之。在《十二表法》上，有这样的一句话："家父以遗嘱给予的金钱或产权，应认为与法律给予者相同"。但我们不能因此猜想，以为遗嘱的权能，在罗马是一种为家属以外的人的利益而处分财产的方法。它只是把包容于家父权中的各种权利，由一人移转于另一人的工具。继承总是涉及遗产全部的，并包括祭祀及家庭礼仪在内。这不仅在罗马是这样，在雅典当遗嘱权能导入时，也是这样，在孟加拉也是这样。我们也不可说，遗嘱在罗马是一种造成不公允待遇的方法，因为它适应于公允的目的，纠正法律而使私生子女及因解放而脱离家父权的子女，也得承受遗产。罗马人临死未立遗嘱者，每大为犹愁，其故在此。真正的不公允，是随承认长子继承制度的封建法而发生的。封建财产成为世袭之后，君主即致意于保有一子以负军役之责。梅因曾谓家长权一经成为政治的权利，长子继承制度即随之而起。长子继承制度有两种。在印度及欧洲西部，长子继承制度，是由父传子，但在克里特人，则长子死后，其地位由次子承袭，而不由长子的子承袭，这是要使一家之长，由成年的人充任。

四百九十、罗马的遗嘱方式

罗马的第一种遗嘱方式，是"民会遗嘱"。当时人民参与民会，其任务是否在使遗嘱人的遗志成为法律，还是仅有为遗嘱作见证，乃一疑问。事实大概是这样的，在最初法定继承改变为遗嘱继承的时候，人民须使遗嘱人的处分行为，作为法律，其后他们才仅为遗嘱作见证。第二种方式是"使用金钱与衡器"的方式，可由遗嘱人在不能依严重方式定立遗嘱时应用之。这方式是与"民会遗嘱"同时采行的。所谓"家产买受人"并不是法定的继承人，而是"处于继承人地位的人"，他只承受遗产而不负债务，故有些人把他比诸依"罗格蓄"方式而收养的养子。"使用金钱与衡器”方式的遗嘱，当它与“民会遗嘱”同时施行时，系作为急要时应用的方法。它分为二部分：一为“曼兮怕蓄”的方式；一为“罗格蓄”的方式。前一方式的作用，为移转财产权，后一方式则以受托者名义，给予“家产买受人”。其后，“使用金钱与衡器”的方式，不复为补充的方式而成为普通的方式。“曼兮怕蓄”看作一种形式，不生所有权移转于“家产买受人”的效果，这时“家产买受人”不再处于继承人地位了。这种“曼兮怕蓄”，遗嘱人得撤回之。构成遗嘱方式另一部分的“罗格蓄”，系由遗嘱人在见证人前，陈述其字据的内容为其最后的处分。这第二部分的方式，似系由于实际的需要而确定的，例如同时设定数继承人的需要，又如附条件设定数继承人的需要等。遗嘱的第三种方式，是大法官法的方式。这种遗嘱是书面的，因为根本上它只是不履行“曼兮怕蓄”及“罗格蓄”方式的“用金钱与衡器”的遗嘱。西塞罗、盖尤斯及乌尔比安关于这种遗嘱，曾有“见证人七人盖印”的话。但有些遗嘱的片断，则着重于“依照指定而为财物的占有”，由此可以想见，这种遗嘱的主要部分，有时得以言辞为之。

四百九十一、中世纪的遗嘱史

在前面我们曾经说过，日耳曼人是没有遗嘱方式的。亲属的权利，及家庭的凝固，是绝对的。惟日耳曼法律，承认继承契约或双方的得以撤回的处分，使当事人一方或双方，关于继承权利的取得或丧失，受其拘束，这种契约，奠下了遗嘱继承的基础。罗马法禁止这种契约，因为它们有碍于遗嘱得以撤回的性质，而且立约的继承人，以贪婪的眼光，注视尚未去世对其将来的继承人耗尽爱护心的被继承人的财产，这也是不道德的。我们很易见到，继承契约的采行，足以促成遗嘱制度，因为它是与家庭权利的绝对优越互相抵触的。但这种处分的不可撤回性，始终保存。

最初产权与占有完全移转，其后仅产权移转，而占有不移转，最后则二者均须待至所有人死亡后再行移转。在中世纪，罗马的思想，对于教士的影响，日益增甚，而超度灵魂的遗赠，及出于虔信的赠与，也被承认（与遗嘱相去的距离愈趋愈近），结果促使它再度出现。以教会为受益者的处分，虽因不具备一切方式及法定要件，而与民事法律不尽符合，但教会仍主张其为有效。教会所注意的，只是遗嘱人意志的确实。在这方面，教会法实与自然法接近。从上述的继承史中，我们可以看到，遗嘱权不是一发生就完全的，如同女神密纳发从主神佐夫头上生出那样，因为它最初是公开的、口头的、不可撤回的，其后才成为秘密、书面并得以撤回。事物的臻于完善完美，终是发展的结果，决不能在创始的形态中就能见到。

四百九十二、法定继承与祖先礼拜

继承在历史上的发达，更与财产及家庭的演进有关，这是我们曾在前面说过的。这里我们可注意古时继承与祖先礼拜的关系。这古时的祭祀仪节，并不及于疏远的及虚拟的祖先，而只及于曾祖父、父及一般为礼拜者所知的人，这些人已化而为神，继续保护其家庭，行使其权威，奖善而惩恶。这祭祀仪节，为大多数民族所实行，其中有印度人、希腊人、罗马人、中国人及古时的日本人。希伯来人也知道这祭祀的仪节，他们把它看作异族的习惯，或应行禁止的迷信。罗马人的祖先祭礼，对于法律及命令，有极重要的影响。这种仪节，对于继承，加以各种限制，这是主教者的利益所在，这些限制后来逐渐消灭，而家神也成为家鬼了。

拉布克、斯宾塞及其前的维科，如同我们把祖先礼拜看作古代人民的一种想像的性质。拉布克曾谓野蛮人不能了解死亡的意义，而易把死亡与睡眠混淆。在睡眠的时候，虽肉体似已死亡，而灵魂则仍生存。故野蛮人以食物送进坟墓，这种举动，是很自然的，因为死亡类似睡眠。死者的灵魂，生存于另一世界，故有很大的权力，向死者祈祷的习惯，即由此而来。斯宾塞以对于幽灵世界的信心为标准，而将社会分类。各种民族，都信人死后可转生于另一世界。其中更有许多民族，以为这死后转生者，寿命很长。这些民族中，有些实行鬼神的禳醮。他们中间，有些是不进步的，祖先的祭祀永续不断，犹如相信灵魂的不灭，有些民族，则更予那些显赫的祖先以优越的地位。例如，他们尊崇战胜者的领袖，列入无名的祖先中。斯宾塞曾谓野蛮人相信转生，是因为他们在水流中看见他们的影子，在回响里听得他们的声音。

印度人中有一普通的信心，以为生存的亲属，因举行祭祀而使死者的灵魂更为愉快。婆罗门教徒，是掌理祭祀仪节的人，他们关心于财产的分割，因为这样可多得孝敬及馈赠。凡是实行祖先祭祀的地方，也必是承认父权制度的地方，这点可从受祭祀者及行祭祀者均为男性一事实见之。受祭祀的祖先，在各方面均似罗马的家父。家父就是家父权的主体，这是梅因这位曾就关于这问题的古代法律作精深研究的著作家所说的。在印度，嫡长子祭祀死者的灵魂认为最为有效。如无嫡长子，则由父指定的女的子承袭。雅典人有同样的习惯，因为父恐死而无子者，有权传之于其女及女将来的夫；女与婿所生的子，达于一定年龄后，成为外祖父家的一员，用外祖父的姓，取外祖父的财产。父死无遗嘱者，女须与一位亲属结婚。

在中世纪似乎也是这样，凡女不得继承者，其子有时可有继承权。在印度，女不能被指定而使继承由女一系相传，继承乃归于养子及私生子，这私生子的母必须是死者的家属并受死者的节制的。这些子得承袭一切权利。如果这些人都没有，则为举行祭祀，有一种"niyoga"的方法，这方法即希伯来人也曾实行。依照马克勒兰的见解，这方法表示由乱交进于一妻多夫，系确有其事。在这制度之下，主持祭祀的举行者，为寡妇与母族的亲属所生的子，如果没有这样的子，则为寡妇与夫族的亲属所生的子，这夫族的亲属，与寡妇的夫或是同属一家庭的人，或是同属一族籍的人。摩西曾命令，如果有人死而无子，他的兄弟得与他的妻结婚，俾为死者生子，第一个子取死者的名。在印度，旁系亲属的继承，很难稽考，在起始的时候，并没有明白确定。要是没有直系卑亲属，继承归于拟制的亲属、师父、师兄弟或国王。那时，一般人的意见，以为旁系亲属举行祭祀，不能有效。后来宗教反对拟制的亲属，于是不得不承认旁系亲属的继承。起初，当父权家庭成立的时候，母不在受祭祀者之列，外祖父也不在受祭祀者之列，因为他们并不与父系的祖先同等重要。

四百九十三、遗嘱权利的基础

关于继承的基础，尤其是关于遗嘱继承的基础，学说分歧。柏拉图及亚里士多德二人关于这问题的学说，受当地当时政治状况的影响。柏拉图主张定立遗嘱的权利，是立法者过分让步的结果，因为遗嘱人在临死时并没有充分的意识；这种权利应该废止，而代以财产永传于一家的制度；要是没有儿子，则父只应有权处分其财产的十分之一，其余应归属于其养子。亚里士多德认为财产由家保存，惟一的方法是废除遗嘱的权能，而代以财产永由男子递传的制度，在另一方面，罗马的哲学家赞成遗嘱。西塞罗、辛尼加及昆提利安三人，认这权利有友爱心及仁慈心为其根据，一面又很审慎地阐明遗嘱权能与对于将来的远虑二者间的密切关系。罗马法学家并不追求哲学的原理，但他们对于遗嘱权能乃法律放任的结果之说，认为不当。在乌尔比安眼光中看来，遗嘱权能对于法律只有一种关系，而在这关系并不见有何妨碍。帕比尼安曾谓"遗嘱的定立，非属于私法，而是属于公法的"，他说这话的意思，不在否认最后遗嘱行为的自然基础，而在注重偶有的附随的方式。

注释学家，对于遗嘱是否为万民法的抑仅为市民法的这个问题，加以讨论。提阿非罗（Theophilus）赞成遗嘱为万民法的之说，注释法学派的学者及阿尔查提（Alciati）反对遗嘱出于自然之说，他们从古代法律，援引各种事例，以为他们的论据。巴托拉斯（Bartolus）及巴尔多（Baldo）二人，则援引其他事例，与之对峙，而采取相反的见解。顿内罗（Donnellus）及叩乍斯阐发提阿非罗的意见，谓遗嘱权利的根据，在于个人与其后嗣间的关系。自然法学者分持二种相反的学说，其中以格老秀斯与浦芬多夫最为著名。格老秀斯认为遗嘱的权能根据于自然法，并以遗嘱比诸契约，解作一种让与行为，以死亡为条件，得在让与人一息尚存之前撤回，并由让与人保留占有及用益。佛尔夫、彪拉马基、拉姆普累提、康德诸人，及近代学者中的特罗普朗，采取格老秀斯的观念。康德以为遗产的取得，并不是通常的取得，而是一种理想的取得。他说，遗嘱是遗嘱人生前最后所作的诺言，以依某种条件给予财产为内容，遗嘱所赋予于继承人的权利，就是在遗嘱人死后接受这诺言的权利。遗产的取得，系根据于一种拟制的契约，以让与人与其继承人为当事人，这契约推定继承人将依其规定而为承诺，因为不论什么人都欲望财富。继承人所取得者，是继承的权利，而不是遗产本身，他享有其财产权，而不享有占为，因为他对之只有一种请求权。在另一方面，则浦芬多夫主张遗嘱是法律的产物，并反对把遗嘱列为契约，因为契约以二个意思的合致为前提，而遗嘱却并没有这种情形。亨内秀斯及圣托马斯二人，赞同浦芬多夫的见解，他们不信一个人在意志不复健全并不复为财产所有人的时候，能以遗产移转于另一人。

法兰西一七九一年的法律，几将遗嘱权利完全废止，这是采取遗嘱继承的根据，不在事物的自然性而在习惯的或社会的利益这一个观念的当然结果。如加巴在其关于继承的书中所说，弥拉波、罗伯斯庇尔及特隆舍特的演词，系受浦芬多夫原理的影响。初有博丹，后有马不利及卢梭，采纳亚里士多德的学说，主张国家应处分死者的所有，尽可能地使家庭保有之。平刻斯胡克如同法典编纂前的其他法学家一样，认为一个人死亡之后，其财产成为无主物，按诸自然法，任何人得取而有之。阿该索（Aguesseau）及卢加（Luca）主教主张遗嘱是现实法的产物。文尼俄及佛埃特，则赞成格老秀斯的学说。格拉维那以为遗嘱权利的根源是自然的。最后，来布尼兹为求得一原则以阐明其遗嘱继承的学说，乃借助于灵魂的不灭。在拿破仑法典成立前的论究中，俾哥·普累门那（Bigot – Preamenea）主张财产所有人的遗嘱是一个例外，因为法定继承是完全以推定遗嘱人的意旨为根据的。特赖尔哈特（Treilhard）以为遗嘱有一自然的渊源。波他利（Portalis）觉得遗嘱权与所有权，有不能分离的性质，认两种权利具有同样的性质。近代的哲学家及法学家，以法定继承为家产共有的效果者，也主张这样的观念。

　　近代的哲学家及法学家，有些反对个人所有权的原则而赞成家庭统制财产的原则，有些反对家庭统制财产的原则而赞成个人所有权的原则，欲专以其中之一作为继承权利的根据。所以，有些人以所有人明示的意旨，为继承权利的根据，而以所有人意旨的推定，为法定继承的根据，至于家产共有的观念，则置诸不论。反之，有些人如黑格尔、干斯、斯塔尔等，认法定继承是一种本原的正常的继承。遗嘱继承则是补充的效法的，因而剥夺了后者的一个强有力的根据。其实，真正的调和，是把这二种原则互相对照，这点吾们还要在后面详述，但在这里须先一说社会主义者的见解，他们是反对私有财产的，当然不赞成继承权。拉萨尔是近代以抨击继承权著名的，在他看来，继承权以二种古旧的观念为根据，一是死人意旨存续的荒谬的观念，一是罗马家产共有的贵族的观念。我们更可一说的近代集产主义者的见解，他们否认继承权，但以土地及劳动工具为限，至于动产的继承权，则为他们所承认，他们承认动产的私有。

四百九十四、法定继承以家产共有为根据

在确定继承的根据之前，须先注意二事。第一，继承的权利，是对于社会中的人而言的，并非对于假想的自然状态中或孤立人而言的；第二，遗嘱并非本质上与生命的最后一瞬相关联，它可在任何时候定立。这二事的说明，可使我们免陷于偏见，这种偏见，对于问题的错误解决，实有不少的影响。现在先讲法定继承，它的原理，是存于血统关系也就是存于家庭这个伦理的组织体，这组织体于财产的共有中表现。这是无可怀疑的。当家庭在某一处所确立之后，它的固定的性质，促使其组成分子从事于土地的耕种，嗣又造成财产私有的端绪，这种财产私有，成为适于保存并发展家庭这个集体的利器。家庭是多数人的交相贯通、情感、思想及意志的共同联合，家庭中的财产，当依家庭本身的性质及目的而有变动。但家产共有却始终不变。不论在什么时代，也不论在什么国家，婚姻及家属团体的组成分子，于其中之一死亡时，均为家产的转让，如果家产的任何一部分为外人所取得，他们将认此为损害他们的事。儿子是这团体中的参加分子，父亲死亡后，并不取得新权利，只是在财产的管理上取得较大的自由罢了。

如我们可在早期的罗马法上，见到这一个观念，这观念不但不是贵族的，而且适得其反。但在罗马人中，家产共有这个观念，是很严格的，故属于家庭的财产，不得割让，具有"固有与必然"的特质。按家产的不可割让，其渊源不但出自古代罗

马法，实也是一切古代法律的原则，古代的法律，都认集体为主体，而不认个人为主体。不过，真正的家产共有，不应作这样的解释，因为这是破坏个人的权利的，它也不应看作一种"不可分的共有"，在不可分的共有中，共有人得就其应有部分，享有与个人所有权相等的权利。家庭是一不相等的团体，其构成分子，有上下的分别。这种不相等，并不使共有关系成为不可能，只是使各分子享有不相等的财产权而已。家产共有，是一种特殊的共有，它的前提，如洛斯米尼所说，是相对财产权与绝对财产权二者间的重要分别。它的基础，一面建在完全的绝对的父的权利之上，父是家庭的主脑首长及代表，一面又建在相对的其他组成分子的权利之上，这些分子以父的死亡为条件，而享有其权利。

　　洛斯米尼曾谓，对于一种财产，一人有完全的权利，他人则只有相对的权利，前者可使用这财产，但以一定的合理的范围为限。如果共有财产，系由享有完全权利的一人与享有相对权利的一人，互相结合而构成，前者须为财产共有及团体的目的而使用之。属于绝对所有权人的权能，即属于家庭主脑的权能，是依照善良管理的标准，而决定何种为必要的或有益的家庭费用。相对财产权的性质，已如上述，而这种财产权，除其与完全所有权人的关系外，又没有其他的限制，因而相对财产权人，对于财产的使用管理，有超越其他一切人的权利；在完全所有权人死亡之后，这些财产就绝对归属于他了。洛斯米尼接着又说，相对财产权人由于这种权利而更有另一种权利，就是他自己所得财产的使用及消费，不完全操于完全财产权人之手，而得要求对之作某种的处置，俾在完全财产权人死亡之后，可分别提出而由他承受其全部权利。

　　基上所述，可见一般人欲以教育子女的必要、同意、仁爱及死者意旨的推定或占有等理由，以说明法定继承根据的见解及学说，即易攻破。如果继承的根据，只在教育子女的必要，它就失其固有的性质，成为简单的为教育目的而设定的扶助金了，而这种扶助金，达到了它的目的之后，也就没有继续存在的理由了。仅仅仁爱的情操，不成为一种权利。死者意旨的推定这一个观念，则否认了家庭的权利，是明示、默示或推定的个人任性原则的结果，并且假定了一种存在于前的遗嘱继承。至于占有的学说，则认人是离群索居的、浮浪不居的，对于将来无所顾虑的。但对于人作这样的看法，人的力量就不能在死亡后发生效力了。而且，这样的学说，足启争斗之端，因为各人均将参加掠夺以占有遗产，而尤恶劣者，在这酷烈的掠夺中，胜利每不属于死者的亲属。

四百九十五、遗嘱继承以财产所有权为根据

如果法定继承的直接基础，是建在血统关系及家产共有之上，则遗嘱继承的直接基础，是建在财产所有权之上。所有人除须履行其义务外，得自由处分其财产。遗嘱的权利，是与财产所有权不能分离的，它由此而得到它的理由及意义。它在人心中有其极深的根基，并适应人的本能冲动，各人都由于本能冲动，多少倾向于延长后嗣对他的纪念。一般说来，继承的权利，使被继承人的活动，与其所亲爱的继承人的活动，互相关联。它代表人类历史的连锁。要是没有继承，历史就无从进行，因为现在是过去的接续，又是将来的根源。继承是增殖资本、增加生产及财富的必不可少的条件，因为一个人如果不能确信他能以财产遗给他的家庭，能处分他的财产，他就失去了努力工作任劳耐苦的推动力了，这是显而易见的事。虽然自然法上并不承认遗嘱的处分财产，这种处分发生效力的时候，正是遗嘱人的意志因死亡而不复有何效力的时候，还有，一个人死亡之后，不会再感觉到痛苦或

损伤，但这些事实并不驳倒上述的理论。有些人以为这些事实，证明上述理论的不足采取，但他们仍主张法律应规定亵渎坟墓之诉及毁损名誉之诉，因为这种亵渎及毁损的行为，侮辱了死者的家庭的荣誉。但依我们看来，遗嘱人以遗嘱处分其财产的时候，他的意志尚有效力，因为这是一个活着的所有人的意志；而且个人依法定方式所为的意思表示，可独立存在并持续，而不凭赖于这意思表示所由来的人的生命。

遗嘱是一种独特的行为，异于契约或赠与。它不是一种契约，因为遗嘱人可随时把它撤回，而随时可以撤回的财产转让，决不能称为契约。它也不是一种附条件的契约，因为这条件将为随意的条件，有成就与否，将完全系于遗嘱人的意志了，换句话说，遗嘱人移转其财产，将以他愿意信守诺言为条件了。至于亵渎坟墓及毁损名誉之诉，是为了我们曾在前面说过的理由，这固然是显而易见的，但除了那些理由之外，还有一个目的，这就是要保护那个继往开来的人的物质及精神的不可侵性。坟墓是人类遗体的安息处所，是灵魂之家，是解体了的一个意志及一个人格的所在地，一个人的遗名及荣誉，构成他的生存的射影，构成他的精神的生命，存续于坟墓之外。对于这样的一个生命加以承认，不一定就把灵魂不灭的思想包括在内，作为法律上的原理。一个人精神的生命，存在于这人的声誉中；这种声誉，当然存续于他的后嗣的纪念及意识中，无须借助灵魂不灭之说。

灵魂不灭是来布尼兹及洛斯米尼二人，据以说明继承权利的。依照这二位哲学家的见解，灵魂之国不是一种幻想。他们以为，承认了灵魂的不灭，则丧失了肉体的灵魂，与别的人自必仍有某种的关系，使它有所维系，并得其所应得，使人尊重其最后意旨的愿望，得以满足，死者的享有权利，并非出于他们自身，而是经由爱护他们的人，及依于取得他们遗产的人。如果遗嘱的继承人，根据死者的愿望，而享受其遗产，这种享受，实际上就是行使死者灵魂的权利，因为这是它的最后的意旨的实行。如果不遵从它的意旨，那就否认了它的权利的行使，掠夺了它的财产了。但有些人认上述来布尼兹及洛斯米尼二人的学说，没有真正的价值，因为我们必须认识，法律关系、法律制度的渊源，应为理性而非宗教信仰。灵魂不灭之说，在哲理上是无从证实的，它虽可认为一种信仰上的事项，却不能当作一个实际事理的论据。

第二十二章　法定继承与遗嘱

四百九十六、法定继承以亲等为准

法定继承，以血统关系为依据，应依亲属关系的亲疏而规定。亲属是存于同族人间的关系。亲等依世数计算，一世为一亲等。关于亲属关系的亲疏，第一为直系卑亲属，其次为直系尊亲属，最后为旁系亲属；亲等较近的亲属，优先于亲等较远的亲属。这些是自然法上的原则，查士丁尼承认这些原则而规定尊亲属的继承，凡亲等较近的尊亲属，不论其属于父方或属于母方，应优先于亲等较远的尊亲属，至于遗产的来源，则非所问，只在亲等相同的直系尊亲属间，应将遗产分割，就是以半数归属于父方的尊亲属，而以其余半数归属于母方的尊亲属，至于二方的人数，则非所问。近代的立法，采行这《罗马新律》[1]的规定，确认了自然条理的准则。

四百九十七、法定继承的能力

一般说来，任何人都有继承权。在今日，外国人、僧侣及终身监禁的罪犯，也能继承，因为他们已不复认作丧失人格的了。外国人享有私权，这种私权归属他们，因为他们是人。僧侣如果是个公民，享有私权及政治权。终身监禁的罪犯，只能剥夺那些与他们的境遇不能相容的权利。他们不再享有政治权，也不享有

---

[1]　即《查士丁尼新律》。——勘校者注

亲权，也不能受指定为监护人。他们将受制于法律的禁止，而不能处理他们自己的财产，但没有理由可以否认他们的继承权。可是仍有几种人，没有继承能力，不过这些只是例外的情形而已。严格说来，无继承能力的人，对于任何继承都没有能力，绝不能基于继承而取得财产。有些人因犯罪而丧失能力，只对于他们实施犯罪行为所对向的人不能继承。在继承开始时尚未成胎的人，也不能继承，因为他们还没有存在。其已成胎的人，则可于出生时承受遗产，其理已见前述。杀害或意图杀害被继承人的人，因犯罪行为丧失继承能力，诬告被继承人犯不名誉罪的人，也是这样。此外还有妨碍被继承人作成遗嘱，或使之作成遗嘱，或隐匿变更遗嘱中任何规定的人也没有继承能力。严格意义的继承能力的欠缺，是独立存在而发生效力。由于犯罪的继承能力的欠缺，则以依法定罪为前提。

四百九十八、法定继承人的种类

法定继承人有四类：合法亲属、自然亲属、生存配偶及国家。第一类分为三顺序，直系卑亲属、直系尊亲属及旁系亲属。被继承人对于直系卑亲属的爱护心，最为深切，所以，他们应有继承权，是毫无疑义的。早期罗马法曾谓："我们以我们所有的，全部给与我们的子女"。所以，婚生的子女，应优先于其他一切继承人。其次是子女的直系卑亲属，依其与死者亲等的远近而定其继承顺序，血亲关系的性质应优胜于亲等。认证的私生子女及收养的子女，在各方面都类似婚生的子女，应列入后者之中。次于子女的，是直系尊亲属，因为"情爱的趋向，是先下而后上的"。父母对于子的遗产平均分配，因为子的爱父与爱母应属相等。如果父母先于子而死亡，子于遗产应归属于最近的直系尊亲属，不问其属于父方或母方。第三顺序为旁系亲属，他们中间有着密切的关系，使他们互相联系，组成家庭，营共同的生活，受相等的教养。如果是同父同母的全血缘的兄弟姊妹，他们可以均等继承。半血缘的兄弟姊妹，不能被摈于外，他们也得参与分配，因为他们对于死者，有着充分浓厚的爱情的关系，但他们取得的成数，应较少于关系更为密切的全血缘的兄弟姊妹。如果兄弟姊妹是死者的最近亲属，他们应优先于其他一切继承人。如果兄弟姊妹，死亡在前，他们的直系卑亲属应代位而为继承，如果这些直系卑亲属也没有，则由其次的最近亲属继承。但到了某一点，因为已失家庭联系及亲属关系的意识，旁系亲属的继承，不再递推下去。到了这一点，国家成为继承人，这是合理的，因为某一亲等以外的亲属关系，不复为人感觉了。

四百九十九、法定继承中的自然亲属

第二类的法定继承人，是自然亲属。非依于婚姻关系而生的子女，曾经自愿或由司法裁判认领者，得分受他们父母的遗产。他们的继承权，不受剥夺，这是理所当然的，因为他们与被继承人的关系，较诸旁系亲属，更为密切更为深厚。可是在另一方面，法律如欲卫护道德，维持真实合理的家庭，即不可使私生子女的地位，相等于婚生子女的地位。按私生子女的出世，在他们自己固然没有什么罪恶，但虽应给予他们以分受遗产的权利，却也不能因而把他们与婚生子女同等待遇。

五百、法定继承中的配偶

生存的夫或妻，即在自然法上，也列为第三类的继承人，因为在婚姻关系中，二人间有着深切完满的交感，这在前面曾经一再说过，这种交感实足成立充分的理由，使生存的配偶，分受死者的遗产。须知生存的配偶，不应由于继承人的横逆，而陷于贫困的危险；他的生存，不应因子女的好恶而受影响，他在遗产中应承受一份，不应少于子女所得。至于罗马法上的"quarta uxoria"，与这观念不相符合，因为这只是给予贫苦而未有妆奁的妻

的。这贫苦而未有妆奁的妻，为求取得这遗给的周济，必须挨受证实其自己穷困的耻辱。不过，继承权既赋予于生存的配偶，法律上既应有规定，使一家的财产，不因第二次结婚而归属他家。法律对于生存配偶的保护，应视其生有子女或仅有疏远亲属，而有所分别。

五百零一、国家是最后的继承人

第四类继承人是国家。没有任何亲属的死者，其遗产应认为无主物，故属于国家。遗产应归国家取得，这是理所当然的，因为某亲等以外的血亲，不再有伦理上的理由，可受继承法律的保护而承袭遗产。死者与国家有着比较密切的关系，国家不能算是一个不合理的受益者，它可以利用遗产，以作慈善事业，也许用他的名义。

五百零二、代位继承与递传继承

在法定继承的情形，如果原应继承的人，死亡在前，或欠缺继承能力，那末他们的直系卑亲属取得他们的地位及权利，这不是基于这些直系卑亲属自己的权利，而是基于代位的关系。基于自己的权利而为继承者，须在法律上享有直接的继承权。依据递传继承，[1] 原应继承的人，如未默示或明示承认继承亦未抛弃继承而死亡时，他的继承人即可承受遗产。代位继承是直接的，递传继承则是间接的，因在前者，遗产并没有归属于死亡或丧失继承能力的人，而在后者，则遗产须先归属于原应继承的人才承人承受。如果他们属于同一亲等，他们依人数而为继承，均等分受遗产；至代位继承人，则依系数而为继承。代位人取得，原应属于被代位人的部分，由他们分派，或按房分派，均以系数为准。代位继承是合于条理的，因为情谊是接续的，而尊亲属对于

---

〔1〕 现一般称之为"转继承"。——勘校者注

二亲等与二亲等以外的卑亲属的爱情，也是一样的深切，而且子女是家庭的构成分子，享有家庭的权利，其中之一是继承父母的遗产，而代位继承就是使他们承袭父母的地位。父的死亡，是子的不幸，如果剥夺他继承祖父或伯叔等遗产的利益，那就加深他的不幸了，这是不公道的。同样，丧失继承能力的效力，如果施于无辜的人，也是不应当的，所以，代位继承，是合于家庭及公道的原则的，不能把他看作只是现实法上的创例，因为它是出于血统关系的制度。

在直系卑亲属，代位继承无限递推，在旁系亲属，则以某亲等为限，在这里可以看出它的理由。死者的兄弟姊妹，可许他们的直系卑亲属代位继承，这是因为兄弟姊妹的子女，应认为兄弟姊妹所属家庭的构成分子。侄或甥，视伯叔或舅几如父一般，而伯叔或舅，对于侄或甥，也有一种类似父的爱。代位继承的理由，如此而已。这种理由，决不能存于直系尊亲属，因为爱是下降而不是上升的，水决不流向水源，直系尊亲属总是直系卑亲属的一家之长。依照公认的见解，直系尊亲属对于疏远的直系卑亲属，不能有直接的继承；但父对于祖父的遗产抛弃继承时，子成为最近的亲属，可依据自己的权利而承受祖父的遗产。

五百零三、遗嘱继承

讲到遗嘱继承，我们必须知道，除了法律所规定的某种人之外，不论什么人都有作成遗嘱的能力，或依据遗嘱而取得财产的能力。在这里如同在法定继承一样，适用同一的原则，因为继承是一种自然的权利。因未长成而无充分判断力的人，及心神不健全的人，没有作成遗嘱的能力，可不待言。如果遗嘱人对于他的合法继承人，有嫌恶的偏见，他的心神，可认为不健全，他的合法继承人，可提起废弃遗嘱之诉。在强暴、诈欺或胁迫的影响之下，也不能作成遗嘱。诈术有两种方式——不当诱惑及欺骗。不当诱惑是以获取遗嘱人的爱好为目的，而实行馈赠，佯示亲爱，殷勤侍奉，及巧言令色。欺骗与不正引诱不同，它是一种连续的行为，用意在使遗嘱人仓皇失措，使他激发一种性情，异于他的真性情，如以双关的问题，引起与遗嘱人理会相反的答复。尚未成胎的，及犯罪的人，没有继承能力。但依照遗嘱继承的法律，在遗嘱人死亡时生存的人的子女，虽在那时还没有成胎，也得承受遗产。这样的法律，并不违反理性的准则，因为它准许遗嘱人以利益给予放荡者的子女，而使继承关系不致久悬不决。有些人不能承受遗嘱人的遗产，如帐目未经认可前的遗嘱执行人、公证人、遗嘱见证人及书写秘密遗嘱其中所定遗赠未经遗嘱人手笔认可的人。还有些人，其能力的欠缺是部分的、相对的。他们只能取得一定成数的遗产而不能较多。例如，非婚生的子女，纵经认领，也不许予以超过法定成数的遗产。再娶的丈夫，遗给后妻的财产，不能多于前妻的子女。

五百零四、遗嘱的方式

遗嘱有普通与特别之分。普通遗嘱有二种：一是自书遗嘱，由遗嘱人自书全文，记明日期并签名；一是公证遗嘱。自书遗嘱，使遗嘱人不受任何外界的影响，使他有充分的自由，规定他的继承事项，没有公开的可虞。但它有某种缺点，因为它不受任何法律方式的拘束，本质上是一种私人的行为。立法者当然不应以许多严重的方式，妨碍财产处分人意志的自由表示，但立法者仍须坚决主张某种方式，以期遗嘱处分的确实及自由。在今日，伪造的技巧甚为发达，笔迹的真假难以证明。遗嘱如不以公共职官参与为必要，伪造的机会即多。所以，我们保存自书遗嘱，但加以备案或登记的义务。至于在传染瘟疫、出外航行、发生战争及寄居外乡的情形，通常有简略的遗嘱方式的必要。为求适合这种必要，乃有规定特别遗嘱的法律。

五百零五、遗嘱继承与法定继承的并存及特留分

在罗马法上"一人的死亡，不能有二种继承，一部分为遗嘱继承，一部分为法定继承"，这原则，是强有力的。它的理由有二，——其一是要避免"祖先祭祀权"的分割，另一是认死者的遗产为不可分割的集体。前一理由，已成为历史上的陈迹；后一理由，乃以一种与权利集体无关系的观念为根据，因为它并不分割而仍完整地存于多数的个人，即存于公同关系的继承人，他们接续死者的人格。所以，法定继承与遗嘱继承，可以并行不悖。而且它们并存，也是根本必要的，因为如果仅有法定遗嘱，则将抹杀个人的全部权利，如果仅有遗嘱继承，则将否认家庭的权利。人类千百年的智慧，找到了二种继承并存的调和方法，把死者的遗产，分为二部分，即可以处分的部分与特留分。

这制度，是合于条理的，因为它既不牺牲家庭的权利，也不牺牲个人的权利，而予这二种权利以同等的注意。特留分的根据，在于"血统关系"，在于家庭的权利，这是没有疑义的。它由法定继承人享受，但它的保存，同时又与公共利益有关，因为它着眼于财产的世代相传，实是维持家庭因而也是维持社会的强有力的方法。它不是渊源于供给生活必需资料的义务，因为它不能看作一种简单的抚养金，它也不是父母自然义务法律化的产物，因为这样的看法，将使它处于如同债权人权利一样的地位，而可由立法者任意处置了。特留分使家产共有的原则成立。它是遗产中的一部分，为法律所规定而不得侵害的。因为是遗产的一部分，所以特留分在被继承人生前，不能要求，也不能抛弃。它是继承开始时存在的财产，不论什么种类，是动产是不动产或是无体财产。它附有清偿债务的义务。特留分是法律所定的，它保护家庭的权利，因此，法定继承人，依遗嘱取得财产者，除遗赠外，并得伸张特留分上的权利，对于他的特留分上的权利，就是

遗嘱人本人也不得加以剥夺。继承权的剥夺这个制度（为查士丁尼前后的罗马法，及许多近代的民法所认许）足使遗嘱人任性妄为，而且继承权可因不配继承而丧失，所以这制度也是不必要的。不配继承的事由，不妨尽量增多，而使这制度完全废止。是故，对于被继承人为侮辱、虐待或侵害行为的人，必须认为不配继承。特留分以家庭的权利为根据，并由法律制定，它是不得侵害的，所以，它的产权及占有，应属于继承人，不能附以条件期限或负担。

五百零六、对于特留分的评论

特留分这个制度，未为普通法承认，它是法律学家及经济学家常常批评讨论的问题。例如，有人说，父没有以其财产的一部分，留与子女的义务，他只负给予他们以良好教育的责任；家产共有这个观念，是贵族的、封建的；近代社会的中心，是个人。这非难特留分的见解，不能有什么力量，因为它混淆了实体与方法。家产共有，是家人密切共处的本质的理想，它曾有各种不同的方式，因为家庭本身曾经过许多的变迁。财产及家庭，前曾一度具有封建的性质，但是，我们可以因此废止财产及家庭吗？所谓近代社会的中心是个人，这句话也不确实。如果承认这句话，那就是陷于个人主义，各人都当作一个抽象的个体，如同原子一样，而与他在家庭、社会团体及国家中的各种性质及地位，不相关联。有人说，子女可有他们自己的生活资料；可是这也不是剥夺他们权利的理由。我们更可说，子女也许下贱，不配享受特留分，但这样的说法，实在没有想到，如果他们的下贱是重大的，法律可排除他们的继承，如果是轻微的，则不予他们以特留分，就不应当了，因为做父亲的，常能以其财产中得以处分的部分来奖励或惩罚他们。要是他们中有人不能靠着自己的智慧及努力，以维持生活，这部分的财产，就可供作使子女境况平等之用。

有些人以酿成继承人懒惰为理由，非难特留分，但依据这种见解而推论下去，我们的结论，将谓为求增进个人的努力，我们应以课税方法，剥夺他们所有的财产，因为这样我们可使他们更努力了。这样的理论，实未深切注意到一个事实，就是这种特留分的财产，可作事业开始的基金，我们须知，最初积聚几个小钱，其事较难，其后获取千万资产，其事较易。最后，有人以分散遗产的理由，责难特留分。但如前所述，财产成为好东西，是因为它使许多人平等独立，适宜于维持生活，以资本施用于工业而使劳动可能。所以，财产是秩序的保证者；它增进爱国心，因为它使所有人依附于国土。如果分成极小的价值，财产的分散，才是坏事。有许多方法，可用来防止这种坏事。总之，特留分实有保持家庭，免为无思无虑的慷慨所破坏的功效，并有分派财物及资金的功效。对于贵族阶级人数的增多，它多少有些抑止的力量。一般说来，贵族阶级中的人，对于社会不能在量方面或质方面有任何重大的贡献，这也是特留分拥护者洛西这位经济学家所说过的，他的权威，足与无限制遗嘱权能的拥护者斯图亚特·穆勒两相对峙。

五百零七、特留分的范围

特留分属于婚生的子女及收养的子女，并属于他们的直系卑亲属，他们享受家庭的一切权利。收养行为，使养子相等于婚生子，但身份的关系，常使二者有所差异。孙子女及孙子女的直系卑亲属，得依代位的权利而享受特留分。如果遗嘱人没有子女，也没有其次的直系卑亲属，特留分属于直系尊亲属，他们以特留分数额为限而为其直系卑亲属的债权人。在这里是有真正自然法上互负义务的关系的。特留分并依正义的原则，而给予于妻及私生子。但这常常不当作遗产的一部分，因为所要给予利益的，是子女、直系尊亲属及一般合法的家属。实际上，法律有时也规定，属于妻的部分，可由继承人以财产的终身用益来代替，其属于私生子的部分，可用现金来给付。法律为妻及私生子规定一定的成数，取之于得依遗嘱处分的部分，俾免碍及直系卑亲属及直系尊亲属权利所在的法定继承的部分。旁系亲属，不能享受特留分，以免破坏私有财产的制度，而使家庭产权陷于崩溃。近代工商业的发达，及家庭范围的限制，消灭了中世纪制度的遗迹。旁系亲属的特留分，并非根据于法律哲学，因为兄弟姊妹是别的家庭的中心，也非根据于社会利益，社会利益并不需要以兄弟姊妹的享受特留分，来限制遗嘱的权能。如果遗嘱人欲以利益给予兄弟姊妹，他能极易做到。我们须知，在罗马法上，这些人本身原没有继承的权利。特留分的数量，要定得合理，必须对于亲属的亲等及种类，并对于家庭的经济状况，加以斟酌。

为使经济状况与正义原则互相调和，特留分必须不过少也不过多。如果过少，则特留分将不成为特留分，而成为生活必需的赡养费，将引起与无限制遗嘱权能同样的流弊。如果过多，则特留分将碍及个人处分财产的权利。家庭的权利与个人的权利，必须平衡。特留分与继承人数成绝对比例的制度，为法兰西革命时所采行，这制度剥夺遗嘱的权能；反之，查士丁尼及法兰西法典所采行的有限制比例的制度，则失于不公平，往往不生效力。它不能常达其目的，因为如果不欲破坏遗嘱的权能，这比例必须止于某一点，而止于某一点则足使五个子女的特留分与八个或十个子女的特留分，不相差异。而且，它还有一点不公平，因为它武断地限制个人处分财产的权利。我们须知，这样的一个制度，足使子女对于遗产的继承，陷于不确定。

此外，不问继承人人数多少，特留分数额一定不变的制度，为巴黎习惯、拿破仑法典及意大利法典所采行，这制度似乎可取，因为它对于二种矛盾的权利，予以同等的注意，并就经济的因素，作一般的考虑。照大多数情形说，继承遗产的直系卑亲属，人数较多于直系尊亲属，而直系卑亲属为继承人的事实也较多于直系尊亲属，故给予直系卑亲属的特留分，应较直系尊亲属为大。这制度的效果，在有许多子女的情形之下，法定继承的遗产数额，势必极少，这固然是无可讳言的。但生活复杂，经济需要千差万别，一一适合势所不能。法律只应就通常情形而为之斟酌。特留分既经规定，则生前赠与或遗嘱赠与，如果超过得以处分的部分，自应扣减。继承人所受的遗赠，应先依比例而扣减，其次为一般受遗赠人所受的遗赠；如果这还不够，则应取消赠与，以赠与时日在后者为先，渐次及于时日在前者。遗赠应先扣减，这是因为它们是单独行为，而非如赠与之为契约；最后的赠与应先扣减，因为这样往往已足填补特留分。遗嘱人常能预见这种扣减的可能性，而予某一遗赠或赠与以特惠。

五百零八、遗嘱继承不许代位

在这里有一问题，就是代位的权利，可否适用于遗嘱继承。我们对这问题加以切实的思考之后，觉得这权利不能一概适用，因为在遗嘱继承里，并没有代位权利所根据的理由，遗产的移转是间接的。受遗赠人每非遗嘱人的亲属，故血统关系、家庭正义、家庭生活的原则，不应援为根据。如果受遗赠人，是一个外人，遗嘱人的爱情，是施于这人而不及于这人的直系卑亲属。换句话说，受遗赠人的直系卑亲属，可依递传继承而取得动产或不动产，但不能依代位继承而享有之，因为权利须先移转于受遗赠人，才能由他们的直系卑亲属取得，他们的直系卑亲属不能像代位继承的情形那样，依法律规定而直接承受遗产。代位人是依于法律规定，当然承袭被代位人的地位及权利，而无经过遗产移转给他的必要。代位继承只行于法定继承，反之，遗嘱继承，直接以遗嘱人的意志为依归，财产除已移转占有者外，并不归属于受遗赠人。就一般论，它并不直接移转于受遗赠人的直系卑亲属，所以，他们的继承，是间接的，是递传的。

递传继承的效力，与代位继承的效力不同，因为法定继承人的直系卑亲属，以代位人的资格而取得遗产，并不排除共同继承人或补充继承人，也不妨碍增殖的权利。至于依递传继承而取得遗产的直系卑亲属，则排除共同继承人及补充继承人，并妨碍增殖的权利。但有时受遗赠人，同时也是遗嘱人的直系卑亲属、兄弟或姊妹。在这种情形之下，也可有代位继承的理由，如同法定继承一样，因为受遗赠人的直系卑亲属，对于遗嘱人，已处于在法定继承时可有代位权利的亲系或亲等的关系。如果受遗赠人先于遗嘱人而死亡，或丧失受遗赠权，他的直系卑亲属，得依类似法定继承中代位权利的权利，而承受遗产。这种权利，系看作一种默认的或法定的代表权，它不适用于普通一般受遗赠人的直系卑亲属，这是容易明了的，因为它的根据在于血统关系。狄奥多西的递传继承，与此不同，这种递传继承的制度，是狄奥多西二世及苏楞廷尼安的法律导入罗马法的。查士丁尼确认这狄奥多西的递传继承，但它与代位继承，大有分别，因为它假定受遗赠人须在遗嘱朗诵之前死亡，而不在遗嘱人死亡之前死亡。所以，它实是一种递传继承，而不是代位继承。意大利法典，参照上述的原则，规定受遗赠人先于遗嘱人而死亡，或丧失受遗赠能力者，除遗嘱人另为处分外，这受遗赠人的直系卑亲属，如果在法定继承时他们应丧失代位权利者，得承受遗产或接受遗赠，但这种遗赠，以租金及对人的权利为限。

五百零九、遗嘱的要件

关于遗产中得以处分的部分，还有许多应行注意之点。

第一，受遗赠人是遗嘱人得用任何方法来指定的，其惟一的要件，是受遗赠人必须是可能确定的。遗嘱人的各项处分，必须确实并出于他本人的意志。这就是说，必须不为第三人的意志所左右。

第二，涉及遗嘱的基本原则的错误，不能与涉及它的直接原因的错误，有同一效果。前者使遗嘱归于无效，因为遗嘱人如果明了事实，就不会再作那个处分，例如，他以为死亡的独子，实际却生存。至于后者，则没有使遗嘱无效的效果，因为推动的原因，是附从的而又是决定的原因；推动的原因虽已失其存在，处分财产的遗嘱，仍须遵从。因念某人子女众多而以遗赠给与其中之一，纵使在遗嘱人死亡时，子女人数已大减少，这遗赠仍属有效。

第三，我们必须注意，遗嘱人得以负担加于受遗赠人，他也得附以条件。遗赠的条件可有多种，一如契约的条件。罗马人认遗嘱中不道德、不可能及不合法的条件，应属无效，因为他们把这种条件，看作心神耗弱的结果，不应使未予同意的无辜的第三者受其损害。有些法典，仿行这罗马的原则，但这种原则不应采取，因为心神错乱当使遗嘱无效。如果遗嘱人明了他的行为的意义，他就不会不知道，上述的那种条件的履行，是违反自然及法律的，因此也就可以推断，他并没有愿把他的财产，给予受遗赠人的真诚意思。遗嘱的有效或无效，不以受遗赠人的贤、不肖为断，而以遗嘱人定立遗嘱时心神状态是否健全为断。阻止结婚的条件，应认为违反自由的原则，但守寡的条件则不然，因为如果妻再嫁而违背其亡夫愿望其保守的忠实义务，却仍许她享受其亡夫所慷慨施与的利益，那是不公允的。虽然妻可过其不贞节的生活，而仍不失其遗赠，但这是无可如何的，因为死者信任她的忠实。上述条件的承认，是与子女利益的关心相联系的。

第四，我们必须提及增殖补充的权利。某一受遗赠人不能取得其遗赠时，如果同一遗嘱的同一条款，曾指定共同受遗赠人，且未规定各人的分配数额，则该受遗赠人的应受部分，应归属于其他共同受遗赠人。这权利就是增殖的权利。我们必须推定，凡是这样指定的多数受遗赠人，是遗嘱人作为一个人看待的，所以其中有一人不能取得遗赠时，他的应受部分，就应归为其他受遗赠人的利益。如果遗嘱规定，各个受遗赠人应得的数额不相等，那就不能再作这种推定了，所有不能取得的部分，应归属于法定继承的遗产中。对于特留分以外的财产，遗嘱人得指定第二顺序的受遗赠人。所谓第二顺序受遗赠人，就是因第一顺序受遗赠人不能取得遗赠，而取得其遗赠的人。这就是补充的遗赠。补充遗赠，有直接与间接的分别。直接的补充遗赠，是替代人直接由死者取得遗赠。单纯的补充遗赠，就是属于这一种的遗赠，因为它的目的，是要使遗嘱人列为第二顺序受遗赠人以下的那些亲属，取得顺序在前的受遗赠人所未取的遗赠。如果补充人与被补充人，是共同受遗赠人，则这种单纯的补充遗赠，称为相互的补充遗赠。罗马法上的 pupillare，是直接补充遗赠的又一实例。所谓 pupillare，就是父恐子未成年而死亡，预为指定继承人，以补充子的地位。

在上述的二种直接补充遗赠中，以单纯的补充遗赠为合理，因为遗嘱人行使其处分权，并不使财产受其拘束。而在另一方面，遗嘱人有自己选定其继承人的权利，并能规定第一顺序受遗赠人不愿或不能取得遗赠时的补充办法。至于罗马的 pupillare 则不宜采取，因为它是家父权的效果，而家父权在今日已不复存在，它的意义，是对于财产作最后的处分时，父的意志代替了未成年子的意志。间接的及不确定的补充遗赠，是信托遗赠，受遗赠人须将遗产的一部或全部保存并交付于第三人。这种补充遗赠，已不复为近代国家所承认，因为它是去死不远的老年人无理任性的行为，且又妨碍遗赠财产的流通。我们切不可把这种补充遗赠，与信托遗产视同一事。所谓信托遗产，是被指定为继承人的人，依照秘密的约定，只是遗产的管理人或受寄人，将来须把遗产交付于受遗赠人。信托遗赠，公开地附以保存并交付遗赠的负担，并禁止遗赠的割让，但受遗赠人得为使用收益，至于信托遗产的受托人，则不能享有什么，并须把遗产连同孳息一并交付。信托遗产是现今各国所承认的制度，惟意大利的民法典，为避免种种困难起见，禁止信托关系的证明，但利用信托，以助不能继承的人者，不在此限。只在这种情形之下，许为受遗赠人实一受托人证明。指定受遗赠人，不许以某日为始期，或以某日为终期。如果以某一日期为始期而指定受遗赠人，法定继承人势须从承继人承受遗产，而负保存并交付遗赠的义务，如果以某一日期为终期而指定受遗赠人，法定继承人势须把遗赠收回而以之归属于遗产或其次的受遗赠人。

最后，我们还须述及几种关于特殊信托的遗产处分。信托就是遗嘱人特别规定，受托人须对第三人负一定义务的遗产处分。遗嘱人要规定这种信托关系，自须具备处分或遗嘱的能力。在受托人方面，也须具备接受遗赠的能力，因为遗赠是继承的一部分。不论对于哪一种受遗赠人，都可加以受托人的义务，这不仅在一般受遗赠人及收养或补充的继承人是这样，即在合法继承人也是这样。在这里我们必须注意，对于特留分是不能加以负担、条件或义务的，因为它是遗产中法律所特定须归属于家庭的部分。不论哪一种财产，凡是于受遗赠人有益的，均得为遗嘱处分的内容。现在已有的财物及将来可行的财物、不动产及动产、特定物及财产权、有体物及无体物，都可为信托的客体。

五百一十、遗赠的交付

各种继承有其共同的原则，涉及继承的成立、遗产的移转、接受、拒绝、分割及赠与的返还。继承的成立，始于遗嘱人或被继承人死亡的时候。对于活着的人是不能有什么继承的，因为活着的人自有其财产权，并得任意行使之。继承何时开始及遗产何时移转，因继承的成立而确定，故关于继承人有无继承能力的条件，也以这时为准。就德意志法律及法兰西、意大利二国法典的文义而言，遗产的移转，就是遗产让渡于继承人，同时赋以接受或拒绝的权能。从继承成立的时候起，他们对于财产及其占有，享有完全的权利。德意志及法兰西的古谚，所谓"死传于生"，就是这个意思。在这里我们必须注意，如果继承是不能拒绝的，如果曾行于罗马的必然继承人或正统继承人，在今日仍然存在，那末上述的格言，可谓确当。在罗马，必然继承人，即使心中不愿，也须继承，如奴隶式；正统继承人最初也是强制的继承人，如同死者的子及其他直系卑亲属一样，这是家父于死亡时决定的。但这二种继承人，在今日已不复存在，因为近代的法律，为尊重个人自由的原则，只承认自愿的继承人。不过，抛弃继承既须有意思表示，则遗产的取得也须有罗马人对于任意继承人或外来继承人所定的"继承的接受"，因为这样才合于论理。

近代关于遗产移转的观念，实属矛盾，因为遗产的取得无须有意思表示，同时却又承认接受或拒绝遗产的权能，这是不合致的；还有，它对于遗赠未经请求交付的情形，也不能调和。遗产的取得，是行使这种权能的效果，在论理上，自不能先于这种权能的行使而发生。罗马法上有三个原则：一是"适用于正统继承人"的"依法承受"；一是适用于"外来继承人"的"声明接受"；一是适用于"财物占有"的"请求承受"。这三个原则，构成今日欧洲现行的三种立法系的基础。第一原则，为法兰西、普鲁士及意大利的法律所采行，第二原则，为萨克森的法律所采行，第三原则，为奥地利法典所采行。

五百一十一、遗赠的接受

遗产的接受，或为单纯的接受，或为开具遗产清册的限定接受。在行动上自处于继承人的地位者，为明示的单纯接受，继承人为某种行为，而这行为只可解为表示接受的意思，且苟非继承人即无权为这行为者，或为默示的单纯接受，依照法律的规定，并基于其人的行为，应认其为继承人而不容提出反证者，则为推定的单纯接受；这种情形，于隐匿遗产时见之。单纯接受的效果是继承人的财产与死者的遗产混合，因而继承人对于死者的债权人，自负其责，至于开具遗产清册的限定接受，则必须明示，二种财产不相混合。继承人只以所得遗产为限，对死者的债权人负其责任。抛弃继承，也须明示，不能推定。又接受及抛弃，均得于被继承人生前行之，或于继承成立时行之。多数继承人共同享有遗产，足以产生许多不便及弊害，但他们可用协议或法定的方法把遗产分割。遗产的分割，是把各人在共有遗产中的应得份，分别划定或分别提拔。按各继承人的应得份，在数量上固属确定，而在实质上则非确定。遗产的分割就是这不确定的状态，归于消灭，并使各继承人就其所得部分，成为单独的所有人。

五百一十二、赠与的返还

二人以上直系卑亲属的共同继承人中，如果有人曾由被继承人，在其生前受有直接或间接的赠与，该继承人须把因这赠与所得的财产，为兄弟姊妹及其直系卑亲属的利益，而全部归入应继遗产，是为赠与的返还。它的理由，是推定被继承人的意思，不欲变更其直系卑亲属间待遇的平等。我们可以想像，被继承人的赠与，系附有抵消的限制，他有使受赠人将一切赠与，归还于继承财产的意思。注释学派的学者，谓"父对子不可加以不平等待遇，使一子取得婚生子的利益，而他子陷于私生子的地位"，观此可见，返还赠与这办法，只在谋直系卑亲属为共同继承人时的利益，只适用于共同直系尊亲属为被继承人时的继承。赠与的返还，有实在与拟制的分别。实在的赠与返还，是把应行返还的赠与物，归入继承财产；拟制的赠与返还，是从受赠人的应继份中扣除赠与物的价值。

五百一十三、继承的三因素

继承有三因素，必须辩明：一是个人；二是家庭；三是社会。财产所有权，以这三因素为出发点，法律对于这些继承的因素，应各予以相当的注意。法律必须承认个人的权利、家庭及社会的关系，这二种关系产生二种权利。它必须适应条理，并须适应时间、地域及文化的条件。

附　录

部分译名对照表

A

Abyssinia　阿比西尼亚

Achilles　阿基利

Adam　亚当

Aeschylus　伊士奇

Aguesseau　阿该索

Ahrens　阿楞斯

Alciati　阿尔查提

Alcidama　亚尔西达马

Alexander　亚历山大

Altmarck　亚尔特马克

Amari　阿马利

Amazons　亚马逊人

Anacharsis　安那卡西斯

Anaitis　阿奈提斯

Anaxagoras　亚拿萨哥拉

Andaman　安达曼

Andlo　安德罗

Andreani　安德累阿尼

Angola　昂哥拉

Anguilli　安圭利

Anselm　安瑟伦

Antonin　安托奈那

Anzaldo　安萨尔多

Aosta　阿俄斯塔

Apollo　阿坡罗

Apollonius　阿波罗尼阿斯

Aquinas, Thomas　托马斯·阿奎那

Arabs　阿拉伯人

Arawaks　阿拉瓦克人

Archelaos　亚琪雷厄

Huxley　赫胥黎

I

Iberians　伊比利亚人

Ihering　耶林

Ingram　英格兰姆

Ionics　爱奥尼亚人

Isis　埃西

J

Jacini　查细尼

Jacob　雅备

Jacoby　雅科俾

Jamblichus　哲姆布立赤斯

Jove　佐夫

Jupiter　朱彼忒

Justinian　查士丁尼

Jutland　庶特兰

K

Kant　康德

Kenayes　开奈

Kerbaker　克巴克

Keriahs　开利亚人

Kimbundas　庆奔多人

Kirumbas　刻伦巴斯人

Kocho　科赫人

Koran　可兰经

Krause　克劳西

Krishna　讫哩史那

Kurankos　库伦可斯人

L

Laban　拉班

Laband　拉班特

Labeo　拉皮奥

Lactantius　拉克坦喜阿斯

Ladrone Islands　拉德伦群岛

Lafitau　拉非托

Lamarck　拉马克

Lametrie　拉美脱理

Lampertico　兰姆潘特柯

Lampredi　拉姆普累提

Lange　耶格

Lassalle　拉萨尔

Lasson　拉松

Laveleye　拉夫雷

Lazzarus　拉撒路

Leibnitz　来布尼兹

Leist　来斯特

Lentulus, Lucius　琉喜阿斯·楞丢勒斯

Letourneau　雷图尔诺

Lewes　留埃斯

Lille　利尔

Limbus　林堡人

Liparus　利巴拉斯

Littré　利特累

Savonarola　萨佛那罗拉

Savoye – Rollin　萨伏衣罗兰

Saxon　萨克森

Say　塞

Scaevola, Cervidius　塞维笛斯·塞佛拉

Sch!?ffle　谢富勒

Schelling　谢林

Schleiermacher　什来厄马赫

Schliemann　舍利曼

Schlossmann　什勒斯曼

Schopenhauer　叔本华

Sciajola　沙约拉

Scialoia, Antonio　安托尼俄·沙罗雅

Scotists　斯科特派

Scotus, Duns　邓·司各脱斯

Selden　塞尔顿

Sella　塞拉

Semites　闪族

Seneca　辛尼加

Serafini　塞拉非尼

Serbia　塞尔维亚

Seydell　塞特尔

Shaftsbury　沙甫慈白利

Siam　进罗

Siberia　西伯利亚

Siculus, Diodorus　代俄多拉斯·西库勒斯

Sidney　锡德尼

Sive　湿婆

Slav　斯拉夫

Smith, Adam　亚当·斯密

Socrates　苏格拉底

Solomon　所罗门

Solon　梭伦

Sophocles　索福客伦

Sparta　斯巴达

Spaventa　斯巴文塔

Spedalieri　斯配达里利

Spinoza　斯宾挪莎

Spencer　斯宾塞

Stagirite　斯塔齐拉

Stahl　斯塔尔

St. Augustine　圣奥古斯丁

St. Casciano　圣加新诺

St. Jerome　圣哲罗姆

St. Pierre　圣彼尔

St. Thomas　圣托马斯

Staurninus　萨透尼纳斯

Stein　斯坦因

Steinthal　斯泰恩塔尔

Stoic　斯多葛

V

Valenti　发楞替

Valentinian　发楞廷尼安

Valentinus　伐伦泰纳

Vanni　樊尼

Varro　发禄

Vasuki　发苏基

Vattel　发泰尔

Vedas　吠陀经

Veggasi　味加西

Venegian　委内稷安

Vergil　味吉尔

Verri　未利

Vico　维科

Vida, Girolamo　吉洛拉摩·维达

Vigliani　维格利亚尼

Vinnio　文尼俄

Viollet　维俄雷

Virchow　维雨荷

Viti　费提

Vitruvius　维特鲁维阿

Vives　维未斯

Voconian　福考尼亚

Voet　佛埃特

Volcraff　福尔克拉夫

Voltaire　福耳特耳

Von Sybel　封·西培尔

W

Wagner　发格纳

Wallackia　窝雷基阿

Walter　窝尔忒

Windelband　温德尔朋德

Windscheid　温得舍特

Winkler　文克勒

Wolff　佛尔夫

Wundt　封特

X

Xenophon　色诺芬

Y

Yarika　雅西加

Yucatan　犹嘎旦

Z

Zacharia　萨卡赖亚

Zammarano　萨马拉诺

Zeno　芝诺

Zimmermann　齐麦曼

Zitelmann　稷退尔曼

中国近代法学译丛

（已出书目）

19.《公法与私法》〔日〕美浓部达吉　著
20.《国际私法》〔日〕山田三良　著
21.《国际法学界之七大家》〔日〕寺田四郎　著
22.《大陆近代法律思想小史》方孝岳　编
23.《英吉利法研究》〔日〕宫本英雄　著
24.《地方自治》〔日〕吉村源太郎　著
25.《中国土地制度的研究》〔日〕吉村源太郎著
26.《合伙股东责任之研究》〔日〕土肥武雄　著
27.《行政法学方法论之变迁》〔日〕铃木义男等　著
28.《民事证据论》（上、下册）〔日〕松冈义正著
29.《现代宪法新论》Hohn A. 豪古德　著
30.《选举制度论》〔日〕森口繁治　著
31.《比较法律哲学》〔意〕密拉格利亚　著

图书在版编目（CIP）数据

比较法律哲学／（意）密拉格利亚著；朱敏章等译. 一北京：中国政法大学出版社，2004.9

（中国近代法学译丛）

ISBN 978-7-5620-2640-2

Ⅰ.比… Ⅱ.①密…②朱… Ⅲ.法哲学-研究 Ⅳ.D90

中国版本图书馆CIP数据核字(2004)第100187号

书　　名	比较法律哲学	
出版发行	中国政法大学出版社(北京市海淀区西土城路25号)	
	北京100088信箱8034分箱　邮编100088　zf5620@263.net	
	http://www.cuplpress.com（网络实名：中国政法大学出版社）	
	(010) 58908285(总编室) 58908325(发行部) 58908334(邮购部)	
承　　印	固安华明印刷厂	
规　　格	880mm×1230mm　32开本　19.25印张　460千字	
版　　本	2005年1月第1版　2011年7月第2次印刷	
书　　号	ISBN 978-7-5620-2640-2/D·2600	
定　　价	44.00元